ES·iPS
세포
실험 프로토콜

中辻憲夫 Norio Nakatsuji [교토대학물질−세포통합시스템 거점]◆ **감수**

末盛博文 Hirofumi Suemori [교토대학 재생의과학 연구소]◆ **편집**

정영걸 ◆역자 **김신일** ◆감수

재생의료, 창약, 질환연구의 프로토콜과 임상응용의 필수지식

ES·iPS세포실험 프로토콜

첫째판 1쇄 인쇄 | 2020년 5월 20일
첫째판 1쇄 발행 | 2020년 5월 28일

대 표 저 자 　나카츠지 노리오(감수), 스에모리 히로후미(편집)
역　　　자　정영걸
감　　　수　김신일
발 행 인　장주연
출 판 기 획　조형석
편집디자인　인지혜
표지디자인　김재욱
발 행 처　군자출판사 (주)
　　　　　등록 제 4-139 호 (1991. 6. 24)
　　　　　본사 (10881) **파주출판단지** 경기도 파주시 회동길 338(서패동 474-1)
　　　　　전화 (031) 943-1888 팩스 (031) 955-9545
　　　　　홈페이지 | www.koonja.co.kr

「ES·iPS 細胞実験スタンダード」中辻憲夫／監, 末盛博文／編

* 파본은 교환하여 드립니다.
* 검인은 역자와의 합의하에 생략합니다.

ISBN　979-11-5955-568-8
정가　60,000원

서문

ES 세포나 iPS 세포 등 인간 만능 줄기세포주는 무제한 증식을 계속하는 능력과 여러 종류의 조직 세포로의 분화능을 겸비함으로써 유전 형질 등 균일한 특성을 가진 여러 종류의 인간 세포를 무진장 공급 가능하며, 의학 및 신약 개발에 대한 광범위한 응용이 기대되고 있다. 또한 배양을 통해서 질환 유전자 등 변경한 가공 세포주를 창출하고 광범위한 연구와 응용에 이용할 수 있다. 정상에 가까운 기능을 가진 각종 유용한 인간 세포를 균등한 품질에서 대규모로 생산하고 공급하는 것은 만능 줄기세포주의 존재에 의해 처음으로 가능하게 되었다. 그런 의미에서 만능 줄기세포는 자연이 준 인류에게 매우 귀중한 세포 자원이다.

현재 미국과 영국 등에서는 인간 ES 세포주를 이용한 임상 시험이 시작되어 망막 퇴행성 질환에 대한 유망한 결과가 보고되고 있다. 또한 세계의 제약기업 등이 만능 줄기세포의 신약 개발 응용에 나서고 있다. 그러나 앞으로 인간 ES 및 iPS 세포주가 의료 및 약물에 실용화되기 위해서는 현재 진행 중인 첫번째 임상 응용 사례의 성공 및 신약 개발에의 유용성 확인을 먼저한 후 지금까지 이상으로 실용화를 위한 기술 개발을 추진할 필요가 있다.

즉, 지금까지의 연구단계 기술에 덧붙여서 실용화를 목표로 한 획기적인 기술개발이 필요하며, 특히 다수의 환자에 대한 의료로 확립하기 위해서는 치료 효과의 달성뿐만 아니라, 안전성 및 높은 수준의 신뢰성 확보, 그리고 비용 절감이 요구된다. 이를 위해서는 세포주 수립과 게놈 변이 등의 품질 관리 세포주 유지 증식 및 대량 생산에서 요구되는 유용한 세포주로의 분화유도, 분화 세포의 품질 관리, 최적의 세포 이식 기술 등 단계마다 여러 종류의 다양한 기술 개발이 필요하다. 이 실험 의학 별책 "ES·iPS 세포 실험 프로토콜"이 여러 종류의 기술 개발의 기초가 되는 실험 표준을 모은 중요한 기술 자원으로 활용될 것으로 기대하고 있다.

＊이 책의 출판 직전에, 마우스 체세포를 만능 줄기세포로 초기화 할 수 있는 획기적인 방법 STAP 세포의 논문 발표가 있었다. 수립 방법은 다르지만 기존의 ES 및 iPS 세포주와 동일한 배양 및 분화 유도 방법을 적용하게 될 가능성이 높고, 이 책에서 모아진 기술 자원을 활용하는 분야가 더욱 확대될 것으로 기대된다.

2014년 1월

京都大学物質ー細胞統合システム拠点(교토대학물질−세포통합시스템 거점)

中辻憲夫 (나카츠지 노리오)

역자 서문

2004년 황우석 교수가 사람의 체세포를 복제한 배아 줄기세포 배양에 성공하였다고 "사이언스" 저널에 발표한지가 벌써 15년의 세월이 흘렀고, 그 동안 한국에서는 많은 일들이 있었다. 황우석 교수는 논문조작 사건으로 논문이 취소되었고, 연구과정조사를 진행하는 과정에서 연구용 난자 수급과정에서 불법시술과 난자채취가 문제되어서 생명윤리법 위반을 선고받고, 대한민국에서 줄기세포 연구는 암흑기에 들어가게 되었다. 이후로 정치계와 종교계에서 배아줄기세포에 대한 윤리적 문제가 강력하게 제기되면서 의료발전과 생명보호사이에서 첨예하게 대립되어 더욱 힘든 시간들을 보냈고, 결국 연구 윤리 및 생명윤리법 등이 강력하게 개편되어서 돌아왔다. 한편 국내에서 이렇게 다투고 있는 사이에, 미국 일본 유럽 등의 많은 과학자들은 집중적 연구와 투자를 진행하였고, 일본에서는 윤리적 문제를 피할 수 있는 체세포 역분화 기술을 성공적으로 진행하여 결국 iPS 세포를 만들었고 이에 대한 업적으로 2012년 야마나카 신야 교수는 노벨 생리학 의학상을 수상하게 되었다. 교토대학은 2010년 iPS 연구센터를 세우고 야마나카 교수를 센터장으로 하여 지금까지 연구를 진행해 오고 있다. 그리고, 작년 2018년 10월 파킨슨병 환자에게 iPS 세포에서 도파민 전구세포를 유도하여 임상시험을 시작하고 현재까지 진행해오고 있다.

이렇게 줄기세포연구가 매우 속도감있게 발전하고 있고, 그 중심, 특히 iPS 세포에 집중적으로 투자와 연구가 진행되고 있는 교토대학교 iPS 세포 연구센터 (CiRA)에서 연구할 기회를 가지게 되어서 너무 감사하게 생각하고 있다. 여기서 공부하고 연구하면서 정말 많은 지식과 경험을 쌓게 되면서 기쁘기도 했지만, 한편으로는 한국에서 줄기세포 연구가 매우 힘들게 돌아가고, 특히 iPS 세포에 대한 제대로된 책한권 없다는 사실에 너무 가슴이 아팠다. 하지만 운이 좋게도 여기서 좋은 사람들을 만났고, 또 같이 대화하면서 한국에 줄기세포 연구의 한 분야로 iPS 세포 연구가 활발해지면 좋겠다는 생각을 공유하게 되었다. 그리고, 그 첫단계로 소개할 만한 책을 선정해서 번역서를 출간해보자는 생각을 하게 되었고, 이렇게 결과물이 나오게 되어 기쁘게 생각한다. 하지만, 벌써 원서가 출간된지 5년 가까이 되었고, 그동안에도 여러가지 많은 발전과 변화가 있었다. 그럼에도 불구하고, 큰 기본은 바뀌지 않았고 과거를 알아야 현재도 이해하고 미래를 보는 시각도 넓어진다고 생각하며, 이 책은 아직도 충분히 번역될 만한 가치가 있다고 판단해서 번역을 진행하였다.

끝으로, 이 책이 나올 수 있도록 옆에서 지도 조언 및 감수를 해준 김신일 박사에게 감사를 드리고, 일본에서 공부할 수 있도록 받아준 가네코 신 교수님과 차병원 이주호 교수님, 고려대학교 의과대학 및 고대안산병원에 선후배 교수님들과 직장동료들, 그리고 늘 나를 응원해주는 사랑하는 부모님과 가족들에게 감사 인사를 올린다. 이 책이 줄기세포연구, 특히 iPS 세포 연구를 하고자는 연구자들에게 큰 도움이 되었으면 한다.

2019년 8월 교토에서

정 영 걸

저자 및 역자 약력

◆ 감수 약력

中辻憲夫(나카츠지 노리오)

1972년 교토 대학 이학부 졸업, 1977년 교토대 이학 박사. 미국 영국 등 해외에서 연구 활동 후 국립 소전학 연구소 교수와 쿄토 대학 재생 의과학 연구소 교수 등을 역임. 쥐, 원숭이, 인간 배아 줄기세포(ES세포) 등, 생식 세포나 신경 세포 발생 분화와 줄기세포 연구를 해왔다. 일본 국내 최초로 인간 ES세포주 수립에 성공할 때 분배 체제를 확립한 연구팀을 이끌었다. 2007년부터 문부 과학성의 세계 최상급 연구거점 중에 하나인 iCeMS 초대 본부장으로, 세포과학과 물질과학을 통합한 새로운 학제 영역의 창출을 추진하고, 국제적인 연구조직을 구축하는 등, 다채로운 경력을 살리고, ES 및 iPS세포를 이용한 재생의료 실용화에 필요한 기술 개발이나 신약 개발에 응용하는 연구를 계속하고 있다.

◆ 편집 약력

末盛博文(스에모리 히로후미)

1984년 교토 대학 이학부 졸업. 메이지 유업을 거쳐서 2000년부터 교토 대학 재생 의과학 연구소, 2002년 연구소 부속 줄기세포 의학연구센터 영장류 배아줄기세포 연구영역 조교수, 2012년 연구소 배아줄기세포 연구 분야 분야 주임 준교수(이학 박사). 마우스에 시작된 ES세포 연구의 여명기부터 꾸준히 ES세포 연구에 관여해왔다. iPS세포 작성 기술 개발로 ES 및 iPS세포의 임상 이용이 주목 받게 되었지만, 진정한 의미의 치료법 확립까지는 아직 과제가 많고 생각한다.

◆ 역자 약력

정영걸

고려대학교 의과대학 졸업. 동대학 석사, 박사학위 취득
가천대학교 의과대학 소화기내과 조교수
고려대학교 의과대학 소화기내과 부교수, 교수
교토대학교 Center for iPS Cell Research and Application (CiRA), 방문교수

◆ 번역감수 약력

김신일

울산대학교 면역제어연구센터, 면역학 및 생체의학 석사
University of Wisconsin, Madison, USA, 세포분자 병리학 박사
University of California – San Francisco, USA, 박사후 연구원
교토대학교 Center for iPS Cell Research and Application (CiRA), 박사후연구원, 조교수
(주) aceRNA Technologies, Japan벤처 연구소장

집필진 목록

◆ **감수**

나카츠지 노리오(中辻憲夫)　　　　교토대학물질-세포통합시스템 거점

◆ **편집**

스에모리 히로후미(末盛博文)　　　교토대학 재생의과학 연구소

◆ **집필진**

아오이 다카시(青井貴之)	고베대학 대학원 의학연구과 iPS세포 응용의학분야
아베 사토시(阿部智志)	돗토리대학 대학원 의학계연구과 생체기능의공학강좌
아라이 토시야(荒井俊也)	도쿄대학 대학원 의학계연구과 혈액종양내과
이쿠노 타케시(幾野 毅)	교토대학 iPS세포연구소 증식분화기능연구분야/교토대학 대학원 의학연구과 심장혈관외과학
이케가야 마코토(池谷 真)	교토대학 iPS세포연구소
이노우에 하루히사(井上治久)	교토대학 iPS세포연구소
우에다 토시오(上田利雄)	첨단의료진흥재단 재생의료실현거점 네트워크프로그램 개발지원실
에토오 히로유키(江藤浩之)	교토대학 iPS세포연구소 임상응용부문
오사와 미츠지로(大澤光次郎)	교토대학 iPS세포연구소 질환재현연구부문
오츠카 사토시(大塚 哲)	이화학연구소 발생재생과학 종합연구소센터 다기능줄기세포연구프로젝트
오오츠카 마사토(大塚正人)	토카이대학 의학부 기초의학계
오카다 요오헤이(岡田洋平)	게이오기주쿠대학 의학부 생리학교실
오카노 히데유키(岡野栄之)	게이오기주쿠대학 의학부 생리학교실
오키타 케이스케(沖田圭介)	교토대학 iPS세포연구소 초기발생학연구부문
오시무라 미츠오(押村光雄)	돗토리대학 대학원 의학계연구과 생체기능의공학강좌/돗토리대학 염색체공학연구센터
츠노다 시게루(角田 茂)	도쿄대학 대학원 농학생명과학연구과 수의학전공
카츠키 야스히로(香月康宏)	돗토리대학 대학원 의학계연구과 생체기능의공학강좌/돗토리대학 염색체공학연구센터
가와세 에히하치로(川瀨栄八郎)	교토대학 재생의과학연구소 배아줄기세포연구분야
카와모토 히로시(河本 宏)	교토대학 재생의과학연구소 재생면역학분야
키쿠치 테츠히로(菊地哲広)	교토대학 iPS세포연구소 임상응용연구부문
쿠로카와 미네오(黒川峰夫)	도쿄대학 대학원 의학계연구과 혈액종양내과학
코쿠부 치카라(國府 力)	오사카대학 대학원 의학계연구과 환경·생체기능학
콘도오 타카유키(近藤孝之)	교토대학 iPS세포연구소
사이토오 미치노리(斎藤通紀)	교토대학 대학원 의학연구과계 기능미세형태학분야
사쿠마 테츠시(佐久間哲史)	히로시마대학 대학원 이학연구과계 수리분자생명이학전공
사쿠라이 히데토시(櫻井英俊)	교토대학 iPS세포연구소 임상응용부문
사토오 요오지(佐藤陽治)	국립의약품식품위생연구소 유전자세포의약부/첨단의료진흥재단/나고야시립대학 대학원 약학연구과/오사카대학 대학원 약학연구과
쇼오지 에이미(庄子栄美)	교토대학 iPS세포연구소 임상응용부문/교토대학 재생의과학연구소 재생증식제어학분야
스에모리 히로후미(末盛博文)	교토대학 재생의과학연구소 배아줄기세포연구분야

스가 미카(菅 三佳)   의약기반연구소 난치병 · 질환자원연구부 인간줄기세포응용개발부
나오야 스즈키(鈴木直也)   교토대학 iPS세포연구소 질환재현연구부문
세키네 케에스케(関根圭輔)   요코하마시립대학 대학원 의학연구과 장기재생의학
타카하시 준(高橋 淳)   교토대학 iPS세포연구소 임상응용연구부문
타카하시 료오스케(高橋良輔)   교토대학 대학원 의학연구과 임상신경학
타카야마카즈오(高山和雄)   오사카대학 대학원 약학연구과 분자생물학분야/의약기반연구소 간세포분화유도
                                    프로젝트/오사카대학 대학원 약학연구과부속 창약센터 iPS간독성 · 대사유닛
타케타 준지(竹田潤二)   오사카대학 대학원 의학계연구과 환경 · 생체기능학
타케베 타카노리(武部貴則)   요코하마시립대학 대학원 의학연구과 장기재생의학
타니구치 히데키(谷口英樹)   요코하마시립대학 대학원 의학연구과 장기재생의학
토구치다 아츠야(戸口田淳也)   교토대학 재생의과학연구소/교토대학 iPS세포연구소
나카키 분유우(中木文雄)   교토대학 대학원 의학연구과 기능미세형태학분야
나카지마 히로유키(中島啓行)   첨단의료진흥재단 재생의료실현거점 네트워크프로그램 개발지원실/국립의약품
                                    식품위생연구소 유전자세포의학부
나카무라 소오(中村 壯)   교토대학 iPS세포연구소 임상응용부문
나카무라 유키오(中村幸夫)   이화학연구소 바이오리소스센터 세포재료개발실
니와 히토시(丹羽仁史)   이화학연구소 발생재생과학종합연구센터 다기능줄기세포연구프로젝트
하야시 카츠히코(林 克彦)   교토대학 대학원 의학연구과 기능미세형태학분야
히라이 마사코(平井雅子)   교토대학 재생의과학연구소 배아줄기세포연구분야
히로야마 타카시(寛山 隆)   이화학연구소 바이오리소스센터 세포재료개발실
후쿠다 케이이치(福田恵一)   게이오기주쿠대학 의학부 순환기내과
후지오카 츠요시(藤岡 剛)   이화학연구소 바이오리소스센터 세포재료개발실
후루에-쿠스다미호(古江-楠田美保)   의약기반연구소 난치병 · 질화자원소 인간줄기세포응용개발실/교토대학 재생과학
                                    연구소 배아줄기세포연구분야
홋타 아키츠(堀田秋津)   교토대학 iPS세포연구소 초기발생학연구부문/교토대학물질-세포통합시스템
                                    거점
호리에 쿄오지(堀江恭二)   나라현립의과대학 이학 2학년
마스이 신지(升井伸治)   교토대학 iPS세포연구소 초기발생학연구부문
마스다 타카코(増田喬子)   교토대학 재생의과학연구소 재생면역학분야
마츠나가 타이치(松永太一)   교토대학 iPS세포연구소 증식분화기능연구부문
마츠모토 요시히사(松本佳久)   교토대학 iPS세포연구소
마츠야마 아키후미(松山晃文)   첨단의료진흥재단 재생의료실현거점 네트워크프로그램 개발지원실
미즈구치 히로유키(水口裕之)   오사카대학 대학원 약학연구과 분자생물학분야/의약기반연구소 간세포분화유도
                                    프로젝트/오사카대학 대학원 약학연구과부속 창약센터 iPS간독성 · 대사유닛/
                                    오사카대학 임상의공학 융합연구교육센터
미야자키 다카미치(宮崎隆道)   교토대학 재생의과학연구소 배아줄기세포연구분야
야시로 요시미(八代嘉美)   교토대학 iPS세포연구소 우에히로윤리연구부문
야스다 사토시(安田 智)   국립의약품식품위생연구소 유전자세포의약부
야마시타 준(山下 潤)   교토대학 iPS세포연구소 증식분화기능연구부문
야마모토 타쿠(山本 卓)   히로시마대학 대학원 이학연구과계 수리분자생명이학전공
유아사 신스케(湯浅慎介)   게이오기주쿠대학 의학부 순환기내과
리 홍매이(李 紅梅)   교토대학 iPS세포연구소 초기발생학연구부문

ES/iPS 세포 실험 프로토콜

목차

I 기본편

Ⅳ 환자 모델세포 및 유전자 변형

Ⅴ 신약 스크리닝

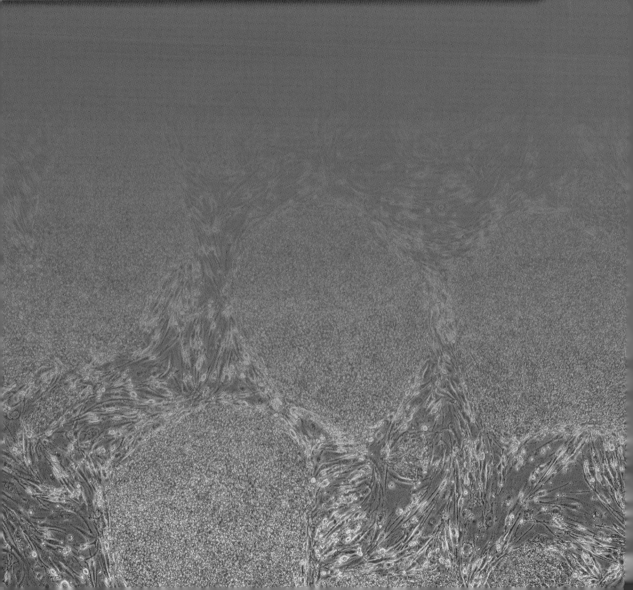

I 기본편

1 ES 세포와 iPS 세포가 만드는 과거와 미래

야시로 요시미(八代嘉美)

ES 세포와 iPS 세포는 여러가지 다양한 세포로 분화되는 만능성을 가지고, 자기 자신과 동일한 상태 그대로 분화가 가능한 자기복제가 가능한 만능줄기세포이다. 이러한 능력은 발생학 연구부터 질환연구까지 광범위하게 이용이 가능하고, 한편으로는 재생의료라고 불리는 새로운 의료개념을 세우는데 일조하고 있다. ES 세포가 확립된지 30년가량 되었지만 아직도 미지의 부분이 많은 실정이다. 만능줄기세포연구는 ES 및 iPS 세포를 수레의 양바퀴 삼아서 미지의 세계로 더욱더 열심히 앞으로 나아가고 있다.

서론

ES 세포(Embryonic Stem Cell : 배아 줄기세포)와 iPS 세포(Induced Pluripotent Stem Cell : 유도 만능 줄기세포)는 다양한 종류의 세포로 분화하는 다능성과 자신과 같은 성질을 유지하면서 분열할 수 있는 자기 복제 능력을 가진 세포로 정의된다. 마우스 teratoma 유래 세포인 EC (Embryonal Carcinoma : 배아 암 세포) 세포의 수립을 시작으로, 만능 줄기세포 연구는 비약적인 발전을 이루어왔다 1981년에는 마우스, 1998년에는 인간 ES 세포가 수립되었고, 그리고 오늘 우리는 마우스와 인간의 iPS 세포를 가지고 있다. 당초 EC 세포 연구는 초기 배아 발생의 모방이라는 발생 생물학적 관심에서 주목받은 것이었지만, 점차 만능 줄기세포(Pluripotent Stem Cells : PSCs)의 연구가 발전되어가면서, 예를 들면 ES 세포를 이용한 유전자 변형 마우스의 육성처럼 연구 도구로서의 역할 뿐만 아니라 고령화 사회의 도래 등으로 크게 주목되는 재생 의료의 핵심적인 존재로서 현재의 생명 과학 없어서는 안될 존재가 되었다(그림 1). 이번 장에서는 PSCs 연구의 역사와 ES 및 iPS 세포의 현황을 정리하면서, 이러한 연구의 미래를 전망한다.

만능 줄기세포의 연구 역사

줄기세포라는 말을 처음 사용한 것은, 발생학자 에른스트 헤켈 박사가 1868년에 생물의 '가계도(Stammbäum)'의 정점에 있는 단세포 생물(Stammzell)을 명명한 것에서 시작되었다. 그 후, 테오도어 보베리(Theodor Boveri)와 발렌틴 해커(Valentin Häcker) 등이 회충이나 물벼룩의 발생 과정의 관찰에서 성체에서 생식 세포를 계속 공급하는 존재를 발견하고 오늘의 용법과 가까운 형태로 재정의를 하게 되었다[1].

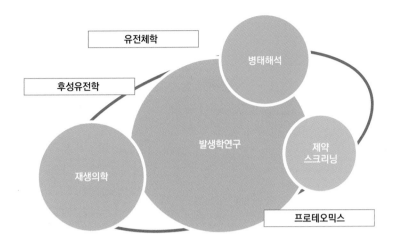

그림 1 PSC (Pluripotent Stem Cells, 만능줄기세포) 연구의 개념도
발생학 연구를 기본으로 시작하여, 재생 의료 및 병태 분석, 약제 스크리닝 등 다양한 연구가 생겨나서
그것들이 한층 더 서로 연결이 되어진다. 후성 유전학 및 유전체학 등의 오믹스 연구가 더욱 긍정적인
나선구조를 형성하여 간다.

이처럼 줄기세포는 발생학적 연구와 밀접한 관계를 가지고 있어왔고, EC 세포 역시 그러한 가운데에서 태어난 세포이다. 테라토마(teratoma)라는 단어는 '괴물'이라는 라틴어 teras와 종양을 의미하는 접미사 oma로 이루어진 단어이지만, 그 종양의 내용물은 이른바 삼배엽의 조직을 모두 형성하는 것이며, 가장 단적인 예로는 종양의 내용물 중에 치아와 모발이 발견되는 경우도 있다. 1970년에 브렌다 카한(Brenda Kahan)과 보리스 에프루시(Boris Ephrussi)가 마우스 teratoma에서 세포주를 수립하고 분화능을 확인하였고[2], 베아트리체 민츠(Beatrice Mintz)와 칼 일멘제(Karl Illmensee)가 세포를 마우스의 배반포에 주입하여 조직 내에 모자이크에 포함된 **키메라 마우스**를 만들어 내는 것을 보여주었다[3]. 키메라 마우스의 중요한 점은 EC 세포 유래의 생식세포를 갖고, EC 세포 유래의 유전자를 후손에게 물려줄 수 있다는 점이다. 이에 따라 EC 세포가 전체 계보의 세포로 분화 할 수 있는 것으로 입증된 키메라 제작 기술은 나중에 마우스 ES 세포의 수립에 따라 유전자 변형 동물을 만드는데 기여한 마틴 에반스(Martin Evans)의 노벨상으로 이어진다. 여하튼, 현재에서 또한 이러한 기술은 PSCs 연구의 기반이라고 할 것이며, 현재 PSCs 연구 융성의 원천은 이때 이미 준비된 것이라고 할 수 있을 것이다.

ES 세포와 iPS 세포

EC 세포 연구 흐름의 결과, 1981년 마틴 에반스(Martin Evans)가 수립한 것이 ES 세포이다[4]. EC 세포가 종양 유래 세포인 반면, ES 세포는 수정하고 며칠(마우스라면 3일째, 인간

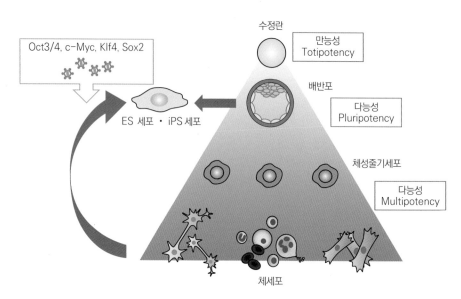

그림2 각종 세포의 서열

수정란을 정점으로 세포가 가진 분화능은 감소해 간다. 지금까지 이 방향을 거슬러 올라갈 수 있는 것은 미수정란으로의 핵 이식만 생각했지만, 야마나카 팩터가 역방향으로 거슬러 올라가게하는 것을 가능하게 했다.

이면 5일째)의 정상적인 배반포로부터 추출 된 것이기 때문에, <u>EC 세포 같은 성질</u>을 가지는 한편, EC 세포 유래의 차세대 마우스가 높은 빈도로 teratoma가 발병하였는데 비해 ES 세포에서는 이런 일도 생기지 않았다. 또한 1998년에 이르러 제이미 톰슨(James Thomson) 등이 인간 ES 세포의 수립에 성공하면서[5] 단순한 발생학 연구도구로서 뿐만 아니라 그 분화능과 왕성한 분열능을 활용한 퇴행성 질환 등의 치료 자원, 즉 **재생 의료**로 연결될 수 있다는 것이 널리 알려지게 되었다(그림 2).

하지만, 인간 ES 세포를 재생의료로 사용하기 위해서는 크게 두가지 장벽이 있었다. 하나는 **초기 배아에서 세포를 추출함에 따른 윤리 문제**, 다른 하나는 새롭게 만든 ES 세포는 이식을 받는 환자에게는 타인의 세포이기 때문에 **거부반응에 의해 이식세포가 잘 생착되지 않고 이식이 잘 되지 않을 가능성**이다. 이러한 문제는 **핵이식 복제**(Somatic-cell Nuclear Transfer : SCNT)를 이용하여 ES 세포을 만드는 방법도 생각할 수 있지만, 체세포의 재프로그래밍하는 방법으로 이 문제에 도전한 것이 야마나카 신야 등 이었다.

야마나카와 동료들은 데이터베이스에 등록된 유전자 프로파일을 사용하여 ES 세포 및 각종 체세포간에 *in silicon* <u>differential display</u>를 시행하였다. 또한 ES 세포와 초기 발생에서 미분화성에 관련된 연구들을 종합분석하여, 결국 Oct3/4, c-Myc, Klf4, Sox2라는 4개의 유전자(Yamanaka factor, 야마나카 팩터)를 체세포에 통합하여 ES 세포형태의 세포, 즉 iPS

EC 세포 같은 성질 : 다분화능력, 반영구적인 자기 복제기능, 키메라 제작 가능.
Differential display : 여러가지 시료간의 유전자발현의 차이를 mRNA 수준에서 시행하는 기술이다. 이 기술을 이용하여 발현량에 차이가 있는 유전자를 식별하는데, 비교하는 세포사이의 특징차이에 관여하는 유전자를 검출할 수 있다.

세포로 재프로그래밍을 하였다고 보고했다. 마우스에서의 성공이 2006년 이었지만[6], 이미 2007년에는 인간에서의 성공이 보고되어[7] 인간 ES 세포가 안고있는 두 가지 문제점을 극복한 인간 iPS 세포가 일약 PSCs 연구의 중심으로 나오게 되었다.

조직, 장기, 기관 발생 연구자원으로서의 PSCs

인간의 경우 각 조직 및 기관의 초기 발생 기전을 분자 수준에서 상세하게 분석하는 것은 곤란하지만, PSCs는 그 유래와 특징에 의해서 인간 신체의 발달 과정의 일부를 모방 할 수 있는 성질을 가진다. 이러한 성질은 초기 배아와 비슷한 구조를 가진 **배아형태모형(Embryoid Body : EB)**를 형성시킴으로써 이끌어 낼 수 있다. PSCs를 LIF를 제외한 배지에서 부유 배양하면 입체 구조를 형성하고, 태아 체내 배엽과 원시 외배엽으로 분화해 나간다(부유 배양법). 이러한 방법에 의해 공간적 제어 및 유전자 네트워크를 규명함으로써 얻어진 연구 결과는 많다. 또한 부유 배양법을 심화시킨 사사이 요시키(笹井芳樹) 등의 **무혈청응집 부유배양법**은 뇌하수체와 안구 등 입체적인 구조를 가지는 조직의 일부를 재현하는 것에 성공하고 있다[8][9]. 한편 다니구치 히데키(谷口英樹) 등은 iPS 세포에서 간 원기(liver Primordium)를 유도하는데 성공하였다. 이것은 iPS 세포로부터 유도한 내배엽 세포와 HUVEC, 간엽 세포 등을 함께 배양하고, matrigel을 첨가함으로써 입체적인 원기를 형성시킨 것으로, 마우스 체내의 혈관계와 연결 성공하였다(Ⅲ-11 참조)[10]. 이와 같이, PSCs는 앞으로도 마이크로 디바이스와 다양한 바이오 물질과 결합하여, 기관 발생에 관한 다양한 지식을 창출해 나갈 것으로 생각된다.

또한 *in vitro* 접근법 외에는 나카우치 히로미쯔(中内 啓光) 등에 의한 마우스 쥐(mouse−rat)라고 이종간 키메라의 제작 및 **배반포 보완법**을 이용한 장기 형성의 성공[11]이 미래에는 대형 동물의 배반포를 기반으로한 사람 및 이종 동물 키메라의 창출이 기대되고 있다. 이 방법에 대해서는 이식 자원이라고 말할 수 있는것이 맞겠지만, 개체 발생에서 기관이 어떻게 형성되어 가는지를 관찰하는 도구로도 매우 유용하게 될 것이다.

재생 의료 자원으로서의 PSCs

앞 장에서 PSCs는 발생 모델로 유력하다고 말했다. 생각을 조금 바꾸면 질환에 의해 손실된 조직이나 세포를 *in vitro*에서 재현할 수 있는 것이므로, 이러한 연구는 재생 의료와 밀접하게 연관되어 있다. 일본에서는 인간 ES 세포 연구에 대해 엄격한 윤리 심사가 진행되고 있어서 ES 세포를 이용한 임상 연구도 오랫동안 인정하지 않았다. 그러한 일본의 상황을 타개 하는 것이 iPS 세포 수립의 큰 목적이기도 하지만 서양에서는 2010년부터 ES 세포를 이용한 임상 연구가 이루어지고 있다. 잘 알려진 예는 아급성기의 척수 손상에 대해 ES 세포 유래 신경전구세포를 이식하는 것, 황반변성 질환 및 스타가르트 병(Stargardt disease)에 ES 세포 유래 망막을 이식하는 것 등이 있다.

한편, 일본에서는 iPS 세포 연구의 장점을 살려 다카하시 마사요(高橋政代) 등이 iPS 세포를 이용한 삼출형 황반변성증에 대한 임상 연구를 시작하려고 하고 있다. 이것은 세계에서 처음으로 인간에게 하는 시도(First in Human Clinical : FIH)이며, 혁신적인 치료 기술의 도입에 매우 소극적이었던 일본에서는 극히 드문 사례이다. 또한 에토 코지(江藤浩之) 등의 혈소판 생산, 오카노 히데유키(岡野栄之) 등의 척수 손상 치료(신경 전구 세포), 타카하시 준(高橋淳) 등의 파킨슨 치료(도파민 생산 신경 세포) 등 iPS 세포 유래 세포를 유도하여 이식하는 방법이 연구되고 있다(III-3, III-8, III-10 참조). 이들은 아직 "세포 수준"의 이식에 의해 잃어버린 생체 기능을 보완하자는 접근 방식이며, 신장 등의 형태가 의미를 갖는 장기에 관해서는 적용하기 어려운면이 있다. 이러한 경우 *in vitro*에서의 입체적인 장기 구축이 완성 될 때까지 나카우치 등의 이종 동물에 의한 장기 형성은 큰 의미를 갖는 것이다.

병리생태분석의 자원으로서 PSCs

재생 의료와 같은 접근만으로는 치료할 수 없는 질병도 많지만, 이러한 질환에 대해서도 PSCs는 매우 유력한 연구 도구이다. 예를 들어 노인이 발병하는 신경 퇴행성 질환의 경우 청년기에는 정상적인 세포가 시간이 지남에 변성한 결과가 나타나기 때문에 진찰시에는 이미 많은 정상 세포가 손실된 상태가 되고, 그 과정을 관찰하는 것이 어렵다. 또한, 뇌 등의 부위는 외부에서 접근하는 것이 매우 어려웠다. 그러나 환자에서 iPS 세포를 수립하고 병변의 세포로 분화시켜 **접근하기 힘들었던 세포를 *in vitro*에서 관찰 할 수 있으며, 이 병변이 어떻게 진전될 것인지를 경시적으로 추적할 수 있다.**

예를 들어, 이노우에 하루히사(井上治久)와 이와타 슈헤이(岩田修永)는 가족성 알츠하이머질환[familial (juvenile) Alzheimer's disease]의 원인 유전자인 아밀로이드 전구체 단백질(amyloid precursor protein, APP) 유전자 변이(APP-E693△변이)를 가진 환자와 자연발병(sporadic or age-onset) 알츠하이머 질환 환자에서 iPS 세포를 제작하고, 대뇌의 신경 세포로 분화유도하고 분석을 실시했다. 그 결과 지금까지 가족성 알츠하이머 질환에서 확인되었던 아밀로이드 β의 축적을 재현할 수 있으며, 아밀로이드 β가 세포 내에 축적함으로써 소포체 스트레스와 산화 스트레스를 유발하여 세포사가 쉽게 발생하는 것을, 또 자연발병 알츠하이머 질환에서도 유사한 메커니즘을 가진 환자가 존재하고 이러한 환자의 세포에서는 DHA의한 처리에서 산화 스트레스가 감소될 수 있음을 보여주었다[12].

이 밖에 오카노 히데유키(岡野栄之)와 핫토리 노부타카(服部信孝)의 연구그룹은 가족성 파킨슨 병의 원인 유전자인 PARK2 변이를 가진 환자에서 iPS 세포를 수립하고, 그동안 PARK2 변이형의 파킨슨 병 환자에서는 거의 보고되지 않았던 α-Synuclein의 축적을 찾는 등의 성과를 거두고 있다[13]. 이와 같이, PSCs 의한 병태생리 분석은 게놈 정보만으로 이해할 수 있는 변이뿐만 아니라, 단백질의 변화 등에서 일어나는 돌연변이도 해석이 가능하기 때문에 앞으로 출생 후 매우 조기에 iPS 세포를 수립 및 게놈 정보와 결합된 분석을 시행하여 예방적 투약을 진행하는 선제의료의 확립도 기대된다.

또한 사이토 미치노리(斎藤通紀) 등은 마우스 PSCs에서 원시 생식 세포로 유도하는 유전자를 동정하고 마우스의 체내에서 배우자 자식으로 성숙시키는 데 성공하고 있다(III-13 참조)[14]. 인간에 대한 응용은 생명 윤리에 위배된다는 목소리도 있지만, 불임 메커니즘의 이해는 향후 매우 중요한 접근임을 믿어 의심치 않는다.

약제 스크리닝 도구로서 PSCs

질병의 치료라는 측면에서 약의 부작용을 아는 것도 중요한 점이다. 지금까지 부작용 스크리닝에는 확립된 다양한 세포주와 ES 세포 유래의 세포 등이 이용되고 있다. 단지 인간 세포주로 사용되는 것들 중에 많이 이용되는 암 세포 유래의 것은 정상적인 세포와 비교해서 특징이 다른 경우가 많고, ES 세포 유래 세포는 항상 사용가능한 것은 아니며, 빈번이 되는 세포주는 해외 유래의 것이 많고, 일본인 유래 세포주는 매우 적다. 또한 일본에서 ES 세포를 대량으로 수립하는 것은 곤란할 뿐만 아니라 인종 차이에 따른 반응성의 차이가 생기는 등의 제약이 있었다. 어떤 항생제는 다른 약물과 병용한 경우나, 특정 유전적 배경을 가진 사람들에 투여한 경우 등에는 QT가 증가하는 등의 심각한 심장 질환을 일으키는 것으로 알려져 있고, 심지어 죽는 사례가 보고되고 있다. 후쿠다 케이치(福田惠一) 등은 실제로 인간의 iPS 세포에서 분화시킨 심근을 약리학 시험에 사용한 것을 보고하고 있으며[15], 다양한 유전적 배경을 가진 사람에서 iPS 세포를 수립하고 스크리닝 검사에 사용함으로써 이러한 부작용을 방지 할 수 있을 것으로 기대된다.

결론

이번 장에서는 PSCs에 대한 연구의 흐름을 정리하였다. ES세포가 탄생한 지 불과 30여 년 사이에 인공적으로 만능 줄기세포를 유도할 수 있는 시대에 이르고 있다. 다만 일본에서는 iPS 세포 연구가 급성장하면서 진행되고 있지만, 외국에서는 ES 세포 연구도 매우 활발히 진행되고 있다. 예를 들어 미국의 그룹은 핵을 제거하지 않은 난자를 이용하여 SCNT를 실시하여 3 배체의 ES 세포를 수립하고 있다[16]. 이 방법은 재생 의료 자원으로는 적합하지 않지만, 질환 연구를 위한 자원은 될 수 있는 것이다. 또한 최근 들어, SCNT에 의한 ES 세포(2 배체)를 만드는데에 성공했다는 보고도 이루어지고[17], SCNT-ES 세포와 iPS 세포 사이에서 후성유전학 측면에서 비교할 수 있는 시대도 올 것으로 생각된다. 앞으로도 ES 세포와 iPS 세포가 서로를 보완하고 서로 PSCs 연구의 쌍끌이가 되어서 생명 과학을 이끌어 갈 것으로 기대된다.

◆ 문헌

1) Ramalho-Santos, M. & Willenbring, H. : Cell Stem cell, 1: 35-38, 2007
2) Kahan, B. W. & Ephrussi, B. : J. Natl. Cancer Inst., 44: 1015-1036, 1970
3) Mintz, B. & Illmensee, K. : Proc. Natl. Acad. Sci. USA, 72: 3585-3589, 1975
4) Evans, M. J. & Kaufman, M. H. : Nature, 292: 154-156, 1981
5) Thomson, J. A. et al. : Science, 282: 1145-1147, 1998
6) Takahashi, K. & Yamanaka, S. : Cell, 126 : 663-676, 2006
7) Takahashi, K. et al. : Cell, 131: 861-872, 2007
8) Suga, H. et al. : Nature, 480: 57-62, 2011
9) Eiraku, M. et al. : Nature, 472: 51-56, 2011
10) Takebe, T. et al. : Nature, 499: 481-484, 2013
11) Kobayashi, T. et al. : Cell, 142: 787-799, 2010
12) Kondo, T. et al. : Cell Stem Cell, 12: 487-496, 2013
13) Imaizumi, Y. et al. : Mol. Brain, 5: 35, 2012
14) Nakaki, F. et al. : Nature, 501: 222-226, 2013
15) Tanaka, T. et al. : Biochem. Biophys. Res. Commun., 385: 497-502, 2009
16) Noggle, S. et al. : Nature, 478: 70-75, 2011
17) Tachibana, M. et al. : Cell, 153: 1228-1238, 2013

2 인간 ES 및 iPS 세포를 "만들고", "사용할 때" 알아야 할 것들

아오이 다카시(青井貴之)

인간 ES 및 iPS 세포는 의학 및 생물학의 발전에 크게 공헌할 수 있는 반면, 생명 윤리 등의 측면에서 몇 가지 문제점들이 있다. 인간 ES 세포를 "만들고", "사용할 때"에 있어서는 "인간 ES 세포의 수립 및 분배에 관한 지침", "인간 ES 세포의 사용에 관한 지침"을 준수해야 한다. 인간 iPS 세포를 "만들고", "사용함"에 있어서는 인간 ES 세포의 경우 같은 지침은 존재하지 않지만 몇 가지 알아야 하거나 혹은 준수해야 할 지침이 존재한다. 관련 규정을 제대로 이해하고 이를 준수하면서 인간 ES 및 iPS 세포를 이용하는 연구를 전개하는 것이 중요하다.

서론

인간 ES 및 iPS 세포는 무한한 증식 능력과 다양한 종류의 세포로 분화 할 수 있는 만능 능력을 갖는 세포주이다. 이러한 특징적인 능력 때문에, 병태 연구와 신약 개발, 그리고 재생 의료에의 응용이 크게 기대되고 있지만, 동시에 이러한 세포주의 특성 때문에 생기는 우려도 존재한다.

이번 장에서는 인간 ES 및 iPS 세포를 이용하는 연구를 시작함에 있어서, 주로 규제 측면에서 반드시 알아두어야 할 사항 및 대응해야 할 사항에 대해 정리한다.

인간 ES 및 iPS 세포를 이용할 때 주의해야 할 사항에 대한 개요와 이번 장에서 취급하는 범위

인간 ES 및 iPS 세포를 이용에 있어서 주의를 기울이고 지켜져야 하는 것으로는 일반적으로 ① **기증자**(안전, 의사 결정권과 개인 정보 보호), ② **재생의료의 수혜자**(안전과 의사 결정권), ③ **생명의 존엄**(배아와 생식 세포의 취급 등), ④ **생물 다양성** 등이 있다. 이번 장에서는 인간 ES 세포, 인간 iPS 세포 각각에 대해 "만드는 것" 그리고 "사용하는 것"에 따른 필요한 사항에 대해서 설명하도록 하고, 임상으로 이행되는 부분에 대해서는 Ⅰ-5에서 설명하겠다(그림 1).

	인간 ES 세포		인간 iPS 세포	
	제작	사용	제작	사용
공여자	결정권 개인정보보호		안전 결정권 개인정보보호	결정권 개인정보보호
수혜자 (재생의료)	(I-5)	(I-5)	(I-5)	(I-5)
생명의 존엄	배아사용	개체생성 배아로의 도입 생식세포		생식세포
생물다양성			유전자조합생물	

그림 1 　인간 ES 및 iPS 세포를 이용할 때 주의해야 할 사항 중 이번 장에서 다루는 범위(□안에 표시하였다)

인간 ES 세포 제작

인간 ES 세포를 수립함에 있어서는 「인간 ES 세포의 수립 및 분배에 관한 지침」(문부 과학성 고시 제156호)의 제1장~제3장을 참조하고 이에 따라야한다. 현재까지 이 지침에 따라 일본 내에서 인간 ES 세포의 수립이 이루어진 것은 교토대학 재생의과학 연구소의 5세포주와 국립 성육 의료센터 연구소의 7세포주 만이다. 또한 해외에서 동 지침과 동등한 기준에 따라 수립된 것이라고 인정받고있는 미국 2기관, 싱가포르와 스웨덴 각 1기관에서 수립된 총 31세포주이다.

다음, 지침의 목차에 따라서 그 요점을 설명하겠다.

제 1 장 : 총칙

여기에서는 다양한 단어의 정의가 이루어지고있다. 「배아」「인간 배아」「인간 수정 배아」「사람 복제 배아」「인간 ES 세포」「분화」「수립」 등의 기본적인 용어의 정의가 여기에 제시되어 있다. 또한「사람 복제 배아를 만들고, 한 사람 복제 배아를 이용하여 인간 ES 세포를 수립 할 것」을 제2종 수립이라고 한다. 이를 제외하고「인간 수정 배아를 이용하여 인간 ES 세포를 수립하는 것」을 제1종 수립라고 부른다. 지금까지 일본 국내에 수립된 것은 제1종 수립 뿐이다.

또한「인간 배아와 인간 ES 세포를 취급하는 자는 인간 배아가 사람의 생명의 맹아임을,

또한 인간 ES 세포가 인간 배아를 멸실하고 수립 된 것임과 모든 세포로 분화하는 가능성이 있음을 고려하여 인간의 존엄을 침해하는 일이 없도록 정직하고 신중하게 인간 배아와 인간 ES 세포의 취급을 실시하는 것으로 한다.는 것이 명기되어 있으며, ES 세포의 수립를 위한 인간 배아는 무료로 제공되는 것으로 한다고 규정되어 있다.

제 2 장 : 인간 ES 세포의 수립 등

여기에서는 「수립 요구 사항 등」으로, 인간 ES 세포 수립의 요구 사항 수립을 위해 사용되는 배아 요건 수립 기관의 배아 취급 요구사항이 나와있다. 이어 「수립 등의 제도」로 수립 기관의 기준과 업무 수립 기관의 장과 수립 책임자 및 윤리위원회에 대해 규정하고 있다. 또한 「수립 절차」로 수립 책임자가 작성한 수립 계획을 수립 기관의 장이 윤리위원회의 의견을 듣고 문부 과학 대신의 확인을 받아야 한다고 하고 있다.

제 3 장 : 인간 ES 세포의 수립에 필요한 인간 수정 배아 등의 제공

수립에 필요한 인간 수정 배아(제1종 수립)와 미 수정란(제2종 수립) 등의 제공에 대해 제공 기관의 기준과 윤리 심사위원회의 구성 요건 외에 통보 절차 및 설명 내용 및 확인, 제공자의 개인 정보 보호 등에 대해서 설명하고 있다.

인간 ES 세포의 사용

인간 ES 세포를 사용하는 것은 「인간 ES 세포의 사용에 관한 지침」(문부 과학성 고시 제87호)을 참조하고 이에 따라야 한다. 지금까지 70개 이상의 사용 계획이 문부 과학 장관에게 접수되고있다. 다음은, 동 지침의 목차에 따라서 같은 형태로 요점을 언급하도록 하였다.

제 1 장 : 총칙

인간 ES 세포는 의학 및 생물학의 발전에 크게 공헌할 수 있는 반면, 생명 윤리 문제를 가진다고 하고있다. 위의 수립 및 분배 지침과 마찬가지로 용어의 정의에 이어 "인간 ES 세포에 대한 배려"로서 "인간 ES 세포를 취급하는 자는 인간 ES 세포는 사람의 생명의 기원인 배아를 멸실해 수립된 것과 모든 세포로 분화할 수 있음을 고려하여 성실하고 신중하게 인간 ES 세포의 취급을 할 것" 이라고 하고 있다.

제 2 장 : 사용의 요건 등

사용의 요건으로서, 그 사용 목적에 대해 설명하고 있다. 또한 "해서는 안되는 행위"로서 인간 ES 세포에서 개체 생성 및 인간 배아에 대한 인간 ES 세포의 도입, 인간 태아에 인간

ES 세포의 도입, 인간 ES 세포에서 생식 세포로 분화할 경우에 해당 생식 세포를 이용해 인간 배아를 제작 하는 것 등의 4가지를 금지 하고 있다. 사용 기관은 인간 ES 세포의 분배나 양도를 하는 것도 금지되고 있지만(분배 기관이 이를 행한다.) "사용 기관에서 유전자의 도입 혹은 기타 방법으로 가공된 인간 ES 세포를 해당 기관이 분배 또는 양도하는 경우에 대해서는 그러하지 아니하다" 라고 하고있다. 즉, 인간 ES 세포를 분화시켜 얻은 분화 세포에 대해서는 사용 기관이 분배 또는 양도할 수 있다.

제 3 장 : 사용의 체제

사용 기관의 기준 등 사용 기관의 장의 업무, 사용 책임자 및 윤리 심사위원회에 관한 사항을 규정하고 있다. 예를 들어, 윤리위원회의 구성으로 의학 생물학뿐만 아니라 법률, 생명 윤리 및 일반인의 사람을 넣는 것이나, 남녀 각 2명 이상 포함하며, 기관 외의 자가 포함할 것 등이 기록되어있다.

제 4 장 : 사용의 절차

수립 책임자가 작성한 수립계획서를 수립 기관의 장이 윤리위원회의 의견을 듣고 승인하고, 문부 과학 대신에게 신고하여야 한다고 되어있다. 또한 진행 또는 종료에 대한 보고에 대해 정해져 있다.

제 5 장 : 분화 세포의 취급 등

첫째, 인간 ES 세포에서 생성된 분화 세포를 양도 할 때는, 양도 전에 먼저 인간 ES 세포에서 유래한 것임을 알리고 진행한다.

다음으로, 인간 ES 세포에서 생식 세포 분화에 대해 규정하고 있다. 생식 세포는 기초 연구에 이용하지만, 이에 따라 인간 배아를 만들어서는 안된다. 사용 기관이 만든 생식 세포를 다른 기관에 양도하는 것은 가능하지만, 양수인이 또 다른 기관에 양도할 수 없다는 것을 계약 등에 의해 확보해 두어야한다.

인간 iPS 세포 제작

인간 iPS 세포의 수립에 관하여는 인간 ES 세포처럼 자세한 지침은 존재하지 않고, 더 많은 기관에서 비교적 쉽게 수립이 이루어지는 상황이다. 그러나 다음에 설명하는 사항에 충분히 주의해야한다.

1. 공여자로부터 채취한 조직 세포를 이용하는 경우

1) 헬싱키 선언

정상인 또는 어떤 질환을 가진 기증자로부터 채취한 세포나 조직 등을 이용하여 연구가 수행되는 경우는 많을 것이다. 이 경우, 헬싱키 선언을 준수할 필요가 있다. 이것은 세계 의사회에서 채택된 선언으로, 인간을 대상으로하는 의학 연구의 윤리적 원칙을 나타낸 것이다. 많은 지침 등이 헬싱키 선언의 생각을 기반으로 두고있다. 꼭 전문을 읽어 볼 것을 권한다.

> ### 헬싱키 선언
> http://dl.med.or.jp/dl-med/wma/helsinki2008j.pdf

헬싱키 선언의 대상은 인간 세포와 조직을 이용한 연구에 그치지 않고 인간 유래 시료 및 데이터의 연구를 포함. 연구 피험자의 복지가 다른 모든 이익보다 우선하는 것이 근본 원칙이다. 이를 위해 피험자의 자기 결정권, 개인 정보 보호 및 개인 정보 비밀 유지를 실시해야 한다고 규정하고 있다. 적절한 인지동의서(informed consent)가 이를 보증하는 것으로, 인체 유래 시료의 수집, 분석, 저장/재사용에 대한 설명과 동의가 이루어져야 한다. 연구 계획 및 작업 내용은 연구 계획서에 명시되어야 윤리위원회를 설치하여 연구 내용에 대해 심의를 하고 승인을 얻은 후 연구를 실시해야 한다고 명시하고 있다.

2) 인간 게놈 유전자 분석 연구에 관한 윤리 지침

공여자로부터 체세포 줄기세포를 채취한 경우나, 채취한 체세포에서 iPS 세포를 만든 경우 유전자 분석이 이루어지는 경우가 많다. 이 때, "인간 게놈 유전자 분석연구에 관한 윤리 지침"을 준수해야한다. 또한 이 지침의 상위에는 "개인정보보호에 관한 법률"이 있다.

> ### 인간게놈유전자해석연구에 관한 윤리지침
> http://www.lifescience.mext.go.jp/files/pdf/n1115_01.pdf

> ### 개인정보의 보호에 관한 법률
> http://www.caa.go.jp/seikatsu/kojin/houritsu/houritsu.pdf

이 지침에서는 익명화가 원칙이라고 규정하고 있다. 익명화는 대응표를 남겨 연결가능한 익명화와 대응표를 파기하여 연결이나 복구가 불가능한 익명화, 이렇게 두 가지가 있는 것에 유의하지 않으면 안된다. 개인정보 관리자를 두고 지침에 따라 익명화 및 개인 정보 관리가 이루어져야 한다. 2013년 지침 개정 이전에 익명화시에는 대응표를 파기하는 것을 원칙으로하고 있었지만, 개정 후의 지침에서는 코호트 연구에서 장기적인 관찰을 가능하게 하기 위해 대응표는 엄중 관리한 뒤, 시료 등의 제공처에 추가 정보 등을 제공할 수 있도록 바뀌었다.

또한 윤리위원회의 구성 멤버에 대한 요구 사항도 제시되고 있다(처음 본 지침의 대상이 되는 연구를 시작하는 기관에서는 요구 사항을 충족 위원회의 소집에 어려움을 겪는 경우도 있으므로, 조속히 대응을 시작해야 한다).

유전 정보의 공개에 대해서도 본 지침에 제시되어 있다. 정상으로 생각되는 기증자의 유전자 분석을 실시한 결과, 심각한 질환에 관여하는 유전자 이상이 우연히 발견될 가능성도 생각할 수 있지만, 이러한 경우의 대응 방법 등도 제시하고 있다.

또한 제공된 귀중한 시료와 거기에서 얻은 데이터 등을 보다 효율적으로 널리 활용되기 위해서는 뱅크화하는 것도 중요해서, 본 지침에서는 뱅크에 정보를 제공 및 동의에 관해서도 언급하고 있다.

2. iPS 세포 수립을 위해 유전자 도입에 사용하는 플라스미드를 대장균에 의해 증폭하는 경우 혹은 바이러스 벡터를 가진 유전자 도입하여 iPS 세포를 수립하는 경우

바이러스 벡터를 이용하는 경우와 대장균을 숙주로 플라스미드(바이러스 혹은 비바이러스)를 증폭하는 경우에는 "유전자 재조합 생물 등의 사용 등의 규제에 의한 생물 다양성의 확보에 관한 법률인 "카르타헤나 법(Cartagena Act)"이 적용된다.

카르타헤나 법(Cartagena ACT) 설명서
http://www.lifescience.mext.go.jp/bioethics/carta-expla.html

이것을 읽기 전에 유의해야 할 것은 이 법의 목적은 생물의 다양성을 확보하는데 있다는 점이다. 종종 이 연구를 수행하는 사람의 안전을 보장하기위한 법률이라는 오해를 받는 것 같지만, 그러한 인식하에 카르타헤나 법을 읽으면 이해하기 어려운 점이 있다.

이 법은 연구 목적으로 유전자 재조합 생물 등은 "제2종 사용"으로 정의되어있다. 그래서 "연구 개발 등에 관한 유전자 재조합 생물 등의 제2종 사용에 해당하여 이에 따른 확산 방지 조치 등을 정하는 명령" 과 "연구 개발 단계에서 유전자 조작 생물 등의 제2종 사용 등의 안내"를 참조하여 적절한 확산 방지 조치를 취한 후 실험을 실시하여야 한다.

연구 개발 등에 관련된 유전자 재조합 생물 등의 제2종 사용 등에 있어서
확산 방지 조치 등을 정하는 명령
http://www.lifescience.mext.go.jp/bioethics/data/anzen/syourei_02.pdf

연구 개발 단계에서 유전자 조작 생물 등의 제2종 사용 등의 안내
http://www.lifescience.mext.go.jp/files/pdf/n815_01.pdf

예를 들어, 레트로 바이러스 또는 렌티 바이러스 벡터(증식능력 결손주)를 이용하여 iPS 세포를 유도하는 경우에는 P2 수준의 확산 방지 조치를 실시한다. 이러한 명령 및 가이드에 는 그 당시 시설 등에 대해서 충족할 사항이나 실험의 실시에 있어서는 준수해야 할 사항이 구체적으로 기재되어 있으므로, 이 모든 것을 따라야한다. 본 규제는 벌칙 규정을 수반하므 로 유의해야 한다.

인간 iPS 세포 사용

인간 iPS 세포의 경우에는 인간 ES 세포처럼 사용 전반에 걸리는 지침은 없지만, 아래에 서 설명하는 사항에 유의해야 한다.

1. 인간 iPS 세포에서 생식 세포로의 분화 유도를 하는 경우

생식 세포로의 분화 유도에 관해서 ES 세포에서 사용 지침에서 정해져 있지만, iPS 세포 에서는 다음의 관련 지침이 정해져 있다.

인간 iPS 세포 또는 인간 조직 줄기세포의 생식 세포의 생성을 할 연구에 관한 지침
http://www.lifescience.mext.go.jp/files/pdf /n1146_03.pdf

인간 iPS 세포 또는 인간 조직 줄기세포의 생식 세포 생성의 연구 계획 실시 안내
http://www.ilfescience.mext.go.jp/files/pdf/n851_01.pdf

위의 지침에서는 생식 세포는 "인간의 발생, 분화 및 재생 기능의 해명", "새로운 진단법, 예방법이나 치료법의 개발 또는 의약품 등의 개발"에 이바지하는 기초 연구에 이용되는 것 으로 하며, 연구 기관의 규칙 제정 및 윤리 심사위원회 구성의 요건, 장관에게 신고 등의 절 차, 만들어진 생식 세포에서 인간 배아를 생성시키지 않을 것 등이 정해져 있다.

2. 기타 유의 사항

iPS 세포의 사용에 관해서는 위에 언급된 생식 세포 이외의 공적 지침 등으로 정해져 있 는 것은 아니지만, iPS 세포에는 반드시 그 원인이 되는 체세포 제공자가 존재하고, 이 공급 자 의사를 존중하고 권리를 지켜주는 것이 필요하다. 구체적으로는, 인지동의서(informed consent)의 내용과 일치하는 행위만을 행하는 것이다. 특히, 수립된 iPS 세포를 다른 기관에 분배 혹은 양도하거나 뱅크 등에 기탁되어서 불특정 다수의 사용자에게 제공되는 경우 또는

영리기관에 의해 어떠한 상업적 이익에 연결되는 용도로 사용되는 경우 등에 대한 주의가 필요하다.

결론

인간 ES 혹은 iPS 세포는 의학에 크게 기여할 가능성이 있지만, 이러한 과학은 사회에서 적절히 자리매김해야만 진정으로 도움이 된다고 할 수 있을 것이다. 이를 위한 구체적인 방안을 체계화 한 것이 각종 규제이다. 관련 규정을 제대로 이해하고 이를 준수하면서 연구를 전개하는 것이 중요하다.

I 기본편 〈기초 연구에 있어서〉

3 세포의 입수 방법과 이용법

나카무라 유키오(中村幸夫)

ES 혹은 iPS 세포를 이용한 연구를 실행하기 위해 우선 ES 혹은 iPS 세포를 얻을 필요가 있다. 구하는 방법으로는 스스로 수립하거나 다른 연구자가 수립한 세포주를 구하거나 하는 방법이 있는데, 여기에서는 후자의 다른 연구자가 수립한 세포주를 구하는 방법에 대해 설명하겠다. 또한 세포주가 한번 입수된 후에는 그 세포를 어떻게 취급해도 실험 재현성을 갖는 재료로 사용할 수 있는 것은 아니다. 입수된 세포의 특성을 유지하기 위한 노력이 필요하다. 그래서 세포의 특성 유지에 관한 방법에 대해서도 설명하도록 하겠다.

서론

세포 재료를 이용한 연구는 생명 과학 연구의 모든 분야에서 매우 기본적인 연구이며, 또한 필수불가결한 연구가 되고 있다. 그렇지만, 세포를 입수하여 이용할 경우에 전반적인 체제의 표준화(배양 세포를 이용한 연구의 표준화)는 아직 발전 중에 있다고 해도 과언이 아니다. 특히 ES 및 iPS 세포처럼 세포 특성의 유지에 특별한 주의를 기울여야만 하는 세포에 대해, 세포를 입수하여 이용할 때 전반적인 체제의 표준화가 매우 중요하다. 처음에는 배양 세포를 이용한 연구의 표준화에서 세포 은행의 역할에 대해 설명하고 그 후에 각종 ES 및 iPS 세포를 얻는 방법을 소개한다.

세포 은행의 역할

1. 배경

일단 세포 은행과 같은 기관이 제대로 정비되지 않았던 시대에는 세포주 수립자가 다른 불특정 다수의 연구자에게 자신이 수립한 세포주를 직접 제공했다. 또한, 이러한 세포의 제삼자로의 제공도 제한없이 반복되고 HeLa 세포(1951년에 세계 최초로 수립된 자궁경부암 세포주)와 같은 범용 세포주는 전세계의 많은 연구실에서 유지되고 계속 이용되어 왔다. 그것은 연구의 발전에 일정한 기여를 하였지만, 다른 한편으로 표준화가 실시되지 않은 세포 재료가 전세계에 만연하는 사태가 발생했다.

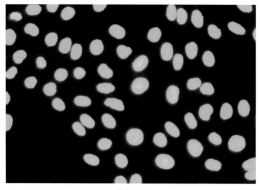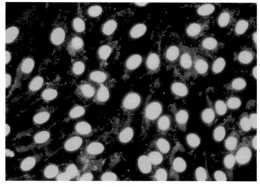

| 음성세포 | 양성세포 |

그림1   마이코플라즈마 오염 검사

검사 세포를 배양한 배양상층액을 Vero 세포의 배양계에 첨가하고, 1주일 정도 배양 한 후 DNA 검사제로 Vero 세포를 염색한 사진. 음성 세포는 세포핵만 염색되어 있다. 하지만 양성 세포는 세포 핵이 아닌 세포질도 염색되어 있으며, 세포질에 미생물 유래의 DNA가 존재함을 보여주고 있다. 그리고 그 대부분은 마이코플라즈마 감염이다.

2. 세포의 표준화

세포의 표준화는 실험 재현성이 보장되는 세포를 정비하는 것이다. 가장 초보적인 사례로는 미생물 오염이 있다. 미생물 오염을 일으킨 세포는 원래 세포 특성에서 벗어나서 실험 재현성을 가지지 않는 것은 분명하다. 세균이나 곰팡이의 오염에 관해서는 오염된 시점에서 실험을 계속하는 것이 불가능하므로, 이러한 실험 결과를 논문 등으로 발표할 수 없기 때문에 그다지 심각한 문제는 아니다. 한편, 마이코플라즈마 오염은 매우 심각한 문제이다. 왜냐하면, 마이코 플라즈마에 감염된 세포의 대부분은 사멸하지 않고 증식을 계속하기 때문이다. 마이코플라즈마에 감염되고 나서 오히려 증식 능력이 높아진 세포도 있다는 것이다. 사실 이화학 연구소 바이오 자원 센터 세포 재료 개발실(이하, 이화학 연구소 세포 은행)에서 **기탁** 받은 세포의 30% 가까이가 마이코플라즈마에 오염된 보고도 있다(그림 1).

또한, 다른 세포주에 HeLa 세포가 **교차 오염(cross contamination)**의 결과로 생기는 오인 세포의 존재도 오래전부터 지적되고 있었다. 그러나 이런 오인 세포를 확인하는 것은 높은 처리량이어서 비교적 저렴한 비용으로 검출할 방법이 없었다. 최근에 들어서 현재 범죄 수사 등으로도 이용되는 유전자 다형성 분석[microsatellite polymorphism analysis, Short Tandem Repeat polymorphism analysis (STR polymorphism analysis)]이 세포의 식별에도 유

기탁 : 기탁은 세포의 지적 재산권(소유권 등 모두)을 수탁자(세포주 수립자)가 보유한 채, 세포를 늘려 분배하는 행위만을 세포 은행 기관에 이관하는 것이다. 세포 지적 재산권을 포함한 세포 은행에 이관하는 "양도"와는 다름. 서양에 비해 크게 뒤처져 있는 세포 은행 사업이지만, 기탁제도의 정비로 인해 일본의 세포 뱅크 사업은 급속한 발전을 이룰 수 있었다.

교차오염(Cross contamination : 2 종류의 세포를 동시에 배양할 때, 두 세포가

동일한 배양액에서 배양 가능한 경우에는 동일한 배양병의 배양액을 사용하는 것이 괜찮을 것으로 생각하지만, 이 행위는 하나의 세포가 다른 세포로 혼합(오염하는) 가능성을 야기하고, 새롭게 섞인 세포의 증식 활성이 높으면 곧 새롭게 섞인 세포가 배양 시스템에서 더욱 잘 성장하여 원래의 세포는 소멸하게 된다. 이것이 배양 교차 오염이다. 배양액은 세포마다 별도로 준비(소분하여 사용)하여, 배양 교차 오염을 예방하는 것이 중요하다.

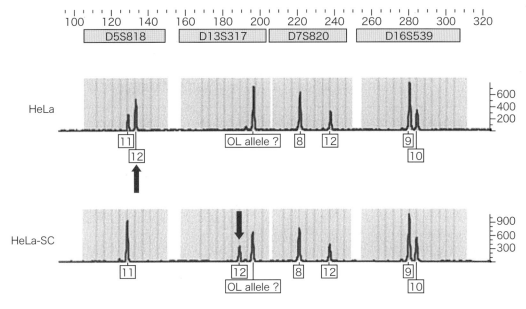

그림2 세포 오인 검사로써 Short Tandem Repeat 다형성 분석

HeLa 세포와 그 하위 세포주(HeLa-SC)의 분석 결과. 실제로는 8 유전자좌의 다형성을 분석하지만, 그림은 4 유전자좌의 결과를 보여준다. 각 유전자좌는 아버지 유래와 어머니 유래의 2 피크가 검출된다. 그러나 아버지 유래와 어머니 유래 Short Tandem Repeat 같은 길이의 경우는 1 피크만이 검출된다. HeLa 세포와 그 하위 세포주(HeLa-SC) 간에도 100% 일치하는 것은 아니다(장기 배양 중에 생긴 돌연변이에 의한 것. 빨간색 화살표).

용하다는 것이 판명됨으로 인해서 간신히 해결이 되게 되었다(그림 2)[1)2)].

　세포 은행이 필요한 일차적인 이유는 연구 커뮤니티에 급증하고 있는 세포주에 관하여 이를 중앙에서 관리함으로써 수립자(공급자)의 부담을 경감할 수 있으며, 이용 연구자가 여러 세포주를 받을 때 여러 수립자(공급자)에 의뢰하지 않고 여러 종류의 세포주를 세포 은행에서 한 번에 얻을 수 있게 된다는 이용자의 편리성 향상된다는 점이다. 하지만, 현재는 세포 은행에서 세포주의 표준화를 실시하고, 연구 커뮤니티가 표준화된 세포주만을 연구에 사용하는 체제를 정비하는 것도 큰 사명이 되었다.

3. 오인세포의 제거

　앞에서 언급된 여러가지 발전을 바탕으로 전세계 주요 세포 뱅크는 모든 인간 세포주에 대해 STR 다형 분석을 실시하게 되었다. 그 결과 HeLa 세포의 교차 오염에 국한하지 않고 자신의 세포주로 간주 사용되어 온 다양한 세포주가 다른 세포주의 오인 세포임이 속속 밝혀졌다[3)~5)]. 앞에서 언급된 연구자 간의 세포의 상호 제공은 전세계를 석권하고 있었기 때문에 특정 세포가 다른 세포의 오인이 아닌 여부를 분석하려고 하면, 세계에 존재하는 모든 세포주를 대상으로 분석을 실시할 필요가 있다. 그래서 세계의 주요 세포 뱅크가 함께 협력하여 오인 세포를 연구 커뮤니티에서 배제하기위한 노력을 계속하고 있다[6)]. 아래의 홈페이지를 참조하기 바란다.

ATCC® Standards Development Organization
http://standards.atcc.org/kwspub/home/the_international_cell_line_
authentication_committee-iclac_/

마우스 ES 세포주의 입수방법

1. 마우스 ES 세포주

마우스 ES 세포주의 수립이 논문으로 발표 된 것은 1981년의 일이었다. 물론 이것은 세포 배양 연구의 역사에 길이 남을 금자탑이었다. 그 후 ES 세포에서 유전자 상동 재조합 기술이 발견되어 유전자 결손 마우스와 같은 돌연변이 생쥐 제작 방법으로 응용되어 20세기 후반의 유전자 분석 연구에 상당한 기여를 하게 되었다. 해당 기술은 ES 세포주의 수립이라는 세포 배양 기술의 발전에 의해 이루어진 사실에 주목하기 바란다.

얼마 전까지는 129계통 마우스 유래 마우스 ES 세포주가 주류였다. 말을 바꾸면, 이유는 알 수 없었지만, 다른 계통 마우스에서 고품질의 ES 세포주를 수립하는 것이 불가능했다. 그러나 최근 들어, 이것 또한 배양 기술의 진보 및 발전으로 인하여 다른 계통 마우스에서도 비교적 쉽게 고품질의 ES 세포주를 수립할 수 있게 되었다.

이화학 연구소 세포 은행은 C57BL/6N에서 유래한 생식 세포로의 분화(germline transmission)도 가능한 세포주도 제공하고 있다. 마우스 ES 세포를 구하는 방법에 관해서는 아래의 홈페이지를 참조하기 바란다.

CELL BANK – 동물 ES 세포와 생식 세포 유래 만능 줄기세포
http://www.brc.riken.jp/lab/cell/aes/

2. 유전자 변형 마우스 ES 세포주

유전자 결손 마우스와 같은 돌연변이 마우스 제작을 목적으로 수립된 ES 세포 중에는 *in vitro* 에서 분화 유도 연구에 유용한 세포주가 많다. 수가 그다지 많지 않지만, 이화학 연구소 세포 은행은 그런한 유전자 변형 마우스 ES 세포주도 제공하고 있다(위의 홈페이지에 포함되어있다).

이화학 연구소 세포 은행은 나라 첨단 과학기술대학원 대학의 이시다 야스마가 개발한 유전자 트랩법 UPATrap에 의해 수립된 유전자 변형 마우스 ES 세포주도 제공하고 있다. 해

당 세포주에 관해서는 아래의 홈페이지를 참조하기 바란다.

The Gene-trap Mouse ES cell clones
http://www2.brc.riken.jp/lab/mouse_es/

동물 iPS 세포주의 입수방법

1. 야마나카 연구소에서 수립된 마우스 iPS 세포주

마우스 iPS 세포주의 수립 기술은 2006년에 발표되었다[7]. 그리고 그 발표 내용이 2012년 노벨 의학 생리학상 수상에 이른 것은 잘 알려진 바이다. 이화학 연구소 세포 뱅크는 2006년에 발표된 해당 마우스 iPS 세포주 및 그 후에 야마나카 연구소에서 수립하고 발표된 마우스 iPS 세포주를 포함하여, 아먀나카 연구소에서 기탁을 받아 제공을 실시하고 있다. 아래의 홈페이지를 참조하기 바란다.

CELL BANK - 동물 iPS 세포 (APS)
http:/ /www.brc.riken.jp/lab/cell/aps/

2. 야마나카 연구소 이외에서 수립된 마우스 iPS 세포주

이화학 연구소 세포 뱅크는 마우스에 대해서는 지금까지 야마나카 연구소 이외에서 수립된 마우스 iPS 세포주 기탁은 받고 있지 않지만, 토끼 유래의 iPS 세포주의 기탁을 받아 제공을 실시하고있다. 위의 홈페이지를 참조하기 바란다. 쥐 iPS 세포주의 기증도 최근 받아 들였다.

인간 ES 세포주의 입수방법

1. 일본내에서 수립된 인간 ES 세포주

일본에서는 인간 ES 세포주의 "수립", "분배(세포 뱅크 사업)", "연구"의 모든 부분에 대해서 문부 과학 대신의 확인을 받는 것이 필요하다. 자세한 내용은 Ⅰ-2에서 설명이 되고 있다. 아래의 홈페이지도 함께 참조하기 바란다.

생명 과학의 광장 생명 윤리 및 안전에 대한 대처
http://www.lifescience.mext.go.jp/bioethics/hito_es.html

이화학 연구소 세포 은행은 2008년에 문부 과학 대신의 확인을 얻은 현재 일본 국내 유일한 인간 ES 세포주 분배 기관이다. 교토대학 재생의과학 연구소에서 수립된 5 세포주, 국립 성육 의료연구 센터에서 수립된 3 세포주의 기탁을 받아 제공을 실시하고있다. 아래의 홈페이지를 참조하기 바란다.

CELL BANK - 인간 ES 세포 (HES)
http:/ /www.brc.riken.jp/lab/cell/hes/

2. 해외에서 수립된 인간 ES 세포주

해외에서 수립된 인간 ES 세포주를 일본 국내에서 사용하는 것도 가능하지만, 일본의 법령 및 지침을 감안하여 문제가 없는 세포주에 한정된다. 이미 일부 해외 수립 인간 ES 세포주가 일본 국내에서의 사용을 인정받고 있다. 예를 들어, 위스콘신 대학에서 수립된 인간 ES 세포주는 WiCell을 통해서 구할 수 있다. 아래의 홈페이지를 참조하길 바란다.

WiCell 사 HP
http://www.wicell.org/

인간 iPS 세포주의 입수방법

1. 야마나카 연구소에서 수립된 인간 iPS 세포주

마우스 iPS 세포주의 수립이 보고된 직후에는 인간 iPS 세포주의 수립은 아직 좀 더 시간이 필요하다고 예상했던 연구자도 많았지만, 마우스 iPS 세포주 발표 이듬해 2007년에 인간 iPS 세포주 수립 성공도 발표되고[8], 이후 야마나카 연구소 내에서도 수립방법의 개선이 다양하게 이루어져 오고 있지만, 야마나카 연구소에서 수립 및 논문으로 발표된 인간 iPS 세포주 전부는 이화학 연구소 세포 뱅크에 기탁되어 제공되고 있다. 아래의 홈페이지를 참조하도록 하자.

CELL BANK - 인간 iPS 세포 (HPS)
http:/ /www.brc.riken.jp/lab/cell/hps/

2. 야마나카 연구소 이외에서 수립된 인간 iPS 세포주

인간 iPS 세포주에 관해서는, 야마나카 연구소 이외에서 수립된 세포주 기탁도 여러 기관에서 받고 있다. 위의 홈페이지를 참조하기 바란다.

질환 특이적 iPS 세포주의 입수방법

iPS 세포주 수립기술은 재생의료 분야에서 주목받고 있을 뿐 아니라 질환연구 및 신약개발 연구 분야에서도 큰 주목을 받고 있다. 예를 들어, 퇴행성 뇌질환 환자가 있을 경우, 연구를 위해 뇌 세포를 추출하는 일은 불가능하다. 그러나 해당 환자의 체세포(혈액, 피부 사이 등)에서 iPS 세포를 수립하고 수립된 iPS 세포에서 신경 세포를 유도하면 해당 뇌신경 세포는 '질환 모델 세포'로 질환 연구 및 신약 개발 연구에 사용하는 것이 가능하다.

문부 과학성 "재생 의료 실현화 프로젝트(2003년~2012년도)", "질환 특이적 iPS 세포를 활용한 난치병 연구 (2012년~)" 등의 대형 프로젝트에서 국가 프로젝트로 질환 특이적 iPS 세포주의 수립이 진행되고 있어 향후 질환 특이적 iPS 세포주가 급증할 것이 확실하다. 이화학 연구소 세포 은행은 이러한 질환 특이적 iPS 세포주의 기탁을 받는 현재 일본 유일의 세포 은행으로서 세포의 기탁을 받아 제공을 실시하고 있다. 세포에 따라 이용기관의 기관의 윤리 심사 및 승인 작업이 필요한 것도 있다. 아래의 홈페이지를 참조하기 바란다.

CELL BANK - 질환 특이적 iPS 세포의 제공 개시
http:/ /www.brc.riken.jp/lab/cell/hps/hps_diseaselist.shtml

세포의 지식 재산권

옛날에는 상기 세포의 표준화뿐만 아니라 세포의 지적 재산권이라는 것도 무시 되었었다. 그러나 최근에는 연구자가 소속된 기관에는 지적 재산권 관리 부서가 설치되는 경우도 많아지고, 세포의 지적 재산권도 엄격하게 관리되도록 되어왔다. 그러한 사정으로 이화학 연구소 세포 뱅크에 기탁을 받을 때는 수탁자와 이화학 연구소가 반드시 기탁 동의서(Material Transfer Agreement : MTA)를 체결하고 있다. 또한 이화학 연구소 세포은행으로부터 세포를 제공받는 경우에는 이화학 연구소와 이용 기관 사이의 제공에 대한 MTA를 체결하고 있다. 이러한 MTA 체결은 세포주 개발자(수립자)의 지적 재산권 보호가 최대 목적이다. 또한 iPS 세포 수립기술에 관해서는 교토 대학이 지적 재산권을 보유하고 있으며, 현재는 iPS 아카데미아 재팬 주식회사가 관리를 하고있다. 영리기관이 iPS 세포를 이용하는 것에 관해서는 자기 부담으로 수립한 세포의 이용이든 다른 기관에서 수립된 세포의 이용든 iPS 아카데미아 재팬 주식회사의 승인이 필요로 되고 있다. 아래의 홈페이지를 참조하기 바란다.

iPS 아카데미아 재팬 주식회사 HP
http://www.ips-cell.net/j/index.php

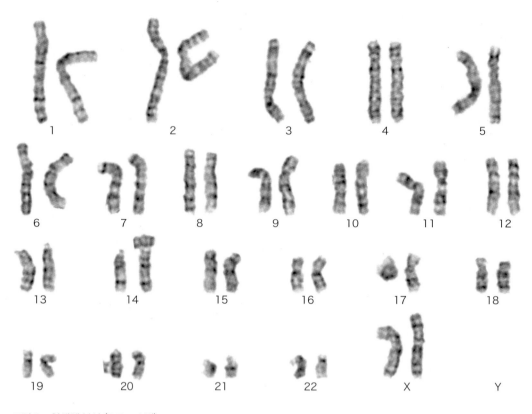

그림 3 **염색체 분석 (G Band 법)**
야마나카 연구소에서 수립된 인간 iPS 세포 주 (253G1)의 분석 결과 여성 유래이며 46XX 정상의 염색체 수를 가지고 있다.

세포의 이용방법

1. 표준화 세포란 무엇인가?

세포의 표준화는 크게 두가지로 나뉜다. 각 세포주의 표준화 및 특정 세포 집단의 표준화이다. 전자는, 예를 들면 HeLa 세포에 관해서 말하면, HeLa 세포(자궁 경부암 유래 세포)가 세포 특성을 유지하면서 미생물에 오염되어 있지 않고 다른 세포로 오인되지도 않은 세포가 표준 세포주 셈이다. 후자는 "ES 및 iPS 세포라고 하면서, 염색체가 정상적으로 유지되고(그림 3) 미분화 마커(SSEA-4, Tra-1-60, Tra-1-81, Oct3/4, Nanog 등)을 발현하고(그림 4) 배아형태모형 형성 실험과 테라토마 형성 실험에서 외배엽, 중배엽, 내배엽에서 유래한 모든 조직을 확인할 수 있는 세포 특성을 가진 세포로 있는 것'이라는 의미의 표준화이다. ES 및 iPS 세포의 표준화에 관해서는, 여기에 설명한 분석뿐만 아니라 다른 다양한 omics 분석(유전자 발현 분석, 후성 유전학 분석, 대사체 분석 등)을 도입하여 고급 표준화를 도모하는 것이 요구되고 있다.

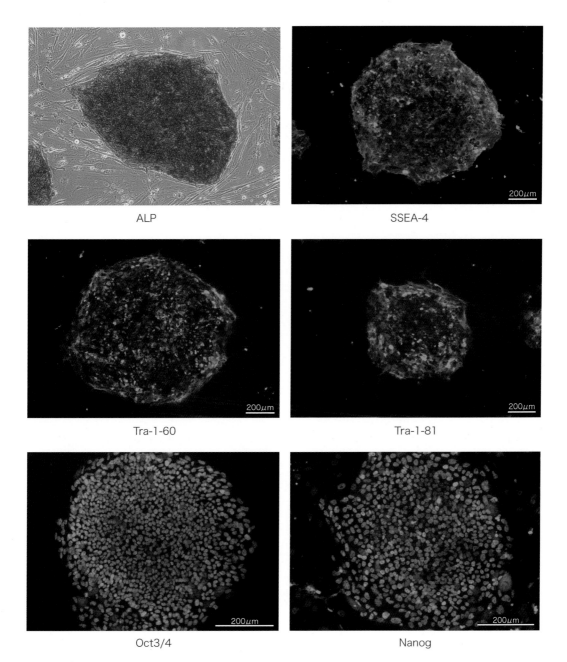

ALP

SSEA-4

Tra-1-60

Tra-1-81

Oct3/4

Nanog

그림4　인간 iPS 세포의 미분화 마커의 해석

ALP는 alkaline phosphatase 활성. SSEA-4, Tra-1-60, Tra-1-81은 세포 표면 분자의 면역 염색 결과. Oct3/4, Nanog는 핵내 분자의 면역 염색 결과

2. 표준화 세포의 특징

전세계의 세포 은행은 표준화 된 세포주를 제공하고자 노력하고 있지만, 세포 은행이 표준화 세포를 제공하는 것만으로는 세포 배양 연구의 전체 표준화는 이루어지지 않는다. 즉,

목적	종	세포종류	사이트명	URL
세포입수	마우스	ES 세포	CELL BANK	http://www.brc.riken.jp/lab/cell/aes/
		유전자변이 ES 세포	TheGeneTrapMouse ES cell clone	http://www2.brc.riken.jp/lab/mouse_es/
		iPS 세포	CELL BANK	http://www.brc.riken.jp/lab/cell/aps/
	인간	ES 세포	CELL BANK	http://www.brc.riken.jp/lab/cell/hes/
			WiCell사	http://www.wicell.org/
		iPS 세포	CELL BANK	http://www.brc.riken.jp/lab/cell/hps/
		질환특이적 iPS 세포	CELL BANK	http://www.brc.riken.jp/lab/cell/hps/hps_diseaselist.shtml
【참고】		오인세포에 대해	ATCC Standards Development Organazation	http://standards.atcc.org/kwspub/home/the_international_cell_line_authentication_committee-iclac_/
		안전에 대한 대처	생명과학의 광장	http://www.lifescience.mext.go.jp/bioethics/hito_es.html
		지적재산권에 대해	iPS 아카데미아 재팬	http://www.ips-cell.net/j/index.php

사용자 측면에서도 표준화 세포를 유지하는 노력을 기울이지 않으면, 표준화 세포를 이용한 연구가 가능하기는 어렵다.

세포 은행에서 노력하고 있는 것은 "필요도 없는데 세포를 계속해서 장기간 배양 말라"는 것이다. 장기 배양을 하고 있으면, 세포에 어떤 돌연변이가 축적해 나가는 것은 불가피하다. 또한 마이코 플라즈마 오염의 기회도 늘어나게 된다. 사실, ES 및 iPS 세포는 비교적 변이를 일으키기 어려운 것으로 알려져있는 세포이지만, 장기 배양 후(수십 항로 계대 후)은 염색체 이상이 생기는 것이 명백하다.

세포 은행으로부터 세포를 입수한 경우에는 초기 재동결 보존 세포를 5개 정도 만들어 두면 좋다. 한번 해동하여 배양을 시작한 세포를 장기간 계속 사용하는 것은 피하고, 정기적으로 초기에 보존된 세포를 용해하여 사용하는 것을 권장한다. 실제로 꽤 많은 저널이 세포 뱅크로부터 입수 후 6개월 이내에 한정하여 세포 재검증을 면제하고 있다. 다시 말하자면, 세포 뱅크로부터 입수 후 6개월 이상 경과한 세포는 신뢰하지 않겠다는 것이다. 이러한 대응이 조금 너무 엄격하다고 생각하는 연구자도 있을지도 모르지만, 세포의 검증없이 실험 재현성이 없는 세포가 사회에 만연되어 버린 과거의 사실을 교훈으로 삼는다면 커뮤니티에서는 이것을 받아드려 세포 배양 연구의 표준화로 이어 나가야한다고 생각한다.

결론

최근에는 ES 및 iPS 세포를 이용한 삼차원 배양을 실시하는 것으로, 기존의 이차원 배양에서 얻기 힘들었던 세포가 유도 가능하다고 보고되고 있다. 20세기 후반의 유전 공학 기술의 발전과 유사한 기세로, 21세기에 들어서면서 세포 공학 기술은 급속한 진전을 이루고 있다. 지금 현재 알고 있는 ES 및 iPS 세포의 응용 방법은 아직 매우 초보적인 것이며, 앞으로 더욱 다양하게 발전해 나갈 가능성을 내포하고 있다. 미래의 최첨단 연구를 위해서 우선 ES 및 iPS 세포의 배양 방법을 습득할 것을 권장한다.

◆ 문헌

1) Masters, J. R. et al. : Proc. Natl. Acad. Sci. USA, 98: 8012-8017, 2001
2) Yoshino, K. et al. : Hum. Cell, 19: 43-48, 2006
3) Cases of mistaken identity : Science, 315: 928-9310, 2007
4) Identity crisis. : Nature, 457: 935-936, 2009
5) Katsnelson, A. : Nature, 465: 537, 2010
6) Masters, J.R. et al. : Nature, 492: 186, 2012
7) Takahashi, K. & Yamanaka, S. : Cell, 126: 663-676, 2006
8) Takahashi, K. et al. : Cell, 131: 861-872, 2007

◆ 참고도서

1) 목적별로 선택하는 세포배양 프로토콜(中村幸夫／編), 羊土社, 2012
2) 개정 배양세포실험 핸드북(黑木登志夫／監, 中村幸夫,許 南浩／編), 羊土社, 2008

4 분화 유도 시스템 구축을 위한 전략

마스이 신지(升井伸治)

분화 유도 시스템 구축은 발생생물학적 지식을 단서로 여러가지 분화 조건의 검토를 시행하고, 마커의 발현을 지표로 시스템을 최적화하는 과정이다. 그러나 발생에 필요한 신호는 복잡하고 알 수 없는 부분이 크고, 보통 수단으로는 잘 되지 않는 상황이다. 이 항목에서는 새로운 분화 유도 시스템을 구축 할 때 일반적으로 고려되는 점을 개설한다.

서론

ES 및 iPS 세포를 이용한 연구는 재생 의료와 질병 모델링이 주목을 받고 있으며, 두가지 모두의 발전과 진보는 **분화 유도 시스템의 구축**에 크게 의존한다. ES 및 iPS 세포는 초기 배아에 삽입하면 모든 세포로 분화하기 때문에 *in vitro*에서도 *in vivo*와 같은 신호를 주면, 확실히 목적 세포(만들고 싶은 세포)로 분화한다고 생각할 수 있다. 따라서, 분화 유도 시스템의 구축에 있어서는 생체 신호에 접근을 이론적 근거로 분화 조건의 검토를 실시하여, 목적 세포의 분화 효율 상승 및 세포 기능의 획득을 노린다. 그러나 생체 신호는 엄청난 분자들의 복잡한 조합으로 구성되어 있으며, 현재는 그 일부만 밝혀져 있는 것에 지나지 않는다. 따라서 결과적으로 반드시 질 좋은 목적 세포를 얻을 수 있다고는 확신할 수 없는 것이 현실이다.

한편, 다른 방법도 보고되어 있다. 하나는 **다이렉트 리프로그래밍된** 체세포(섬유 아세포 등)에서 전사 인자를 강제 발현하여 직접 목적 세포를 얻는 방법이다[1]. 실험은, ES 및 iPS 세포를 이용한 경우와 비교했을 때 시작하는 물질과 분화 자극이 다를 뿐 배양 조건의 최적화 등의 단계는 동일하다. 또, 다른 하나는 ES 및 iPS 세포로부터 장기도 만들 수 있는 방법으로서 **배반포 보완법**이 알려져 있다[2]. 이 방법은 유전자 조작으로 특정 세포와 장기를 만들 수 없게된 숙주 배반포에 기증자 ES 및 iPS 세포를 삽입하는 것으로, 말하자면 ES · iPS 세포로 대체되어서 원하는 세포(장기)가 얻어진다. 마우스 배반포를 숙주로 쥐 ES · iPS 세포 유래의 췌장 생성이 보고되고 있다. 인간 ES · iPS 세포에 적용하는 경우에는 인간과 동물의 키메라 배아를 생성할 수 있는지가 열쇠가 될 것으로 알려졌다. 이러한 방법은 본 장에서는 언급되지 않는다.

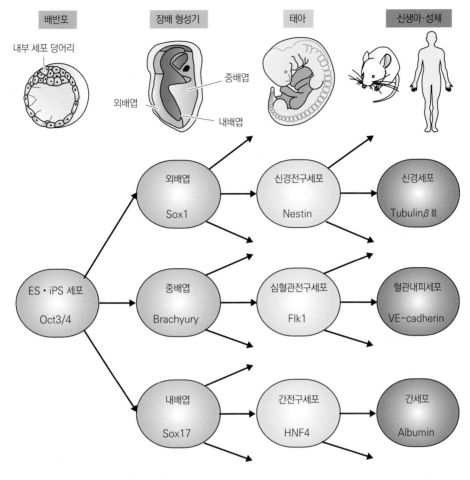

그림1 *In vitro* 분화의 개념도

*in vitro*에서 ES 및 iPS 세포는 *in vivo*의 분화 과정과 유사한 단계를 거친다. 각 배엽의 예로 든세포에 대해 중간 단계의 분화
와 마커 유전자의 명칭을 표시하였다. 실제로 이용하는 마커 등의 자세한 사항은 실천편 항목을 참조하기 바란다.

분화 메카니즘에 대한 기초지식

초기 배아의 만능 줄기세포(내부 세포 덩어리, ES 및 iPS 세포에 해당)는 주변 환경에서
다양한 신호를 받아 외부/중/내배엽으로 분화하여, 여러 분화 단계를 거쳐 마지막으로 개체
를 구성하는 세포로 분화한다(그림 1). 세포외로부터의 신호를 담당하는 분자로서, 예컨대
성장 인자는 Wnt 및 TGFβ 슈퍼 패밀리(Activin 및 BMP 포함) 등이 잘 알려져 있다. 이러
한 분자가 초래하는 신호는 세포 내 신호 전달 경로를 통해 전사인자의 활성에 영향을 준다
(그림 2). 예를 들어, Wnt에 의한 GSK3β를 통한 β-Catenin의 활성화 및 TGFβ에 따른
ALK를 통해 SMAD의 활성화 등이 잘 알려져 있다. 이 활성화된 전사 인자는 핵 내에 존재

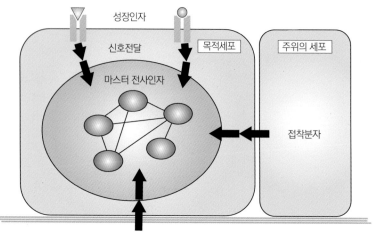

그림2 　분화 상태 제어의 개념도
성장 인자, 접착 분자 및 세포 외 매트릭스에서의 신호는 신호 전달 경로를 거쳐 핵내 전사 인자의 활성에
전달된다. 분화 유도시스템에서는 분화단계에 적정된 신호의 조합을 입력하고 원하는 목적세포로 분화를
실시한다.

하는 다른 전사 인자와 협동하여 분화를 시작하거나 유지한다. 전사인자는 게놈 중에 2,000
가지 정도 존재하고, 그 중 수백 가지가 세포마다 다른 조합으로 발현하고있다. 발현하는 전
사 인자 중 몇몇은(몇 개 정도로 생각할 수 있다) 발현 프로파일 결정에 매우 중요한 역할을
하고 있으며, 예를 들어 그 유전자를 억제하면 분화를 유지하지 못하거나(B 림프구의 Pax5)
또는 그것을 강제 발현하고 특정 세포로 분화를 유도한다(섬유아세포에서 MyoD1 강제 발
현에 의한 근육 세포로의 분화).

　이러한 전사 인자는 **마스터 전사 인자**(또는 핵심 전사 인자)라 불리우고, 각각의 세포 내
에서 상호 발현을 활성화하여 분화 상태를 안정화시키고 있는 것으로 보인다[1) 3)]. Wnt 및
TGFβ 신호에 의해 활성화된 전사 인자는 마스터 전사 인자에 의해 그 표적 유전자 자리에
모집되어 협동하여 전사 활성화를 일으키는 것으로 알려져 있다[4]. 따라서 분화 유도시에는
배양접시 속의 세포에서 마스터 전사 인자의 발현 여부가 작업하고 있는 중요한 지표의 하
나가 된다.

사용세포 : 마우스 혹은 인간

　결국 인간 분화 세포를 얻는 것이 목적인 경우, 처음부터 인간 ES 및 iPS 세포를 이용하
는 경우와, 일단 마우스 ES 및 iPS 세포를 이용하여 분화 조건을 확정하고 이를 인간 ES ·
iPS 세포에 적용하는 경우가 있다. 각각 장점과 단점이 있다.

표 마우스 ES 및 iPS 세포를 이용하는 장점

· Ground state로 유지할 수 있으므로, 세포주 사이에 차이가 적고 재현성을 얻기 쉽다.

· 발생 생물 학적 분석 연구 결과가 많기 때문에 이를 이용하여 분화시스템 구축하기가 쉽다.

· 성숙화까지의 기간이 짧기 때문에 인간 세포에 비해 단기간에 분석할 수 있고, 분화 조건의 검토가 용이하다.

· 얻어진 목적 세포에 대한 기능 검증을 철저히 할 필요가 있지만, 마우스의 경우 자가이식이기 때문에 이식 후 분석이 용이하다.

현재 일반적으로 사용하는 인간 ES 및 iPS 세포는 **primed형**이라는 성질을 갖고, 마우스 EpiSC(Epiblast Stem Cells : ES 세포에 비해 약간 발생 단계가 진행된 만능 줄기세포)와 동등하게 된다. bFGF 의존적으로 증식하고 편평한 콜로니를 형성하는 것이 특징이다.[5] 이에 대해 마우스 ES 및 iPS 세포는 **naïve형**이라고 하며 LIF 의존적으로 증식하고 조금 융기된 콜로니를 형성한다. naïve형 세포는 최적화된 배양액(2i 매체에 LIF를 더한 것) 안에서, Ground state라는 매우 미분화 된 상태로 균일하게 수렴한다[5].

보통으로 생각하면 마우스 ES 및 iPS 세포에서 얻은 분화 조건이 인간 ES 및 iPS 세포에 반드시 적응할 수 있다고는 할 수 없기 때문에, 처음부터 인간 세포에서 시작하는 것이 기간이 짧고 빨리 끝난다. 확실히 맞는 것이지만, 표에 설명된대로 마우스를 사용하는 경우의 장점도 많다.

또한 마우스 ES 및 iPS 세포의 경우, 상동 재조합 효율이 높기 때문에 게놈 변경(knock-In 등의 reporter 세포주 제작)이 용이하다고 알려져 있다. 무엇보다 마우스 이외의 게놈 수정 기술(TALEN 및 CRISPR)이 급속하게 발전하고 있으며, 인간 ES 및 iPS 세포의 reporter 세포주 제작도 그다지 어렵지 않게 되고 있는 것으로 보인다.

분석 시스템 구축

ES · iPS 세포의 분화 유도 시스템에서는 비록 성공적으로 원하는 세포가 유도되었다고 하더라도, 배양접시안에 전체 콜로니 중에서 유도가 성공한 비율은 낮은 것이 일반적이다. 즉, 다양한(뿔뿔이 흩어진) 분화 세포가 혼재되어서 존재하는 가운데에서 유도된 목적 세포를 찾아 그 유도 효율을 평가 또는 FACS 등으로 선별 선택할 필요가 있다. 그래서 어떤 유전자(또는 유전자 산물)을 마커로 사용한다. 이 때 발생 생물학 지식을 바탕으로 목적 세포에 특이적으로 발현하는 유전자를 채택한다. 단일 유전자는 유도의 검출에 미흡할 수도 있어서(발현 특이성이 그다지 높지 않은 등) 여러 마커 유전자를 조합하여 사용할 수도 있다.

마커의 종류로는 표면 항원(항체 검출) 및 **분화 메커니즘에 대한 기초 지식**에서 언급하였듯이 마스터 전사 인자 등(형광 단백질 유전자를 삽입한 reporter 유전자 자리를 제작하여 형광을 검출)이 사용되고 있다. 마스터 전사인자 유전자의 발현량은 다른 유전자의 발현량과 비교가능하며, 분화에 관여하지 않는 배양 조건의 변화에 따른 변동을 받지 않는 것으로 보여[6], 실험 오차를 줄임으로써 분석을 용이하게 해준다. 한편, 표적세포를 재생 의료에 사용하는 것을 예상하는 경우에는 미래에 표면 항원을 이용한 세포 선별이 필요하다. 일단 리포터 유전자 자리를 이용한 실험시스템으로 분화 유도 시스템을 구축 한 후, 동일한 효율로 표적세포를 감지 선별할 수 있는 표면 항원을 식별하는 전략을 채택할 수 있다.

분화조건 검토

다음 내용으로, 분화 단계별로 조합을 검토하여 최종적으로 가장 좋은 분화 효율 조건을 결정한다(그림 3). 모든 조건을 고려하는 것은 곤란하기 때문에, 우선 표적세포와 비슷한 계열의 세포에 대한 문헌을 참고하는 것도 좋을 것이다. 얻어진 표적세포는 *in vivo* 세포의 기능과 동등하다는 것을 *in vitro*에서 확인 또는 마우스에 이식하여 *in vivo*에서의 기능 검증을 실시한다. 구체적인 예는 이 책의 III부를 참고하기 바란다.

1. 부유냐 접착이냐

ES · iPS 세포로 분화를 시작하기 위해 **배아형태모형**을 형성시키는 경우(부유 배양)과 **2차원 배양**을 이용하는 경우가 있다. 배아형태모형은 ES 혹은 iPS 세포를 부유 배양하면 형성되는 배아와 비슷한 구조를 가진 세포덩어리에서 내/중/외배엽 세포의 분화가 된다. 2차원 배양의 경우 평면에 파종한 후 Activin 등의 성장 인자를 첨가하여 세포 집단을 균일한 특정 배엽으로 분화시킨다. 배아형태모형의 경우 분화 신호 전달은 미지의 신호를 포함하여 세포 자신이 직접 전달하여 간편하긴 하지만, 외부로부터의 적극적인 통제가 잘 통하지 않는다고들 한다. 2차원 배양의 경우 세포 집단 분화 신호를 확실하게 줄 수 있고, 분화 효율이 오르는 경우도 많다. 중간의 분화 단계까지 2차원 배양을 한 후 다음 단계에서 부유 배양으로 전환 예도 있다.

2. 기본 배지 및 보충은 어떻게 할 것인가

세포종마다 아미노산과 비타민, 무기염 등의 적절한 농도는 다르다. DMEM (Dulbecco's Modified Eagle Medium)은 가장 일반적으로 사용되는 기본 배지이지만, 그 외에도 DMEM/F-12, RPMI 등 조성이 다양하게 다른 기초 배지가 있다. 또한 여기에 추가 보조제로써 혈청, KSR, 인슐린, B27 등이 있다.

3. 어떤 성장인자를 쓸것인가

성장 인자는 분화 유도 효율에 매우 큰 영향을 주는 인자이다. Knock-Out 마우스 등의 발생생물학 지식을 바탕으로, ES 및 iPS 세포에서 원하는 세포로의 분화 단계마다 필요한

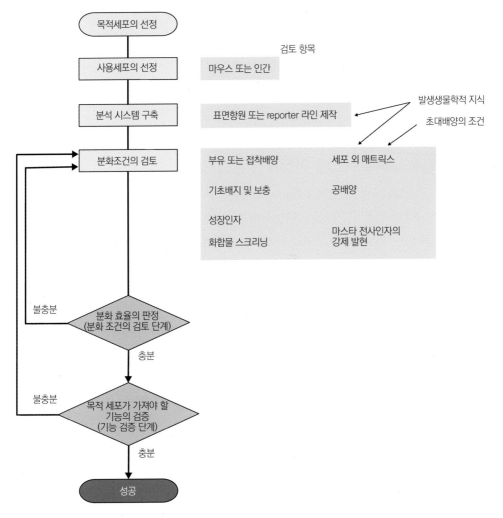

그림 3 분화 유도 시스템의 구축 순서도

각 단계의 검토 항목을 오른쪽에 나타냄. 분화 조건의 검토 단계에서는 마커 양성 세포의 출현 효율로 판정하고, 기능 검증 단계에서는
가져야 기능(예를 들면 신경 세포에서 활동 전위 등)으로 판정한다. 목적 세포의 용도에 알맞은 상태로 판정의 임계치를 설정한다.

요소를 어느 정도 추측해 보는 것은 바람직하다. 특히 목적 세포의 초대 배양시에 필요한 성
장 인자 등이 판명되어 있으면, 그것을 도입한다. 농도에 따라 효과가 다를 수 있기 때문에
몇 가지 다른 농도를 고려하는 것이 좋다. 또한 성장 인자와 마찬가지로, retinoic acid 및 덱
사메타손 등의 호르몬도 큰 작용을 나타내는 것으로 알려져 있다.

4. 화합물 스크리닝이 필요한가

화합물 심사 및 합성 또는 천연 화합물 라이브러리를 스크리닝하는 방법이다. 성장 인자
의 경우에도 마찬가지지만, 스크리닝시에는 가급적 많은 화합물을 이용하는 것이 바람직하

다. 개인 연구 수준에서는 큰 사이즈의 라이브러리를 준비하는 것은 어렵지만, 예를 들어 새로운 학술 영역 연구 "암 연구 분야의 특성 등을 감안한 지원 활동"에서 배포하고 있는 표준 저해제 키트(https://scads.jfcr.or.jp/kit/kit.html)를 이용하는 것도 대안의 하나일 것이다. 성장 인자의 작용을 대체할 수 있는 화합물도 많기 때문에 대량의 목적 세포를 제조하는 (예를 들면 이식 등) 필요가 있는 경우 가격면에서 이러한 화합물의 동정이 수행 될 수도 있다.

5. 세포 외부의 메트릭스를 어떻게 구성할 것인가

세포 외부 매트릭스로 collagen, laminin, fibronectin 등이 알려져 있다. 분화 유도 시스템의 구축에 있어서는 편의상 단일 분자를 이용하는 것이 많지만, *in vivo*에서는 세포 외부 매트릭스는 여러 종류의 분자로 구성되어 거기에 트랩된 성장 인자 등을 포함하여 복잡한 신호를 전달하는 것으로 보인다. 실제로 다양한 세포 배양에 사용되는 Matrigel[마우스 Engelbreth-Holm-Swarm (EHS) 육종 추출물, BD Biosciences Inc.]은 라미닌과 콜라겐 등 다양한 종류로 구성된다.

6. 공동배양은 어떨까

공동배양은 표적세포와 다른세포를 함께 배양하여 여러 종류의 신호 전달을 기대하는 방법이다. 예를 들면 ES 혹은 iPS 세포의 배양에 있어서 feeder 세포의 마우스 섬유아세포 (MEF) 혈액세포의 분화에 사용되는 OP9 세포가 알려져 있다. 세포에서 나오는 분자화합물의 작용에 기대하거나, 다른 세포의 배양한 배지액(conditioned medium)를 이용하는 방법도 있다.

7. 마스터 전사인자의 강제발현은 효과적인가

마스터 전사 인자는 세포의 분화를 크게 제어하는 것은 이미 설명하였다. 이를 이용하여 원하는 세포의 마스터 전사 인자를 강제 발현하여 분화를 촉진시키는 사례가 최근 보고되고 있다(Ⅲ-7 참조)[7) 8)].

결론

일반적으로 ES 및 iPS 세포의 *in vivo* 분화에 의해 만들어진 세포는 미성숙 단계인 경우가 많아서, 성인과 동등한 기능을 가진 세포를 얻는 것은 어렵다고 생각된다[9)]. 이 원인은 잘 모르지만, 전달되는 생체신호가 부족한 점 및 *in vivo*에 비해 분화에 걸쳐있는 기간이 짧은 것을 생각할 수 있다(단, 미숙한 세포가 이식된 생체 내에서 성숙되는 예도 있기때문에 재생 의료에 사용하는 경우에는 문제가 해결 될 수 있는 가능성도 있을 것이다). 따라서 분화 유도 시스템의 구축은 메커니즘이 미지의 영역(분화가 세포에게 맡겨져)이 크기 때문에 결코 확실하게 진행되는 것은 아니다. 그러므로 각 연구자의 지혜와 실력 발휘가 요구된다고 할 수 있다.

◆ 문헌

1) Lee, T. I. & Young, R. A. : Cell, 152: 1237-1251, 2013
2) Kobayashi, T. et al. : Cell, 142: 787-799, 2010
3) Hikichi, T. et al. : Proc. Natl. Acad. Sci. USA, 110: 6412-6417, 2013
4) Mullen,A. C. et al, : Cell, 147: 565-576, 2011
5) Cahan, P. & Daley, G. Q. : Nat. Rev. Mol. Cell Biol., 14: 357-368, 2013
6) Marks, H. et al. : Cell, 149: 590-604, 2012
7) Zhang, Y. et al. : Neuron, 78: 785-798, 2013
8) Tanaka, A. et al. : PLoS One, 8: e61540, 2013
9) Cohen, D. E. & Melton, D. : Nat. Rev. Genet., 12: 243-252, 2011

5 인간 ES 및 iPS 세포를 "임상으로 이행" 할 때 알아야 할 것

아오이 타카유키(青井貴之)

인간 ES 및 iPS 세포를 임상에서 적용하려면, 일본에서는 약사법 하에서 행해지는 임상시험(治驗)과 의사법 하에 이루어지는 임상연구(臨床研究)라는 두 가지 길이 있다. 각각의 제도적 틀에 대한 지침이 존재하지만, 모두 과학적 지식에 근거하여 임상시험 및 그것에 이어서 의료의 유효성 및 안전성을 확보하기 위한 방안이 나타난 것이다. 2013년 현재, 재생 의료에 관한 규제의 재검토가 이루어지고 있는 상황이지만, 관련 규제의 기본 개념을 이해하고, 전체 상을 파악하면서 가장 적절한 형태로 임상 개발을 추진하는 것이 중요하다.

서론

인간 ES · iPS 세포는 무한대의 증식능과 다양한 종류의 세포로 분화할 수 있는 분화 만능을 갖는 세포주이며, 임상의학에의 응용이 기대되고 있다. 이번 장에서는 인간 ES 및 iPS 세포 유래 분화 세포를 환자에게 이식하는 의료를 지향할 때 알아야 할 규제에 대해서 소개하고 한다[주의].

임상으로 이행하기 위한 2개(+ 1개)의 과정과 관련 지침 등

인간 ES · iPS 세포를 임상으로 이행하려면 두 가지 길이 있다. 첫째는 임상연구에서 시작하며, 의료 기술의 개발을 목적으로 주로 의사에 의해 수행되는 것이다. 임상 연구의 성과는 선진의료(특정 의료기관에서 행해진다)를 거쳐 기술료 및 수기비용으로 보험 등재를 위한 길이 열려있다. 이 방법은 의사법에 의거하고있다.

두 번째 길은 임상시험에 의한 것이다. 이것은 제품 개발을 목적으로 기업이나 의사에 의해 수행된다. 임상 시험의 결과는 궁극적으로 모든 의료기관에서 사용 가능한 의약품의 제조 및 판매되고, 상환 가격으로 보험 등재된다. 약사법에 의거하고 있다.

일본에서는 또 다른 길이 하나 더 있다. 일반적으로 자유 진료라는 것으로, 의사의 재량

주의 : 이 항목 집필 시점(2013년 가을)에서는 관련 규제의 재검토가 바로 진행중이었을 때이며, 독자가 책을 손에 잡을 때에는 새로운 틀 안에서 노력이 요구 될 가능성이 높다. 그러나 새로운 규정 프레임 워크는 현행 법규를 근거로 한 위에 만들어 가는 것이며, 일반적으로도 규제를 이해하는데 있어서는 과거의 경위를 알 수록 많은 도움도 많기 때문에 이번 장에서는 집필 시점에서 운용되고 있는 규제를 중심으로 설명하기로 한다.

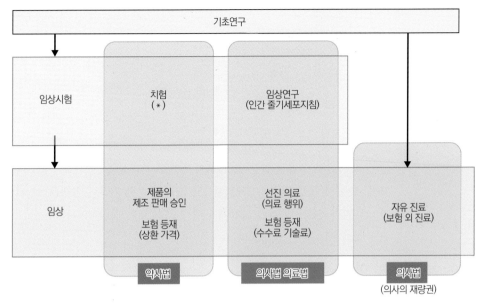

그림 1　ES 및 iPS 세포를 임상에서 진행하기 위한 현행 규제의 틀

* : 품질 및 안전성에 관한 지침, 생물유래 원료 기준, 임상시험약, GMP, GCP 외

권하에 다양한 의료 행위가 이루어지는 것이다(그림 1).

1. 인간 줄기세포를 이용하는 임상 연구에 대한 지침

　"인간 줄기세포를 이용하는 임상 연구에 관한 지침"(2013년 후생 노동성 고시 제 317호)은 인간 줄기세포 임상연구가 사회의 이해를 얻어 적정하게 실시 및 추진 될 수 있도록 개인의 존엄과 인권을 존중하고, 과학적 지식에 근거한 유효성 및 안전성을 확보하기 위해 인간 줄기세포 임상 연구에 관련된 모든 사람이 준수해야 할 사항을 규정함을 목적으로 하고있다. 2006년에 책정된 이 지침은 연구에 참여하는 사람의 구성과 그 책무 윤리위원회 설치 등을 언급한 실시 체제 및 피험자의 서류 통지, 세포 준비 및 이식 단계에서의 안전 대책 등에 대해 나와있다.

　2010년 11월 1일 개정에서 인간 줄기세포의 정의에 인간 성체줄기세포 이외에 인간 iPS 세포와 인간 ES 세포를 포함하는 것이 명기되었다.

　또한 이 지침은 2013년 10월 1일에 전부 개정이 이루어졌다. 이 개정의 요점은 먼저 "임상연구에 사용목적으로 인간 줄기세포 등을 제조 또는 보관하는 연구도 대상으로 하기로 했다"는 것이다. 따라서 공여자를 시작으로 iPS 세포의 수립 및 분화 유도를 거쳐 이식에 이르기까지의 일련의 연구 계획의 요구사항뿐만 아니라 iPS 세포 수립시점에서 목적으로 하는 질환이나 환자를 확정하지 않고 임상 용도로 iPS 세포를 수립 보관해 둔다는 계획 및 요구사항도 이 지침에 명시된 것이다. 개정의 또 하나의 큰 포인트는 일부 인간 ES 세포를 이용

·「생물 유래 원료 기준」	(2003년 후생 노동성 고시 201호)
·「이종 이식의 실시에 따른 공중 보건의 감염 문제에 관한 지침」	(医政研発 제 0709001호 별첨)
·「「이종 이식의 실시에 따른 공중 보건의 감염 문제에 관한 지침」에 근거 3T3J2 주 및 3T3NIH 주를 피더 세포로 사용하는 상피계의 재생 의료에 대한 지시 사항」	(医政研発 제 0702001호)

한 임상연구를 가능하게 하는 세칙을 마련한 것이다. 여기서 말하는 "일부의 인간 ES 세포"는 ① 외국에서 수립된 인간 ES 세포에서 문부 과학성의 "인간 ES 세포수립 및 분배에 관한 지침"(2009년 문부 과학성 고시 제 156호)과 동등한 기준에 따라 수립 된 것으로 인정되는 것, ② 문부 과학성의 관련 지침에서 인간 ES 세포의 임상에 대한 지침이 발표된 후 새로 수립된 인간 ES 세포가 해당한다.

2. 품질 및 안정성에 관한 지침

「세포 및 조직 가공 의약품 등의 품질 및 안전성에 관한 지침」(인간 ES 세포 유래 세포, 인간(자기) iPS 세포 유래 세포, 인간(자기) 성체줄기세포 유래 세포, 인간(동종) iPS 세포 유래 세포, 인간(동종) 성체줄기세포 유래 세포의 5가지 지침은 약사법에 따른 임상시험을 거쳐 인간 줄기세포를 이용하는 의약품 등을 개발하는 경우의 지침이다. 이것은 2000년에 정해진 「인간 세포·조직 가공 의약품 등의 품질 및 안전성 확보에 관한 지침」이 2008년에 동종유래와 자기유래로 나뉘어 또한 인간(자기) 지침에서 파생되고 ① 인간(자기) 유도 만능 줄기세포, ② 인간(자기) 성체 줄기세포 인간(동종) 지침에서 파생 ③ 인간 배아 줄기세포, ④ 인간(동종) 유도 만능 줄기세포, ⑤ 인간(동종) 성체 줄기세포에 특화된 5가지 지침이 된 것이다.

3. 원재료에 관한 기준

인간 줄기세포를 이용하는 의료를 개발하는 경우, 물론 원료는 인간 세포가 된다. 또한 ES 세포나 iPS 세포 등 동물 혈청이 들어간 배지를 사용하여 이종 세포를 feeder 세포로 이용하는 방법이 연구에서 채택되어 온 과정과 이유가 있기 때문에, 이러한 사용을 기술적으로 제거할 수 없는 경우 생물 유래 재료를 사용하게 된다.

이러한 원자재를 제대로 사용하기 위해서는 몇 가지 중요한 지침이 있기 때문에 표 1에 언급을 하였다. 기본적으로 이들은 약사법상의 임상시험을 시행할 때 명확하게 준수가 요구되는 것이지만, 임상연구의 개발을 목표 때에도 반드시 참조하고 거기 아이디어를 참고 해야한다.

이종 feeder 세포를 이용한 인간 배양 세포의 이식은 이종 이식으로 정의된다. "이종 이식의 실시에 따른 공중보건의 감염문제에 관한 지침」에 근거 3T3J2 주 및 3T3NIH 주를 feeder 세포로 사용하는 상피계의 재생 의료에 대한 지시사항" 중에서는 이종이식을 실시하는 전제로서 "인간의 세포 및 조직의 이식은 이미 임상 현장에서 정착하고 있지만, 수요에 대한 공급이 훨씬 적기 때문에 이종 이식에 대한 연구가 진전되어 왔지만, feeder 세포에서 유래하는 병원체의 이식환자의 감염 및 전파에 의한 공중보건학적 위험성을 현재의 의학에서는 완전히 배제할 수 없는 우려가 있기 때문에 감시 및 추적관찰 등 감염증 대책을 충분히 할 수 있다는 것이 실시의 전제가 된다" 로 되어있다.

즉, 이종 feeder 세포는 "어쩔 수 없이" 사용될 수 있다는 것이다. 종종 임상용 세포에 feeder 세포의 사용 가능한지에 대한 논란이 있다. 불가능하지는 않다는 것이 옳은 대답일 것이다. 이종 feeder 세포의 사용이 필수세포의 세포 가공 의약품 등으로 있고, 이를 이용한 치료를 할 이익이 위험을 상회한다고 판단되는 경우에 인체에 투여가 인정된다. 그러나 같은 세포에서 유래하는 세포가공의약품이 이종 feeder없이 동등한 생물학적 특성을 달성할 수 있다면, 이종 feeder의 사용이 회피되어야 할 것이다.

4. 유전자 치료용 의약품의 품질 및 안전성의 확보에 관한 지침(薬発 제 1062 호)

체세포에 유전자를 도입하여 수립하는 iPS 세포의 사용에 있어서 본 지침의 취급에 대한 명확한 공식 결론은 현재 나와 있지 않다고 저자는 이해하고 있다. 그러나 iPS 세포를 비롯해 유전자를 도입한 세포를 임상에 사용하는 것을 목표로 할 때는 적어도 본 지침을 '참조' 하는 것은 유전자 도입 프로세스에 대한 품질 관리에 중요한 도움이 될 것이라고 저자는 생각하고있다. 지침 5페이지, 별지 11페이지에 불과한 문서이기 때문에 관련 연구를 추진하는 경우 한번 읽어봐야 할 것이다.

5. 세포·조직 가공 의약품 등의 품질 및 안전성의 확인 신청서의 기재 요령(薬食審査発 0420 제 1호)

세포 및 조직 가공 의약품 등의 개발에 있어서 그 품질과 안전성을 확보하기 위하여 「확인 신청」이 이전에 이루어지고 있었다. 본 기재 요령은, 확인 신청서에 기재해야 할 내용에 대해 구체적으로 기입하는 예를 들어 나타낸 것이다. 2011년에 확인 신청은 폐지되었지만, 본 기재 요령은 세포 및 조직 가공 의약품 등의 품질 및 안전성 확보를 위해서는 어떠한 사항을 명확히 할 필요가 있는지 또는 어떠한 사항을 고려해야 하는지에 대해서 참고가 될 것이며, 한번 읽어보기를 권한다(그림 2).

■ 다양한 지침을 참조하고, 개발을 진행함에 있어서 유의해야 할 점

널리 오해가 있는 점이지만, 새 의약품 등의 개발에 관한 다수의 사항이 모두에 대해 일반화 할 수 있는 '정답'이 어딘가에 이미 존재하고있는 것은 아니라는 점에 유의해야 한다. 여기에서 먼저 많은 지침에서 "처음" 이라고 쓰여진 것을 인용한다.

□ **기원 또는 발견의 경위 및 외국 등의 사용 상황**
기원 또는 발견의 경위 및 개발 경위 / 특징 및 유용성 / 외국에서의 사용 현황 / 국내 임상 연구 상황

□ **제조 방법**
원재료 및 제조 관련 물질 / 제조 공정 / 가공 한 세포의 특성 분석 / 최종 제품의 형태 · 포장 / 제조 방법의 항상성 및 타당성 / 제조 방법의 변경 / 제조 시설 설비 개요 / 감염성 물질의 안전성 평가

□ **최종 제품의 품질 관리법**
규격 및 시험 방법 / 시험 방법의 확인 / 규격 및 시험 방법의 타당성 / 시험에 사용 된 시료의 분석 결과

□ **세포 조직 가공 의약품 등의 안정성**
□ **세포 조직 가공 의약품 등의 비 임상 안전성 시험**
□ **세포 조직 가공 의약품 등의 효력이나 성능을 뒷받침하는 시험**
□ **세포 조직 가공 의약품 등의 체내 동태**
□ **임상 시험**

그림 2 품질 및 안전성 확인 신청서에서 요구된 체크 사항

"이 분야의 과학적 진보와 경험의 축적은 일취월장이다. 본 지침을 일률적으로 적용하거나 본 지침의 내용이 필요한 사항 모두를 포함하고 있다고 간주하는 것은 반드시 적절하지 않은 경우도 있다. 따라서 개별 의약품 등에 대한 시험의 실시 및 평가시에는 본 지침의 목적을 근거로 당시의 학문의 발전을 반영한 합리적인 근거에 따라 사례별로 다루는 등 유연하게 대응하는 것이 필요하다.

예를 들면, 원료로써 ○○은 사용할 수 있는지의 인정 여부라던지, 개발자에게 중요한 관심 사항에 대하여 인정되는 것 같다든가 인정되지 않는 것 같다든가 하는 것들이 거론되는 것은 종종 있는 일이고, 규제 당국은 ○○의 사용에 대해 이렇게 생각하는 것 같다는 것도 들을 수 있다. 사례별로 과학적 검토가 이루어지지않고, 이런 소문 같은 것들을 의지하는 것은 의미가 없을 뿐만 아니라 길을 잃고 잘못 위험에 들 수 있다.

말하는 사람이 책임지지 않는 불확실한 정보에 현혹되지 않고, 개발을 진행하기 위해서는 구체적인 개발 계획과 데이터를 가지고 직접 규제 당국과 논의를 하는 것이 가장 중요하다. 임상 연구를 목표로 한다면, 후생 노동성 의정국 연구개발진흥과에 문의하면 되고, 임상 시험을 목표 또는 임상 연구를 통해 향후 임상 시험을 해야하는 경우에는 의약품 의료기기 종합기구(PMDA)가 실시하고있는 약사전략상담제도(추후설명) 및 기타 대면조언제도를 적극적으로 이용해야 한다. 특히 PMDA의 대면 조언에 대해서는 상담내용기록도 남아있기 때문에 후속개발에 좀더 확실한 디딤돌이 될 수 있다. 반복되지만, 실제 규제당국 이외로부터 듣는 규제당국의 소문에 결코 휘둘려서는 안된다.

약사 전략 상담 제도

약사 전략 상담 제도는 다음의 두 가지 목적으로 2011년부터 시작되었다.

①일본에서 혁신적인 의약품 및 의료기기 창출을 위해 유망한 후보를 발견 후 대학·연구 기관, 벤처 기업을 주요 대상으로 하고, 의약품 및 의료 기기 후보 선정의 최종 단계에서 임상 개발 초기 [POC (Proof of Concept)시험(전기 제Ⅱ상 시험 정도)까지]에 이르기까지 필요한 시험 및 임상 시험 계획 수립 등에 관한 상담에 대한 지도와 조언을 실시한다.

②기존 확인 신청 제도에 상담해온 인간 또는 동물 유래 세포 및 조직을 가공한 의약품 및 의료 기기의 개발 초기단계부터 품질 및 안전성에 관한 상담까지 지도와 조언을 실시한다.

본 제도는 "개발을 진행해 왔지만 미흡한 점이 있어서, 그것이 임상시험 착수 단계에서 처음 지적을 받고, 거기서 멈춰야 하거나 또는 부분적이든 퇴보한다」 등의 사태를 미연에 방지하고 임상시험에 들어가는 적절한 품질과 안전성 확보를 위해 개발 초기 단계부터 사전에 유용할 것으로 생각된다.

또한 대학이나 벤처기업 등이 이용하기 쉽도록 일정한 요건(일정 금액 이상의 연구비를 국가에서 받지 못하거나, 중소기업임) 등을 충족하면 소액으로 상담을 받을 수 있다. 구체적으로는 의약품의 경우 일반적으로 1,500만원 정도지만, 여기선 150만원 정도이다. 이 정도 금액은 정말 개발을 목표로 하는 연구기관 및 기업에게 불필요한 우회를 피하기 위한 최소한의 경비로 타당한 것은 아닐까 하는 저자의 생각이다.

PMDA 홈페이지
http://www.pmda.go.jp/operations/shonin/info/consult/yakujisenryaku.html

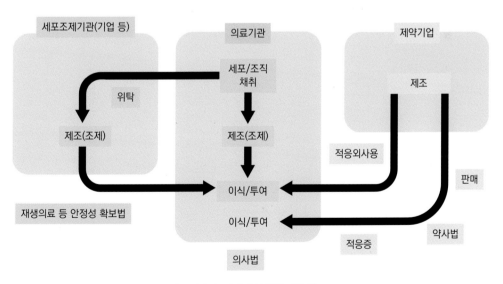

그림3   재생 의료에 관한 규제의 새로운 틀(예정, 필자의 이해에 기초한)
재생의료 등 안정성 확보법(신법), 의사법, 약사법의 규제를 받는 부분을 각각 적색·녹색, 또는 청색으로 표시하였다.

결론

    2013년 4월에는 재생의료 추진법이 통과되고, 그해 가을 현재, 재생의료에 관련된 약사법 개정안 및 재생의료 등 안전성 확보 법안이 국회에서 심의되고 있다. 이 법안이 통과되면 새로운 틀에서 관련 지침이 수립된 후 시행될 것으로 전망된다(그림 3). 이번 장에서 언급한 내용에도 다양한 변화가 발생할 가능성이 높지만, 중요한 것은 ES 및 iPS 세포라는 새로운 기술을 임상으로 전환하기위한 기본 개념을 이해하고, 관련 규제의 전체적 흐름을 잡는 것이다. 이 항목이 그나마 도움이된다면 다행이다.

I 기본편 〈임상응용을 위해〉

6 GMP 준수 세포처리에 있어서 무혈청배지 조성에 대한 고찰

스가 미카(菅 三佳), 후루에-쿠스다미호(古江-楠田美保)

인간 ES 및 iPS 세포와 그 가공품(분화 유도한 조직 줄기세포와 조직) 등의 안전성과 품질을 보장하고 안정적으로 공급하는 것이 앞으로의 중요한 과제이다. 병원체 오염의 위험을 감소시킬 뿐만 아니라, 또한 재현성 높은 연구 결과를 얻으려면 가능한 한 정제된 성분이나 알려진 합성 성분으로 이루어진 배양 조건이 요구되고 있다. 이번 장에서는 세포치료를 목표로 한 세포 처리의 구축을 위해, 인간 ES 및 iPS 세포 배양에 사용되는 재료 및 배지 조성에 대해 제안한다.

서론

인간 ES[1] 및 iPS[2)3)] 세포와 그 가공품(분화 유도한 조직 줄기세포와 조직) 등의 안전성과 품질을 어떻게 보장하고, 이를 안정적으로 공급할 수 있을지가 임상응용을 향한 앞으로의 중요한 과제로 떠오르고 있다. 지금까지 경험이 없는 치료법이기 때문에 다양한 위험을 생각할 수 있다. 암의 발생가능성이 가장 큰 관심사이지만, 그것은 바로 해결할 수 있는 문제는 아닐 것이다. 현재 해결해야 할 과제는 **병원체 오염의 위험 감소** 및 **재현성 확보**의 두가지가 아닐까 생각된다. 이 두가지 문제는 언뜻보면 다른 문제인것 같지만, 상당히 공통점이 있다.

일반적인 인간 세포주 및 마우스 ES 세포 등의 배양과 비교하면, 인간 ES 및 iPS 세포의 배양은 훨씬 어렵다. 원래 인간 ES 및 iPS 세포는 불안정하고 변하기 쉬운 성질을 가지고 있으며, 미분화 상태의 인간 ES 및 iPS 세포를 유지하고 배양해 나가는 과정에서 일부 세포 집단이 자발적으로 분화하거나 성장이 빠른 이상 클론이 출현하는 등 종종 불균질한 세포 집단이 될 수 있다. 당연히, 불균질한 세포 집단을 사용하면 결과의 재현성이 저하된다. 이는 기초 연구를 진행시키는데도 혹은 임상 및 산업 응용하는데도 큰 문제가 되고있다. 지금까지 인간 ES 및 iPS 세포는 소 혈청 또는 혈청 대체 성분, 마우스 유래 feeder 세포를 이용한 배양 조건이 사용되어 왔다[4]. 혈청, 혈청 대체 성분 및 feeder 세포는 미지의 요소가 포함되어 lot 차이도 있다. 이러한 배양 조건이 인간 ES 및 iPS 세포 연구의 재현성이 낮은 원인 중 하나이기도 하다. 또한 혈청, 혈청 대체 성분 및 feeder 세포에는 바이러스나 알려지지 않은 병원체가 포함될 가능성이 있다. 병원체 오염의 위험을 감소시키기 위해, 또한 재현성 높은 연구 결과를 얻으려면 가능한 한 정제된 성분이나 합성 성분을 이용한 알려진 성분으로 이루어진 배양 조건이 요구되고 있다.

최근 feeder를 사용하지 않는 알려진 성분으로 이루어진 배양 조건이 잇달아 보고되고 있다. 저자들도 2008년에 인간 ES 세포의 feeder없는 무혈청 배지 hESF9을 개발하였고[5], ES 및 iPS 세포를 안정하게 배양할 수 있도록 개량을 추진하고 있다[6][7]. 미지의 요인을 포함한 배양 조건을 이용한 연구 결과를, 알려진 성분으로 이루어진 배양 조건을 이용한 결과로 반영시키는 작업은 쉽지 않다. 연구자의 입장에서 인간 ES 및 iPS 세포가 의약품 등으로서 사람의 치료에 사용될 때 안전 및 재현성을 담보해 나가는 중요성을 고려하면, 처음 탐색 단계에서 인간 ES 및 iPS 세포의 배양 조건을 생각할 필요가 있다. 이번 장에서는 세포 치료를 목표로 한 **세포처리**의 구축을 위해, 인간 ES 및 iPS 세포 배양에 사용되는 재료와 배지 조성에 대해 제안하고자 한다.

GMP 란

의약품의 GMP (good manufacturing practice : 의약품 제조 관리 및 품질 관리 기준에 관한 규칙)는 고품질의 제품을 일정한 품질로 반복 지속적으로 제조해 나가기 위한 기준이다. 영국 등에서는 이미 재생의료제품의 GMP가 **annex2**에 기재되어 있다. ①인간에 의한 실수를 최소화 ②세포의 오염 및 품질 저하를 방지 ③높은 품질을 유지하는 구조를 만드는 것을 목적으로 하고, 세포의 배양에 관련된 종사자, 설비, 원재료, 제품 시험, 문서 등의 의무 취급 실시 방법을 관리한다. 이러한 기준은 연구실에서도 유용하며 미래 임상 응용을 목표로 가능성이 있다면, 기초 연구도 임상 응용을 고려하여 위의 점을 충분히 유의하고, 목적에 따라 배양 조건을 선택하기 바란다. 기타 의약품 GMP를 참고하여 사용하는 재료를 lot별로 품질 관리해 나가는 것이나, 모든 작업을 표준화하고 자세한 절차(SOP)를 작성하고 동시에 배양 기술자를 교육하고 배양기술의 향상을 도모해 나가는 것도 중요하다.

인간 ES 및 iPS 세포는 세포주마다 차이가 있다.

인간 ES 및 iPS 세포주는 세포주마다 차이가 커서, 배양할 때는 각각의 세포주의 특성을 이해하고 취급해야 한다.

예를 들어, collagenase나 trypsin 등의 분산액에 대한 감수성이 세포주에 따라 달라, 증식 속도와 유전자발현, 분화 능력 등의 세포 특성도 다양하고 풍부하기 때문에, 계대 방법과 타이밍이 세포주에 따라 다르다. 또한 배양 조건에 따라 감수성도 달라진다. 한편, collagenase

---

세포처리(cell processing) : 세포를 이용한 치료를 위해, 사용할 세포의 준비, 배양, 가공 등의 공정

EUGMP의 보충 문서 Annex2(인간용 생물학적 제제의 제조) : 최근 제조기술의 발전과 생물학적 제제의 범위의 확대에 따라 크게 개정되어, 2013년 1월 31일에 시행된 재생 의료 제품을 포함한 선진 치료를 위한 의약제조물(advanced therapy medicinal products, ATMPs)에 대한 GMP 가이드라인을 규정하고 있다.

나 trypsin에도 lot차이가 있다. 따라서 재현성있는 결과를 얻기 위하여는 collagenase 등의 lot가 바뀌었을 때 실제로 사용하는 세포와 배양 조건을 이용하여 분산액의 활성을 확인한 후 사용할 필요가 있다. 효소가 아닌 EDTA·4Na 같은 화학 물질에 의한 세포 분산이 바람직하지만 세포에 따라 데미지가 큰 경우도 있다.

현재에서는 모든 인간 ES 및 iPS 세포주에 대응하는 범용 배양조건과 배양방법은 없고, 각 세포주마다 계대시기, 방법, 배지 등 그 안정성을 확인하면서 책정을 할 필요가 있으며, 세포주가 다르면 배양 절차양식(SOP)도 별도로 만드는 것이 바람직하다고 생각된다.

Feeder 세포를 이용한 배양조건과 feeder free의 배양조건

1. Feeder 세포

인간 ES 및 iPS 세포를 미분화 상태로 유지하기 위해서, 기존에는 돼지 유래 젤라틴으로 코팅된 배양 용기와 마우스 태아 유래 섬유아세포(mouse embryonic fibroblasts : MEF)를 γ선 조사나 mitomycin C 처리에 의해 불성화된 것을 feeder 세포로 이용하여 배양했다. 그 외에, neomycin 저항성(Neo^r) 발현 벡터 및 LIF 발현 벡터를 안정적으로 통합시킨 STO세포(SNL 세포 또는 SNL76/7 STO 세포, ECACC07032801) 등도 feeder 세포로 사용되고 있다[3]. 또한 인간 유래에 한정된 배양 조건을 목표로 인체조직 유래 세포도 feeder 세포로 사용된다. 이러한 인간 또는 동물 유래의 세포에 대해서는 감염성 물질 혼입의 위험이 높아서 연구를 수행하는데도 안전성에 문제가 없음을 확인해야 한다.

2. Feeder free

Feeder 세포를 이용한 배양법에서는 많은 인간 ES 및 iPS 세포주를 안정하게 배양할 수 있는 반면, 조작이 번잡하고 또한 feeder 세포에도 많은 차이가 있는 데다 미지의 요인과 병원체 혼입도 있을 수 있다. 이러한 feeder 세포를 대신하여 최근 Matrigel 등의 세포 외부 매트릭스(ECM), 동물 유래 또는 인간 유래 vitronectin, laminin, fibronectin 등이 사용되고 있다. Matrigel은 기저막을 과잉 생산하는 특수 마우스 종양(Engelbreth-Holm-Swarm:EHS 육종)에서 추출한 laminin과 collagen 등의 여러 ECM을 주성분으로하고 TGF-β, EGF, IGF, FGF-2 등의 성장 인자가 함유된 혼합물이다.

Ludwig[8] 등은 feeder free 배양에 적합한 mTeSR™1 배지(Stemcell Technologies사)를 개발할 때, matrigel에 포함된 ECM의 각 성분을 단독 또는 조합하여 어떤 성분이 인간 ES 세포의 미분화 유지와 증식에 유효한지를 검토했다. 그 결과, collagen IV, fibronectin, laminin, 및 vitronectin의 조합이 가장 효과적인 것으로 나타났다. 또한 Mummery 등은 mTeSR™1 배지를 이용한 경우에는 vitronectin 단독으로 matrigel과 동등하게 효과적이며, 그 효과가

integrin α6β1을 통해 전달된 신호에 의한 것임을 보고하였다. 미야자키[9] 등은 인간 ES 세포는 integrin α6β1이 많이 발현되고 있으며, 이에 특이적으로 작용하는 인간형의 laminin 중 laminin 511이 인간 ES 세포 배양에 도움이 될 것이라고 보고했다. 그러나 배지 조건이 다르면 ECM의 작용도 다를 수 있다는 점에 유의해야한다. ES 및 iPS 세포의 미분화 유지 메커니즘은 복잡하게 얽혀 있어서 각 ECM에서 영향들이 반드시 기존의 배양 조건과 동일하게 전달되지 않을 가능성도 있다. 저자는 마우스 ES 세포의 무혈청 배양 하에서는 I 형 collagen 및 gelatin과 fibronectin 및 laminin에서의 미분화 유지 신호 전달 경로가 다른 것을 발견하였다[10]. 인간 ES 및 iPS 세포에서도 유사할 것으로 예상된다. 각 ECM에서 어떤 신호가 어떻게 전달되고, ES 및 iPS 세포의 미분화 유지 또는 분화의 메커니즘에 작용할 것인가를 배양 조건에 따라 상세하게 해명할 필요가 있다.

■ 기본배지와 첨가물

1. 기존의 인간 ES 및 iPS 세포용 배지

인간 ES 세포의 배양은 기존에는 완충제 HEPES를 포함하지 않는 배지를 사용했다. HEPES는 원래 일반적인 배양 세포에 대해 독성이 있고 lot에 따른 많은 차이가 있는 것으로 알려져 있기 때문 이다. 그러나 HEPES를 사용하지 않는 경우에는 완충 작용이 약해지고 pH 변화도 커진다. 인간 줄기세포는 약산성에는 강하지만 알칼리성에 약하기 때문에, 최근에는 HEPES를 사용하는 예가 많다.

첨가물로서 소 혈청 성분은 세포의 증식에 효과적이지만, 분화 유도 인자도 포함되어 있어서 이를 이용하여 ES 세포를 배양하면 분화 세포도 많이 생성 되었다. 또한 혈청에 의한 배양은 염색체 이상을 유도한다는 보고도 있다[11]. 2000년에 Amit[4] 등은 소 혈청 대신 Knock-Out Serum Replacement™ [KSR, Gibco 사(당시)]을 이용한 무혈청 배양조건을 보고한 이후로, DM/F12 또는 Knock-Out DM/F12 등의 기본배지에 KSR와 섬유아세포 성장인자(FGF-2)을 첨가한 것이 사용되고있다. KSR은 무혈청(serum-free)이지만 전체 조성은 공개되지 않았으며, 동물 유래 성분을 포함하기 때문에 lot 차이가 있어서 lot 체크가 필요하다. 또한 해동 후 2주를 초과 한 것은 품질이 보장되지 않는다.

2. 무혈청 배양법의 개발과 역사 그리고 과제

무혈청 배양은 1975년에 Gordon H. Sato 박사[12]로부터 제안되었다. 세포의 증식을 촉진하는 것은 혈청에 포함된 호르몬, 성장 인자, 접착 인자 등이며, 이러한 요인을 기초 배지에 첨가하여 혈청을 대체할 수 있다는 개념에 기초한다. 유용한 인자만을 적정한 농도에 기초 배지에 첨가하여 사용함으로써, 재현성이 높은 연구 결과를 얻을 수 있고 세포의 증식과 분

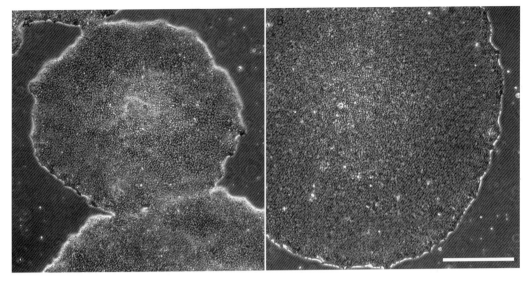

그림 Feeder free 배양에 인간 ES 및 iPS 세포의 위상차 현미경 이미지
A) hESF-9a2i 배지에서 배양한 인간 ES 세포 H9. B) hESF-FX 배지에서 배양한 인간 iPS 세포 Tic (JCRB1331), Bar=500 μm

화의 메커니즘을 해명할 수 있다[13]. 임상용 세포를 배양하는 경우 병원체 혼입 위험을 줄이는 데도 도움이 되는 중요한 개념이다.

1979년 신경 세포 배양용으로 N2 첨가제(insulin, transferrin, progesterone, selenium, putrescine)[14]가 개발된 후, 5가지 인자(insulin, transferrin, ethanolamine, 2-mercaptoethanol, selenite) 또는 6가지 인자(5가지 인자에 oleic acid를 추가한 것)로 개량되었다[15]. 그 결과, 신경 세포뿐만 아니라 다양한 세포의 무혈청 배양이 가능해졌다. 한편, 1993년에 Price 등에 의해 인슐린을 포함한 20가지 인자로 구성되어있는 B27 첨가제[16]가 개발되었으나 농도는 비공개이다. 현재는 많은 기본배지와 첨가제가 시판되기 시작했지만, 조성이 비공개인 경우도 많다. 알려진 성분으로 이루어진 배지에 알려진 인자를 첨가하여, 세포의 증식과 분화에 필요한 인자의 요구성을 정확하게 분석하는 것이 가능해졌다. 또한 다양한 위험을 과학적으로 검증하기 위해서는 전체 성분이 분명한 배지를 사용하는 것이 필요하다.

3. 무혈청배지에 요구되는 성분 공개

현재 모든 성분 및 그 농도가 공개된 인간 ES 및 iPS 세포 배양용 feeder free 무혈청 배지는 Thomson 등의 그룹에 의해 개발된 mTeSR™1[8], TeSR™2, E8배지[17], STEMPRO®hESC SFM (Life Technologies사)[18], 그리고 저자들이 개발한 hESF9 배지[5)6)와 hESF-FX 뿐이며, 이 중 TeSR™2, E8 배지, hESF-FX 는 동물 유래 성분 비포함(xeno-free)이다. 또한 저자의 hESF 시리즈는 최소한의 조성으로 이루어지기 때문에 첨가인자의 영향을 고감도로 분석할 수 있고, 분화촉진인자에 대한 응답성도 좋기 때문에, 인간 ES 및 iPS 세포의 분화 유도에

표 배양시 사용되는 원재료를 취급시 필요다고 생각되는 안정성 검사항목

	사용재료	유래	검사대상	검사방법	검출가능병원체
ES·iPS 세포			일반적 세포주의 검사항목	마이코플라즈마 시험, 무균시험, 염색체검사, 세포인증시험	
Feeder 세포	인간유래섬유아세포	인간	인간병원체	바이러스 DNA/RNA 검출 시험 (PBRT)	HIV 1/2, HTLV-I/II, HAV, HBV, HCV, EBV, CMV, HHV-6, 7, 8, Human parvovirus B19, West Nile virus, Reo virus 1,3.
				BSE (Bovine Spongiform Encephalopathy), TSE (Transmissible Spongiform Encephalopathy) 검사	Abnormal prion
	MEF SNL	마우스	일반적 세포주의 검사항목	마이코플라즈마 시험, 무균시험, 염색체검사, 세포인증시험	
			마우스 병원체	Detection of retroviral coatings by electron microscopic analysis, cell culture assay (PG-4 S + L-), PBRT	Mouse retrovirus, Retroviral membrane
			Abnormal Glyco form	※ 인간의 체내에 어떤 영향이 있을지는 불분명하지만, 인간 ES·iPS 세포에 받아들여지는 것은 분명하다	
배지 및 첨가제	DMEM/F12 등	합성시약	불필요		
	혈청(FBS)	소	소 병원체	광우병 비발생 국산 사용 세포배양분석 (9CFR 113) 및 면역 염색 검출	소 병원체 virus
				BSE (Bovine Spongiform Encephalopathy), TSE (Transmissible Spongiform Encephalopathy) Test	Abnormal prion
	대체혈청(KSR)	동물	※ 조성 비공개, 동물 유래 성분 함유	동물유래성분으로서의 모든 검사 및 재합성 재품과 동일한 검사	
	소 transferrin	동물	소 혈청과 동일		
	인간 transferrin	인간	인간 feeder 세포와 동일		
	Recombinant FGF-2*, Recombinant activin A, IGF-1*, Recombinant human Insulin*, Recombinant human transferrin 등	재합성		변이원성시험(유전자돌연변이, 염색체이상), DNA 손상(사멸, 유전자발현, DNA가닥절단, DNA부가체 등), 생식세포유전독성실험(마우스특정좌위시험, 우세치사시험, 유전성전좌시험), 세포형질전환시험	
박리액	ROCK inhibitor	화합물	이성질성		
	EDTA	화합물			
	TrypLE	재조합			
	Accutase	비공개			
	Dispase	식물			
세포외기질	Trypsin	돼지	돼지 병원체	세포배양분석 (9CFR113) 및 면역염색검출	소 병원체 바이러스에 준하여
	Gelatin, Collagen				
	Matrigel	마우스	마우스 feeder 세포 (MEF, SNL) 와 동일		

	사용재료	유래	검사대상	검사방법	검출가능병원체
세포외기질	Fibronectin, Laminin, Vitronectin	인간	인간 feeder 세포와 동일		
	Fibronectin	소	FBS와 동일		
	Laminin 511, Vitronectin, Fibronectin	재조합	변이원성		

이러한 검사 항목은 임상용 세포배양으로 승인에 필요한 항목으로서가 아니라, 어디까지나 위험을 고려한 항목을 열거함.
* 임상 시약 존재. 문헌 24를 기초로 작성됨

사용할 수 있다(그림).

    그러나 이러한 배지를 이용해도 현재로서는 모든 세포주를 누구나 쉽게 배양할 수 있는 것은 아니다. 그 주요 원인은 인간 ES 및 iPS 세포의 미분화 유지 및 분화의 메커니즘이 충분히 해명되지 않은 데 있다. FGF-2 뿐만 아니라 Activin A, TGF-β 및 Wnt, IGF 등이 미분화 상태의 유지에 관여하는 것으로 밝혀지고 있지만, 이러한 인자는 분화에도 역시 관여하여 매우 얽혀있다[19) 20)]. 현재 널리 사용되는 세포주에 대해 안정된 미분화 유지 배양을 실시할 수는 배지는 mTeSR™1이라고 생각되지만, 첨가 인자 등의 분석 및 분화 유도에 hESF9가 제격이다. 이러한 배양 조건에는 각각 특징이 있고, 그 장점과 단점을 감안하여 배양 방법을 선택해야 할 것이다. 배지 및 세포주 별 노하우의 축적이 필요하다고 생각된다.

원재료의 문제

    배양에 사용되는 원료에 있어서는, 동물유래성분, 인간유래성분, 식물유래성분, 합성물질을 들 수 있다. 동물유래성분인 마우스 유래 feeder 세포와 소 혈청, 소 알부민, KSR, 마우스 유래 matrigel, 돼지 유래 collagenase, 돼지 유래 gelatin, 소 유래 fibronectin, 소 유래 transferrin 등의 동물 유래 성분을 사용하는 경우에는, 비록 제조업체에서 품질 확인된 시판품이어도, lot에 따른 차이가 발생하거나 또는 수송 경로에서 품질 저하가 일어날 가능성도 있으므로, 실제로 사용하는 세포를 이용하여 생물학적 활성의 확인이 필요한 경우가 많다.

    병원체 확인 검사 항목은 회사마다 다르며, 부족한 것 같으면 추가하여 검사할 필요가 있다. 또한, 동물유래성분을 인간 ES 및 iPS 세포에 도입하는것도 우려된다. 마우스 feeder 세포와 KSR을 이용한 종래법에 의한 배양 과정에서 동물유래성분이 인간 ES 세포에 흡수되어 본래 인간은 발현하지 않는 sialic acid를 포함하여 glycan component Neu5Gc (N-Glycolylneuraminic acid)가 인간 ES 세포 표면에 발현되는 것이 보고되어 큰 문제가 되었다[21)]. 저자들도 인간 iPS 세포에서 마찬가지로 Neu5Gc가 발현되는 것을 보고하였다[22)].무혈청 배양을 몇 계대 진행하면 Neu5Gc가 감소하는 것으로 밝혀졌지만[23)], 얼마나 감소하면 안전한인지는 불분명하다. 또한 검출되지 않은 성분이 흡수되었을 가능성도 부정 할 수 없다. 동물 세포 및 동물 유래 성분의 혼입이 얼마나 인체에 영향을 주거나 어디까지 제거하면 의약품 등으로 안전하다고 판단 할 수 있는지, 임상 데이터의 축적도 없고, 의학적으로도 공중보건학적으로도 아직 확실치 않다. 그러나 모든 동물유래성분을 식물유래성분과 합성시약 등 기타의 유래성분으로 바꾸는 것은 현재로서는 불가능하며, 해외 사례 등을 포함하여 실제 임상 데이터를 축적해 나갈 필요가 있다고 생각된다.

인간 유래 성분의 경우 수혈이나 장기이식 등의 임상 데이터가 축적되어 있어서 거부 반응이나 감염 병원체의 혼입 가능성 등 잠재적 위험을 예측할 수 있다. 수혈의 예를 보면, 1952년에 처음으로 혈청 간염이 보고 되었지만, B형 간염 바이러스의 검출 시약이 개발되어 1971년 이후 수혈 후 간염이 감소하고, non-A, non-B형 간염이라고 알려졌던 C형 간염도 1989년에 항체 검출 시약이 개발되어 혈액 제제에 의한 간염 바이러스 감염의 위험이 크게 떨어졌다. 또한 1997년 이후 HBV, HCV, HIV에 대한 핵산증폭시험이 이용되게 되어 수혈 후 간염의 위험은 상당히 감소되었다. 현행 검출할 수 있는 바이러스 등 병원체의 확인 검사를 실시하는 것으로, 상당히 위험은 감소 될 것으로 보인다.

배지에 관련되어 앞에서 얘기한 문제점을 해결하기 위해서, **알려진 물질로 이루어진 모든 성분이 명백한 혈청 또는 합성 배지를 이용한 배양 조건(defined culture condition)**은 품질 관리가 용이하다. 최근에는 인간형의 재조합 ECM 등과 재조합 분리액 등도 시판 되고있다. 그러나 합성시약 및 재조합 단백질도 정제 과정에서 이종생물성분이 혼입될 가능성도 있다. 또한 이러한 시약의 아미노산 반복 배열은 많은 항원성을 가진 위험이 있는 것도 고려해 두어야한다.

어떤 원료도 100% 안전한 것은 없다. 필요하다고 생각되는 안전성 검사 항목을 표로 만들어서 제시하였다. 임상 응용 단계로 되어 안전성과 재현성을 확보할 수 없는 경우, 기초 연구의 성과가 반영될 수 없는 사태도 발생할 수 있다. 미래에 발생할 위험과 이익을 생각해 과학적 증거에 근거한 정보를 널리 알려 나아가야 한다. 한편, 배지를 판매하는 기업의 이익을 보호하기 위해 조성 및 정제 방법이 비공개로 되어있는 제품도 종종 있다. 이는 기초 연구에서 과학적으로 현상을 해명하는 것을 막고있다. 의학 및 생명 과학 연구의 발전을 위해서라도 공개 할 수 있는 제도의 정비가 요구된다.

GMP의 개념을 기초 연구 현장에서도 활용하는 것이 중요

앞에서 언급한 바와 같이, 인간 ES 및 iPS 세포는 불안정하고 형질도 변하기 쉽기때문에 미분화성이나 다능성의 유지뿐만 아니라, 염색체 등을 정기적으로 확인하고 세포 자체의 품질을 일정하게 유지 필요가 있다. 또한 배양 과정을 자세히 관찰 기록하고 인간 ES 및 iPS 세포의 형질이 변경될 경우에는 배양 과정을 확인하고 그 원인을 제거할 수 있도록 해야한다. 일정한 품질을 유지하는 것이야말로 안정되고 재현성있는 실험 결과를 낳는다는 사실은 비록 인간 ES 및 iPS 세포 연구에 국한된 것만은 아니다. 이러한 품질 관리와 재현성이 높은 실험 결과를 실현하는 작업의 흐름은 GMP 개념에 따른 것이며, 기초 연구의 현장에서도 활용될 것이다. 기초 연구의 성과를 그대로 차질없이 임상에 응용할 수 있도록 하기 위해서도, 연구자들은 미래를 충분히 생각하면서 현장에서 연구에 임하도록 해야한다. 이 연구 분야는 미해명의 부분도 많기 때문에 한없이 안전성을 추구하는 연구를 지체시킬 것이 아니라 현재의 과학 수준에서 위험과 혜택의 균형과 경제성을 고려하여 연구를 추진할 필요가 있을 것이다. 임상용 인간 ES 및 iPS 세포의 배양에 사용하는 배지 성분 원료에 대해 "사용할 수 있을까?"가 아니라 "사용해야합니까?"를 진지하게 생각하고 연구에 임하고 가야하는 것이 아닐까.

◆ 감사

이번 장을 집필할 때 교토대학 재생의과학연구소 스에모리 히로후미(末盛楓文) 부교수, 또 일본 PDA 제약학회 전 이사 마츠다 다케히코(松田岳彦)씨에게 감사의 인사를 드린다. 또한 본 연구는 후생 노동성 후생노동과학 연구비 보조금을 받아 실시했다.

◆ 문헌

1) Thomson, J. A. et al. : Science, 282: 1145-1147, 1998
2) Takahashi, K. & Yamanaka, S. : Cell, 126: 663-676, 2006
3) Takahashi, K. et al. : Cell, 131: 861-872, 2007
4) Amit, M. et al. : Dev. Biol., 227: 271-278, 2000
5) Furue, M. K. et al. : Proc. Natl. Acad. Sci. USA, 105: 13409-13414, 2008
6) Na, J. et al. : Stern Cell Res., 5: 157-169, 2010
7) Kinehara, M. et al. : PLoS One, 8: e54122, 2013
8) Ludwig, T. E. et al. : Nat. Biotechnol., 24: 185-187, 2006
9) Miyazaki, T. et al. : Biochem.Biophys. Res. Commun., 375: 27-32, 2008
10) Hayashi, Y. et al. : Stem Cells, 25: 3005-3015, 2007
11) Loo, D. T. et al. : Science, 236: 200-202, 1987
12) Sato, G. : Biochemical Actions of Hormones. Academic, 391-396, 1975
13) Barnes, D. & Sato, G. : Cell, 22: 649-655, 1980
14) Bottenstein, J. et al. : Methods Enzymol., 58: 94-109, 1979
15) Sato, J. D. et al. "in Basic Cell Culture: A Practical Approach, 2nd Edn." (ed J. M. Davis), pp.227-274, Oxford University. Press, 2002
16) Brewer, G. J. et al. : J. Neurosci. Res., 35: 567-576, 1993
17) Chen, G. et al. : Nat. Methods, 8: 424-429, 201 I
18) Wang, L. et al. : Blood, 110 : 4111-4119, 2007
19) Vallier, L. et al. : Dev. Biol., 275: 403-421, 2004
20) Avery, S. et al. : Stem Cells Dev., 15: 729-740, 2006
21) Martin, M. J. et al. : Nat. Med., 11: 228-232, 2005
22) Hayashi, Y. et al. : PLoS One, 5: el4099, 2010
23) Heiskanen, A. et al. : Stem Cells, 25: 197-202, 2007
24) 国立医薬品食品衛生研究所変異追伝部HP http://nihs.go.jp/gaiyou/heniiden.html

7 GMP에 부합한 배양시설

우에다 토시오(上田利雄), 마츠야마 아키후미(松山晃文)

최근 재생의료의 발전과 함께, 세포 배양 및 조제 시설도 여러곳들에서 우후죽순으로 만들어지고있지만, 적절하게 위생관리 및 청정도 관리가 되고 있는 시설은 적은 것으로 보인다. 공조 시스템과 구조 설비에 관한 전반적인 정확한 관리 방법이 없는 것도 한가지 요인으로 생각된다. 이번 장에서는 공조시스템 및 구조 설비에 관한 기본 설명 및 구체적인 관리 방법에 대해 알아보도록 하겠다.

소개

세포 조제 시설은 각종 줄기세포 및 ES/iPS 세포로부터 제작되는 재생의료제품을 제조하기 위한 필수적인 시설이지만, 그 구조와 운영 방법은 의외로 알려져 있지 않은것이 현실이다. 시설의 운용을 잘못하면 세포의 준비 단계에서 교차감염 등이 발생가능하고, 이로 인해서 애써 제조한 세포를 폐기해야하는 등 시간적 금전적 손실을 가져다 줄 수 있는 만큼, 이는 매우 중요한 것이다.

제조 시설

1. 오염 방지

세포 제제에 대한 오염 방지의 원칙은 다음 세 가지가 중요하다.

1) 들어오지 않도록 한다.

2) 확산시키지 않도록 한다.

3) 증폭시키지 않도록 한다.

표1 오염 방지를 위해 확립해야 할일

· 동선을 고려한 작업실의 배치, 제조기구 및 배치 관리, 공조시설의 적절한 관리(구조설비 완비)

· 시설의 소독 방법의 확립, 소독 효과의 확인 방법 및 원자재의 반입 방법의 확립, 감염성 폐기물의 적절한 처리 방법 확립(위생 관리)

· 교육의 연간 스케줄에 따라, 위생관리 교육 및 제조관리 교육을 실시하고, 적절한 작업 방법을 확립·준수(작업자의 교육 훈련 및 작업 관리)

표 2 청정도 구분 목록

세포배양가공시설내	청정도 Class		
작업실	FED-STD-209D	EU-GMP, 일본 약전	ISO 146441-1
거실(관리실)	일반 공조 ~10만 상당	일반 공조 ~ 등급 D	ISO Class 8~9
전실	10만 상당 ~ 10만	등급 D ~ 등급 C	ISO Class 8
통행로	10만 상당 ~ 10만	등급 D ~ 등급 C	ISO Class 8
1차 갱의실	10만 상당 ~ 10만	등급 D ~ 등급 C	ISO Class 8
2차 갱의실	10만 ~ 1만	등급 C ~ 등급 B	ISO Class 7~8
탈의실	10만 상당 ~ 10만	등급 D ~ 등급 C	ISO Class 8
준비실	10만 ~ 1만	등급 C ~ 등급 B	ISO Class 7~8
음압계 buffer 존	10만 ~ 1만	등급 C ~ 등급 B	ISO Class 7~8
조작실	1만	등급 B	ISO Class 8

이 세 가지 원칙을 잘 지키려면, 구조 시설 완비, 위생 관리, 작업 인력의 교육과 관리 원칙을 확립하고 준수해 나가는 방법 밖에는 없다(표 1).

2. 작업실의 청정도 구분

세포 제조 시설내의 구역나누기를 결정하는 데 중요한 항목으로 **청정도 구분**이 있다. 이 청정도 구분을 설정하여 사람과 물건(제품 및 원재료 등)의 동선과 기류방향도 좌우되기 때문에 적절하게 설정 해야한다. 세포 제조 시설의 일반적인 청정 구역을 어떻게 나누는지의 예를 표 2에 표시하였다.

청정도 구분으로, 청정도가 높은 것이 좋다고 해서 모든 지역을 FED-STD-209D의 클래스 1만 지역으로 하는 경우, 환기 횟수를 유지하기 위한 전기량 및 실내 온도와 습도를 유지하기 위한 냉수, 온수 등의 사용량을 보면, 비용이 높아서 부담스럽다. 또, 환경 측정을 실시하는 경우, 클래스 1만 지역과 10만 지역이 섞여있는 곳과 비교해 보았을 때, 전부 클래스 1만 지역으로 하는 경우, 측정 빈도 및 측정 포인트 수가 늘고 관리 기준도 매우 까다롭다. 게다가 유지 관리 측면에서도 기술적으로나 경제적으로 부담이 많아진다. 이런 점에서 제품의 품질을 유지하면서, 용도에 따른 적절한 등급 설정을 실시할 필요가 있다.

공조 시스템

세포제제는 멸균공정이 없다는 특징이 있다. 멸균공정이 없기에 세포제제의 무균성 및

청정도 구분 : 청정도는 FED-STD-209 및 일본 약전. 1S0146441-1 등의 기준이 있지만, 입방 피트와 입방 미터 안의 0.5 ㎛ 이상의 입자의 수에 따라 Class 나 등급이 나뉘는 청정도 구분은 위의 기준에 따라 세포 제조 시설의 각 작업실에 요구되는 청정도가 구분된다.

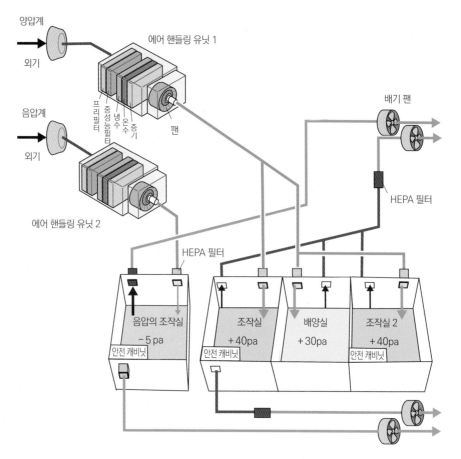

그림1 공조 시스템의 개략도

HEPA 필터는 JIS Z 8122에서 "정격풍량으로 입경이 0.3 μm의 입자에 대해 99.97% 이상의 입자 보수 비율을 가지며, 초기 압력 손실이 245Pa 이하의 성능을 가진" 초고성능 에어필터로 되어야 한다.

안전성에 대해서는 제조공정에서의 영향이 크고, 구조설비에서의 연구와 고려가 필요하다. 또한, 세포조제시설의 구조설비는 건축법이나 소방법 등 여러 가지 법규도 만족함과 동시에, 품질이 좋은 제품을 제조하는 시설로서 여러가지 설비가 갖추어 져야한다. 이런 고려속에서도, 세포 조제 시설의 구조 설비 안에서, 교차 오염 방지를 생각할 때, 가장 중요한 설비로서 공조 시스템을 들 수 있다.

1. 원리

세포조제시설에서 사용되는 공조기는 에어핸드링유닛이라 불리는 비교적 규모가 큰 공조기가 많다(그림 1). 외부열원설비에서 공급되는 냉수, 온수, 증기 등을 이용하여 외기를 프레필터와 중성능 필터로 통한 후 공기의 온도와 습도를 조절하여 실내로 공급한다.

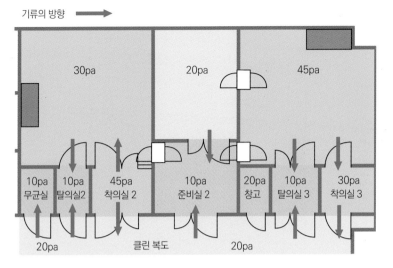

기류의 방향 →

| 30pa | 20pa | 45pa |

| 10pa
무균실 | 10pa
탈의실2 | 45pa
착의실 2 | 10pa
준비실 2 | 20pa
창고 | 10pa
탈의실 3 | 30pa
착의실 3 |

20pa　　　클린 복도　　　20pa

그림 2　양압 클린룸의 예

2. 양압의 클린룸

HEPA 필터에서 클린룸으로 공급되는 공기량과 배출되는 공기량의 차이가 플러스라면, 양압의 클린룸이다. 양압 때문에 공기의 흐름은 실내에서 바깥으로 흘러간다. 양압 관리의 클린룸은, 2가지 형태가 있는데, 각각 인근 탈의실에 대해 실압이 높은 유형과 실압이 낮은 유형이다.

탈의실에 대해 실압이 높은 유형의 장점은 공기가 탈의실 방향으로 흐르기 때문에 탈의실에서 발생한 먼지 등을 막을 수 있다. 탈의실에 대해 실압이 낮은 유형의 장점은 탈의실에서 클린룸 방향으로 공기를 주입할 수 있기 때문에 의양성 검체를 처리할 수 있다는 점이고, 단점은 탈의실에서 발생한 먼지가 클린룸으로 유입된다는 점이다. 이 단점은, 옷 행위에서 발생한 먼지가 해소될때까지, 착의실에서 대기한 뒤 클린룸에 들어가는 것으로 해결가능하다(그림 2).

3. 음압의 클린룸

양압의 클린룸과는 반대로, 클린룸 실내에 공급되는 공기량과 배기되는 공기량과의 차이가 마이너스라면 음압의 클린룸이 된다. 이른바 봉쇄의 클린룸(차단된 실험방)에서는 실외로 새면 위험한 벡터나 감염성 검체가 취급된다. 음압의 클린룸에서는 바이러스에 의한 오염도 가능할 수 있기 때문에 가스 멸균 등의 시설을 추가로 많이 필요로 하고 있다. 특히 벡터나 감염성 검체가 취급되는 환경이기 때문에 클린룸의 음압에 의해서 오염된 공기가 외부로 배출되지 않도록 버퍼 구역을 마련해야하고, 음압의 클린룸에 붙어 있는 탈의실은 음압의 클린룸보다 더 낮은 압력으로 설정되어야 한다. 이것은 탈의 행위로 발생하는 먼지와 작

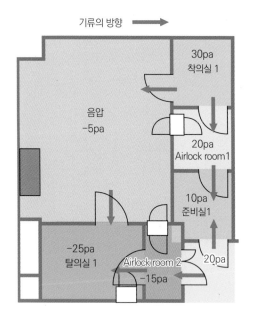

기류의 방향 ⟶

음압
-5pa

30pa
착의실 1

20pa
Airlock room1

10pa
준비실1

-25pa
탈의실 1

Airlock room 2
-15pa

20pa

그림3   음압의 클린룸의 예

업복에 붙어있는 감염성 이물질이 음압의 클린룸으로 흘러 들어가는 것을 방지함과 동시에 탈의실에 설치되어 있는 오토클레이브에서 발생하는 증기의 미스트가 음압의 클린룸으로 흘러드는 것을 방지하기 위해서이다. 간혹 음압의 클린룸과 탈의실의 압력이 역전되어 있는 시설이 있긴 하지만, 교차 감염의 위험성 때문에 권장하는 바는 아니다(그림 3).

4. 온도/습도의 제어

일반 의약품의 알약이나 고분자계 약제는 수분을 흡수하면 금이 가거나 팽윤, 변색, 곰팡이 발생 등의 위험이 있지만, 세포제제는 실내 환경에 직접 노출되는 시간이 짧기 때문에 일반 의약품의 습도 조건(30~50% RH(relative humidity))보다는 조금 높은 수준(35~65% RH)에 노출되더라도 지장이 없을 것이라고 생각되나, 과도한 습도(65% RH이상)에 노출되면 곰팡이가 발생하기 쉬울 수 있다.

온도 관리도 제품에 미치는 영향보다는 작업자들을 위한 부분이 더욱 크다. 보통은 22 ± 3℃ 수준에서 관리하지만, 무균복의 겹쳐입기 등으로 작업자가 땀을 흘리지 않도록 적절히 온도를 조절해 주는게 좋다.

5. 환기의 횟수와 청정도

세포조제시설 내의 환기 횟수와 청정도에는 밀접한 관계가 있다. 실내의 환기는 실내용적에 해당하는 공기량이 시간당 몇 번 바뀌었는지로 나타내며, 이를 환기 횟수(횟수/시간)라고 한다. 내부에 있는 부유 미립자들은, HEPA 필터를 통과한 극소량의 부유 미립자와 실내에서 발생하는 부유 미립자로 이루어지는데, 도입된 외기에 포함된 부유 미립자, 필터 효율, 순환 공기율, 송풍 공기량의 함수로 나타난다. 경험상 클래스 1만 정도의 환기 횟수는 40~50회, 클래스 10만 정도에서는 20회 정도를 권장하는 바이다.

6. 차압

세포조제시설 내 관리구역은 이물질 혼입, 교차 · 연결 방지, 미생물 오염 방지 목적으로 각 작업실, 작업 구역에 일정 정도의 기압차(이후 차압)를 유지하고, 기류 방향을 결정할 필요가 있다. GMP 대책상 각 방 사이에 차압 및 기류 방향은 중요한 항목이다. 인접한 두 방 사이의 차압은 각 방의 청정도에 따라 다르지만, 대개 10~15 pa 정도의 차이로 설계되는 것이 일반적이다. 압력계의 설치 장소는 HEPA 필터로부터의 기류의 영향을 받기 쉽기 때문에 기류에 영향을 받지 않는 곳을 선택하여 설치하는 것이 바람직하다.

▪ 방충방서대책

이물질이 혼입된 것이나 미생물 오염된 제품은 불량 제품으로 취급되며, 이를 방지하기 위해 세포조제시설에 있어서는 고급 위생관리가 요구된다. 균오염을 포함해 이물질 혼입 대책으로서 중요한 항목에 방충 방서 대책이 있다. 시설내에 제조상 불필요한 동물은 배제되어야 하고, 특히 곤충이나 쥐는 특히 비위생적인 동물로 생각되며, 이러한 것들의 배설물이나 개체가 접촉한 곳에서 제품에 대한 오염이 발생하지 않도록 충분한 주의가 필요하다.

1. 곤충에 대한 조사

세포조제시설의 방충 대책을 세울때에 클래스 10만까지의 전 구역에 곤충 포집을 위한 트랩을 설치하고, 봄 여름 가을 겨울에 각각 포획되는 곤충의 종류, 수 및 포획 장소의 조사를 한다(그림 4). 포획된 곤충의 생태에서 세포조제시설 안에서 발생하는지, 사람이나 자재에 붙어서 들어온 곤충인지, 또는 세포조제시설 밖에서 틈을 통해서 침입해온 곤충인지 파

배회 곤충 용 트랩   날아 오는 곤충용 라이트 트랩 (접착식)

그림4   곤충 조사를 위한 트랩 예

Ⅰ 세포 제조 시설에 서식하는 곤충

세포제조시설 내부에서 세대를 반복하는 곤충들로 배회 곤충이 많다. 원료 및 제품에 혼입될 가능성이 높고, 그 중에는 단위생식하는 것도 있으며, 세포제조시설에서 멸종대책이 필요하다.

Ⅱ 배수 시스템에서 침입하는 곤충

정화조와 피트, 하수구에서 발생하는 곤충들로 화장실 벽 등에서 흔히 볼 수 있다. 세포 조제 시설에는 배수관에서 침입해 오는 것이 많고, 발생원의 대부분이 불결한 곳이기 때문에 침입하게 되면 오염을 일으키는 원인이 된다.

Ⅲ 날아서 침입하는 곤충

날아서 침입하는 곤충은 세포제조시설 외부의 논, 잡초, 지역하천, 수목 등으로 발생하는 많은 자연이 대상인만큼 대책이 어렵다. 날아서 침입하는 곤충에 관해서는 곤충이 발생하는 위치에 접근하지 말것, 세포제조시설에 들어가지 않도록 할것, 들어온 것은 포착과 살충하는 것이 중요하다.

Ⅳ 사람 혹은 자재 등에 부착되어 들어오는 곤충

원자재와 사람에 부착되어서 세포 제조 시설에 붙어서 들어오는 곤충으로 주로 덤폴이나 쿠션에 붙어서 오는 거나, 많은 사람이 관여하는 경우는 옷이나 머리카락, 소지품 등에 부착하고 탈의실을 거쳐 침입하는 경우가 많다.

Ⅴ 세포 조제 시설 주변의 토양과 녹지에서 침투하는 곤충들

건물의 외주의 토양과 녹지에서 볼 수 있는 많은 곤충들로 대부분은 보행형 세포조제시설에 침입하므로 세포제조시설 내부와 외부와의 접점에서 발생한다. 통행로와 문입구 틈새를 없애는 것이 중요하다.

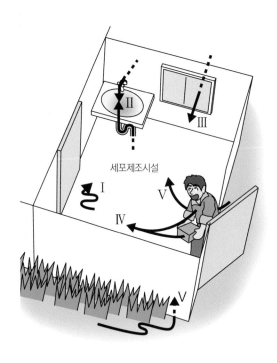

세포제조시설

그림 5   곤충의 세포 제조 시설내의 침입 및 발생 장소별 분류

악해야 적절한 방충 대책을 세울 수 있다. 또한 침입해온 곤충에 관해 침입 장소를 특정함으로써 시설의 결함을 발견하면 보수 계획을 세우는 것이 가능해진다(그림 5).

방충대책 기본항목

① 특정 곤충을 대상으로 하는 것이 아니라, 세포조제시설에 있는 모든 곤충을 대상으로 한다.

② 곤충 조사의 데이터를 토대로, 우리가 취해야 할 조치와 우선순위를 결정한다

③ 대책으로 물리적 대책, 화학적 대책(살충제), 위생관리, 작업원 교육을 효과적으로 조합하여 시행한다

④ 곤충의 대규모 발생이나 살충 시공이 어려운 곳 등이 있으면 필요에 따라 전문 업체와

상담하고 지도를 받는다

⑤ 방충 대책의 효과를 양적으로 확인하고 평가한다

2. 물리적 대책

물리적 대책으로 세포조제시설의 제조시설이나 자재 보관 장소 등의 밀폐화와 침입방지 시설 설치가 있다. 침입방지를 위한 순황색 형광등 설치와 라이트트랩 설치는 상반된 성질 을 이용하고 있다. 세포조제시설 내에서는 이 두 종류의 빛을 잘 이용함으로써 방충 관리를 할 수 있다.

3. 화학적 대책

화학적 대책으로 많이 쓰이는 것이 살충제다. 세포조제시설에서 이용되는 살충제에 요구 되는 것은 잔류성이 적고 비교적 안전한 살충제이다. 이 조건에 맞는 것이 **피레스로이드계 살충제**다.

세포조제시설 내의 손세척장 등 배수계에서 발생하는 곤충의 구제에 효과적인 약제로 곤 충 성장제어제가 있다. 이 유형의 살충제는 사람이나 가축에 대해 독성이 적고 냄새도 거의 없다. 이 살충제는 소량을 구덩이 등 유충이 서식하는 수계에 투입함으로써 유충의 성장을 저해하고 구제할 수 있다. 상품명: スミラブ粒剤(주성분: 비리프록시펜)가 널리 쓰이고 있 다.

피레스로이드계 살충제, 곤충성장제어제 이외의 약제로 유기염소계 살충제, 유기인계 살 충제, 카버메이트계 살충제가 있는데, 각 살충제의 사용에 있어서는 목적에 맞는 유효 성 분, 제제의 종류, 처리 방법 등을 잘 알아보고 선택하는 것이 중요하다.

4. 효과평가

물리적 대책 및 화학적 대책을 실시한 뒤 평가는, 대책 후 곤충포집 조사를 벌여 객관적 으로 평가를 한다. 대책 전후의 포획수 차이로부터 방제율을 찾아 효과 평가를 한다.

결론

대학 등 연구기관에서는 재생의료에 관한 많은 논문이 출간되어서 세포 제조에 관한 지 식이 축적되어 있다고 생각하지만, 그것이 세포제제로 세상에 널리 보편적으로 보급 및 판 매되는 수준인가 하면 반드시 그렇지는 않으며, 아직 제품화나 사업화하기에는 구조설비나 관리방법에 관해서 어려운 점이 많다고 생각된다.

앞에서 공조 시스템이나 위생 관리 방법에 대해 설명했지만, 하드뿐만 아니라 그것을 움

피레스로이드계 살충제 : 피레스로이드계 살충제는 제충국에 들어있는 유효성분을 중심으로 만든 살충제로, 각종 유도체가 널리 살충제로 이용되고 있다.

직이고 관리하는 소프트웨어도 중요하며 두가지가 동시에 잘 작동하는 것이 중요하다고 생각한다. 하드와 소프트가 잘 작동되어서, 품질 관리가 잘 되는 제조 시설에서 재생의료관련 제품의 안전한 생산과 판매가 되었으면 하는 바람이다.

인간 ES 및 iPS 세포에서 유래된 재생 의료 제품에서 종양이 생길 가능성이 있을까?

나카지마 히로유키(中島啓行), 야스다 사토시(安田 智), 사토오 요오지(佐藤陽治)

인간 다능성 줄기세포를 가공해 제조되는 재생의료 제품(인간 다능성 줄기세포 가공 제품)은 기존의 방법으로는 치료가 어려운 질병·손상에 대한 돌파구로서 기대를 모으고 있다. 하지만, 그 개발에 있어서는 발생할 수 있는 위험 평가나 품질·안전성 확보에 대한 방안이 요구된다. 특히 종양발생 가능성에 대한 평가가 중요한 과제이지만, 인간 다능성 줄기세포 가공 제품의 종양발생가능성에 대한 평가 지침은 아직까지 준비되어 있지 않다. 인간 다능성 줄기세포 가공 제품의 종양발생 가능성에 대한 시험은 제조 공정상의 목적별로 세 가지로 나뉘며, 그 목적에 따라 각종 종양발생 가능성 관련 시험법을 선택해야 한다. 이번 장에서는 제품 품질·안전성 평가에 있어서 종양발생 관련 시험의 사고방식과 그 적용에 대해 간단히 알아보도록 한다.

서론

인간 다능성 줄기세포에 분화 유도 등의 가공을 한 **재생의료제품**은 기존의 방법으로는 치료가 어려운 질병·손상에 대한 돌파구로 기대되고 있으며, 국내외에서 연구개발이 성행하고 있다. 이전에는 전혀 생각하기 힘들었던 전혀 새로운 제품의 개발에 있어서는, 예측 할 수 있는 위험 평가법이나 품질·안전성 확보를 위한 기반 기술의 정비가 필수이다. 인간 유래 배아줄기세포(ES세포)나 인공다능성 줄기세포(iPS세포) 같은 다능성 줄기세포는 종양이 발생할 수 있을 가능(이하 **조종양성, 造腫瘍性**)을 가지고 있어서 다능성 줄기세포를 이용해 제조되는 제품에 있어서는 조종양성의 평가와 품질 관리가 중요한 과제가 되고 있다. 그렇지만 이식에 의한 치료 목적으로 환자에게 투여하는 인간 유래의 원시 세포를 대상으로 한 조종양성 시험 지침은 아직까지 존재하지 않는다. 이번 장에서는 인간 다능성 줄기세포를 이용한 재생의료의 실현에 있어 불가피한 조종성 평가의 현황과 과제에 대해 간단히 알아보고자 한다.

인간 다능성 줄기세포의 조종양성

다능성 줄기세포는 무한한 자기 복제능과 모든 종류의 세포로 분화할 수 있는 분화 다능

재생의료제품 : 재생 의료 및 세포 치료에 사용되는 것이 목적으로 되어 있는 것 중에서, 사람 또는 동물의 세포를 배양, 그 외의 가공을 한 것 세포 및 조직 가공 제품이라고도 불린다.

조종양성 : 동물에 이식 된 세포 집단이 증식하여 양성 또는 악성 종양을 형성하는 능력

표 1 만능 줄기세포에서 유래하는 재생의료제품의 조종양성에 영향을 미치는 요인의 예

만능 줄기세포에 기인한 요인	그 밖에 요인
· 목적 세포로의 분화의 어려움 · 원재료가 되는 체세포의 종류 * · 초기화 방법 * · 초기화인자의 잔존 * · 세포증식의 조건 (배지, 첨가물 등) · 게놈의 안정성 및	· 투여부위 · 투여세포수 · 목적세포의 종류 (특정 액성인자의 분비 등) · 제조 공정에 있어서 처리 (분화유도, 순화 등) · 환자의 면역상태 · 동시 투여물 (Matrigel 등) 의 유무

'iPS 세포의 경우민

성을 가진세포로 정의할 수 있다. 그 능력은 면역 결핍 쥐에 이식할 때 Teratoma(기형종)라고 불리는 종양을 형성함으로써 확인이 가능하지만, 이것은 동시에, 인간 다능성 줄기세포를 제조 기재로 하는 재생의료 제품(인간 다능성 줄기세포 가공 제품)은 미분화한 인간 다능성 줄기세포의 잔류 · 혼입에 의해 종양을 형성할 가능성이 있음을 보여준다. 인간 줄기세포를 이용한 연구에서 섬유아세포와 현탁한 불과 수백 개의 줄기세포의 투여에 의해 면역결핍 쥐(SCID 마우스)에 종양이 형성되는 것으로 보고되고 있다 [1].

현재 고효율의 분화 유도법이나 잔존하는 다능성 줄기세포 제거법 등이 매우 활발히 연구되고 있지만, 100% 순도로 원하는 세포만을 조제 · 제조하는 것은 매우 어렵다. 따라서 제품에 얼마나 미분화한 다능성 줄기세포가 잔존하고 있는지, 최종 제품은 투여 부위에서 조종양성을 가지느냐, 같은 점을 적절한 시험 방법을 통해서 평가하는 것이 실용화를 위한 필수사항이다.

1. 2가지 측면에서의 "조종양성 위험"

"조종양성 위험"은 안전성 관점에서 크게 두 가지, 즉 "종양에 의한 물리적 장애의 위험"과 "악성 종양 형성의 위험"으로 나뉜다. '종양에 의한 물리적 장애'란 종양 형성에 따라 주변 조직이 압박 등을 받는 데 따른 장애로, 관절 재생 · 척수 손상 재생 등의 경우에서 문제가 된다. 이 경우는 설령 양성이라 해도 종양 자체가 위험 요인이 된다. 한편, '악성 종양 형성'은 종양의 악성도가 위험 요인이 된다.

실은 인간 ES 및 iPS 세포가 면역 결핍 쥐 내에서 증식 분화하여 형성되는 기형종은 종종 양성이며 정상 2배체의 인간 ES 세포를 면역 결핍 쥐에 이식하여 악성 종양이 발생했다는 보고는 없다. 하지만, 인간 유래 iPS 세포에 관해서는 면역 결핍 쥐에 투여할 때 악성 종양이 형성되었다는 보고가 존재하거나 [2] 재생 의학 제품의 제조 기재로서의 인간 다능성 줄기세포에 내재하는 기형종 악성화에 관계되는 인자 및 기전의 세부 사항은 분명하지 않지만, iPS 세포 수립시 세포 초기화 과정은 악성 형질 전환 연구에서 기존에 사용되어온 발암 포커스 형성 시험(*in vitro*에서의 유전자 도입에 의한 악성 육종 형성 시험)과의 유사성이 지적되고, 공통 기전이 있음이 지적되고 있다 [3].

2. 조종양성 영향을 미치는 요인

인간 다능성 줄기세포에서 유래된 재생의료 제품 안에 잔존하는 미분화 세포의 조종양성에는 다양한 요소, 즉 목적 세포로의 분화의 어려움 외에도, 인간 iPS 세포의 경우, 원자재가 되는 체세포의 종류 또는 초기화 인자 잔존의 유무 2)등 제조기재로서의 다능성 줄기세포에 부수하는 요인과 투여 부위, 투여 세포 수, 제조공정에 있어서의 처리, 환자의 면역 상태, Matrigel 등의 동시 투여 유무 같은 요인이 영향을 미칠 수 있다(표 1). **따라서 최종 제품의 조종양성에 영향을 미치는 제조기재의 품질특성 프로파일은, 목적으로 하는 최종 제품과 별도로, 어떤 평가법에 의하여 부적격 제품을 검사하고 배제하였는지를 최종 제품판매시에 밝힐 필요가 있다.**

조종양성 검사의 국제적 가이드라인

앞서 말한 대로 다능성 줄기세포 가공 제품의 조종양성 평가는 재생의료 실현에 있어서 중요한 과제이지만, 현재 재생의료 제품을 대상으로 한 조종양성 시험 지침은 존재하지 않는다. 세포의 조종성 시험에 관한 국제적인 지침으로 유일하게 존재하는 것은 세계보건기구(WHO)의 생물약품 표준화 전문위원회 제47차 보고(1998) (Technical Report Series No. 878: TRS 878)에 있는 별책 "생물약품 제조용의 *in vitro* 기재로서의 동물세포 사용 요건"4)5) 이다(이하 WHO TRS 878로 언급하겠다).

WHO TRS 878에 있는 조종양성 시험의 목적은 셀 뱅크의 조종양성 정도를 품질 특성 지표로 파악하고, 그 변화를 세포 특성상의 이상 발생의 탐지를 위해 이용하는 데 있다. 하지만, 여기서 주의해야 할 것은, 이 시험의 적용 대상은 생물약품(백신이나 단백질제제 등)을 제조할 때 이용되는 동물유래세포주이며, 인간유래세포주에서 생산되는 재생의료제품 및 그 제조기재는 대상이 되지 않는다는 점이다. **WHO TRS 878 시험은 어디까지나 세포주의 셀 뱅크라는 동질적인 세포 집단의 조종양성 평가를 대상으로 하고 있기 때문에, 미세하게 혼입되어 있는 미분화 · 조종양성 세포로 인한 재생의료 제품의 조종양성 평가를 목적으로 할 경우 그대로 전용하는 것은 감도 등의 면에서 무리가 있다.** 혼입된 극소수의 미분화 · 조종양성 세포로 인한 재생의료 제품의 조종양성을 평가하려면 WHO TSR 878보다 감도를 높이는 등 목적에 맞는 적절한 평가도구의 개발이 필요한 실정이다.

인간다능성 줄기세포 가공제품의 조종양성 시험

인간 다능성 줄기세포 가공 제품 제조에 있어서 조종양성 시험은 목적별로 다음 세 가지

WHO TRS 878 에 있는 조종양성 시험 : "누드 마우스 등 동물 10마리에 10⁷개의 세포를 투여하고 16주 (1998년 판에서는 12주) 관찰한다. 양성 대조군으로   HeLa 세포 등을 사용한다" 라는 것

인간 만능 줄기세포 가공 제품의 제조 공정

실용화

| 제조 기재되는 세포의 품질 관리를 위한 | 제조 공정 평가를 위한 | 최종 제품의 안전성 평가를 위한 |

☐ 세포 뱅크의 조종양성이 규정의 범위내에 있는가

☐ 얼마나 인간만능줄기세포가 잔존하고 있는가

☐ 목적외 세포로 조종양성 세포가 들어 있는가

☐ 얼마나 많은 인간 만능 줄기세포가 잔존하고 있는가

☐ 목적 외 세포로 조종양성 세포가 들어 있는가

☐ 투여 세포가 생착하는 미세 환경에서 종양을 형성하느냐

그림   조종양성 시험이 필요한 3가지 목적과 각 단계에서의 우려 사항

가 존재할 수 있다(그림)

① 제조기재가 되는 세포 품질관리를 위한 조종양성 시험

② 제조공정(중간제품) 평가를 위한 조종양성 시험

③ 최종 제품 안전성 평가를 위한 조종양성 시험

①과 ②는 품질 시험, ③은 비임상 안전성 시험이라는 위치가 된다.

세포 집단의 조종양성 혹은 세포 집단 속의 조종양성 세포의 검출에 대해서는 표2에서 보여주는 *in vitro/in vivo* 시험법이 알려져 있고, 이것들을 조합해서 각각의 목적에 따른 평가가 가능하다고 생각된다. 그렇다면 위 3종의 조종양성 시험의 특징과 방법에 대해 WHO TRS 878과의 관련하여 알아보도록 하자.

1. 제조기재가 되는 세포 품질관리를 위한 조종양성 시험

제조기재가 되는 다능성 줄기세포의 품질관리를 위한 조종양성에 있어서 우려사항은 "셀뱅크의 조종양성이 규정의 범위 안에 있는가"라는 점에 있다. 다능성 줄기세포 가공제품의 제조기재인 인간 ES/iPS 세포뱅크의 조종양성 정도에 상당한 변화가 생기면 알려진 혹은 미지의 바이러스 감염, 변이원성 물질이나 스트레스에 의한 유전자 변이 · 발암 유전자 활성화 등 원인은 어느 쪽이든 세포 특성에 어떤 이상이 일어났다는 것이 시사된다. 즉, 인간 ES/iPS 세포 은행의 조종양성을 세포 특성 지표의 하나로 평가하면 인간 ES/iPS 세포 은행의 이상을 검출하여 품질 관리에 활용할 수 있다. 이 평가는 셀뱅크라는 동질적인 세포 집단을 대상으로 하기 때문에 WHO TRS 878의 방법을 준용하는 것이 가능하다고 생각된다.

2. 제조공정(중간제품) 평가를 위한 조종양성 시험

인간 다능성 줄기세포 가공 제품의 중간 제품이 되는 세포 집단에는 '목적 세포', '목적 세포의 전구 세포', '잔존 다능성 줄기세포' 및 '기타 목적 외 세포' 등 네 가지가 포함되어 있을

표2 주요 조종양성 시험의 능력 한계

in vivo 시험법

시험법	측정사항	목적	이점	결점
누드 마우스로의 이식	종양형성	조종양성세포의 검출	정량화 방책이 정비 (WHO TRS 878)	시간(수주간~수개월). 비용이 든다. 췌장암, 유방암, 그리어 세포종, 림프종, 백혈병 세포에서 유래 한 세포주는 종양을 형성하지 않는다. 적은양의 종양 세포는 찾을 수 없다.
NOD-SCID 마우스로의 이식			누드 마우스보다 고감도	시간(수주간~수개월). 비용이 든다. 정량화 방책이 미정비, 흉선종을 자연 발병
NOG/NSG 마우스로의 이식			INOD-SCID 보다 고감도 / 흉선종 없음	시간 (수주간~수개월). 비용이 든다. 정량화 방책이 미정비

in vitro 시험법

시험법	측정사항	목적	이점	결점
세포증식특성분석 (소정배양기간을 초과하여 배양)	세포증식속도	불사화세포의 검출	간편 및 저가 때로는 누드마우스보다도 고감도 (불사화되어 있어도 종양형성이 없는 경우)	약간의 불사화 세포의 혼입 검출에는 시간이 걸린다.
Flow cytometry	세포마커 단백질 발현	조종양성세포 및 미분화세포의 검출	단기간(~1일), 간편 때때로 연한천 콜로니시험보다도 고감도 세포를 식별 · 분리 · 회수가 가능하다	특정 마커발현세포만 검출가능하다 (마커 음성의 조조야성 세포는 놓칠 우려가 있다) 게이트 조작에 따라서 결과가 달라질 수 있다.
qRT-PCR	세포마커 유전자 발현		단기간(~1일), 간편 때때로 연한천 콜로니시험보다도 고감도	특정 마커발현세포만 검출가능하다 (마커 음성의 조조야성 세포는 놓칠 우려가 있다)
연한천 콜로니형성시험	콜로니 형성	비의존적 발육 증식의 검출	*in vivo*시험보다 단기간(수주간~1개월 정도) 저가 때때로 누드마우스보다 고감도	부계세포에는 사용이 불가하다 약간 포함된 조종양성세포는 검출이 불가능하다. 인간 ES/iPS 세포는 검출이 불가능하다 (분산유도성 세포사).
핵형분석	염색체의 수, 사이즈, 형태	염색체 이상의 검출	기술적으로 확립	상관성의 문제 (염색체이상 ↔ 조종양성) 약간 함유된 조종양 세포가 검출되지 않는다.
염색체 CGH 및 allele CGH	게놈 DNA 의 카피수의 이상			
형광 *in situ* 이종교잡 (FISH)분석	특정유전자의 위치 및 copy 수			

가능성이 있다. 따라서,

① 인간 만능 줄기세포가 얼마나 남아있는가

② 목적 외 세포로 조종양성 세포가 들어 있는가?

라는 두 가지가 제조공정(중간제품) 평가에 있어서 조종양성을 평가하는 고려사항이 된다.

1) 인간 만능 줄기세포가 얼마나 남아있는가

①에 대해서는 미분화 다능성 줄기세포 특이적인 마커를 지표로 한 Flow cytometry나 정량 RT-PCR법에 의한 평가가 가능하다. 이 평가법의 장점은 감도가 높은 점에 있으며, 각

각 초기 배양 인간 체세포 안에 인간 iPS 세포를 첨가해 평가한 결과 Flow cytometry법에서는 0.1%, 정량 RT-PCR법의 경우엔 0.002% 이상의 존재비에 대한 인간 iPS 세포를 검출가능함을 알 수 있다[6].

2) 목적외 세포로 조종양성 세포가 들어 있는가?

한편, ②를 검출하기 위한 시험계로는 세포 증식 특성 분석(증식 곡선에 의한 불사화 세포 검출)이나 Soft agar colony formation assay에 의한 부착비의존성증식세포의 검출을 들 수 있다. Soft agar colony formation assay에서 인간 암 세포를 1% 이상에서 검출이 가능하다고 알려져 있다. 그렇지만 인간 다능성 줄기세포는 단일 세포까지 분산시키면 세포사멸이 일어나는 특이한 성질을 가지고 있어서 잔존하는 인간 다능성 줄기세포의 검출(①)에 soft agar colony formation assay는 부적합하다[4].

또한, ②를 위해서 *in vivo*의 방법을 활용하는 것도 가능하다. 그렇지만, 균등한 세포 집단을 대상으로 평가하는 WHO TRS 878 조종양성 시험은 정상 세포 안에 약간 혼입된 미분화·조종양성 세포를 검출하기에는 감도가 낮고 결과가 위음성이 되어버릴 우려가 높기 때문에 감도가 더 높은 방법을 사용할 필요가 있다. 그래서 유력한 대안으로 꼽히는 것이, Rag2-γC double-knockout (DKO)[7], NOD/SCID/γC[null] (NOG)[8], NOD/SCID/IL2rgKO (NSG)[9] 등 중증 면역결핍 쥐 계통을 이용하는 검출방법이다. 이 쥐들은 T세포, B세포 및 NK세포를 결실하고 있으며, 누드마우스 등 기존의 면역결핍 쥐와 비교해 인간의 세포나 조직의 생착성이 높아 인간 암세포를 매우 높은 효율로 생착시킬 수 있다고 알려져 있다[10] [11]. 우리가 NOG 마우스에 Matrigel과 현탁한 HeLa 세포를 피하 투여하고, 종괴 형성에 필요한 세포 수를 검토한 결과, WHO TRS 878 에 있는 조종양성 시험에 비해 2,000배 이상의 감도 상승이 인정되었다(투고 준비중). 중증 면역 결핍 쥐 계통을 이용한 시험계 개발에 있어서의 과제로는 a) 시험계의 검출 한계·감도·정밀도, b) 양성·음성 컨트롤의 존재 방식, c) 투여 세포 수, d) 관찰 기간, e) 투여 경로, f) 투여 방법, g) 누드마우스와의 비교 등을 검토해 나갈 필요가 있다.

3. 최종 제품 안전성 평가용 조종양성 시험

인간 다능성 줄기세포 가공 제품의 최종 제품에는 중간 제품과 마찬가지로 '목적 세포', '목적 세포의 전구 세포', '잔존 다능성 줄기세포', 그리고 '기타 목적 외 세포' 등 네 가지가 포함되어 있을 가능성이 있다. 다만 중간 제품의 경우와 달리 최종 제품의 조종양성 시험에서는 생착 부위에서 종양 형성능을 확인할 수 있는 방법이 요구된다. 그래서,

① 얼마나 많은 인간 만능 줄기세포가 잔존하고 있는가?

② 목적 외 세포로 조종양성 세포가 들어 있는가?

③ 투여 세포가 생착하는 미세 환경에서 종양을 형성하느냐?

하는 것이 최종 제품에 있어서 조종양성의 우려 사항이 된다. ①, ②에 대해서는 중간 제품 평가의 경우와 마찬가지로 다능성 줄기세포의 마커 단백질/마커 유전자 검출(①), 불사화 세포 검출이나 부착비의존성 증식 세포 검출(②) 등으로 각각 평가가 가능하다고 생각된다.

한편, ③에 대해서는 *in vivo* 조종양성 시험에 의한 평가가 필요하다. 그 경우에 고려해야 할 점으로 a) 시험계의 검출 한계, b) 양성·음성 컨트롤의 존재, c) 투여 세포 수, d) 관찰 기간, e) 투여 부위, f) 실험례수(例數) 등을 들 수 있다. 특히 투여 부위에 관해서는 생착 부위의 차이에 따라 종양 형성능이나 종양의 유형이 달라질 수 있기 때문에 가능한 한 인간에서의 투여 부위에 해당하는 부위로 만들어야 한다(표 2, 그림).

4. 신기술에 의한 조종양성 평가 가능성

인간 다능성 줄기세포는 세포주와 배양 조건에 따라 유전자·염색체에 이상이 생기는 것으로 보고되고 있다 [12) 13)]. 그래서 인간 다능성 줄기세포 가공 제품 및 제조기재인 인간 ES/iPS 세포의 조종양성 평가에 차세대 시퀀서를 사용해야하는 것이 아닌가에 대한 논란이 있다.

1) 차세대 시퀀서에 의한 조종양성 평가

전체 게놈 시퀀스나 전체 엑손 시퀀스의 데이터를 이용해 유전자 변이를 망라적으로 검출하고, 조종양성 세포의 혼입을 감지한다는 것이 그 목적이다. 하지만 이런 접근 방식은 현실적으로는 별로 도움이 되지 않는다. 주된 이유는, **인간 다능성 줄기세포 가공 제품의 안전성과 인과 관계가 명료한 유전자 변이의 구체 예는 부족하고, 개별 최종 제품의 안전성 지표로서 어떤 변이의 검출이 유용한지 분명하지 않기 때문이다.** 감도 면에서도 차세대 시퀀서에서는 세포 집단 중의 1% 미만만이 보유하고 있는 사소한 변이를 감지하기가 어렵고, 충분하다고는 보기 힘들기 때문이다.

또한 인간 ES/iPS 세포 유래 제품의 조종양성을 평가하는데 있어서, "제조 기재가 되는 줄기세포의 조종양성과 최종 제품의 조종양성과의 상관 관계 또는 인과관계는 불분명하다"라는 점에 최대의 주의가 필요하다. 즉 **임상 적용에 있어서는 원자재나 제조기재가 아니라 어디까지나 최종 제품으로서의 인간 ES/iPS 세포 유래 제품의 조종양성 평가가 가장 중요하다는 점에 항상 유의해야 한다.** 따라서, 제조기재로서의 다능성 줄기세포의 시퀀싱 데이터 중 어느 유전자를 확인 대상으로 하느냐에 따라서, 최종 제품에 의한 종양 형성에 기여가 극히 낮은 유전자 변이밖에 포함하지 않는 다능성 줄기세포까지도 부적절하다고 배제해버리게 되는 오류를 범할 수도 있다.

2) 첨단기술에 의한 평가에 있어서 주의점

위의 예처럼 새로운 기술이 개발되더라도, '첨단적 기술이니까'라는 이유만으로는 그것을 즉시 제품의 품질·안전성 평가에 적용할 수는 없다. 그 기술에 의한 시험 결과를 받은 후에 제품 개발, 제조 및 임상의 장에서 구체적으로 어떤 판단이 가능한지 분명하지 않으면, '수중에 있는 해당 제품의 안전 대책'으로서는 의미가 없다는 데 주의해야 한다. 즉, 현재, 유전자 변이를 지표로 삼아 조종양성 세포의 혼입을 감지하려고 한다면, 발암 위험과 매우 높은 상관관계가 있다는 것이 알려진 특정 유전자 변이에 국한하여, 보다 감도있고 정밀하게 감지하는 방법을 개발하는 것이 오히려 도움이 될 수 있다.

또한 재생의료 제품 개발에 있어서 차세대 시퀀서의 역할 가능성으로는 그 밖에 예를 들어 제조기재 ES/iPS 세포의 동일성 평가를 목적으로 한 이용(STR 등의 대안으로 이용)이나 제조기재 ES/iPS 세포 및 제품 속 세포의 게놈 불안정성 평가를 목적으로 한 이용(CGH 등의 대안으로 이용)이 생각할 수 있다. 각각에 있어서 유용성을 논의하기 위해서는, 레귤러토리 사이언스 연구, 즉 각 목적에 따른 시험계의 성능과 한계에 대한 과학적 이해가 필수다.

결론

인간 다능성 줄기세포 가공 제품을 포함한 재생의료 제품을 대상으로 한 조종양성 시험 지침은 아직 존재하지 않는다. 현 시점에서는 재생의료 제품 중에서도 특히 조종양성에 관해서 우려가 강한 제품에 대해 본항에서 언급한 유형의 다른 시험을 여러 개 실시하고, 종합적으로 판단해야 한다.

또한 개별 제품에서 보여야 할 구체적 평가사항은 원자재 · 제조기재나 제품의 특성 · 대상 질환 · 리스크 관리 플랜 등을 감안하여 제품별로 판단해야 할 것이다. 적절한 시험을 조합한 결과 및 평가에 대해서도, 사람에서의 겨로가를 완전히 보증하는 것뿐만 아니라 각 시험법의 능력과 한계를 이해한 다음 위험 평가 및 위험 관리, 법률제정 및 환자에게 직접 informed consent를 받는 것 까지도 중요하게 받아들이고 시행되어야 할 것이다.

◆ 문헌

1) Hentze. H. et al.: Stem Cell Res., 2: 198-210, 2009
2) Griscelli, F. et al.: Am. J. Pathol., 180: 2084-2096, 2012
3) Riggs, W. et al.: Stem Cells Dev., 22: 37-50, 2013
4) WHO Expert Committee on Biological Standardization, 47th Report, 1998 (Technical Report Series No. 878)
5) World Health Organization: Recommendations for the evaluation of animal cell cultures as substrates for the manufacture of biological medicinal products and for the characterization of cell banks. Proposed replacement of TRS 878, Annex 1, 2010 (http://www.who.in[/biologicals/Ce!l_Substratcs_clean_version_l8_April.pdf)
6) Kuroda, T. el al.: PLoS One, 7: c37342, 2012
7) Garcia, S. el al.: Immunity, 11: 163-171, 1999
8) Ito, M. et al.: Blood, 100: 3175-3182, 2002
9) Ishikawa, F. el al.: Blood, 106: 1565-1573, 2005
10) Machida, K. et al.: J. Toxicol. Sci., 34: 123-127, 2009
11) Quintana, E. et al.: Nature, 456: 593-598, 2008
12) Ben-David, U. & Benvenisty, N.: Nat. Rev. Cancer, 11: 268-277, 2011
13) The International Stern cell Initiative: Nat. Biotechnol., 29: 1132-1144, 2011

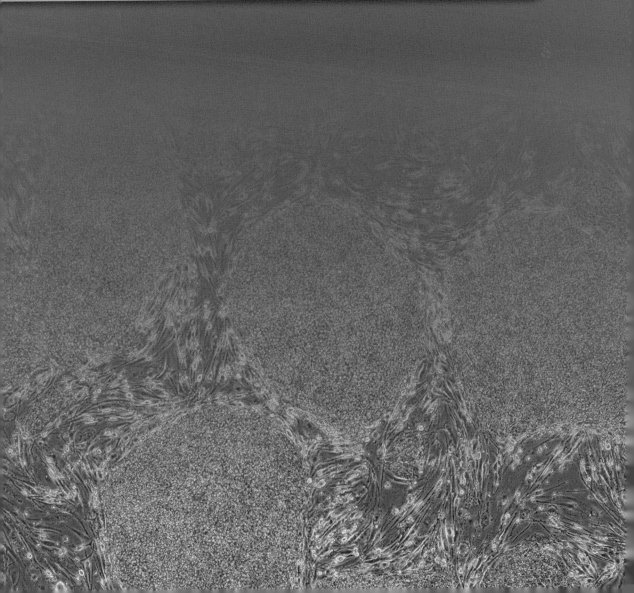

Ⅱ ES·iPS세포실험의 기본 프로토콜

1 2i 배양법을 이용한 마우스 ES 세포수립법

오츠카 사토시(大塚 哲), 니와 히토시(丹羽仁史)

Flow chart

-2일	당일	3~5일	약 3일
초기 배아의 배양 →	면역술기를 통해서 내부세포종괴를 단일세포화 →	MEF와 함께 내부세포종괴 배양 → 〈계대〉 →	2i 배지에서 ES 세포주 수립(계대배양가능)

서론

　　1981년, Evans와 같은 사람들이 세계 최초로 배아 줄기세포(ES 세포)를 설립하고 나서, 30년이 흘렀다. 줄기세포에 유전자를 바꾸어주고, 배반포에 주입하면 그 유전형질은 생식 계열을 통해 차세대로 전달된다. 이 발견은 다양한 유전학적 해석을 가능케 하며, forward genetics의 자연과학 및 의학 영역에 상당한 기여를 해왔다는 것은 잘 알려진 사실이다. 많은 연구자들에게, ES 세포는 유전자 기능의 해석을 위한 강력한 도구로 사용되어 왔다. 한편으로, ES 세포 그 자체의 분화 다능성에 대한 연구도 우리를 포함한 많은 그룹에 의해 활발히 이루어지고, 미분화성을 규정하는 전사 인자 네트워크나 신호 경로등이 밝혀지고 있다. ES 세포의 미분화성 유지에는 positive 혹은 negative로 제어하는 신호 인자나 전사 인자가 복잡 하게 얽혀 절묘한 균형을 유지함으로써 수행되고 있다고 생각된다.

　　기존에 줄기세포를 만들려고 한다면, 미경험자에게는 기술적인 것뿐만 아니라 정신적으로도 높은 장애물이 있었던 것처럼 보인다. 실제 필자들도 처음 줄기세포를 만들기위한 조건을 검토할 때 상당히 고생한 경험이 있다. 특히 이용하는 혈청의 lot 선택은 매우 중요했다. 또한, ES 세포가 재현성 좋고 안정적으로 수립할 수 있었던 것은 129 계통의 유전적 배경을 가진 쥐들뿐이었다. B6 계통이나 Balb/c 계통에서도 줄기세포주는 수립할 수 있었지만, 129 계통에 비하면 수립 효율도 낮았고, 수립된 줄기세포주도 불안정했다. 또한 전통적인 방법으로는 결코 줄기세포가 수립되지 않았던 생쥐 계통도 적지 않게 존재하며, 예를 들어 시오노기제약(塩野義製薬)의 마키노 신이치(牧野信一)가 만든 1형 당뇨병 질환 모델 생쥐(non-obese diabetic : NOD 마우스)는 의학적으로 매우 중요한 연구 재료이긴 하지만, ES 세포주를 만들 수 없기 때문에 유전자 조작 NOD 마우스의 제작이 불가능하여 병태의 유전학적 접근을 하지 못하고 있었다.

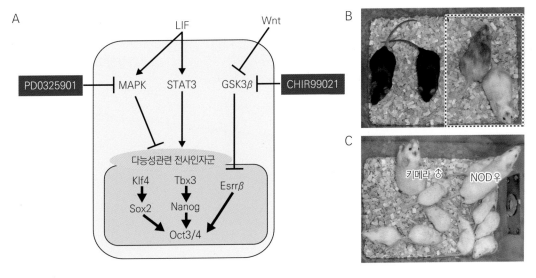

그림 1 2i 배양법의 기본원리

A) 2i 배양법의 기본원리. MAP kinase 및 GSK3 signal 경로를 차단하여 미분화성 유지를 지지하는 전사 인자 네트워크를 유지한다. B) NOD
계통 유래 ES 세포를 B6 (검은 색) 유래 배반포 주입하여 얻은 키메라 마우스 개체 (붉은 점선). 기여하지 않은 배아 유래의 개체는 흑색이 된다.
C) 키메라 개체 (♂)를 야생형 NOD (♀)와 교배하고, 생식 계열 전달 기능을 확인했다.

이번 장에서 소개하는 GSK3 및 MEK inhibitor(2개의 inhibitor) 조합에 의한 2i 배양법은
케임브리지대학의 Smith 등의 그룹에 의해 개발되었으며, 다양한 쥐 계통뿐만 아니라 쥐로
부터의 줄기세포주 수립을 또한 가능케 했다[1)2)]. 이로 인해 지금까지 줄기세포를 만들때 우
려되었던 요인, 즉 혈청의 lot selection나 마우스 계통 차이를 고려하지 않고, ES 세포를 새
롭게 임의의 계통에서 간편하게 수립하는 것이 가능해졌다.

원리

우선 그림 1A에 2i 배양법의 기본 작용 원리를 보여준다. ES 세포의 미분화 유지에 필수
적인 신호 분석으로부터, MAP kinase (MAPK) 그리고 GSK 3β가 미분화 유지에 대해 억제
적으로 작용하는 것으로 알려져 있었다. 억제제의 조합에 의해 양쪽을 모두 억제하면, ES
세포는 극히 균등한 미분화 집단으로서 유지 배양이 가능하다는 것을 보여주었다[1)]. 게다가
이 균일성은 수립된 줄기세포주뿐만 아니라 초기 배아로부터의 수립 과정에서도 마찬가지
여서, ES세포의 수립이 극히 쉬워졌다. GSK 3β 억제에 의한 미분화성 유지의 분자적 기전
에 관해서는 잘 알려져서 TCF3의 억제를 통해 미분화 유지에 대해 작용하고 있다고 알려져
있으나[3)], MAPK 경로에 관해서는 그 상세한 표적 분자에 관해서는 아직 불분명한 점이 많
아서 MAPK 억제에 의한 분화 세포의 비율 감소나 키메라 기여율 상승과 같은 정황 증거만

알려져 있을 뿐이다[4].

어쨌든, 2i 배양법을 이용해 만들어진 NOD 마우스 계통에서 유래된 줄기세포는, B6계통(털색깔이 검정)에 대한 배반포 주입에 의한 키메라 기여율이 높았고, 그 후 생식계열을 거쳐 차세대에 NOD 형질이 전달되는 것을 확인할 수 있었다(그림 1 BC). 2i 배양법을 이용해 만들어진 줄기세포주는 매우 안정적으로 분화다능성을 유지할 수 있었다.

준 비

- ☐ 실체광학현미경
- ☐ CO_2 incubator
- ☐ Clean Bench
- ☐ MEF 배양된 4 well dish
- ☐ MEF 배양된 3.5 cm dish
- ☐ Glass capillary

1. 초기 배아의 회수 및 배양

- ☐ 짝짓기가 확인된 후 1~3일의 마우스 개체
- ☐ KSOM

    ARK Resourse company로부터 구입 또는 타 회사 제품, 혹은 자가조제라도 배아 배양 검정된 경우 사용 가능.
- ☐ PD0325901 (Stemgent company, #04-0006)

    DMSO에 3 mM으로 용해해 분주 후 − 20℃에서 저장
- ☐ CHIR99021 (Stemgent company, #04-0004)

    DMSO에 6 mM으로 용해해 분주 후 − 20℃에서 저장
- ☐ M2 배지(Sigma Aldrich company, #M7167)
- ☐ 26G 주사기
- ☐ 1 mL Injection syringe

배지조제

- ☐ KSOM (2i 첨가)

		(최종농도)
KSOM	10 mL	
3 mM PD0325901	3.3 µL	(1 µL)
3 mM CHIR99021	10 µL	(3 µL)
	10 mL	

2. 면역 수술에 의한 내부 세포 덩어리의 분리 및 배양

- ☐ Protease (Sigma Aldrich, #P5147)

Streptomyces griseus 유래된 M2 배지로, 최종 농도가 0.5% (w/v) 되도록 조제한다. acid tyrode solution으로 대체가 가능하다.

☐ Anti-mouse erythrocyte antibody (INTER-CELLTECHNOLOGIES, Inc., #A3840)

☐ Guinea pig complement (Calbiochem company)

3. 2i 배지에서의 배양에 의한 ES 세포주의 수립과 유지

시약 등

☐ Mitomycin 처리된 MEF

☐ 2i 배지

구입한 배지[*1]에 최종 농도 1μM PD0325901, 3μM CHIR99021 및 100 Unit LIF를 첨가한다. 혹은 아래와 같이 자가조제해도 된다.

☐ Accutase® (Sigma Aldrich, #A6964)[*2]

배지의 조제

2i 배지의 자가조제에는 다음 시약을 준비한다.

☐ DMEM/F12 (Life Technologies, Inc. #10565-018)

☐ Neurobasal® (Life Technologies, Inc., #21103-049)

☐ Pyruvate (Nacalai Tesque, Inc., #06977-34)

☐ NEAA (Nacalai Tesque, Inc., #06344-56)

☐ 2-ME

☐ LIF[*3]

☐ GMEM 배지 (Sigma Aldrich, #G6148)

MilliQ 물에 용해, 필터 멸균[*4]

☐ 2i 배지의 자가 조제

자가 조제의 경우는 다음과 같다.

		(최종농도)
DMEM/F12	250 mL	
Neurobasal®	250 mL	
x 100 Pyruvate	5 mL	
x 100 NEAA	5 mL	
2-ME	500 μL	(0.1 mM)
PD0325901 (3 mM)	168 μL	(1 μM)
CHIR99021 (3 mM)	500 μL	(3 μM)
LIF	50 μL	(100 Unit)

총 510 mL

*1 Stem Cell Science SCS-SF-NBO 1. 구입에는 영국 본사로 문의해야 하는가? 일본에서는 야스마제약(八洲薬品)이 수입 배포를 대리 하고 있다.

*2 또는 0.25% trypsin / EDTA solution (Nacalai Tesque, Inc. #32777-44)

*3 자가 조제도 가능하지만, ESGRO (Merck #ESG 1106) or LIF human recombinant (Wako Pure Chemical Industries #129-05601)로 대체 가능

*4 또는 G-MEM 배지 (Wako Pure Chemical Industries #078-05525)로 대체가능

□ 혈청 함유 ES 배지

GMEM 배지 혹은 G-MEM 배지에 다음을 첨가한다[*5].

*5 두 경우 모두 첨가된 배지는 한
    달 정도면 사용가능

		(최종농도)
GMEM배지	400 mL	
혈청	40 mL	(10%)
x100 Pyruvate	4 mL	
x100 NEAA	4 mL	
2-ME	400 μL	(10^{-4}M)
LIF	400 μL	(10^3Units)

총 450 mL

프로토콜

ES 세포는 3.5일째 되는 생쥐 초기 배아의 내부 세포 덩어리에서 *in vitro* 배양계로, 분화 다능성을 유지하고, 또 무한 증식능을 획득한 세포군을 안정적으로 늘림으로써 얻어진다. 줄기세포 수립 시의 기본적인 절차는 기존의 혈청을 포함한 배지에서의 줄기세포 수립법과 같다. 다른 훌륭한 저서(참고도서를 참조)에 상세히 나와 있기 때문에, 이번 장에서는 우리가 보통 사용하는 2i배지를 이용한 줄기세포 수립법에 대해 상세히 소개한다. 대략적인 수립 절차는 다음 세 가지로 이루어진다.

1. 초기 배아 회수와 배양
2. 면역수술에 의한 내부 세포괴의 단리 및 배양
3. 2i 배지에서의 배양에 의한 ES 세포주의 수립과 유지

1. 초기 배아 회수와 배양

회수할 타이밍은 8~16 세포기나 배반포 중 하나가 좋다. 회수율은 8~16 세포기 배아가 높기 때문에 필자는 이쪽을 선호한다.

A) 1.5일째 8~16세포기 배아를 사용할 경우

❶ 플러그 확인 후, 1.5일째 되는 날의 메스 개체의 난관과 자궁을 5 mm가량 남기고 적출한다.

❷ 난관채에서 26G 주사심을 장착한 1 mL 실린더를 이용해 M2 배지로 환류한다.

❸ 회수율을 높이기 위해 자궁 상부에서 약 1 mL의 M2 배지로 환류하여, 8

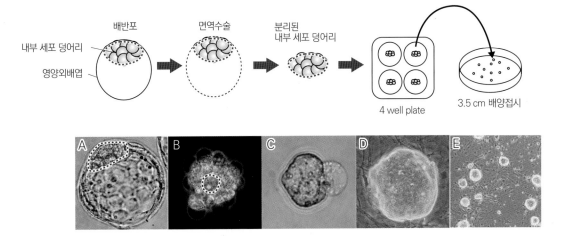

내부 세포 덩어리 — 배반포 → 면역수술 → 분리된 내부 세포 덩어리 → 4 well plate → 3.5 cm 배양접시

영양외배엽

그림 2   면역 수술 ~ ES 세포 수립까지의 과정

면역 수술을 통해 배반포에서 영양외배엽을 제거하고, 내부 세포덩어리(빨간색선)을 따로 떼어내어 2i 배지에서 배양한다. 증식한 내부 세포 종괴를 3.5 cm 배양접시에 계대 배양

세포~상실배아기의 배아를 회수한다.

B) 3.5일째 배반포를 사용할 경우

❶ 환류는 자궁에서만 진행한다. 이 경우 자궁뿐 아니라 난관도 남긴 상태에서 자궁·난관을 적출해두면 된다.

❷ 자궁 쪽에서 26G 주사심을 장착한 1 mL 실린더를 삽입하여 일단 자궁 내부를 M2 배지로 채운다[*1].

❸ 배반포는 자궁 난관 측으로부터 M2 배지를 통해서 회수 된다.

❹ 과립형태의 초기 배아를 확인되면, 마우스 피펫을 이용하여 회수한 후에, KSOM(2i 첨가)배지에서 2일간 더 배양한다.

2i 첨가되지 않은 배아에 비해, 성장이 부족한 영양 외배엽을 확인할 수 있다(그림 2A)[*2].

2. 면역조작시술을 통한 내부 세포질의 분리 및 배양

❶ 배양 후 배반포를 KSOM(2i 첨가)에 의해 배양된 배반포를 protease로 옮겨 상온에서 30분 동안 놓아둔다[*3].

투명대가 제거된 배아는 이런 조치가 필요없으므로, 따로 모아둔다. 투명대가 제거되어 있는지는, 광학현미경에서 반사판의 각도를 조절해서

[*1] 자궁을 확장시키고, 자궁내에 들어간 배반포를 M2 배지 중에 부유시키는 듯한 형상이다. 배반포의 착상 효율을 높이기 위해 착상 전의 자궁벽 구조가 현저하게 발달한다. 따라서, 배아의 회수율은 감소할 수 있다. 회수율을 높이기 위해서 많은 배지를 주입하면 자궁벽이 찢어지고 그 후의 환류가 불가능해지므로 자궁벽이 얇아질 정도만 주입하자.

[*2] FGF—MAPK signal은 영양외배엽 시스템의 세포 증식에 중요하다고 알려져 있고, MAP kinase 활성이 현저히 억제되기 때문에 2i 배지에서 성장이 부족한 영양외배엽이 관찰될 수 있지만, ES 세포의 형성에 영향을 미치지 않으므로, LIF의 추가는 필요하지 않습니다.

[*3] Acid tyrode solution으로도 투명대 제거 가능하여, 이쪽을 선호하는 연구자도 많다고 알고 있다. Acid tyrode solution의 경우 반응이 빨라서 영양외배엽에 손상을 줄 수 있으므로, 이 경우 처리 시간은 실온에서 1분 이내로 하도록 한다. 이에 비해 Pro—

확인할 수 있다.

❷ KSOM로 세척(3회)하여, protease를 완전히 제거한다.

❸ 투명대 제거된 배반포를, 항체 용액 드롭으로 옮기고 incubator안에서 30분간 놓아둔다.
그동안 항체는 배반포의 외부 표면의 영양외배엽에만 흡착된다[*4]. 이 시점에서는 배아에 변화는 보이지 않는다.

❹ KSOM로 세척(3회)하여, 반응하지 않은 항체를 모두 제거한다.

❺ Guinea pig 보체 용액으로 옮겨담고, 이를 incubator에서 30분간 놓아둔다.
면역조작시술이 잘 되어 있으면 이 시점에서 파열된 영양외배엽이 관찰된다(그림 2B).

❻ KSOM 배지로 세척한다.
끝이 가느다란 유리모세관을 장착한 마우스피펫을 이용하여 여러번 피펫팅을한다. 그리고, 파열 된 영양외배엽을 제거하고 내부 세포덩어리를 분리할 수 있다(그림 2C).

3. 2i 배지에서의 배양에 의한 ES 세포주의 수립과 유지

❶ 분리 할 내부 세포 덩어리를 4 well plate의 MEF에 옮겨 배양을 실시한다[*5].
분리 할 내부 세포 덩어리의 상태에 따라 다르지만, 며칠안에 내부 세포 덩어리가 증식하고 파종 가능한 상태가 될 것이다(그림 2D).

❷ 배지를 흡입하고 PBS로 세척 후 Accutase® 처리를 시행하고, 세포 덩어리를 작은 조각들로 분산시킨다[*6].

❸ 10배수의 혈청을 포함한 ES 세포 배지(혈청 함유 ES 배지)를 첨가하여 가볍게 pipetting한다.

❹ 세포를 작게 분산시킨 후에, 15 mL 튜브에 옮겨 원심분리(1000 rpm (170G)에서 5분 정도) 한다.

❺ 2i 배지에서 세포 펠렛을 다시 용해시킨 후, 전량 3.5 cm 배양접시로 옮긴다.

tease의 경우 반응 속도가 느려서 조금 반응시간이 조금 길긴 하지만 ES 세포의 수립에 문제는 없었기 때문에 필자는 Protease 용액을 선호하는 편이다.

[*4] 영양외배엽 제거에 적합한 항체 농도는 사전에 테스트를 하고 진행할 필요가 있다. 항체가 낮은 경우 보체 처리해도 영양외배엽이 내부 세포 덩어리 주위에 남아 버릴수 있다. 그 후 내부 세포 덩어리 접지로의 결합을 저해 할 수 있다.

[*5] 2i 배지에서 ES 세포의 배양접시에 접착은 매우 약해서, 젤라틴 코팅 배양 중에 colony가 떠올라 버릴 수있다. 세포 정착 초기에는 세포 수가 적고 손실을 방지하기 위해 MEF의 사용을 추천한다.

[*6] Trypsin의 경우 Trypsin 첨가 후 즉시 세포 구석이 벗겨지므로, 세포끼리의 접착이 느슨해지면 혈청이 포함된 ES 세포 배지를 첨가하여 1 mL 피펫으로 수회 피펫팅으로 세포를 각각 떼어놓을 수 있다. Accutase의 경우 Trypsin에 비해 약하게 반응하고 실온에서 5분 정도 (또는 배양기에서 1~2분)지나면 세포가 떼어 놓아 진다. 어느 것을 사용할지는 연구자의 취향에 따라 진행하면 되는데, 되도록 세포 하나하나 깨끗이 떼어지는 편이좋다.

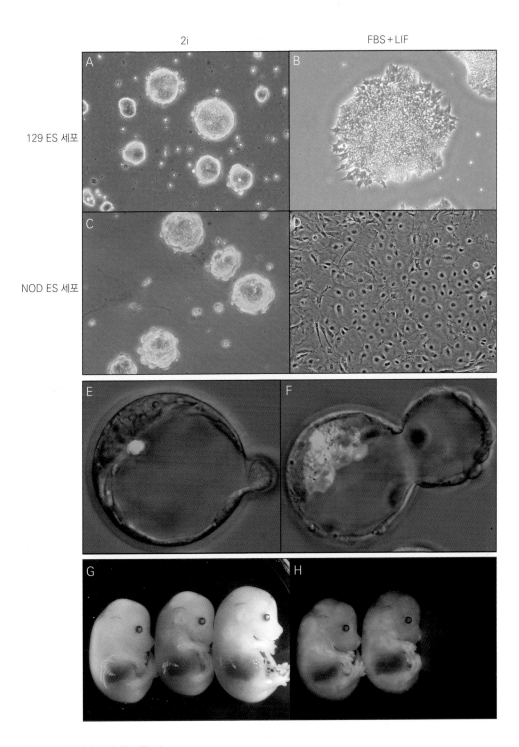

그림 3 2i 배양법을 이용한 실험 예

2i 배양에서 수립한 ES 세포주는 혈청 (FBS)을 포함한 기존의 배양 조건에서 증식과 크게 달라, 자발적인 분화가 거의 보이지 않는다.
또한, 유래하는 마우스 계통에 의한 차이도 거의 인정되지 않는다(A와 C). 기타 설명은 본문 참조

❻ 수 일 후에 colony가 생기고, 계대 배양 가능한 상태가 된다(그림 2E).

실험례

이번 장에서 소개된 2i 배양법에서 만들어진 129 계통 및 NOD 계통 유래의 ES 세포는 2i 배지에서 거의 모든 세포가 미분화를 유지하면서 안정적으로 증식한다(그림 3AC). 그들을 기존의 혈청을 포함한 배지에 옮기면 129 계통 유래의 ES 세포는 증식하는 반면, NOD 계통 유래의 ES 세포는 세포사 또는 분화해버려서 유지되지 않는다(그림 3BD).

2i 배지의 ES 세포 집단은 원칙적으로 모든 세포가 각각 분화의 능력을 가진다. 따라서 하나의 ES 세포를 배반포에 주입하면 개체 발생에 기여하는 것이다. 여기에서는 EGFP 발현 ES 세포를 1개만 배반포에 주입했다(그림 3E). 24시간 KSOM 중에서 배양하면 주입된 ES 세포는 내부 세포로 받아들여져서 증식 된다(그림 3F). 또한 1개의 ES 세포를 주입한 배반포를 가짜 임신 마우스의 자궁에 이식하면 전신에 EGFP를 발현하는 개체가 발생하게 된다(그림 3GH).

결론

종래의 방법에서는 마우스의 유전적 배경에 의해 ES 세포의 수립을 허용하는 계통과 허용하지 않는 계통의 존재는 알려져 있었지만, 그 이유를 설명할 수 없었다. 2i 배양법이 개발되어 모든 마우스 계통에서 수립이 가능해진 것으로, ES 세포 상태의 허용에 관한 연구가 가능해졌다. 그것은 사람을 포함한 동물종의 다능성이 분자에 대한 설명을 가능하게 하는 것이 되기를 기대한다.

2i 배양법은 설치류 유래의 ES 세포주의 수립은 매우 효과적이다. 하지만, 원숭이와 인간의 ES 세포주 수립에 유효하지 않아 보인다.

지금까지의 ES 세포에서 얻은 지식을 토대로 최근 iPS 세포 기술이 확립되어 의료 응용을 목표로 한 재생 의료 분야의 성과의 축적은 매우 놀랄만한 것이있다. ES 세포에서 축적된 분화 유도계 또는 미분화 유지기구의 분자 메커니즘 등의 연구 결과와 iPS 세포에서의 양자의 비교 검토는 계속해서 중요하다는 것은 의심의 여지가 없다. 이번 장에서 보여진 연구가 iPS 세포를 사용한 응용 분야와 ES 세포의 기초 영역의 중개로 작게나마 기여를 하였다면, ES 세포 연구자로서 매우 기쁘게 생각한다.

◆ 문헌

1) Ying, Q. L. et al. : Nature, 453 :5 19-523, 2008

2) Buehr, M. et al. : Cell, 135 : 1287-1298, 2008

3) Martello, G. et al .: Cell Stem Cell, 11 : 491-504, 2012

4) Nichols, J. et al.: Development,136 : 3215-3222, 2009

◆ **참고서적**

다음의 문헌에서는 이번 장에서 생략된 마우스 태아의 MEF 제작법이나 기존의 ES 세포 수립 및 배양법 등에 대한 자세한 내용이 적혀있다. 참조 바란다.

1) 포스트게놈시대의 실험강좌4 (노리오 나카쯔지／편집), 羊土社, 2001

2) 『Manipulating the Mouse Embryo :A Laboratory Manual 3rd edition』 (Nagy,A.et al), Cold Spring Harbor Press, 2003

3) 더 프로토콜 시리즈 유전자 타켓팅의 최신 기술 야기(타케시/편집), 羊土社, 2000

2 iPS 세포주 제작

오키타 케이스케(沖田圭介)

Flow chart

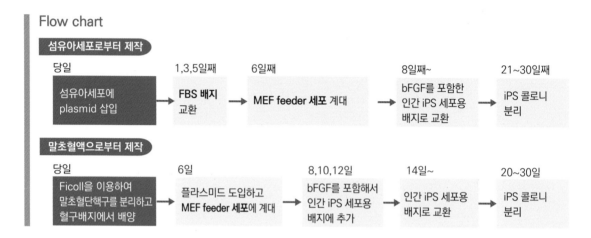

섬유아세포로부터 제작

당일	1,3,5일째	6일째	8일째~	21~30일째
섬유아세포에 plasmid 삽입	FBS 배지 교환	MEF feeder 세포 계대	bFGF를 포함한 인간 iPS 세포용 배지로 교환	iPS 콜로니 분리

말초혈액으로부터 제작

당일	6일	8,10,12일	14일~	20~30일
Ficoll을 이용하여 말초혈단핵구를 분리하고 혈구배지에서 배양	플라스미드 도입하고 MEF feeder 세포에 계대	bFGF를 포함해서 인간 iPS 세포용 배지에 추가	인간 iPS 세포용 배지로 교환	iPS 콜로니 분리

서론

마우스에서 처음으로 iPS 세포가 만들어진 이후로[1], 후속 연구에서 쥐와 토끼, 돼지, 꼬리 짧은 꼬리 원숭이, 인간 등 다양한 생물에서도 같은 방법으로 iPS 세포가 만들어져서 발표되고 있다. Oct3/4를 비롯한 만능 줄기세포의 특성을 관장하는 전사 인자의 강제적인 표현이 초기화의 요점이며, 여러 가지 방법이 제창되고있다. 이번 장에서는 **플라스미드를 사용하여 인간의 섬유아세포와 말초 혈액으로부터 iPS 세포를 제작하는 방법**에 대해 설명한다[2)3)].

iPS 세포 제작의 5가지 방법

iPS 세포의 제작에 이용하는 방법은 크게 ① 바이러스 벡터, ② DNA 벡터, ③ RNA 벡터, ④ 단백질, ⑤ 화합물로 나뉘는데 각각 장단점이 있다. 초기에 마우스 iPS 세포의 제작에 사용된 레트로 바이러스 벡터는 iPS 세포 유도 효율이 매우 높지만 게놈에 의도하지 않았던 외부 유전자를 삽입할 수 있다. 따라서 수혜세포의 게놈의 구조가 훼손 될 가능성과 함께 예기치 않게 삽입된 외부 유전자가 발현될 가능성이 알려져서[4], 이를 해결하기 위하여 게놈에 외부 유전자 삽입가능성이 없는(혹은 매우 적은) iPS 세포의 유도방법이 개발되어 왔다.

그 중 하나가 Sendai 바이러스 벡터를 이용한 방법이다[5]. 이것은 RNA 게놈을 갖는 바이러스 벡터이며, 감염 후 숙주의 세포질 RNA 그대로 증폭 유지된다. 널리 사용되고 있는 것은 온도의존적으로 증폭능력이 변화되는 변이를 갖는 벡터이며, iPS 세포 수립 후 고온에서 배양하면 외부에서 유입된 RNA가 수혜세포의 세포질에서 소실된다. 또한 유전자를 코딩하는 RNA를 직접 세포에 주입하여 iPS 세포를 제작하는 방법도 확립되고 있다. 또한 OCT3/4 등의 단백질을 수정 후 직접 세포내로 주입하는 방법과 화합물만을 이용하여 세포를 제작하는 방법도 보고되고 있다. 저자들은 실험실에서 취급이 용이한 DNA 벡터 인 플라스미드를 이용한 방법을 개발하고 매우 재현성 높은 iPS 세포를 만들고 있다[2][3]. 세포에 유전자 도입은 전기천공 법(electroporation의 법)을 이용하고 있다.

도입 요약

섬유아세포는 주로 피부에서 유래 세포를 사용하며, 비교적 잘 증식한다. 취급이 용이하며, 질환 환자에서 분리한 섬유 세포도 세포 뱅크를 통해서 얻을 수 있다. 유전자 주입 후 1주일 정도 배양하여 feeder 세포상에 파종한다. 이를 iPS 세포용 배지에서 배양하여 1개월 정도면 iPS 세포를 얻을 수 있다. 섬유아세포의 증식 속도가 빠른 경우 SNL76/7 feeder상에, 느린 경우 MEF feeder상에서 이용하면 더 많은 콜로니를 얻을 수 있다.

말초 혈액에는 적혈구나 과립구, 혈소판 등이 포함되어 있기 때문에, 처음에 밀도경사 원심분리법을 이용하여 단핵구 정제를 실시한다. 그런 다음 cytokine을 추가하여 6일 정도 배양하여 단핵구중 줄기세포 및 전구세포의 증식을 촉진한다. 배양 후 플라스미드를 주입 한후 feeder 세포상에 파종한다. 세포가 부유 상태이므로 1주일 정도는 배지를 교환하지 말고, 추가만 한다. 약 1달 정도면 iPS 세포의 콜로니가 만들어진 것을 확인할 수 있다. 또한 동결보존한 말초 혈액 단핵구에서 수립도 가능하다. 만들어진 iPS 세포는 TCR과 IGH 유전자자리에 재조합은 일어나지 않는다.

A. 섬유아세포에서 iPS 세포주 제작

준 비

세포와 시약

☐ 섬유아세포
인간 피부 섬유아세포를 준비한다. 아래의 회사 및 기관 등으로부터 세포를 얻을 수 있다.

Cell applications company (http://www.celapplica tions.com/)

Lonza company (http://www.lonza.com/Home.aspx)

ATCC (American Type Culture Collection) (http://www.atcc.org/)

Coriell Cell Repositories (http://ccr.coriell.org/)

이화학 연구소 바이오 리소스 센터, RIKEN BioResource Center (http://brc.riken.jp/)

National Institutes of Biomedical Innovation, Health and Nutrition (http://www.nibio.go.jp/index.htmL)

☐ MEF 세포

마우스의 태생 13.5일째 배아에서 제작하는 mouse embryonic fibroblast이다. 제작 방법은 참고 서적 1에 자세히 설명되어 있다. REPROCELL (#RCHEFC003) 와 Lonza comp. (#M-FB-481) 등 여러 회사에서 시판되고 있다. Mitomycin C 처리 등으로 세포 분열을 중지 한 후 feeder로 사용한다[*1].

☐ SNL 76/7 세포[6)]

ECACC (European Collection of Cell Cultures) (http://www.phe-culturecol-lections.org.uk/collections/ecacc.aspx)에서 사용가능. Mitomycin C 처리 등으로 세포 분열을 중지 한 후 feeder로 사용한다.

☐ 초기화용 플라스미드 벡터

미국 비영리 단체 Addgene (http://www.addgene.org/Shinya_Yamanaka)에서 구할 수 있다. pCE-hOCT3/4 와 pCE-hSK, pCE-hUL, pCE-mp53DD, pCXB-EBNA1 의 4가지 또는 5가지를 섞어 사용한다. pCE 플라스미드는 Epstein-barr 바이러스 유래의 EBNA-1과 OriP 배열을 갖고, 인간 세포 내에서 증폭된다. 유전자 도입 효율 평가는 pCE-GFP 및 Amaxa kit에 제공된 pmaxGFP 등을 이용하면 좋다. Epi5™ Episomal iPSC Reprogramming Kit (Life Technologies, #A15960)도 이용 가능.

☐ DMEM (Dulbecco's modified eagle medium) (Nacalai tesque, #08459-64)

☐ PBS (D-PBS (-) without Ca and Mg, liquid) (Nacalai tesque, #14249-95)

☐ FBS (Fetal bovine serum)

☐ Penicillin/Streptomycin (Life Technologies, #15140-122)

☐ Human recombinant bFGF (Recombinant basic fibroblast growth factor, human) (Wako Pure Chemical Industries, Ltd., #064-04541)

☐ BSA (Bovine serum albumin) (ICN, #810-661)

☐ 0.25% Trypsin/1 mM EDTA 용액 (Life Technologies, #25200-056)

☐ Neon™ Transfection System 100µL Kit (Life Technologies, #MPK10096)

☐ 영장류용 ES 세포용 배지 (REPROCELL, #RCHEMD001)

*1 저자는 Mitomycin C를 10 µg/mL가 되도록 배지에 첨가한다. 이후 2시간 반 처리하고 feeder 세포로 이용하고 있다.

시약의 조제

☐ 1% BSA 용액

0.22 μm 필터를 통해 멸균한다. 분주하여 −20℃에서 저장한다.

		(최종농도)
PBS	5 mL	
BSA	50 mg	(1%)
	약 5 mL	

☐ 1% BSA/PBS 용액

분주하여 −20℃에서 저장한다.

		(최종농도)
PBS	4.5 mL	
1% BSA 용액	500 μL	(0.1%)
	약 5 mL	

☐ 10% FBS 배지(섬유 아세포와 MEF 세포용)

0.22 μm 필터를 통해 멸균한다. 4℃에서 1주일 보관할 수 있다.

		(최종농도)
PBS	50 mL	(10%)
Penicillin/streptomycin	2.5 mL	
DMEM	447.5 mL	
	500.0 mL	

☐ bFGF 용액(10 μg/mL)

분주하여 −20℃에서 보관할 수 있다.

		(최종농도)
bFGF	50 μg	(10 μg/mL)
0.1% BSA/PBS 용액	5 mL	
	약 5 mL	

☐ 인간 iPS 세포용 배지

4℃에서 1주일 보관할 수 있다.

10 μg/mL bFGF	0.2 mL
영장류 ES 세포용 배지	500 mL

☐ 플라스미드 믹스 A

3 μL씩 분주하여 −20℃에서 보관한다.

pCE-hOCT3/4 (1 μg/μL)	6 μg
pCE-hSK (1 μg/μL)	6 μg
pCE-hUL (1 μg/μL)	6 μg
pCE-mp53DD (1 μg/μL)	6 μg

기구 및 기자재

100 mm culture tissue (Corning, #353803 등)

☐ 6-, 24-, 96-well 배양 plate (Corning, #353046, #353047, #351172 등)

☐ 15, 50 mL 튜브들 (Corning, #352196, #352070 등)

☐ 1, 5, 10, 25 mL 플라스틱 파이펫 (Corning, #356521, #357543, #357551, #357525 등)

☐ 0.22 µm 필터 (Merck #SLGP033RS 등)

☐ 10 mL syringe (Terumo, #SS-10ESZ 등)

☐ 자동 세포 계측 장치 Coulter counter Z2 (Beckman Coulter)

☐ Pippette aid

☐ Micropipette, 팁

☐ 1.5 mL 튜브

☐ CO_2 incubator

☐ 유전자 도입 장치

Neon Transfection System MPK5000 (Life Technologies)[*2]

*2 Nucleofector™ 2b 장치(Lonza, #AAB-1001) 등으로 대체가능

프로토콜 ||||||||||||||||||||||||||||||||||||||||||||||||||||||||||||||||||||||||||||||||||||||||||||||||||||||

1. 섬유아세포에 플라스미드 도입 (0일째)

❶ 10% FBS 배지에서 100 mm 배양 접시에 섬유아세포를 배양한다[*1].

❷ 6 well plate 중에서 1 well에 10% FBS 배지를 3 mL넣고, CO_2 incubator에서 37°C로 유지

❸ 섬유아세포의 배양 상등액을 흡입 제거하여, PBS 10 mL를 첨가한다.

❹ PBS를 흡입 제거하고, 접시 당 1 mL의 0.25% Trypsin / 1 mM EDTA 용액을 첨가한다.

❺ 37°C 동안 3분 배양한다[*2].

❻ 10% FBS 배지를 4 mL 첨가하고 피페팅을 통해 세포를 각각 분산시킨다.

*1 세포가 많아져서 세포융화(confluence)가 생길 정도가 되면, iPS 세포유도를 시행한다.

*2 장시간 trypsin 처리는 electroporation 후 생존율을 저하시킨다.

❼ 세포수를 계산한다[*3].

❽ 6 x 10⁵ cells을 15 mL 튜브에 넣고 PBS를 첨가하여 10 mL로 만든다.

❾ 200G로 5분간 원심분리 진행한다.

❿ 그 동안에 플라스미드 용액을 제조한다.

Buffer R (Neon kit 에 포함)	100 μL
플라스미드 믹스 A	3 μL

⓫ Neon Kit에서 제공된 Neon튜브에 BufferE2를 3 mL 넣는다.

⓬ 원심분리 후, 세포 상층액에 100 μL 정도만 남기고, 흡인 제거한다.

⓭ 마이크로 피펫을 이용하여 상층액을 완벽히 제거한다.

⓮ 플라스미드 용액에 세포를 현탁하여 1.5 mL 튜브로 옮긴다.

⓯ Neon 100 μL tip으로 세포 현탁액을 취하여 기기에 넣는다[*4].

⓰ Electroporation을 시행한다(시행조건[*5]).

⓱ 빠르게 예열된 6-well plate로 옮겨서 세포를 분주한다[*6].

2. 배지교환 (1일째)

❶ 섬유아세포의 배양 상층액을 흡인 제거하고, 2 mL의 신선한 10% FBS 배지로 교체한다[*7].

3. Feeder 세포의 준비 (5일째)

100 mm 배양접시를 2시간 정도 젤라틴 코팅한 후, mitomycin C 처리를 한 MEF 세포(0.8 × 10⁶ cells / dish) 또는 SNL76/7 세포(1.5 × 10⁶ cells / dish)를 파종한다.

*3 100 mm 배양 접시1장당 1~2 x 10⁶ 세포의 회사가 가능하다.

*4 거품을 넣지 않도록 주의 할 것

*5 Voltage 1,650 V, Width 10 ms, Pulse Number : 3

*6 세포의 플라스미드 용액에 대한 현탁부터 분주까지는 1 샘플로 시행. 최대한 빨리진행 할 것.

*7 이후 배지 교환은 2일 1회 실시한다.

4. Feeder 세포의 계대 (6일째)

❶ 유전자를 도입한 섬유아세포의 배지를 흡입 제거하고 PBS를 2 mL 첨가한다.

❷ PBS를 흡입 제거하고 0.3 mL/well의 0.25% Trypsin/1 mM EDTA 용액을 첨가한다.

❸ 37℃ incubator에 3~5분간 놓아둔다.

❹ 10% FBS 배지를 2 mL 첨가하고 피페팅을 통해 세포 덩어리를 분산시킨다.

❺ 세포수를 측정한다[*8].

❻ 1×10^4 cells/mL가 되도록 만든다. 10 mL의 세포 현탁액(1×10^5 cells)를 100 mm 배양접시에 feeder 세포를 분주한다.

❼ 37℃에서 5% CO_2 농도로 배양한다.

5. 인간 iPS 세포용 배지로 교환 (8일째)

❶ 배지를 인간 iPS 세포용 배지로 교환한다[*9].

6. iPS 콜로니의 분리 (21~30일째)

❶ 콜로니가 성장하고 육안으로 확인할 수 있게되면, 분화가 시작되기 전에 콜로니를 선택하자(~2 mm).

❷ 96-well plate에 200 μL/well의 인간 iPS 세포용 배지를 분주하여 둔다.

❸ P10 마이크로 피펫을 사용하여 광학현미경 하에서 선택한 콜로니를 취하자.

❹ 선택하여 취한 콜로니를 하나씩 96-well plate에 옮긴다.

❺ 피펫팅으로 콜로니를 작게 부서지도록 만든다[*10].

*8 이 시점에서 $0.4 \sim 1 \times 10^6$ 정도 되어 있다.

*9 이후 2일에 1회 배지를 교환한다.

*10 **중요** 콜로니는 단일 세포가 될 때까지 부서뜨리는 것은 아니다.

❻ 24-well plate에 SNL76/7 feeder 세포를 넣고 나서, 그 위에 세포를 분
주한다. 각 well마다 300 μL 인간 iPS 세포용 배지를 넣고 37℃, 5% CO$_2$
incubator에서 80~90%의 합류가 보일때까지 배양한다.

이후는 SNL76/7 feeder 세포를 이용하여 계대를 지속한다.

B. 말초혈액에서 iPS 세포주 제작

준 비

세포 및 시약

☐ 인간혈액

적절한 항응고제(EDTA 또는 헤파린, ACD-A액 등)를 사용하여 채혈한다.
인간 단핵구에 대해서는 Cellular Technology Limited company (CTL-UPI
등)과 Sanguine Biosciences company (PBMC-001) 등에서 시판도 되고 있다.

☐ Ficoll-Paque PREMIUM (GE Healthcare, #17-5442-02)

☐ 0.5% Trypan blue staining 용액 (Nacalai Tesque, Inc., #29853-34).

☐ STEM-CELLBANKER (日本全藥工業, #CB043)

☐ StemSpan ACF (StemCell Technologies, #09805)

☐ Recombinant human IL-3 (PeproTech, #200-03)

☐ Recombinant human IL-6 (PeproTech, #200-06)

☐ Recombinant human TPO (PeproTech, #300-18)

☐ Recombinant human Flt3-Ligand (PeproTech, #300-19)

☐ Recombinant human SCF (PeproTech, #300-07)

☐ Amaxa Human CD34 Cell Nucleofector® Kit (Lonza, #VAPA-1003)

☐ 초기화용 플라스미드 벡터

☐ 10% FBS 배지

☐ 0.1% BSA/PBS 용액

☐ 인간 iPS 세포용 배지

시약의 제작

☐ IL-3 용액(10 μg/mL)

분주하여 −20℃에서 보관한다.

		(최종농도)
IL-3	2 μg	(10 μg/mL)
0.1% BSA/PBS 용액	200 uL	

☐ IL-6 용액(100 μg/mL)

분주하여 −20℃에서 보관한다.

		(최종농도)
IL−6	5 μg	(100 μg/mL)
0.1% BSA/PBS 용액	50 uL	

☐ TPO 용액(300 μg/mL)

분주하여 −20℃에서 보관한다.

		(최종농도)
TPO	10 μg	(300 μg/mL)
0.1% BSA/PBS 용액	33.3 uL	

☐ Flt3−Ligand 용액(300 μg/mL)

분주하여 −20℃에서 보관한다.

		(최종농도)
Flt3−Ligand	10 μg	(300 μg/mL)
0.1% BSA/PBS 용액	33.3 uL	

☐ SCF 용액(300 μg/mL)

분주하여 −20℃에서 보관한다.

		(최종농도)
SCF	10 μg	(300 μg/mL)
0.1% BSA/PBS 용액	33.3 uL	

☐ 혈구배지

사용조제

StemSpan ACF	10 mL
IL−6 용액(100 μg/mL)	10 μL
SCF 용액(300 μg/mL)	10 μL
TPO 용액(300 μg/mL)	10 μL
Flt3 ligand용액(300 μg/mL)	10 μL
IL−3 용액(10 μg/mL)	10 μL

☐ 플라스미드 믹스 B

3 uL씩 분주하여, −20℃에서 보존한다.

pCE−hOCT3/4(1 μg/μL)	6.3 μg
pCE−hSK(1 μg/μL)	6.3 μg
pCE−hUL(1 μg/μL)	6.3 μg
pCE−mp53DD(1 μg/μL)	6.3 μg
pCXB−EBNA(1 μg/μL)	5 μg

기구, 기재

- [ ] 6-, 24-, 96-well 배양 plate (Corning, #353046, #353047, #351172 등)
- [ ] 15, 50 mL 튜브들 (Corning, #352196, #352070 등)
- [ ] 1, 5, 10, 25 mL 플라스틱 파이펫 (Corning, #357521, #357543, #357551, #357525 등)
- [ ] Pippette aid
- [ ] Pipetman, 팁
- [ ] 1.5 mL 튜브
- [ ] CO_2 incubator
- [ ] Nucleofector™ 2b 장치 (Lonza, #AAB-1001)

프로토콜

1. Ficoll을 이용한 말초 혈액 단핵구의 분리 (0일째)

❶ 원심분리기 온도를 18℃로 설정한다[*1].

⬇

❷ Ficoll-Paque PREMIUM을 5 mL씩 15 mL 튜브 2개에 분배한다.

⬇

❸ 항응고제를 넣은 혈액 5 mL에 PBS 5 mL를 첨가하여 희석한 후, Ficoll 위에 5 mL의 층을 만든다[*2].

⬇

❹ 400G, 18℃에서 30분간 원심분리를 진행한다[*3].

⬇

❺ 원심 후, 희게 탁해진 중간층을 마이크로 피펫으로 천천히 회수하고, 새로운 15 mL 튜브에 옮긴다[*4].

⬇

❻ 회수한 단핵구 대해 PBS 12 mL를 첨가한후 피펫팅을 시행한다.

⬇

❼ 200G, 18℃에서 10분간 원심분리를 진행한다[*5].

⬇

❽ 상층액을 흡인하여 제거한다.

⬇

[*1] 저온이 되면 단핵구분리가 잘 안된다.

[*2] 이때 계면을 방해하지 않도록 튜브벽을 타고, 천천히 용액을 추가하고 층을 만든다.

[*3] 원심분리기 작동시 가속과 감속 시 slow 모드로 진행하자.

[*4] 1개당 1 mL 정도 회수할 수 있다. 2개에서 회수하여 다시 한개로 합친다. 회수시에 Ficoll 들어간 하층이 포함되지 않도록 주의한다.

[*5] 400G가 아님을 명심하고, 역시 감속시에는 slow모드로 진행하자.

❾ StemSpan ACF를 3 mL 첨가하여 현탁한다.

❿ 세포 현탁액 중에서 10 µL를 취해서, trypan blue로 염색하고, 혈구수를 계산한다.

말초 혈액 1 mL에서 약 1×10^6 cells를 회수할 수 있다.

2. 단핵구의 배양

❶ 6-well plate 중 1 well에 혈구 배지 2 mL를 넣는다.

❷ 배지의 증발 방지를 위해 나머지 5 well에 PBS를 각각 2 mL씩 넣고 37℃로 따뜻하게 둔다.

❸ 단핵구 3×10^6 cells를 15 mL 튜브에 분주한다.

❹ 300G, 18℃에서 10분간 원심분리를 진행한다[*6].

❺ 상층액을 모두 흡인한다.

❻ 예열된 6-well plate의 혈구 배지에 다시 현탁한다.

❼ 37℃, 5% CO_2 incubator에서 6일간 배양한다. 그동안 배지 교환은 하지 않는다.

분주하고 남은 단핵구는 STEM-CELLBANKER 등으로 동결 보존 가능하다.

3. Feeder 세포의 준비 (5일째)

❶ 6-well plate를 2시간 정도 gelatin coating을 시행, MEF feeder 세포 (mitomycin C 처리를 한 것)을 3×10^5 cells/well로 분주한다.

4. 배양 단핵구에 플라스미드 주입 (6일째)

❶ 필요한 만큼의 혈구 배지를 만든다(1.5 mL/well).

❷ 배양된 단핵구를 가볍게 피펫하여 15 mL 튜브에 회수한다.

*6   감속시에는 slow 모드로 진행하자.

❸ 세포 현탁액 중에서 10 μL를 취해서, trypan blue로 염색하고, 혈구수를 계산한다.

대부분의 경우, 배양 개시때부터 1/3정도로 감소되어 있다.

❹ 200G, 18℃에서 10분간 원심분리를 진행한다[*6].

*6 감속시에는 slow 모드로 진행하자.

❺ 원심분리하는 동안, electroporation 용액을 미리 제조한다.

Human CD34 Cell Nucleofector® 용액	81.8 μL
Supplement	18.2 μL
플라스미드 믹스 B	3.0 μL

❻ 원심분리 종료 후 상층액은 100 μL 정도 남기고 모두 흡인제거 한다.

❼ 다시 마이크로 피펫을 사용하여 남은 상층액을 조심스럽게 제거합니다.

❽ Electroporation 용액에 세포를 현탁하여 큐벳에 옮긴다[*7].

*7 버블이 생기거나 들어가지 않도록 하자.

❾ Nucleofector™ 2b 장치에 큐벳을 연결한 뒤, 프로그램 U-008에서 electroporation을 시행한다.

❿ 미리 준비해둔 혈구 배지에 빠르게 옮긴다.

⓫ MEF feeder 세포가 준비된 6-well plate에 1.5 mL/well로 분주를 진행한다[*8].

*8 1 well 당 1-5 X 10⁴ 세포 정도를 기준으로 하자.

⓬ 37℃, 5% CO_2 incubator에서 배양한다.

5. 배지의 첨가 (8, 10, 12일째)

인간 iPS 세포의 배지 1.5 mL를 접시 벽면을 타고 내려가도록 각각의 well에 첨가를 한다.

6. 인간 iPS 세포용 배지로 교환 (14일째)

배지를 흡입 제거하여 인간 iPS 세포용 배지 1.5 mL를 각각 well에 넣는다[*9].

*9 이후 배지 교환은 2일에 한 번 한다.

91

7. iPS 콜로니의 분리 (20-30일째)

앞서 언급한 방법(A-6)과 유사하게 행한다.

8. 세포내의 플라스미드 검출

주입된 플라스미드는 iPS 세포의 계대 중에 없어지게 되지만, 드물게 게놈에 삽입되는 경우가 있다. 나중에 분석에 지장을 줄 수 있기 때문에 게놈 PCR을 통해서 세포에서 플라스미드를 검출할 수 있다. Primer나 PCR 조건 등은 그림 1과 같다[3][7]. PCR 컨트롤은 pCXLE-Fbxl5-cont2 (Addgene) 등을 사용할 수 있다.

 문제 발생시 대응

- **iPS 세포가 안 만들어진다.**
  - → 유전자 도입이 효율적으로 잘 되었는지를 GFP 발현 벡터 등을 이용하여 확인한다.

    섬유아세포와 말초혈액 중에서 30% 이상이 발현되는 것이 좋다. 세포의 생존율에 대해 주의깊게 살피고, 섬유아세포의 경우 증식 단계의 세포를 유전자 도입에 사용하자. 일반적으로 계대수가 많이 진행된 섬유아세포는 iPS 세포의 유도 효율이 떨어지기 때문에, 계대수가 적은 세포를 사용하는 것을 권장한다. 빠른 성장 속도를 가진 섬유아세포에서 iPS 세포의 콜로니가 생기기전에 접시가 꽉 찰 수도 있다. 이 때는 SNL76/7 feeder를 사용하거나, 계대시 세포수를 줄임으로써 개선 될 수 있다.

  - → iPS 세포에 맞는 적절한 조건에서 배양 할 수 있는지를 확인한다.

    예를 들어, 사용하는 feeder와 인간 iPS 세포용 배지에서 만들어진 iPS 세포가 배양 가능한 지를 확인한다.

  - → iPS 세포가 만들어지지 않거나 또는 유지하기 어려운 기증자가 있다.

    다른 기증자로부터의 수립을 시도하자.

- **확보된 iPS 세포에서 콜로니가 생기지 않는다.**

  iPS 세포는 단일 세포까지 분산시키면 세포 사멸을 일으킨다. 콜로니를 선택한 후 취득한 직후의 피펫 횟수를 줄이고 수십 세포 정도의 덩어리를 유지하도록 한다. 96-well plate로 분산시키는게 어려운 경우에는, 24-well plate로 옮겨서 직접 현미경으로 보면서 피펫팅을 해도 좋다. 이때 feeder 세포를 벗겨내지 않도록 주의한다.

- **모든 클론에서 플라스미드가 검출된다.**

  플라스미드는 세포에서 점차적으로 소실되어가지만, 사라질 때까지 10계대 정도가 필요할 수 있다. 2~3번째 계대에서 PCR은 플라스미드가 많이 남아있는 클론을 검출하고 제거하는 스크리닝으로 사용된다. 계대를 다시 진행하여 PCR을 다시 시행하여 잔여 클론을 확인한다. 또한, 검출된 수준이 향후 계획된 실험에 지장이 있는지 여부를 판단한다.

Primer	플라스미드 검출용	pEP4-SF1	: TTC CAC GAG GGT AGT GAA CC
		pEP4-SR1	: TCG GGG GTG TTA GAG ACA AC
	인간 게놈 검출용	hFbx15-2F	: GCC AGG AGG TCT TCG CTG TA
		hFbx15-2R	: AAT GCA CGG CTA GGG TCA AA

PCR 조건　94℃　2 분
　　　　　94℃　20 초　⎤
　　　　　64℃　20 초　⎬ 30 싸이클
　　　　　72℃　40 초　⎦
　　　　　72℃　3 분

그림 1　세포내 플라스미드 검출시 게놈 PCR 의 요약

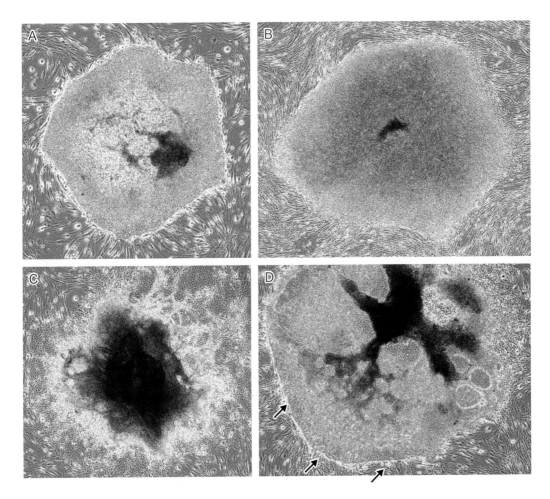

그림 2　분리 전에 콜로니의 형태

A) iPS 세포의 콜로니 (중앙이 조금 분화되고 있다).　B) 조금 융기된 형태의 iPS 세포의 콜로니 주위에 섬유아세포가 증식하고 있다. C) iPS 세포가 아닌 콜로니, D) 콜로니의 일부가 iPS 세포형태인 콜로니. 화살표 부분이 iPS 세포 형태다.

실험례

섬유아세포를 사용한 경우는 10~100개 정도의 콜로니를, 말초 혈액을 사용하는 경우는 10~30개 정도의 콜로니를 얻을 수 있다. 대개 경계가 명료하고 편평한 콜로니가 형성된다 (그림 2A). 섬유아세포의 경우, iPS 세포가 아닌 세포가 콜로니주변에 과성장하여 약간 부풀어오른 형태의 콜로니를 형성하는 경우도 있다. 이러한 콜로니는 분리가 되면 다시 편평한 콜로니형태로 돌아간다. 3계대 정도까지는 분화하기 쉬운 경향이 있으므로, 빠른 계대를 진행한다. 한편, iPS 세포가 되지 않은 세포도 콜로니를 만들 수 있다(그림 2C). 이러한 콜로니는 세포간극이 넓어보이거나 주변부에 섬유아세포 모양의 세포가 보이기도 한다. iPS 세포 여부가 불분명하면 따로 떼어놓고 관찰하는 것도 하나의 방법이다. 또한 콜로니의 일부가 iPS 세포인 것 같은 콜로니도 나타난다(그림 2D). 격리와 계대를 잘 이용하면 iPS 세포로 만들 수 있다.

결론

iPS 세포는 생산하는 시대에서 사용하는 시대로 접어 들었다. iPS 세포를 직접 만들 수 있다면 적절한 대조군을 설정하는 보다 정교한 실험 시스템을 만들 수 있다. 또한 세계적으로는 질환 환자 유래의 iPS 세포 뱅크의 구축도 시작되고 있기 때문에 이러한 은행을 이용하는 것도 유용하다고 생각된다. 여기에서 소개한 방법을 응용하여 불멸화된 B 세포주에서도 iPS 세포를 얻을 수 있다[8]. 어쨌든, 어떤 연구를 하기 위해 iPS 세포를 사용 할지를 생각하고 그것에 적합한 방법을 취하는 것이 중요하다.

◆ 문헌
1) Takahashi,K. & Yamanaka, S. :Cell,126: 663-676,2 006
2) Okita, K. et al. :Stem Cells, 31: 458-466, 2013
3) Okita, K. et al.: Nat. Methods, 8: 409-412, 2011
4) Okita, K. et al.: Nature, 448: 313-317, 2007
5) Fusaki, N. et al. : Proc. Jpn. Acad. Ser. B. Phys. Biol. Sci., 85: 348-362, 2009
6) McMahon, A.P. & Bradley, A.: Cell, 62 : 1073-1085, 1990
7) Yu, J. et al.: Science, 324: 797-801,2009
8) Choi, S. M.et al.: Blood, 118:1801-1805, 2011

◆ 참고문헌
1) 『Manipulating the Mouse Embryo :A Laboratory Manual, second edition.』, ColdSpring Harbor Press,1994
2) 『目的別で選べる細胞培養プロトコール』(中村幸夫／編), 羊土社, 2012

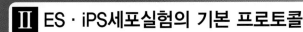
3 인간 ES 및 iPS 세포의 계대법과 냉동법

후지오카 츠요시(藤岡 剛)

Flow chart

-4 ~ -1일   당일   3~5일   (필요에 따라)

Feeder 세포의 준비 → 융해 → 계대 → 동결

Feeder 세포의 준비

서론

ES · iPS 세포를 이용한 연구를 실시하는데, 세포의 계대 및 동결 융해 작업은 가장 기본적인 기술이다. 인간 ES 세포와 iPS 세포는 세계 각국의 연구 기관에서 수많은 세포주가 수립되어 있으며, 배양 방법도 수립 기관에 따라 다양하다. 인간에서는 마우스와 달리 유전적 배경이 다양하며 세포주 간의 성장 속도와 분화 용이성과 같은 특성이 다르다고 알려져 있다.

의료 및 신약 개발 산업에의 이용을 목표로 수립 방법 · 배양 방법 · 분화 유도 방법 등의 표준화를 추진하기 위한 활동[1]이 활발하게 이루어지고 있지만, 기술의 발전은 매우 빠르게 진행되면서 현실적으로 배양 방법의 표준화가 잘 이루어지지 않고 있다. 배양 방법의 변형 요소로서 배양액의 조성, feeder 세포 활성화 여부와 세포의 종류, 계대시 세포의 분산 방법 등을 들 수 있다. 이러한 요소가 결합된 다양한 배양법을 사용하고 있지만[2][3], 미분화 배양 안정성 및 계대 조작의 간편성의 관점에서 마우스 배아유래 섬유아세포(Mouse Embryonic Fibroblast : MEF) 등 feeder 세포를 이용하여 collagenase나 dispase 등의 효소 처리로 계대하는 배양 방법이 널리 이용되고 있다.

세포의 동결 및 용융 방법은 배양 방법과 함께 기본 기술로 언급된다. 현재 다양한 배양 세포를 5~20% DMSO가 함유된 동결 보존액을 사용하여 1℃/min의 속도로 천천히 냉각시키는 완만냉각법을 사용하여 안정적으로 동결 및 용융이 가능해졌지만, ES 및 iPS 세포가 느린 냉각 방법으로 동결되었을 때, 다시 동결 융해 후 생존율이 낮아지는 것으로 알려져 있다. 따라서, 유리화법(vitrification)을 이용한 냉동보존방법이 보다 효율적인 냉동 보존을 실현하기 위한 수단으로 사용된다. 그러나 유리화법에 의한 동결 융해 방법의 단계 및 작업상

주의사항은 완만냉각법과 크게 다르기 때문에 고효율로 안정된 동결 보존을 실현하기 위해서는 더 많은 주의와 조작이 요구된다.

이번 장에서는 MEF 세포를 feeder로 사용하여 인간 ES · iPS 세포의 배양 방법 및 유리화법을 이용한 ES · iPS 세포의 동결 · 융해 방법에 대해 설명하겠다.

준 비

☐ 마우스 배아 섬유 아세포 (MEF)의 동결 세포

마우스 배아에서 자작하거나 상용 MEF 세포를 입수한다.

예) Oriental Yeast Co.Ltd. 혹은 REPROCELL에서 판매되고 있다. Mitomycin처리된 MEF 및 약제 내성 마우스에서 제작된 MEF, 그리고 방사선 처리된 MEF 등이 있다[1].

☐ Feeder 세포 배양배지

DMEM (Dulbecco's Modified Eagle Medium, high glucose), 10% FBS을 혼합.

☐ ES · iPS 세포 배양 배지 (세포주에 따라 지정된 배양액)

☐ Mitomycin C 용액

Mitomycin C (Sigma Aldrich, #M4287).

위의 2 mg을 PBS (−) 1 mL에 용해 후 분주하여 −80℃에서 저장. 최종 농도 10 µg / mL로 사용한다.

☐ 0.25% Trypsin / 0.05% EDTA

☐ ES · iPS 세포분리액 (CTK용액)[2]

2.5% trypsin	10 mL
Collagenase type IV	10 mL
Knockout Serum Replacement	20 mL
0.1 M CaCl₂	1 mL
PBS(−)	59 mL
	100 mL

분주 후 −20℃에서 저장. 융해 후 4℃에서 1주일 정도 보관 가능.

☐ 젤라틴 코팅 배양접시

배양용기 바닥을 덮도록 0.1% 젤라틴 용액을 첨가하여 상온~37℃에서 30분 이상 놓아둔다. 사용 직전에 젤라틴 용액을 제거한 후 사용한다.

☐ PBS (−)

☐ 동결보존액(DAP213)

Acetamide	0.59 g
DMSO	1.42 mL
Propylene glycol	2.2 mL
ES · iPS 세포배양배지	6.38 mL
	10.00 mL

상기 조성으로 제작 후 pore 크기 0.22 µm의 필터로 여과 멸균한다. −80℃에서 보관하고, 해동 후 몇 주 정도는 4℃에서 보존 가능하다.

[1] ES · iPS 세포 주에서는 feeder 세포로 STO계 세포주(예: SNL76 / 7 세포, ECACC 혹은 일본 국내 대리점의 DS Pharma Biomedical Co., Ltd.에서 이용 가능)도 이용된다. 이번 장에서는 MEF 세포를 이용한 배양 방법을 설명한다. SNL76/7 세포를 이용한 배양 방법은 문헌 6을 참조한다.

[2] CTK 용액 이외에 dispase 용액과 collagenase 용액 등도 이용되고 있다. 분리액의 종류에 따라 세포의 박리 방법 및 처리 시간이 다르다.

1. Feeder 세포의 준비

MEF 세포의 융해

❶ 동결한 MEF세포를 37℃의 항온조에서 빠르게 녹인다.

❷ 녹인 MEF 세포를 배지 9 mL에 넣고, 원심분리한 후에 MEF세포를 회수한다.

❸ 세포를 원심분리(200G, 3분)한 후, 상층액을 흡인 제거한다.

Mitomycin 처리된 혹은 방사선 처리된 MEF를 사용하는 경우에는 ❿이후를 따른다.

❹ Feeder 세포 배양 배지에 현탁하여 3 x 10⁶ cells/dish 정도가 되도록 100 mm 배양접시에 분주한다*¹.

❺ CO_2 incubator (37℃, 5% CO_2)에서, 합류(confluence)가 생길 때까지 배양한다*².

Mitomycin 처리

❶ 충분히 배양된 MEF 세포에 mitomycin C 용액을 최종 농도 10 μg / mL가 되도록 첨가하고 잘 섞는다.

MEF 세포는 로그증식단계에서 활발하게 증식하는 세포를 사용한다.

❷ CO_2 incubator에 넣고 2시간동안 배양한다.

❸ Mitomycin C를 포함한 배지를 제거하고, PBS (−)로 2회 세척한다.

❹ 새로운 feeder 세포 배양 배지로 배지교환을 시행하고, CO_2 incubator에서 6시간 이상 배양한다*³.

Feeder 세포의 분주

❶ Mitomycin C 처리된 MEF 세포 접시를 준비한다.

*1 MEF 세포를 융해 후 1~2일에 합휴되도록 분주되는 세포수를 조정한다. 너무 적게 분주를 하면 증식이 나빠지고, feeder 제작 후 ES·iPS 세포 성장을 도와주는 능력이 저하된다.
*2 합류 상태가 되면, 5 x 10⁶ cells 전후가 된다.

*3 Mitomycin C는 세포 분열을 저해하므로, feeder로 ES·iPS 세포의 배양에 사용하기 전에 반드시 제거 할 필요가 있다.

❷ 배지를 제거하고, PBS (-)로 2회 세척한다.

❸ Typsin / EDTA로 1∼2분간 처리한다.

❹ 배양접시를 두드려 세포를 떼어, feeder 세포 배양 배지에 현탁하여 원심분리 관에 넣고 회수한다.

❺ 세포 현탁액의 일부를 채취하여, 혈구 계산판을 이용하여 세포수를 계산한다.

❻ 원심분리(200G, 3분) 후, 상층액을 흡인제거하고 적당량의 배지에 희석한다.

❼ 3 ∼ 5 x 10^5 cells / dish (60 mm 배양접시) 전후가 되도록 분주한다[*4].

❽ CO_2 incubator에서 1∼2일 배양 후, feeder로 사용한다(그림 1).

[*4] 서로 다른 배양용기를 사용할 경우, 용기의 배양면적에 따라 조정한다. MEF의 lot에 따라 접착률이 다를 수 있으며, ES 및 iPS 세포주에 따라 최적의 파종 수가 다르기 때문에 파종 수는 적절히 조정합니다.

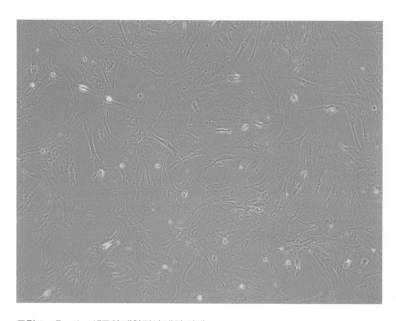

그림 1   Feeder 세포의 배양접시 내의 상태
MEF 세포의 접착밀도의 예. 세포들 사이에 어느정도 간격이 있는 상태

2. 인간 ES·iPS 세포의 융해 (유리 화법으로 동결 세포의 해동 방법)

❶ ES · iPS 세포 배양 배지 10 mL가 들어있는 원심 튜브를 37℃의 항온조에서 따뜻하게 둔다.

❷ 유리화법으로 동결된 ES · iPS 세포의 냉동 튜브를 액화 질소로 보냉하고, 클린벤치 옆에 작업하기 편한 위치까지 운반한다[*5].

❸ 해동 작업에 필요한 기구를 조작하기 쉬운 위치에 놓는다(그림 2).

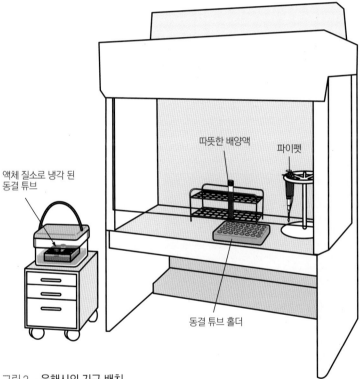

그림 2　융해시의 기구 배치
액체질소에 냉각된 cryo-tube (좌), 덥혀진 배양액, cryo-tube 받침대(중간), 파이펫(우)

❹ 37℃로 예열된 배지를 클린 벤치 내에 넣는다[*6].

❺ 핀셋을 사용하여 동결된 세포를 액화 질소에서 꺼내어, 37℃로 예열된 배지 1 mL를 동결 튜브에 넣고 피펫팅을 하여 급속 해동을 진행한다[*7].

*5 **중요** −150℃ 이하의 초저온 상태로 유지해야하기 때문에, 드라이 아이스에서 보냉은 불가능하다. 융해작업 전에 동결세포의 온도가 상승하게 되면, 유리화 상태를 유지하지 못하고 동결 세포가 손상을 입어, 융해 후 생존율이 극단적으로 저하되어 버린다. 또한 냉동보관 장소에서 세포를 꺼낼 때나 클린벤치로의 운반 중에도 온도가 올라가지 않도록 충분히 주의할 필요가 있다.

*6 동결세포를 급속 해동하는 것이 필요함으로, 예열한 배지가 식지 않은 상태로 이후의 해동 작업을 시작한다.

*7 **중요** 융해 후 생존율 저하를 막기 위해서는 가능한 한 빠르게 융해 희석하는 것이 가장 중요하다. 예열된 배지를 동결 펠렛에 뿜어 넣는 듯한 이미지로 작업하면 좋다. 보통 10회 정도(소요시간 10초정도) 피펫팅을 하면 완전히 녹는다.

❻ 해동된 세포 현탁액을, 예열된 나머지 배지가 들어간 원심분리 튜브에 넣고 회수한다.

❼ 원심분리(200G, 3분) 후 상층액을 흡인제거하고, 새로운 ES·iPS 세포 배지에 현탁한다.

❽ 미리 준비 해둔 feeder 세포 배양접시에 분주하고, CO_2 incubator (37℃)에 넣고 배양을 시작한다[*8].

CO_2 incubator의 CO_2 농도는 사용하는 ES·iPS 세포 배양 배지의 권장 농도로 설정한다.

*8 융해 후 ES·iPS 세포의 분주 밀도는 동결된 세포와 같은 정도로 분주하면 된다.

❾ 융해를 진행한 다음날 배양접시에 콜로니가 접착되어 있는지 확인 후 배지를 교환한다(그림 3).

배양접시에 접착하지 못하고 부유하고있는 세포가 많으면, 상층액을 회수하고 원심분리(200G, 3분) 후 새로운 배지로 교환한 후, 다시 원래의 배양접시에 분주하고 배양을 진행한다[*9].

*9 보통 3~4일에 합류가 된다. 다음 계대에 맞추어 feeder 세포를 미리 준비하자.

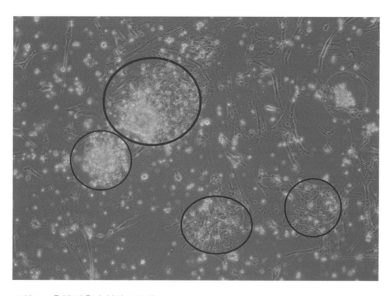

그림3 융해 다음날 인간 iPS 세포
접착된 인간 iPS 세포의 콜로니들(○안)과, 죽은 상태의 부유 세포들(○안)이 보인다.

❿ 이후 매일 배지를 교환한다.

3. 인간 ES·iPS 세포의 계대

❶ 합류(confluence)가 발생한 ES/iPS 세포를 준비한다(그림 4)[*10].

❷ 배지를 흡인제거하고 PBS (−)로 1회 세척한다[*11].

❸ 5 mL 배지가 들어 있는 원심분리관을 준비한다.

❹ ES · iPS 세포의 배양접시에 CTK 용액을 0.5 mL 첨가하여 배양접시 바닥면에 고루 잘 퍼지게 한다.

❺ CO_2 incubator에서 콜로니의 대부분이 배양접시에서 분리될 때까지 3~7분 정도 처리한다(그림 5)[*12].

*10 계대 타이밍은 콜로니에서 세포의 밀집 상태를 보고 판단한다. 콜로니 내의 세포가 너무 꽉차면 세포가 분화하거나 증식할 때 세포사멸이 발생할 수 있기 때문에, 세포가 너무 배양용기에 꽉차지 않고, 활발히 증식하는 타이밍으로 계대하는 것이 중요하다.

*11 PBS (−)에 장시간 노출되면, 콜로니의 세포 간 접착이 단절되어 버리므로, 가볍게 세척하는게 좋다.

*12 콜로니 주변부로부터 자연스럽게 박리되어 나오는 세포의 양이나 feeder 세포의 상태에 따라서 세포가 박리되어 나오는데 필요한 시간이 매번 변하기 때문에, 박리되는 상태를 보고 처리 시간을 적절히 조절할 필요가 있다.

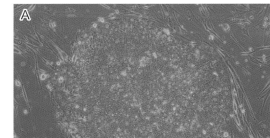

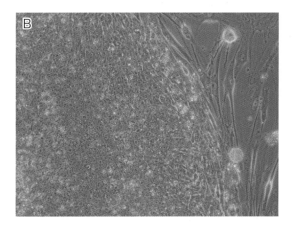

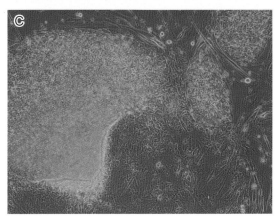

그림 4　상태가 좋은 iPS 세포

A) MEF 피더 세포와 함께 배양한 인간 iPS 세포. 편평하고 단층의 콜로니를 형성한다.

B) 인간 iPS 세포 콜로니를 확대한 사진. iPS 세포가 조밀하게 접착하여, 세포 체적의 대부분을 세포핵이 차지한다.

C) 분화된 콜로니의 예. 콜로니 주변에 분화한 세포가 보인다. 과도하게 증식하여 분화된 콜로니가 다수 발생하기전에 계대를 실시한다.

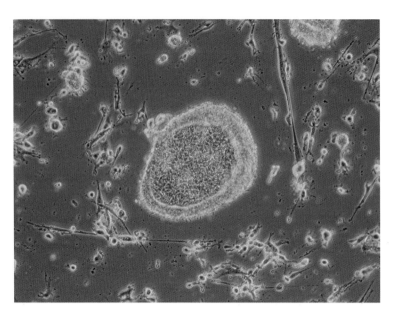

그림 5　ES 및 iPS 세포분리액(CTK 용액)을 처리한 인간 iPS 세포
콜로니 주변부부터 말리면서 박리되고 있다.

 배양접시에 ES · iPS 세포 배양배지를 1.5 mL 추가로 넣는다.

 1000 μL 칩을 사용하여 여러번 피펫팅을 시행하고, colony를 100개 정도의 세포덩어리로 만든 후에, ES · iPS 세포 배양배지 들어간 원심분리관에 넣고 회수한다*13.

 원심분리(200G, 3분) 후, 상층액을 흡인제거한다.

 ES · iPS 세포 배양 배지에 다시 희석한다.

 Feeder 세포 조직의 상층액을 제거한 후, ES · iPS 세포를 파종한다(그림 6)*14.

 CO_2 incubator 안에서 배양을 진행한다.

*13　**중요** 콜로니를 너무 많이 분산시켜서 세포 덩어리를 작게 만들어 버리면, 계대 후에 증식할 수 없게 되는 경우가 있다. 콜로니의 분산 정도에 따른 세포의 반응이 세포주간에 차이가 있기때문에, 우선 큰 세포 덩어리의 상태에서 계대하고 난 모습을 지켜본 후 최적의 분산 정도를 결정하는게 좋다.

*14　세포의 종류와 배양 조건에 따라 ES · iPS 세포의 증식 상태가 다르기 때문에, 계대시 최적 희석 비율은 상황에 따라 달라진다. 1:3을 기준으로 파종을 하고, 세포의 증식 상태를 보고 적절하게 조정한다.

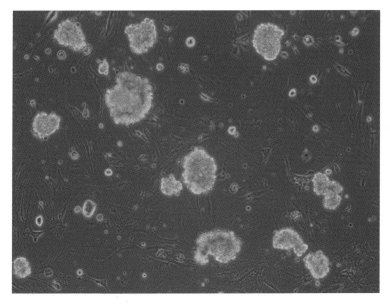

그림6 계대시 콜로니 크기의 예시

⓬ 이후 매일 배지를 교환한다.

배지 교환을 게을리하면 세포 분화 및 사멸을 야기시키므로, 매일 배지를 교환한다.

⓭ 이후 매일 배지를 교환한다.

4. 인간 ES·iPS 세포의 동결(유리화법)

❶ 합류(confluence)하게 된 ES · iPS 세포를 준비한다.

로그 증식기 상태로 활발하게 증식하는 세포를 준비한다.

❷ 배지를 흡인 제거하고, PBS (−)로 1회 세포를 세척한다.

❸ 세포해리액 0.5 mL를 첨가하고, 배양접시 전체에 고르게 잘 분포시킨 후 CO_2 incubator에서 3∼7분 정도 배양한다[15].

❹ 조직을 몇 번 두드려서 콜로니가 박리되는 것을 확인하고, 콜로니를 박리시키지 말고 덩어리 상태로 떼어낸다[16].

[15] 콜로니 주변부로부터 자연스럽게 박리되어 나오는 세포의 양이나 feeder 세포의 상태에 따라서 세포가 박리되어 나오는데 필요한 시간이 매번 변하기 때문에, 박리되는 상태를 보고 처리 시간을 적절히 조절할 필요가 있다.

[16] 중요 계대시와 달리, 동결 및 융해시에는 피펫 조작에 의해 콜로니가 더 작게 분산될 수 있으므로, 가능한 한 큰 콜로니 그대로 회수하는 것이 매우 중요하다.

❺ 배지 5 mL를 첨가하고 15 mL 원심분리 튜브 넣는다.

❻ 원심분리(200G, 3분) 후, 상층액을 흡인 제거 한다.

❼ 다시 200G 3분간 원심분리하여 튜브 측면에 남아있던 배양액을 모두 튜브 아래 쪽에 모은 후에, P-1000 마이크로 파이펫을 이용하여 완전히 제거하여 세포만의 펠렛을 만든다.

궁극적으로, 200 μL의 작은량의 동결보존액으로 동결하기 위해 원심분리 튜브 측면에 남아있는 배지를 완전히 제거해야 한다.

❽ P-1000 마이크로 피펫, 동결보존액, 동결 튜브, 액화 질소 등을 신속하게 작동할 수 있는 곳에 위치시킨다.

냉동보존액을 얼음이 든 아이스박스에 놓아둔다(그림 7)*17.

*17 **중요** 이후 ❾~⓫ 까지의 공정을 10~15초에 완료하도록 한다. 고효율 냉동 저장을 안정적으로 실현하기 위해서는 이 공정의 엄격한 시간 관리가 필수적이다. 작업완료까지의 시간이 너무 빠르면 세포 탈수가 충분치 않아서 유리화되기가 힘들고, 너무 늦으면 동결 보존액의 독성에 의해 세포가 손상되어 동결 보존의 효율이 극단적으로 감소한다. 실험용 ES · iPS 세포를 동결하기 전에 원활하게 사용할 수 있도록 연습 해두면 좋다.

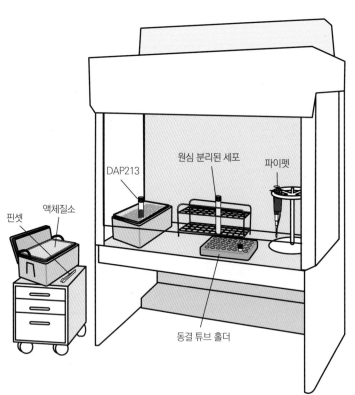

그림 7 　 동결시 기구의 배치
핀셋, 액체질소(좌), 원심분리된 세포, 파이펫 (중앙), Cryo-tube (아래)

❾ P-1000 마이크로 파이펫으로, 얼음으로 보낸된 동결보존액(DAP213) 200 μL를 취한다.

❿ 세포를 동결보존액을 넣고 1~2회 피페팅을 실시하여 현탁 후, 동결튜브로 옮겨 뚜껑을 닫는다.

⓫ 동결튜브를 핀셋으로 집어, 액화 질소에 바닥에서 2/3 정도가 가라앉도록 담근다.

⓬ 액체 질소에 1분간 보관하여 내부로 완전히 동결시킨다.

⓭ 액화질소에 담긴 채 냉동 보관 장소로 운반한다.

드라이아이스 상에서의 운반 불가하다.

⓮ 액화질소탱크의 상태 혹은 영하 150℃ 이하의 냉동고에 저장한다[18].

*18 **중요** 꼭 냉동 동결 튜브를 이용하여, 영하 150℃ 이하에서 온도 변화가 적은 안정된 환경에서 보관해야 한다. 영하 80℃ 냉동고에서는 유리화 상태를 유지할 수 없기 때문에 저장 불가하다. 또한 액화 질소의 액상 안에서의 저장은 저장하는 동안 동결 튜브에 액화 질소가 혼입될 우려가 있기 때문에 부적합하다.

 문제 발생시 대응

■ ES/iPS 세포를 융해후 콜로니 형성이 안되거나 형성된 콜로니 수가 적다

→ 동결 세포의 상태가 나쁘다.

동결 보존 작업이 제대로 이루어지지 않았거나, 동결 후 저장 및 수송 과정에서 온도가 상승했다면, 유리화 상태를 유지하지 못하고, 저장하는 동안 세포가 손상을 받게된다. 외관상으로도 동결 튜브에 세포 펠렛의 색이 투명한 분홍빛이 아니라 내부까지 완전히 하얗게 탁한 경우 유리화 상태를 제대로 유지 되지 않았다고 판단할 수 있고, 이런 경우 융해 후 생존율이 크게 저하되는 경우가 많다. 보존 상태가 좋은 다른 새로운 동결 세포를 사용할 필요가 있다.

→ 융해 작업이 잘 되지 않는다.

융해 후 생존율을 높이기 위해 급속히 용융 및 희석이 가장 중요하다. 동결 세포에 배지를 부어 와류로 융해할 때, 미세한 피페팅은 따뜻한 배지의 움직임이 미미하여 융해되는데 시간이 걸릴 수 있다. 이 때는 동결된 펠릿에 따뜻한 배지를 뿜어내는 이미지로 크고 느슨한 피펫팅을 시행하면 빠르게 녹일 수 있으며, 또한 따뜻한 배지를 클린 벤치에 넣어두면 공기 흐름에 의해 빠르게 식어 버릴 수 있으므로, 최대한 배지가 따뜻한 동안 신속하게 작업을 수행해야 한다.

■ **ES/iPS 세포가 계대 후 세포가 증가하지 않거나 분화해 버린다.**

→ 계대시의 콜로니가 너무 작다.

계대시 과도한 피펫팅을 자제하고 큰 덩어리로 분주를 한다.

→ Feeder 세포의 상태가 나쁘다.

Feeder 세포의 수가 적어서 세포 증식에 필요한 인자의 공급이 부족하여 ES·iPS 세포가 증식 할 수 없게 되거나 분화되어 버리는 경우가 있다. 반면, feeder 세포가 너무 많으면 ES·iPS 세포 콜로니가 원활히 확산될 수 없어 증식하지 못하고, 콜로니 근처에서 분화 세포가 출현하는 경우가 있다. 따라서 매번 안정적으로 적절한 feeder 세포의 밀도를 유지하는 것이 중요하다. 또한 세포 분열을 거듭해 노화되어 증식이 무뎌진 MEF는 feeder 세포로의 기능이 저하되어 있기 때문에, 젊고 활발하게 증식하는 MEF를 사용할 필요가 있다.

→ 계대 타이밍의 지연

콜로니가 커지고 세포가 너무 막히면 밀집된 부분에서 세포 사멸이 진행됨에 따라 콜로니 근처에 분화 세포가 출현하거나 콜로니 중앙부의 세포가 분화되는 경우가 있다. 콜로니의 세포가 균일하게 퍼지고 활발하게 성장하는 타이밍에서, 빨리 계대가 이루어지는게 좋다.

→ 배양액의 성분을 잘못 만들다

배지액을 재확인하고, 적절한 조성물의 배양액을 사용한다. 특히, L-글루타민을 첨가하는것을 잊거나, 2-mercaptoethanol의 첨가 농도가 틀린 경우가 많은 것 같다.

결론

이 장에서 소개한 ES·iPS 세포의 배양방법 및 동결 융해 방법은 ES·iPS 세포를 분화 유도 및 특성 분석 등 다양한 연구를 실시하는데 반드시 필요한 작업이다. 응용 연구에서 신뢰성과 재현성있는 데이터를 얻기 위해 실험에 사용할 ES·iPS 세포의 유지 배양을 항상 안정되어 실시하는 것이 필수적이다. 연구 목적에 따라, feeder free 배양[2]이나 단일 세포에서 계대 분산 배양[3] 등 다양한 배양방법이 있을 수도 있지만, 처음에는 feeder 세포를 사용하여 효소 처리에 의해 콜로니를 분할하고 분주하는 배양 방법을 통해서 충분한 배양 경험을 쌓을 것을 권합니다. 이러한 기본적인 배양법을 통해 인간 ES·iPS 세포의 기본적인 특성을 보다 잘 이해함으로써 분화 유도를 실시했을 때, 세포의 행동 변화를 더 민감하게 느낄 수 있는 경험을 가지게 될 것으로 생각됩니다.

마지막으로, ES·iPS 세포뿐만 아니라 모든 배양 세포는 계속 분열하고 증식하면서 초기의 특성이 점차 소실될 수 있기 때문에, 세포를 얻은 후 가능한 한 조기에 충분한 양의 냉동 동결 스톡을 제작해두고, 세포의 모습이 이상하다고 느끼면 즉시 스톡을 풀어 다시 재검토할 수 있는 체제를 정비하는 것이 바람직하다. 이러한 기본적인 세포의 관리를 확실하게 할 수 있는 능력은 ES · iPS 세포 연구를 시행하는데 있어서 점점 더 중요할 것으로 생각된다.

◆ 문헌

1) The international Stem Cell Initiative: Nat. Biotechnol., 26: 313−315, 2008
2) Xu, C.et al.: Nat. Biotechnol., 19: 971−974, 2001
3) Watanabe, K. et al. : Nat. Biotechnol., 25: 681−686, 2007
4) 『Manipulating the mouse embryo: A Laboratory Manual』(Nagy, A. et al), Cold Spring Harbor Press
5) 『目的別で選べる細胞培養プロトコール』(中村幸夫／編), 羊土社, 2012
6) Ohnuki, M. et al.: Curr. Protoc. Stem Cell Biol. ,4 :4 A.2.1−4A.2.25,2009

4 ES 및 iPS 세포의 feeder free 배양법

미야자키 다카미치(宮崎隆道), 가와세 에히하치로(川瀬栄八郎)

Flow chart

서론

인간 ES 세포 및 인간 iPS 세포 [총칭으로 인간 만능 줄기세포(hPSC)]는 자기 복제 능력과 분화능을 겸비한 세포주이다. 일반적으로 마우스 태아 섬유아세포 등을 feeder(지지) 세포로 한 공동 배양 시스템에서 안정적으로 유지되고 있지만, hPSC를 feeder 세포는 제외하고 각 조직 세포로 분화 유도하는 배양 시스템으로 옮겨야 함으로, hPSC 취급시의 feeder free 배양법의 활용은 매우 중요하다. 또한, hPSC는 이식요법의 세포 소스 또는 약물 치료에서 세포 표본으로 활용 될 것으로 예상되지만, 이 응용 프로그램은 고품질의 세포가 많은 양으로 필요하기 때문에 hPSC를 안정적으로 유지하면서 효율적으로 증가시켜야 한다. 또한 hPSC 이식 요법의 재료 세포로 또는 약물개발시에 세포검체로의 활용이 기대가 되는데, 그 실용화에는 고품질의 세포가 대량으로 필요하기 때문에 hPSC를 안정적으로 유지하면서 효율적으로 증가시켜야한다. 거기에는, feeder세포의 영향을 받지 않고 품질관리가 용이한 합성 배지만를 이용한 배양 조건으로 확대·유지되는 것이 편리성이 높을 뿐만 아니라, xeno(이종성분) free조건으로 배양되는 것이 임상응용에 적절하다. 이번 장에서는 hPSC 표준 feeder free 배양법과 더불어 hPSC의 실제 적용을 위한 **이상적인 배양 조건**을 동시에 충족시키는 응용 배양 방법을 설명하겠다.

이상적인 배양 조건 : feeder free 및 xeno free. 높은 미분화 상태를 유지하면서 빠른 속도로 세포 수를 증가시킬 수 있음.

Feeder 세포의 대체물(Matrigel and Laminin fragments)

hPSC의 표준 feeder free배양 방법에서, 주로 배양 기질로서 Martrigel(EHS 종양 기저막 성분)을 사용하여, feeder 배양법에서와 마찬가지로 콜로니상태를 유지하면서 계대를 진행한다. 이와는 다르게, 이번 장에서는 앞의 배양 전체 조건을 만족시키는 방법으로, hPSC를 단일 세포 상태로 분산시키고, Martrigel 대신 Laminin fragment로 코팅한 배양기에 분주하는 방법이다(단일 분산 배양법). hPSC를 콜로니 상태에서 분주하면, 불완전하게 접착된 콜로니에서 세포가 겹쳐진 상태로 분화가 촉진되기 때문에, 계대 때마다 불량 콜로니를 제거하는 작업이 필요하게 되는 반면, hPSC를 단일 세포 상태로 분산시켜 배양하면 세포의 중층화가 발생하지 않기 때문에 미분화 상태는 유지되기 쉽지만, 콜로니로 분주하는 방법보다 생존율이 현저히 감소한다. 따라서, hPSC를 단일 분산시킬 때, ROCK 억제제인 Y-27632 및 Myosin II 선택적 억제제인 Blebbistatin과 같은 약물을 반드시 첨가하여 세포 사멸을 피해야만 했다. 그러나, 이번 장에서는 약물을 첨가하지 않고도 코팅에 사용되는 세포외기질의 효과에 의해 단일 상태의 hPSC의 생존을 가능하게 하는 방법을 설명하겠다.

hPSC의 세포 표면에는 integrin α6β1 은 세포외기질 수용체인 integrin 중 가장 많이 발현되는데[1], laminin 결합형인 integrin α6β1은 지금까지 알려진 15가지 종류의 Laminin iso-form 중 특히 laiminin-511에 대해 강한 결합 특이성을 가지고 있다.

Laminin fragment (iMatrix-511: 주식회사 Nippi, #892001)는 laminin-511로부터 integrin 결합에 필요한 최소 구성 단위를 재조합 단백질로 생산한 배양기질이다[2]. Integrin 결합 능력은 원래길이의 laminin과 동일한 반면, laminin보다 많은 분자가 배양기의 배양 표면에 코팅되기 때문에, 분산 파종된 hPSC로 integrin 신호가 더 강하게 들어와 더 높은 접착력과 생존력을 얻을 수 있어서, laminin fragment에 접착된 hPSC는 높은 유동 활성을 갖는다. 세포 간 접착에 대한 높은 생존 의존성을 갖는 hPSC는 laminin fragment에 세포 간의 접촉 기회가 증가하고 클러스터가 즉각적으로 재형성 될 수 있기 때문에 생존력 향상과 관련이 있다. 이상의 특성으로 라미닌 단편(Laminin fragment)을 코팅 기재로 사용하여 hPSC는 단일 조건 하에서 파종 될 때 높은 생존율을 유지하고 고효율의 계대 배양을 가능하게 한다[3].

이번 프로토콜에서 처음에는 표준 feeder free 배양법을, 이어서 laminin fragment를 이용한 단일 분산 배양 방법을 수행하기 위한 최적화된 작동 조건 및 방법을 제시하도록 하겠다.

준 비

실험 재료 인간 만능 줄기세포주(구입)[*1]

☐ 인간 ES 세포주

· WA09 (H9) 〔Wiscons inInternational Stem Cell (WISC) Bank〕

· KhES-1 (RIKEN BASE, BRC ID : HES0001)

*1 이 항목에서 다루는 두 방법은 아래 제시된 세포주에서 검증된 것이다.

· HES3 (ES03) (WISC Bank)

☐ 인간 iPS 세포주

· iPS (IMR90) −1 (WISC Bank)

· 253G1 (RIKEN BASE, BRC ID : HPS0002)

사용기기

☐ 세포배양 관련 장비세트

실험 기구

☐ 배양기

6−well multiwell plate (Corning, #353046)[*2]

☐ 15 mL 원심 튜브

☐ Cell scraper

시약

☐ Matrigel® basement membrane matrix (Corning, #354230) [*3]

Growth Factor Reduced.

☐ Laminin fragment [*3]

iMatrix-511 (Nippi, #892001 및 #892002).

☐ 배지

DMEM / F12.

☐ 합성 배지

TeSR™2 또는 mTeSR™1 (STEMCELL Technologies, Inc.,#05860 또는

#05850)[*4].

☐ 표준 배지

영장류 ES 세포용 배지 (REPROCELL, #RCHEMD001).

☐ TrypLE™ Select (Life Technologies, #12563−011)

☐ D−PBS (−)

☐ EDTA 용액 (5 mM)

☐ EDTA−4Na (Sigma Aldrich, #E6511)을 D−PBS (−)에 용해한 후, 고압증

기멸균기를 이용하여 살균하고 사용

☐ 세포용 박리액

· CTK 용액(REPROCELL, #RCHETP002)

· Dispase 용액(STEMCELL Technologies, Inc., #07913)

프로토콜

1. 배양기 준비(배양기에 세포 외 기질 코팅하기)

A) Matrigel

❶ Matrigel을 저온 배지에서 [*1] 20〜50배로 희석하여[*2], 충분히 현탁한 후 배양

---

*2 배양기는 일반적인 접착세포를 배양용이면, 제조 회사나 이전 사용여부 등 상관없이 사용가능하다.

*3 필요에 따라 준비하자.

*4 Xeno free 조건에서 배양하면 TeSR™2를 사용하자. 연구용으로는 mTeSRT™1을 사용하는 것이 조작하기 쉽다. 이러한 매체 이외에도 다양한 합성 배지를 사용 가능하다.

*1 단백질이 들어 있지 않다면, 배지 종류는 문제가 되지 않는다.

*2 최종 농도는 20 mg/cm²를 기준으로 한다.

기에 첨가한다[*3].

❷ 실온(15~25℃)에서 한시간[*4] 놓아둔다.

❸ 사용직전에 상층액을 제거한다.

B) Laminin fragment (iMatrix-511)[*5]

❶ Laminin fragment을 D-PBS (-)로 적절히 희석하여 배양 표면 당 최종 코팅 농도가 1.5 μg/cm²[*6]가 되도록 희석 후 배양기에 첨가한다[*3].

6-well plate (배양 면적 10 cm²/well)에 코팅하는 경우, iMatrix-511(스탁 농도 : 500μg / mL) 30 μL를 D-PBS (-) 970 μL에 희석하여, 1 mL를 1 well에 첨가한다.

❷ 실온에서 3시간 놓아둔다.

❸ 사용직전에 상층액을 흡인 제거한다[*7].

2. hPSC의 feeder free 전환

Feeder 세포에서 유지되는 hPSC에서 단일 분산 배양법으로 전환시킬 때, 배양 전체를 직접 단일 분산 처리해 버리면 다량의 feeder 세포가 혼입되어, 합성 배지에 의한 미분화 유지 배양에 악영향을 끼칠 수 있다. 따라서 3-B. 단일 분산 배양을 하기 전에, 전 처리로써 feeder free 전환 작업을 진행할 필요가 있다. 여기서부터는 6-well plate를 사용하는 경우에 대해서 언급한다.

❶ "1. 배양기 준비"에 따라 세포 외 기질을 코팅한다[*8].

❷ Feeder가 포함된 hPSC의 배양기에서 배지를 제거하고, 세포박리액(CTK 용액)[*9]을 0.5 mL 추가한다.

❸ 37℃에서 3분간 놓아둔다.

❹ 세포 박리액을 흡인 제거한 후, 배양기의 가장자리로부터 표준 배지 1 mL를 조심스럽게 첨가 후 세포층을 청소하고 제거한다.

*3 **중요** 첨가량은 배양면적(cm²) 당 100 μL를 기준으로 한다.

*4 4℃에서 하루 밤 동안은 보관가능하지만, 사용시 상온으로 되돌려 진행합니다. 37℃에서의 배양은 얇게 코팅이 되기 어렵기 때문에 되도록 피하자.

*5 효과는 떨어지지만 laminin fragment 대신에 full-length laminin 을 사용하여도 단일 분산 배양 방법이 가능하다. full-length laminin을 사용하면 최종 코팅 농도를 6 μg / cm²로 최대 접착 효과를 얻을 수 있다.

*6 콜로니 상태의 hPSC를 분주하면, 최종 코팅 농도는 0.5 μg/ cm²서도 좋은 접착 효과를 보여준다.

*7 배양 표면이 건조하면 세포의 균일한 분산 배양이 힘들다.

*8 이 단계에서는 laminin fragment 혹은 matrigel 모두 괜찮다.

*9 침강 차이에 의해 MEF를 제거하기 위해서, hPSC 콜로니를 분산시키기 어려운 CTK 용액을 사용한다.

❺ 표준 배지 5 mL를 첨가 후, 피펫으로 배지와 함께 hPSC 콜로니를 조심스럽게 떼어서 15 mL원심튜브로 옮긴다.

❻ 표준 배지를 총 10 mL가 되도록 첨가후, 실온에서 5분간 놓아두고 hPSC 콜로니를 가라앉힌다.

❼ 상층액을 흡인 제거하고, 새로운 표준 배지를 10 mL 추가한다.

❽ 실온에서 5분간 놓아둔다.

❾ ❼과 ❽침강 조작을 3회 이상 반복한다.

❿ 합성 배지 1 mL를 추가하고, P-1000 마이크로 피펫으로 피펫팅을 하여 hPSC 콜로니를 잘게 부순다[10].

⓫ 200G에서 3분간 원심분리한다.

⓬ 합성 배지에 현탁하여, ❶ 배양기에 다시 세포를 파종한다.

⓭ CO_2 incubator에서 배양한다.

⓮ 2~3일 배양하여 hPSC를 증식시킨다.

3-A. 콜로니 분산법에 의한 hPSC의 계대 배양 (표준 feeder free 배양 방법)

❶ "1. 배양기 준비"에 따라 세포 외 기질을 코팅한다[11].

❷ 배양기에서 배지를 흡인 제거 후 세포 박리액(dispase 용액)을 1 mL 첨가한다.

*10 콜로니 분쇄는 원심분리 전에 실행하여, 분쇄 작업시 발생하는 죽은 세포와 세포 조각이 원심 분리로 제거되도록 한다.

*11 기존의 방법은 Matrigel이지만, laminin fragments를 사용해도 일반적으로 계대 배양하는 것이 가능하다.

❸ 37°C에서 3~5분 동안 놓아둔다[*12].

 ❹ 세포 박리액을 제거하고, 다시 2 mL의 배지를 첨가하여 세포 박리액을 희석하여 제거한다.

 ❺ 2 mL의 합성 배지를 첨가하고, 세포 스크레이퍼를 사용하여 세포를 완전히 수거한다[*13].

 ❻ 세포 현탁액을 원심튜브에 옮겨 2~3회 피펫팅하여 박리된 콜로니를 작게한다[*10][*14].

 ❼ 200G에서 3분간 원심분리를 진행한다.

 ❽ 합성 배지를 적당량 첨가하여, 콜로니가 너무 작아지지 않도록 주의하면서 세포를 현탁한다.

 ❾ ❶에서 준비한 배양기에 적당량의 합성 배지를 첨가하여, 세포 현탁액을 적당한 비율[*15]로 첨가한다.

 ❿ CO_2 incubator에서 배양한다.

 ⓫ 계대 다음날부터 매일 배지를 교환한다.

 ⓬ 4~5일간 배양 후, 계대를 진행한다.

3-B. 단일 분산 법에 의한 hPSC의 계대 배양

❶ "1. 배양기 준비"에 따라 세포 외 기질을 코팅한다.

❷ 배양용기에서 배지를 제거하고, D-PBS (−)를 첨가하여[*16] 세포층을 청소하고 제거한다.

*12 배양내 유치 시간은 콜로니의 박리 상태를 관찰하면서 조절한다. Dispase 용액을 이용한 경우 콜로니의 박리상태를 알기 힘든 경우가 있기 때문에 과도한 처리는 피하도록 주의한다.

*13 세포박리액 혹은 cell scraper를 각각 단독으로 사용하는 것 보다는, 같이 사용하는 방법이 세포에 대한 손상을 감소시키고 생존율을 높인다.

*14 Dispase용액을 이용하면, 콜로니가 과도하게 분산되기 쉽기 때문에 주의한다.

*15 희석 비율은 세포주에 따라 다르지만, matrigel에서 1:2~1:4로 희석하여 분주하고, laminin fragments을 이용한 경우는 1:10이상 희석하여 분주하는 것이 가능하다.

*16 D-PBS (−)는 배지와 동등한 양으로 사용하며, 잔여 배지를 최대한 제거하면 단일 상태를 만들기 쉽고, 세포도 잘 박리된다.

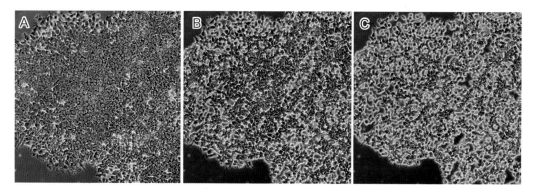

그림 1 EDTA 용액에 의한 hPSC 콜로니의 분산상태의 지표
A) 처리가 불충분, B) 좋은상태, C) 괜찮은 처리상태 (그러나 박리에 주의)

❸ EDTA 액을 1 mL 첨가후, 3~5분간[*17] 실온에 둔다.

❹ EDTA 액을 제거하고 TrypLE select을 1 mL 첨가[*18]한 후, 즉시 흡인 제거한다[*19].

❺ 37℃에서 1분간 놓아둔다.

❻ 합성 배지를 1 mL 넣고 세포를 떼어 낸 뒤,[*20*21] 15 mL 원심튜브에 넣고 원심분리하여 세포를 회수한다.

❼ 200G에서 3분간 원심 분리하여 세포를 회수한다.

[*17] 세포간 결합이 사라지고 세포 하나하나가 둥글게 되는 상태가 전체 콜로니의 절반 이상에서 관찰될 때까지 EDTA의 처리 시간을 조정한다(그림 1).

[*18] EDTA 처리만으로 세포가 부분적으로 벗겨지기 쉽기 때문에, 용액은 필히 용기의 벽면을 타고 첨가되도록 주의해서 진행한다.

[*19] 즉시 제거하는 것이 세포 분산이 고르게 진행되도록 한다. 다음 조작에 해리액은 넣지 않아도 된다.

[*20] 적절한 조건에서, 세포는 배양용기에서 완전히 분리되어 배지 첨가만으로 쉽게 현탁된다.

[*21] 중요 세포가 잘 분리되지 않을때는 EDTA 용액의 처리 시간을 조정하되, TrypLE select의 처리 시간은 변경하지 않는다.

 문제 발생시 대응

■ 단일 분산 후 생존율이 극단적으로 나쁘다

hPSC의 생존율이 매우 나쁜 경우는 세포 처리기술의 차이가 미치는 영향 외에, 세포주 간격이 적당한 지를 생각해봐야 한다. 우선, 분주시의 밀도 조건을 재검토하여, 권장된 기준밀도(5×10^4 cells/cm^2) 보다 약간 높은 밀도로 분주하는 것이 좋다.

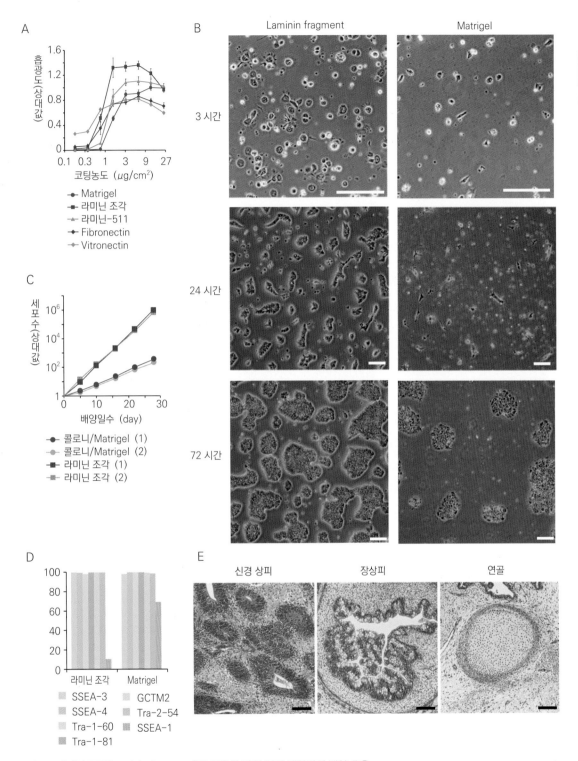

그림 2 라미닌 조각(Laminin fragment)을 이용한 단일 분산 배양법의 배양 효율

A) 기질 농도 의존적인 단일 hPSC의 접착. B) 라미닌 조각에서 증식형태 : C) 기존 방법과의 확대 효율의 차이, D) Flow cytometry에 의한 장기 계대 후 미분화 상태의 분석, E) 테라토마 형성에 의한 장기 계대 후 분화능의 평가

❽ 세포를 적당량의 합성 배지에 현탁하여 세포 수를 측정한다.

❾ ❶에서 준비한 배양용기에 적당량의 합성 배지를 첨가하여, 분주된 밀도가 5 x 10^4cells / cm^{2*22}이 되도록 세포 현탁액을 첨가한다.

*22   ⚠ 문제 발생시 대응을 참고

❿ CO_2 incubator에서 배양한다.

*23   중요 계대 배양은 합류 상태가 되기 전에 실행한다. hPSC를 합류가 된 상태에서 계대를 진행하면, 증식 활성과 접착 활성이 떨어질 뿐만 아니라 세포 분화가 진행될 수 있으므로 주의를 요한다.

⓫ 계대 다음날부터 매일 배지를 교환한다.

⓬ 4~5일 경과 후 합류 상태 되기 직전 시점에서 계대 배양을 시작한다[23].

결론

콜로니 상태를 유지하는 계대 방법은 발생하는 콜로니의 크기에 따라 hPSC의 생존율이 변화하기 때문에 이에 익숙해져야 하며, 콜로니의 생착특성에 따라 미분화의 유지가 좌우될 수 있는 매우 불안정한 방법이다. 반면 단일 분산 배양법은 조작이 용이하고, 기준과 수치를 명확하게 할 수 있기 때문에 기계적으로 작업을 진행할 수 있다. 이 장에 소개된 단일 분산 배양법을 이용하면 정해진 수만큼 hPSC을 안정적으로 분주하는 것이 가능해 지기 때문에, 고속 처리량 분석기의 적용과 hPSC 자동 배양 장치에의 응용 등 임상 응용을 위한 hPSC 준비의 목적 이외에도 다양한 용도 효율성의 개선이 전망된다. 향후의 활용 사례보고가 기대된다.

◆ 문헌

1) Miyazaki, T. et al. : Biochem. Biophys. Res. Commun., 375: 27-32, 2008
2) Taniguchi, Y. et al. : J. Biol. Chem., 284: 7820-7831, 2009
3) Miyazaki,T. et al. : Nat. Commun., 3: 1236, 2012

5 ES 및 iPS 세포의 특성분석 및 품질관리

히라이 마사코(平井雅子), 스에모리 히로후미(末盛博文)

미분화상태의 판정

| 알칼리성 포스파타제 염색 | Flow cytometry에 의한 측정 | 면역염색 | PCR에 의한 측정 | 태아형태모형 형성 확인 | 테라토마 분석 |

염색체 이상의 체크

핵형분석

감염성인자의 제거

| 마이코플라즈마 네가티브 테스트 | 효소법 | Real-time PCR에 의한 검출법 |

서론

　　무한으로 증식하는 미분화 세포에서 필요한 세포를 만들어, 이식 의료에 이용한다. 이러한 만능 줄기세포의 재생의료에서의 활용이라는 기술적 측면에서 생각하면, ES 세포와 iPS 세포는 동일하게 취급할 수 있다고 생각할 수 있다. 양자는 각각 유래가 다르지만, 일단 제작된 후 그 증식에서 분화 유도에 이르기까지 동일한 기술을 적용 할 수 있다. ES 및 iPS 세포를 재생의료에 사용함에 있어서 중요한 것은 미분화 세포로 계속 일정한 성질을 유지하면서 안전성을 보증하는 것이다. 이식 조직을 의료 제품이라고 생각하면 그 안전성 및 유효성은 최종제품인 이식조직을 가장 엄격하게 조사해야 되지만, 여기에서는 원료가 되는 미분화 세포를 안정적으로 공급하기 위해 세포 은행을 구축한다는 관점에서 그 특성이나 품질 관리의 개념과 방법에 대해 살펴보도록 하겠다.

　　ES 및 iPS 세포의 세포은행에서의 분석은 크게 두 가지 관점에서 이루어진다. 첫째는 만능 줄기세포로서 가져야할 성질을 적절하게 유지하고 있는지, 둘째는 세포를 의약품으로 사용하는 데 요구되는 안전 기준을 충족하는지이다. 여기에서는 전자를 **특성**, 그리고 후자를 **품질**이라고 부르기로 한다. 이들은 엄격하게 나눌 수 있는 것은 아니지만 인간 ES 세포와 iPS 세포의 특성 분석 방법 및 품질 관리에 관하여 본 연구소가 실시하고 있는 기본적인 기술을 소개하겠다.

재생 의료를 이용함에 있어서 ES 세포와 iPS 세포가 가지는 장점은 높은 증식능과 어떤 세포로도 분화할 수 있는 다능성이며, 이 두가지를 모두 겸비한 세포주는 이들 이외에는 아직까지 밝혀진게 없는것으로 보인다. 이러한 다기능성 줄기세포주는 꼭 가지고 있어야 할 성질과 특성이 있다. 일반적으로 ES 및 iPS 세포는 미분화 상태에 있을 때 높은 증식능을 보이며, 세포 분화가 진행됨에 따라 증식시키는 것이 어려워지는 경우가 많다. 이러한 특성은 세포의 계대 및 동결, 그리고 해동 등의 과정을 거쳐도 일정하게 유지되어야 할 것이다. 세포의 증식 능력은 세포주 혹은 클론마다 다소 다르지만, 배가 시간(doubling time)은 24시간 이후부터 30시간의 사이인 것이 많은 듯하다. 배가 시간의 증가나 감소는 세포에 어떠한 변이가 생긴 것을 시사하지만, 어느 정도의 변화를 비정상으로 판단해야 하는지의 설정은 매우 어렵다. 결국 다른 부분도 같이 고려해서 아울러 판단해야 할 것이다. 증식 속도가 증가하는 경우는 종종 핵형 및 CNV (copy number variation) 등의 게놈 이상이 종종 관찰된다.

1. 미분화 상태의 판정

미분화 상태의 판정은 일반적으로 마커의 발현 분석이 이용된다. 마커로는 세포 표면 마커 및 미분화 상태 특이적 유전자의 mRNA의 검출이 이용된다. 모두 다양한 분자가 이용되지만, 단일 마커 발현에서 미분화 상태를 확인하는 것은 곤란하고, 여러 마커 발현 분석을 실시한다.

세포표면 마커분석은 알칼리성 포스파타제(alkaline phosphatase) 활성을 이용한 염색이 간편한 방법으로 이용된다. 그러나 배양 세포 집단의 상세한 특성 분석은 flow cytometry에 의한 분석이 효과적이며, SSEA3, SSEA4, TRA1-60 등에 대한 항체를 이용한 면역 염색이 이용된다. 또한 NANOG 와 POU5F1 (OCT3/4)에 대한 항체를 이용한 핵 염색에서의 flow cytometry를 이용하는 것도 좋은 방법이다. 동종형 항체에 의한 염색을 대조군으로해서 양성 세포의 비율을 결정한다. 이것이 70%이상인 것이 ISCBI 가이드라인에서도 권장되고 있다.

미분화 상태에서 발현이 매우 강하다가 세포가 분화되면서 비교적 빠르게 발현이 감소하는 유전자가 미분화 마커 유전자로 사용된다. NANOG, OCT3/4, SOX2 같은 초기화 유전자는 그 대표적인 것이다. 이 밖에 TDGF, DNMT3B, ZFP42 등의 mRNA의 검출을 실시하는데, 이때는 real-time PCR을 실시해야 하며, RT-PCR에 의한 밴드의 검출은 신뢰성이 부족하다. 이것은 예를 들어 집단의 절반 세포가 분화되어 있어도 나머지 미분화 세포에서 유래하는 신호가 감지되기 때문에 양성(미분화상태)으로 판정될 수 있다. 따라서, 이를 피하기 위해서는 미분화 마커와 동시에 초기 분화 마커인 GATA6, Brachyury, EOMES 등이 검출되지 않는(혹은 낮게 검출되는) 확인이 필요하게 된다. mRNA의 분석은 세포 집단 전체의 상태를 보는데 적합하다.

2. 다능성의 판정

ES 및 iPS 세포의 다능성은 실제로 분화 유도를 하여 분석하게 된다. 다능성 검증을 위한 분화 유도에는 비교적 임의로 세포 분화가 일어난다고 여겨지는 배아형태모형 형성이나 테라토마 형성 방법이 이용된다. 이러한 방법으로 분화 유도 후 형성된 조직에서 내배엽, 중배엽, 외배엽의 삼 배엽성 세포 분화를 보임으로써 다능성을 증명한다.

A-1. 알칼리성 포스파타제(alkaline phosphatase) 염색

저자의 연구실에서는 Alkaline Phosphatase Substrate Kit III (Vector, #SK-5300)를 사용하고 있다.

결과의 판정

염색 후 현미경으로 플라스크안에 콜로니가 염색되어 있는지 확인하고, 염색된 콜로니와 염색되지 않은 콜로니를 선별한다. 미분화 세포는 파랗게 물들고, 분화 세포는 물들지 않는다. 미분화 콜로니 중에서도 분화가 진행되고있는 부분만 하얗게 물들기 때문에 콜로니가 미분화 상태를 유지하고 있는지의 검사에 유용하다. 염색 시간을 제대로 지키는 것이 중요하며, 염색 시간이 길어지면 모든 염색이 되어서 양성으로 판단되게 되므로, 주의가 필요하다(그림 1).

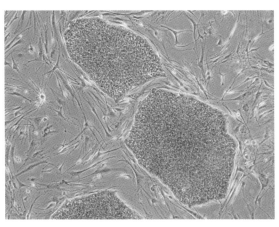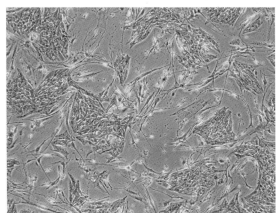

그림 1 알칼리성 포스파타제(alkaline phosphatase) 염색

A-2. Flow cytometry를 이용한 측정

형광 색소와 결합하는 monoclonal antibody를 이용하여 세포에 특이적인 항원을 검출하는 방법이 널리 사용되고있다. 검증된 키트도 시판되고 있으며, 저자의 연구실에서는 Human Pluripotent Stem Cell Transcription Factor Analysis Kit (BD Japan, #560589)를 사용하고, SSEA-1, SSEA-3, SSEA-4, TRA-1-60, TRA-1-81, NANOG, OCT3/4, SOX2에 대해 측정하고있다.

A-3. 면역 염색

준 비

시약조제

☐ Blocking 시약

stock solution : 10% BSA/PBS를 8 mL씩 분주하여, −20℃에서 동결 보관한다.

사용액 : stock solution에 goat serum 1.2 mL, PBS 30.8 mL를 넣는다.

☐ 0.2% Triton-X100 / PBS

PBS 50 mL에 Triton-X100을 100 μL 첨가한다. 실온 보관

☐ 3% Formaldehyde / PBS

30% Formaldehyde를 PBS로 10배 희석한다. 필요시 조제

☐ 0.3% H_2O_2 / PBS

30% H_2O_2를 PBS로 100배 희석한다. 필요시 조제

☐ 발색 시약

DAB (3.3-Diaminobenzidine tablet sets) (Sigma Aldrich, #D4168)

10 mL Mill Q에 2종류의 약을 녹인다. 용기에 알루미늄 호일을 감고, 24시간 이내에 사용한다.

표 1 면역염색항체 리스트

1차항체	희석배율(배)	카탈로그 번호	2차항체	희석배율(배)	카탈로그 번호
SSEA-1	100	Chemicon : MAB 4301	Mouse IgM	200	BD Pharmingen : 550588
TRA-1-60	100	Chemicon : MAB 4360			
SSEA-3	100	Chemicon : MAB 4303	Rat IgM	200	BD Pharmingen : 554017
SSEA-4	100	Chemicon : MAB 4304	Mouse IgG	200	Santa Cruz : sc-2055
Oct 3/4	200	Santa Cruz : sc-5279			

☐ 1차 항체, 2차 항체

모두 블로킹 시약으로 다음의 조건으로 희석한다. 저자의 연구실에서 사용하는 1
차 항체, 2차 항체를 표 1에 정리하였다.

프로토콜

표면항원의 염색방법 (SSEA-1, 3, 4, TRA-1-60)[1]

12.5 cm^2 플라스크를 사용하는 경우,

 세포 배양중인 플라스크에서 상층액은 흡인제거하고, PBS로 세척한다.

 3% Formaldehyde/PBS를 2 mL 첨가하여 실온에 15분간 둔다.

 PBS로 3회 세척한다[2].

 0.3% H_2O_2/PBS를 2 mL 첨가한 후 실온에 10분간 둔다.

 0.3% H_2O_2/PBS를 제거하고 PBS로 3회 세척한다.

 차단 시약을 2 mL 첨가하여 실온에 30~60분간 둔다.

 블로킹 시약을 제거한 후 1차 항체를 첨가하고, 실온에서 30~60분간 둔다.

 PBS로 3회 세척한다.

 적절한 2차 항체를 첨가하여, 실온에 60분간 둔다.

 PBS로 3회 세척한다.

⓫ 발색 시약을 2 mL 첨가하고 차광하여 5~10분간 실온에 둔다.

[1] 이 방법은 세척 과정이 매우 중요하다. 특히 마지막 세척은 조심스럽게 진행해야 발색이 좋다.

[2] 막의 가용화(membrane solubilization)가 필요한 경우(OCT3/4, NANOG 등)은 ❸과정 후 추가로 아래의 단계를 추가한다.
❸' 0.2% Triton-X100/PBS를 2 mL 첨가하고, 실온에서 10분 동안 놓아둔다.
❸'' 0.2% Triton-X100/PBS를 제거하고, 0.3% H_2O_2/PBS를 2 mL 첨가한 후 상온에서 10분간 놓아둔다.

⓬ 현미경으로 때때로 발색 상태 확인한다.

⓭ 충분한 발색이 확인되면 발색액을 제거하고, PBS로 3회 세척한다.

⓮ PBS를 2 mL 첨가하여 4℃에서 보존한다.

결과의 판정

염색 후 현미경으로 플라스크의 콜로니가 염색되어 있는지 확인한다. 미분화 세포는 다 갈색으로 염색되고, 분화 세포는 염색되지 않는다.

A-4. PCR을 이용한 측정

저자의 연구실에서는 Omniscript Revers Transcription kit (Qiagen, #205110) 및 Random Primer (9mer) (Toyobo, #FSK-301)를 사용하여 RNA를 추출하고 있다. 마커는 NANOG, OCT3/4, DNMT 3B, TDGF, GABRB3, GDF3, GATA6, Brachyury, EOMES에 대한 측정을 실시하고 있다.

A-5. 태아형태모형 형성 확인

준 비

☐ 배양접시 60 mm, 100 mm
☐ 세포박리액
　CTK, Dispase 등
☐ 배지
　KSR base hES 배지

프로토콜

❶ 60 mm 배양접시에 합류상태인 ES 혹은 iPS 세포를 박리액을 사용하여 분리한다. 15 mL 튜브로 회수한다.

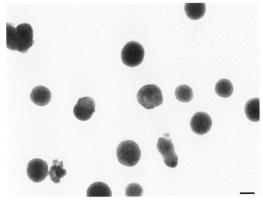 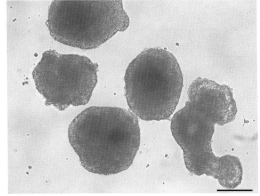

그림 2 　태아형태모형 (Embryoid body), scale bar 200 μm.

❷ 배지를 넣고 10분간 실온에서 놓아두고, ES 혹은·iPS 세포가 가라앉으면 상층액을 흡인제거한다.

❸ 적당량의 배지를 넣고 현탁한 후, 배양 접시 100 mm에 총 10 mL가 되도록 분주한다.

❹ 이후 2일에 한번씩 배지 교환을 시행하고, 14~20일간 배양한다.

배지교환 방법

배양하는 용액을 15 mL tube로 옮겨 10분간 실온에 보관한다. 10 분 후 세포는 아래에 가라 앉아 있기 때문에 상층액을 흡인제거하고 새로운 배지를 10 mL 넣는다. 배양접시는 feeder 세포의 잔존 등이 부착하게 되면, 새 것으로 교환한다(1주일에 1번 정도 교환하면 좋다).

결과판정

배양 후, 태아형태모형의 덩어리가 형성된 것을 확인한다(그림 2). 이미지를 기록해 놓는다. 저자의 연구실에서는 RNA를 추출하여 PCR 법으로 분화 마커의 상승(GATA4, Brachyury, PAX6, EOMES 같은 삼 배엽성 마커 및 영양외배엽 마커) 및 미분화 마커 (NANOG, OCT3/4 등)의 저하를 확인하고 있다. 미분화 마커는 2주 정도 배양에서는 검출되는 경우도 있다.

A-6. 테라토마 분석

준 비

□ SCID 마우스

이식 실시할때 6~8주령이 되도록 한다.

□ 세포 수의 제조 기준

마우스 1마리 기준, 1×10^6 정도의 세포를 0.5 mL 정도의 배지에 현탁한다.

□ 세포 주입용 모세관(그림 3A)

프로토콜

고환의 세포 이식

❶ 마우스를 마취한다.

❷ 마취가 되고나면, 마우스 사타구니 부근을 가위로 세로로 절개한다. 1 cm 정도 절개하면 충분하다(그림 3B).

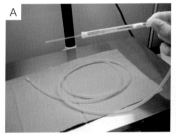

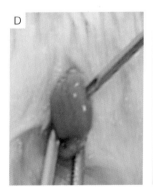

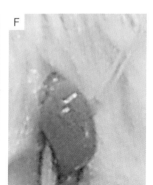

그림 3   고환으로의 세포 이식

❸ 수술용 핀셋을 사용하여 절개한 부위에서 고환을 추출한다(그림 3C).

처음보이는 지방을 제거하고, 더 잡아 당기면 고환이 나온다. 고환은 6 mm 정
도의 타원 모양을 하고있다.

❹ 18G 주사침을 사용하여 고환에 모세관을 연결위한 구멍을 뚫는다(그림 3D).

❺ 주입용 모세관을 이용해서 세포를 흡입한다(그림 3E).

❹에서 뚫은 구멍에 모세관의 끝을 밀어 넣고 조금씩 세포를 주입한다(그림 3F).

❻ 전량 세포를 주입한 후 고환과 지방 등을 복막에 넣는다.

❼ 수술용 실이 달려있는 바늘을 사용하여 복막 및 피부를 각각 봉합한다.

❽ 체온 유지용 플레이트에서 마우스를 따뜻하게 한 후 다시 케이지에 복귀시킨다.

❾ 이식 후 8주간 마우스를 사육하고 테라토마를 형성시킨다.

이식 후 6주 정도에서 테라토마 형성을 확인한다.

테라토마의 적출

❶ 경추 탈구로 마우스를 안락사 시킨다.

❷ 수술용 가위로 개복하여 형성된 테라토마를 복강에서 꺼낸다.

❸ 테라토마를 PBS가 들어있는 100 mm 배양접시로 옮긴다.

❹ 마우스 유래의 장기라고 생각되는 부분 등을 가위로 제거하고, 테라토마를
다시 PBS로 세척한다.

❺ 테라토마 사진을 찍는다.

신경 상피 (외배엽)

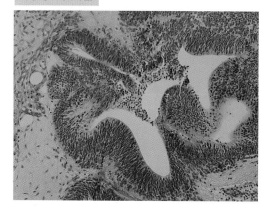

연골 (중배엽)

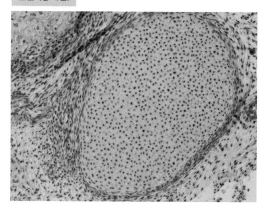

소화관 상피 (내배엽)

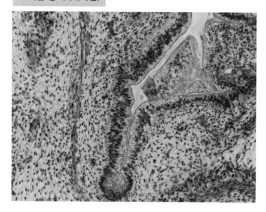

그림 4   테라토마 조직의 hematoxylin / eosin 염색

테라토마 고정에서 염색까지

❶ 테라토마를 1 cm 이하의 크기로 절단한다.

❷ 포르말린 고정 후 파라핀에 고정한 후 마이크로톰 5 μm 정도로 얇게 절편
  을 만든다.

❸ 보온된 슬라이드 글라스에 위에 절편을 올리고, 건조 후 표본을 제작한다.

❹ 이후 H&E (hematoxylin / eosin) 염색 등을 실시한다.

표2 출하 기준

검사종류	검사방법	판정기준
미분화성 확인검사	알칼리성 포스파타제 염색	염색 후, 슬라이드에서 5군데 화상을 임의로 촬영하여 영상기록시행. 콜로니 100개당 90개 이상이 양성(90% 이상)
	면역염색	염색 후, 슬라이드에서 5군데 화상을 임의로 촬영하여 영상기록시행. 콜로니 100개당 90개 이상이 양성(90% 이상)
	Flow cytometry 법	SSEA-1 음성(양성률 10% 이하), SSEA-3, SSEA-4, TRA-1-60, TRA-1-81, NANOG, OCT 3/4, Sox2 양성(양성률 70% 이상)
	PCR 법	NANOG, OCT 3/4, DNMT 3B, TDGF, GABRB3, GDF3 발현확인
다분화능 확인검사	태아형태모형 형성확인	태아형태모형의 형성을 확인. 배양 후 태아형태모형에서 RNA를 추출하고, 분화 및 미분화 마커의 값을 PCR로 확인. 배양전과 비교하여 미분화 마커의 저하 및 분화 마커의 상승을 확인.
	테라토마 분석	SCID 마우스에 세포를 접종하고, 마우스에서 테라토마 형성을 확인한다. 테라토마를 적출하여, H&E 염색에서 3가지 배엽으로 분화되어 있는 것을 확인.
핵형분석검사	Giemsa 염색, G-banding 법	30개의 분열중기세포를 G-banding 분석을 시행하여, 클론의 핵형 이상이 5% 미만임을 확인
마이코플라즈마 검사	배양법, real-time PCR 법	〈배양〉 균의 발육이 보이지 않음 〈PCR〉 세포 배양 상층액에서 PCR 을 시행하여 음성을 확인
무균검사	배양 병 검사법	세포 배양 상층액을 배양 병에 파종하여 균이 자라지 않음을 확인
바이러스 검사	PCR 법	HIV, HBV, HCV, HTLV-1, CMV, HP19, EB, HHV-6, -7, HSV, EBV에 음성을 확인

결과의 판정

H&E 염색된 표본을 현미경으로 관찰하여, 삼배엽(내배엽, 외배엽, 중배엽)으로 분화하고 있음을 확인하다. 특징적인 조직 부위를 그림 4에 보여주고 있다.

테라토마의 조직학적 분석을 정확하게하기 위해서는 상당한 정도의 경험이 필요하기 때문에, 전문가의 조언을 구하는 것이 권장되지만, 비교적 쉽게 판별 할 수 있는 것은 그림으로 제시하였다. 외배엽성 조직으로는 신경상피가 관조직을 만든 신경관형태의 구조가 자주 관찰된다. 중배엽성 조직에서 연골이나 근육 조직이 쉽게 찾을 것이다. 이 밖에 소화관 상피의 특징적인 구조는 내배엽성 조직의 대표로 하는 데 적합하다. 지방과 혈관의 형성이 인정되는 경우도 많지만 이들은 마우스 유래의 조직인 경우도 있으므로 주의를 요한다. 확인하려면 인간 특이적인 이러한 세포에 대한 항체로 염색을 병용하면 좋다.

A-7. 출하기준

특성해석으로는 위와 같은 많은 검사가 행하여 지고 있지만, 정량적 기준이 없어서 결과의 판단은 특히 어렵다. 미분화성, 다분화성 등에 대해서 여러 검사를 실시한 결과를 종합적으로 판단하는 것이 중요하다. 저자의 연구실은 표 2와 같은 출하기준을 만들고 있다.

B. 핵형분석

염색체 분석은 임상 시험에서 이루어지고 있으며 질병을 식별하는 유용한 검사법의 하나
이다. 그러나 배양 세포에서 얻은 핵형 이상은 일반적으로 임상 검체에서 발생하기 어려운
현상도 보이고, 판정이 어려운 경우도 있다. 인간 만능 줄기세포를 장기 배양하면 염색체 이
상을 일으킬 수 있다. 여기에서는 세포의 품질 관리라는 측면에서 선별적인 핵형 분석 검사
에 대해 말한다. 구체적으로는 Giemsa 염색과 G-banding법을 다룬다.

준 비

세포조제용 시약

☐ 0.075 M KCl (저장액)

　1 M KCl을 MillQ에 희석한다.

☐ 고정액

　메탄올과 아세트산을 3:1의 비율로 섞는다. 필요시 조제

☐ 50% 에탄올

☐ Colcemide (Life Technologies, #15212-012)

☐ 히터

　Hot plate, paraffin extender, heat block 등

Giemsa 염색

☐ 100% 메탄올

☐ 4% Giemsa액

　인산화 버퍼 (pH 6.8)를 Giemsa stock solution (MERCK cat #HX263488)에
　첨가한다.

G-banding 용 시약

☐ 100% 메탄올

☐ 0.025% trypsin용액

　2.5% trypsin을 MillQ에 희석한다.

☐ 5% 혈청이 첨가된 PBS용액, 10% 혈청이 첨가된 PBS용액

☐ 3% Giemsa액

　인산염 완충액(pH6.8)에 Giemsa원액을 첨가한다. 2개로 나누어서 A액과 B액
　으로 나눈다.

☐ 마운팅 액 (Fisher Scientific, #SP15-100)

프로토콜

세포조제

❶ 60~70% 정도 합류상태의 배양된 ES 및 iPS 세포에 Colcemide를 최종 농도 0.1 μg/mL가 되도록 첨가하고 37℃에서 2~3시간 배양한다.

❷ Colcemide을 첨가하고, 상층액을 흡인제거하고 PBS로 세척

❸ 0.25% trypsin용액이나 Dispase, EDTA 등의 박리액을 이용하여, 세포를 배양 접시에서 박리한다.

❹ 1,000 rpm(190G), 5분간 원심분리후 상층액을 흡인제거한다.

❺ 0.075 M KCl을 1 mL를 첨가하고 피펫팅을 시행하여 현탁한다.

❻ 또한 0.075M KCl 3 mL를 넣고 피펫팅을 시행한다.

❼ 37℃에서 13~15분간 저장처리한다. 고정액을 1 mL 추가하고 피펫팅하여 혼합한다.

❽ 1,000 rpm(190G), 5분간 원심 분리하여 상층액을 흡인제거한다.

❾ 고정액을 4 mL 추가하고 피펫팅을 시행한다.

❿ ❽~❾을 3회 반복시행한다.

⓫ 1,000 rpm, 5분간 원심 분리하여 상층 액을 버린다.

⓬ 고정액을 4 mL 이상 첨가하고 −20℃에서 저장한다[*1].

핫 플레이트를 이용한 표본 제작

 미리 세포량에 맞추어 준비한 적정량의 고정액을 넣은 세포부유액을 제작한다.

 핫 플레이트를 37℃로 따뜻하게 유지하고, 히터와 작업대에 따뜻해진 킴
와이프(많이 사용되는티슈의 일종)을 깐다.

 미리 슬라이드 글라스를 세척하고 50% 에탄올에 저장해 놓는다.

 슬라이드 글라스를 킴와이프로 가볍게 닦는다.

 작업대 위에 킴와이프를 놓고, 빠르게 세포 부유액을 1방울 떨어뜨린다.
에탄올이 마르기 전에 빠르게 적하한다.

 투여한 부유액의 확산을 확인하고 히터위에 놓는다.

 마르면 꺼내 현미경으로 관찰하고 세포양 배포상태를 확인한다.

Giemsa 염색

 펼쳐놓은 슬라이드 글라스가 마른 후 작업을 시작한다.

 100% 메탄올에 2∼3초 담근다.

 4% Giemsa액에 10∼15분간 담근다.

 흐르는 물에서 슬라이드의 표면을 세척한다.

 물기를 제거하고, 바람에 말린다.

 마운트 액으로 봉입한다.

G-banding (trypsin-giemsa 염색)

❶ 펼쳐놓은 슬라이드 글라스를 잘 건조시킨다.

❷ 0.025% trypsin용액에 약 20초 담근다.

❸ 10% 혈청을 첨가한 PBS 용액으로 세척한다.

❹ 5% 혈청을 첨가한 PBS 용액으로 세척한다.

❺ 3% Giemsa액 (A)에 슬라이드를 담그고, 여러 번 슬라이드를 위아래로 움직여준다.

❻ 3% Giemsa액 (B)에서 5분 염색한다.

❼ 2~3초 세척하고 건조한다.

❽ 마운트 액으로 봉입한다.

 문제 발생시 대응

■ **Giemsa 염색이 잘 되지 않는다.**

G-banding시에 Giemsa 염색에 trypsin 첨가 시간은 계절이나 온도에 의해 조절하도록 권고된다. 염색체 검사는 계절과 실험실의 온도, 습도 상태에 따라 표본의 상태가 좌우되기 때문에 여러 번 예비 실험을 실시하여 적절한 조건을 찾을 필요가 있다. Colcemide의 첨가 시간도 샘플에 따라 조정하는 등 노력이 필요하다.

표 3 핵형검사표

표준 G-banding 법	최소 8 검체의 분열중기의 염색체를 분석. 20개의 분열중기의 염색체 수를 계산
클론 이상 확인 방법	클론의 염색체 이상은 그 의미를 더 잘 해석하기위해, 계대 후에 재검사해서 확인.
단일 세포에서 관찰된 이상 확인 방법	단일세포의 이상(예를 들어 염색체 수적이상, 위치변화)인 경우, 염색체의 모자이크현상을 제외하기 위해서 추가 검사가 필요
	염색체 번호 1, 8, 12, 14, 17, 20 및 X의 정 배수성(불균형 재배열을 포함) / 초기 배양에서 최소 30개의 세포에 대해 G – banding 계수한다. 배양 후기에는 30개의 세포에 대해 G – banding 계수를 실시함과 동시에 간기 세포 100개에 대해 FISH 분석을 실시.
	기타 염색체 수적이상 및 구조적 재배열 / 초기 배양에서 적어도 30개의 세포에 대해 G-band계산을 실시한다.
최소 품질 평가 점수	ISCN400 밴드 수준 G-band 분석에 필요한 최소 수준이며, ISCN500 밴드 수준 이상으로 세포 분석해야 한다.
낮은 수준 분석	만약 ISCN400 밴드 수준의 분석을 할 수 없는 경우에는 그 방법을 일반적으로 사용한다 해도 "낮은 수준의 분석"이며 재검사가 필요할지도 모른다는 경고를 명시해야한다.
보고	보고에 포함된 내용: · 핵형의 명칭. 사용 가능한 최신의 ISCN명명 2009를 이용 · 분석법(예를 들면 핵형, FISH, CGH, 특수한 밴드 형성등) · 밴드형성수준의 평균치. 단세포로의 염색체번호 1, 8, 12, 14, 17, 20 및 X(이 명단은 검토 중)의 이수성 또는 구조 이상
용어 정의 문헌 3을 바탕으로 작성	분석 : 분석 중기의 염색체를 계산하고 각 염색체의 밴드의 상동성을 비교하며 남성 핵형의 X 및 Y 염색체 밴드 형성 그리고 패턴을 확인 합니다. 수 : 분열 중기에서 뚜렷한 구조 이상이 발견 된 염색체의 수를 제시. 또한 FISH 분석에서 간기 핵의 신호 수를 제시한다. 점수 : 세포 또는 분열 중기의 이상 유무에 대한 완전한 분석없이 확인 클론 : 단일 세포로부터 얻은 세포 집단 이러한 세포는 동일한 염색체 구성을 가진다. 만약 3 개의 세포가 동일한 염색체를 잃고 있다면, 또는 2개의 세포가 같은 과도한 염색체 또는 구조적인 재조합 염색체가 포함되어 있으면 클론이라고 할 수 있다.

해석, 결과판정

우선, Giemsa염색한 표본의 각 분열단계에서의 염색체 수를 계산한다. 슬라이드의 끝에서부터 단계별 분열 단계를 관찰함으로써 편견이 들지 않는 시점에서 전반적인 수의 이상에 대해 확인할 수 있다. 일반적으로 슬라이드 1장당 30~300 정도의 분열단계 세포를 확인할 수 있다. 배양 세포의 경우 염색체 중 일부는 분열이 빠르게 끝나버려 수가 줄어드는 것도 많다. 그 샘플의 전체적 모양을 아는 것이 나중의 검사에 유용할 수 있다. 다음으로 Giemsa 염색으로 G-banding을 시행한다. 저자의 연구실에서는 Ikaros이미지 분석 시스템(Zeiss 사)를 사용하고 있다. 30개의 분열단계의 염색체를 주의 깊게 분석하고 결실, 전좌, 삽입, 증가, 손실 등에 대해 확인한다(표 3). 염색체 이상이 5% 이상 발생한 경우에는 더 관찰 수를 늘려 확인한다. 필요한 경우 자세한 검사(FISH, CGH, SNPs, SKY 등)도 실시한다.

G-banding 판정에는 숙련된 기술이 필요하다. 전문가 및 외부 위탁업자에게 의뢰하는 것을 고려할 수 있다.

C. 감염성 인자의 제어

ES 및 iPS 세포를 임상에서 이용할 때 제어의 필요성이 있는 감염성 인자로는 세균과 진균류, 바이러스, 마이코 플라스마가 주된 것으로 들 수 있다. 이들이 배양 세포에 혼입 경로로는 기증자에서 유래하는 것 또는 배양 공정에서 유래하는 것으로 나눌 수 있다. 바이러스에 대한 감염을 포함한 병력과 각종 검사에 의해 그 적합성이 결정되고, 또한 ES 및 iPS 세포를 공급한 뱅크에서 충분한 검사가 이루어지므로 적절한 기관에서 입수한 세포에서는 바이러스가 혼입 가능성은 적은 것으로 생각된다.

또한 배양 공정에서는 세균과 진균류 및 마이코플라스마 오염의 가능성이 우려된다. 임상 목적에서의 배양은 보통 항생제를 사용하지 않기 때문에, 많은 세균류의 혼입은 눈으로 확인할 수 있다. 한편 마이코플라스마 오염은 세포에 눈으로 알 수 있는 변화가 보이지 않기 때문에 주의가 필요하다.

현재 세포 배양에 사용되는 배지 등의 물질에 대해서는 충분한 품질 관리가 이루어지고 있기 때문에 이들을 통해 혼입 가능성은 거의 없고, 감염성 인자의 혼입은 실험자의 조작 또는 실험실 환경관리가 부적절한 경우에 발생한다고 생각해도 무방하다. 따라서 감염성 인자의 제어는 "옮겨오지 않는다. 확산시키지 않는다"가 중요한 대책이다.

여기에서는 감염성 인자 중 배양 공정에서 혼입의 가능성이 높은 마이코플라스마 검사 방법에 대해 설명한다. 이미 언급한 바와 같이 마이코플라스마 감염은 실험자에 유래한다. 따라서 마이코플라스마 검사는 정도관리의 한 방법이라고 할 수 있다. 최종 제품뿐만 아니라 제조 과정에서의 검사도 효과적이다.

1. 조제시 마이코플라즈마 검사법

현재 일본에서 조제시 마이코플라즈마 검사방법에는 배양법과 지시 세포를 이용한 DNA 염색법(이하 염색법), 그리고 PCR 법 등 3가지 방법이 기재되어 있다. 기본적으로는 배양법 또는 염색법에 의한 검출법을 시행하고, 염색법에서 양성 반응을 보인 경우 PCR 법에서 음성시험을 실시할 수 있다.

배양법은 평판 배지, 액체 배지를 병용하여 14일간 배양하고, 마이코 플라즈마 특유의 계란후라이 모양의 콜로니의 성장을 확인하는 것이다. 염색법은 지시 세포를 파종한 플레이트에 샘플을 살포하고 3~6일간 배양 후 형광 염료로 염색하고 현미경으로 관찰하는 것이다. 세포 핵 주위에 미세한 핵외 형광 반점이 0.5% 이상이면 양성으로 판정된다. 두 방법 모두 양성 대조군으로 100 CFU 이하의 마이코플라스마 생균을 준비하는 것이 필요한데, 실험실에서 세균을 항상 유지하는 것은 힘들고, 또한 두 검사 모두 검사 기간에 수일이 소요되므로, 즉시 판단해야할 때는 적합하지 않다. PCR 법은 감도와 특이성을 높이기 위해 2단계

PCR 법(Nest PCR 법)을 이용하는 것이 권장되고 있지만, 조제시에 제공되는 프라이머에서는 검출이 어렵다는 보고가 있다.

2. 효소법

연구실에서 스크리닝 목적으로 손쉽게 할 수 있는 검사법으로 MycoAlert (Lonza)라고하는 검출 방법이 있다. 마이코플라즈마가 갖는 효소의 생화학 반응을 이용하여, 배양중인 마이코 플라스마 오염을 검출하는 방법이다. 살아있는 마이코 플라스마가 존재하는 경우, 마이코 플라스마의 막을 용해되면서 방출된 효소가 기질과 반응을 일으킨다. 효소는 ADP의 ATP 변환을 촉진시키기 때문에, 기질을 첨가 전후의 ATP의 변화를 측정하여 마이코플라즈마 오염의 유무를 확인하는 방법이다

3. Real-time PCR 검출 방법

앞에서 설명한대로, 제조시에 시행하는 마이코플라즈마 음성시험은 간편하게 고감도 결과를 얻기가 힘들다. 최근 Real-time PCR에 의한 마이코 플라즈마 검출 키트가 판매되고 있다[MycoTOOL PCR Mycoplasma Detection Kit (Roche Diagnostics) MycoSEQ Mycoplasma Detection System (Life Technologies)]. 이 장비는 유럽 규정, 미국 규정 등에 의거한 마이코 플라즈마 아형등에 대해서 음성 시험을 할 수 있고, 일본 의약품 규정에서 정하는 마이코 플라스마 아형까지 모두 포함해서 검사가 가능하다. 게다가 감도도 매우 높고(검출 감도:〈1~10 CFU/mL), DNA 추출에서 결과 판정까지 5시간 정도로 매우 신속하다. 사용하는 검체에 대한 프로토콜은 세포에만, 세포 상층액에서만, 세포와 상층액의 혼합에서 등, 3종류의 프로토콜이 있고 검체를 시행하는 타이밍과 상황에 따라 선택할 수 있다. 현재는 아직 장비가 고가라는 문제가 있지만, 앞으로 널리 보급될 것이라고 생각된다.

위에 언급한 바와 같이 각 방법에 따라 검출 감도, 검출 가능한 균종, 시간 등의 측면에서 일장일단이 있으므로, 각각 검출 방법의 특성을 잘 고려해서 목적에 따라 여러가지 방법을 조합하여 사용하는 것이 바람직하다.

◆ 문헌
1) International Stem Cell Initiative: Stem Cell Rev. Rep., 5: 301-314, 2009
2) International Stem Cell Initiative: Nat Biotechnol., 29: 1132-1144, 2011
3) 高田圭ほか : 再生医療, 10: 463, 2011
4) ヒト多能性幹細胞培養実習プロトコール(理化学研究所発生・再生科学総合研究センター幹細胞研究支援・開発室)

◆ 참고문헌
1) 『医薬品の品質管理とウイルス安全性』(日本医薬品等ウイルス安全性研究会／編), 文光堂, 2011
2) 『フローサイトメトリー自由自在』(中内啓光／編), 秀潤社, 2004

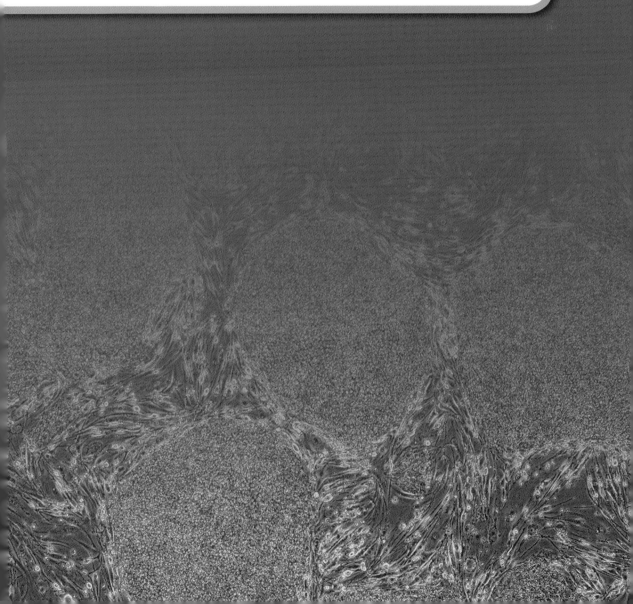

Ⅲ 분화유도의 프로토콜

1 조혈 줄기세포의 분화 유도

나오야 스즈키(鈴木直也), 오사와 미츠지로(大澤光次郎)

Flow chart

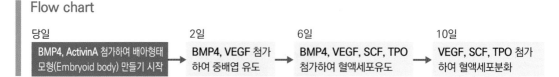

당일	2일	6일	10일
BMP4, ActivinA 첨가하여 배아형태모형(Embryoid body) 만들기 시작	BMP4, VEGF 첨가하여 중배엽 유도	BMP4, VEGF, SCF, TPO 첨가하여 혈액세포유도	VEGF, SCF, TPO 첨가하여 혈액세포분화

서론

인간 유도 만능 줄기세포(인간 iPS 세포)의 성공적 수립으로 인하여[1], 인간 배아 줄기세포(인간 ES 세포)에 시작된 재생 의료에 대한 기대는 더욱 실현 가능성이 높아져 왔다. 조혈계 재생의료 분야에서는 조혈 부전이나 백혈병 등과 같은 질환의 이식치료의 공급원으로 장기 골수 재구성 기능을 겸비한 조혈 줄기세포의 분화 유도 기술의 확립에 큰 기대가 모아지고 있다.

조혈 세포는 신경 세포와 피부 섬유아세포와는 달리 초기 배양 세포로 세포 형질을 유지하면서 배양하는 것이 곤란하다. 또한 조혈 줄기세포의 *in vitro* 배양에도 한계가 있어, 연구에 필요한 충분한 세포를 얻기 어려운 것이 혈액세포를 이용한 연구의 큰 장애가 되고 있다. 또한, 제대혈이나 골수에서 조혈 전구 세포의 채취는 제한적이며, 윤리적인 문제도 충분히 고려되어야 한다. 인간 만능 줄기세포에서 기능적인 혈액 세포를 유도하는 것이 가능하게되면, 그 많은 부분을 해결할 수 있다. 인간 만능 줄기세포에서 혈액 세포의 분화 유도는 크게 두 가지 유도법으로 나뉜다. 하나는 **2차원 배양법**이고 다른 하나는 배아형태모형(Embryoid Body : EB)를 통한 **3차원 배양법**이다[2]~[4]. 각각의 분화 유도 방법은 구조적 세포 간 상호 작용에 차이는 있지만, 기본 분화 유도의 개념은 같다.

이번 장에서 소개하는 만능 줄기세포에서 혈액 세포로의 분화 유도는 중배엽 유도, 조혈 내피 세포 유도, 조혈 전구 세포 유도의 세 단계로 나뉜다.

만능 줄기세포로부터 중배엽으로의 유도는 Activin/TGFβ 경로와 BMP4 경로의 활성화에 의해 이루어진다. 또한 최근 BMP4 경로가 bFGF 경로에 의해 강화되는 것으로 나타났다. 따라서, 우리는 분화 유도 시스템에서 만능 줄기세포에 의한 배아형태모형을 만듬과 동시에 Activin A, TGFβ 와 BMP4를 첨가함으로써 좀더 효율적인 중배엽 유도를 시행하고 있다[5]. 중배엽계 전구 세포로의 분화는 KDR/VEGFR (CD309)의 발현에서 확인할 수 있다.

다음으로, VEGF 및 SCF를 첨가하여 중배엽 세포를 조혈 내피 세포로 유도하고 있다. 이 때 TGFβ 수용체 유사 kinase (ALK) 억제인 LY364947를 첨가함으로써, 혈액 세포로의 분화 효율을 높이고 있다. 이것은 상피 중간엽 전이(Epithelial−Mesenchymal Transition : EMT)에 필요한 TGFβ 경로를 저해하여, primitive streak을 형성하여 내배엽계 세포와 중배엽계 전구세포로 운명을 결정하고, 그로 인하여 조혈 내피 세포, 조혈 전구 세포로 유도되는 세포의 비율을 증가시킨다고 생각되지만, 자세한 메카니즘은 불명확하다[6].

마지막 조혈 전구 세포의 유도는 VEGF, SCF, TPO, IL-3 등 조혈계 cytokine이 중요한 역할을 담당하고 있다. 이러한 cytokine에 의해 조혈 내피 세포에서 조혈 전구 세포로의 유도 및 증식이 촉진된다. 미분화된 조혈 세포는 높은 증식 능력을 가지기 때문에, 조혈 콜로니 형성능 시험(colony assay)에 의해 미분화된 조혈 세포, 즉 조혈 전구 세포의 존재를 확인할 수 있다. 또한 이 조혈 전구 세포는 다양한 혈액 세포로 분화능을 가지고 있어서, 임의의 cytokine을 첨가함으로써 원하는 혈액세포로의 분화를 유도할 수 있다.

준 비

1. 시약 및 장비

☐ 인간 ES · iPS 세포[*1]

☐ Shaker HS260 Control (IKA)

37℃ incubator안에 설치. 설치가 불가능할 때, 낮은 접착 접시를 사용하여 배아형태모형을 만드는 것이 가능하지만, rotator에서 흔들어서 만들어진 것보다 더 균일한 배아형태모형을 만들 수 있습니다.

☐ 페트리 접시: 60 mm Petri Dish (BD Biosciences)

☐ 저접착성 배양접시: Ultra Low Attachment Culture Dish (Corning Inc.), Lipidure®−Coat Dish (NOF CORPORATION), PrimeSurface® (Sumitomo Bakelite).

위의 3종류의 저접착성 배양접시를 이용하여 배아형태모형이 형성되는 것이 확인되었다. 또한 기본적으로 우리는 60 mm접시를 사용하고 있지만, 6-well plate를 사용하여도 마찬가지로 배아형태모형의 형성이 가능하다.

☐ Accumax (Innovative Cell Technologies, #AM105)

활성 저하에 의한 실험 간 오차를 방지하기 위해 분주하여 −20~−30℃에서 보관하자[*2].

☐ 방사선 조사된 MEF 세포

☐ 동결 또는 배양중의 방사선 조사된 MEF 세포(Mitomycin C 처리 MEF 세포로 대체 가능)를 회수하여, 원심 분리 후 배아형태모형 배지에 현탁한다(6 x 10⁵ cell/dish, 60 mm 배양 접시에 배지는 5 mL).

*1 mTeSR™1과 같은 feeder free 배양은 MEF 및 SNL을 사용하여 feeder free배양으로 분화유도가 가능하다.

*2 가능한 한 동결과 융해를 반복하지 않도록 사용 빈도에 따라 6~12 mL 정도에 분주한다.

☐ mTeSR™1 (STEMCELL Technologies, #05850)

☐ IMDM (Sigma Aldrich, #I3390)

☐ FBS (Nichirei Bio-Science, #171012)

FBS는 Lot에 따라서 조혈 전구 세포의 유도 효율에 크게 다르므로, Lot 테스트를 수행하고 분화 유도 효율이 좋은 FBS를 선택하여 사용하는 것이 좋다.

☐ GlutaMAX™ Supplement (Life Technologies, #35050-061)

냉장고(4℃)에서 보관.

☐ MTG (Sigma Aldrich, #M6145)

냉장고(4℃)에서 보관.

☐ Human Holo transferrin (SCIPAC, #T101-5)

IMDM를 이용하여 50 mg/mL용액을 제조하여 1 mL씩 분주하여 −20~−30℃에서 보관[3].

☐ Ascorbic acid (Sigma Aldrich, #A4544)

PBS를 이용하여 100 mg/mL용액을 제조하여 1 mL씩 분주하여 −20~−30℃에서 보관, 사용 후 즉시 −20~−30℃에서 다시 저장[4].

☐ Rock inhibitor (Y-27632) (Cayman Chemical, #10005583)

PBS를 이용하여 10 mM용액(1,000x)을 제작하고, 200 μL씩 정도에 분주하여 −20~−30℃에서 보관, 사용 후 즉시 −20~−30℃에서 다시 저장[4].

☐ LY364947 (Cayman Chemical, #13341)

DMSO를 이용하여 10 mM용액(2,000x)을 제작하고, 200 μL씩 정도에 분주하여 −20~−30℃에서 보관. 사용 후 즉시 −20~−30℃에서 다시 저장[5].

☐ human BMP4 (R&D comp., #314-BP-010)[6]

4 mM HCl용액을 이용하여 최종 농도가 0.1%가 되도록 용해하고, BSA(25%)를 추가하여 10 μg/mL용액 (5,000x) 또는 100μg/mL용액(50,000x)을 제작하고, 100 μL정도씩 분주하여 −20~−30℃에서 보관. 융해 후는 냉장고(4℃)에서 보관. BMP4는 같은 회사의 제품이라도 생물학적 활성에 많은 차이를 보여서 반드시 검토가 필요하다.

☐ human Activin A (HumanZyme, #HZ-1140)[6]

PBS를 이용하여 최종 농도가 0.1%가 되도록 용해하고, BSA(25%)를 추가하여 10 μg/mL용액(5,000x) 또는 100 μg/mL용액(50,000x)을 제작하고, 100 μL 정도씩 분주하여 −20~−30℃에서 보관. 융해후 냉장고(4℃)에서 보관.

☐ human VEGF (Peprotech, #100-20, 혹은 R&D comp, #293-VE-010)[6]

PBS를 이용하여 최종 농도가 0.2%가 되도록 용해하고, BSA(25%)를 추가하여 10 μg/mL용액(2,000x) 또는 100 μg/mL용액(20,000x)을 제작하고, 100 μL 정도씩 분주하여 −20~−30℃에서 보관. 융해 후 냉장고(4℃)에서 보관.

☐ human SCF (Peprotech, #300-07, 또는 R&D systems, #255-SC-010)[6]

IMDM을 이용하여 10 μg/mL용액(1,000x) 또는 100 μg/mL용액(10,000x)을

[3] 동결 용해는 2회까지만 한다.

[4] 동결 용해는 5회정도까지만 한다.

[5] 동결 용해는 10회정도까지만 한다.

[6] Cytokine은 사용 빈도와 구매량에 따라 장기 보존을 위해 100 μg/mL 용액과 단기 보존을 위해 (분화유도배지 제조를 위해) 10 μg/mL 용액을 만들어서 저장하는 것이 편리하다. 100 μg/mL 용액보다 10 μg/mL 용액을 제조할 때 각각의 용해액으로 희석하는 것이 좋다.

제작하고, 100 μL 정도씩 분주하여 −20~−30℃에서 보관. 융해 후 냉장고(4℃)에서 보관.

☐ human TPO (Peprotech, #300−18, 또는 R&D, #288−TP−005)[*6]

IMDM을 이용하여 10 μg/mL용액(1,000x) 또는 100 μg/mL용액(10,000x)을 제작하고, 100 μL 정도씩 분주하여 −20~−30℃에서 보관. 융해 후 냉장고(4℃)에서 보관.

☐ Penicillin−Streptomycin (Sigma Aldrich, #P4333)

2. 분화유도 배지의 제작

☐ 태아형태모형 생성배지[*7] (배양 0−2일째)

		(최종농도)
mTeSR™1	10 mL	
human BMP4 (10 μg/mL)	2 μL	(2 ng/mL)
human Activin A (10 μg/mL)	2 μL	(2 ng/mL)
Rock Inbibitor (Y−27632)	10 μL	(10 μM)

☐ 분화유도 기초 배지(배양 2−4일째 이후)

		(최종농도)
IMDM	42.5 mL	
FBS	7.5 mL	(15%)
GLUTAMAX−I	500 μL	(2 mM)
MTG	2 μL	(450 μM)
Holo transferrin	200 μL	(200 mg/mL)
Ascorbic acid	25 μL	(50 mg/mL)
Penicillin−Streptomycin	500 μL	(1000 unit/mL / 10mg/mL)

☐ 분화유도배지 A(배양 2−4일째)

		(최종농도)
분화유도기초배지	10 mL	
human BMP4 (10 μg/mL)	2 μL	(2 ng/mL)
human VEGF (10 μg/mL)	5 μL	(5 ng/mL)

☐ 분화유도배지 B(배양 4−6일째)

		(최종농도)
분화유도기초배지	10 mL	
human BMP4 (10 μg/mL)	2 μL	(2 ng/mL)
human VEGF (10 μg/mL)	5 μL	(5 ng/mL)
LY364947[*8]	5 μL	(5 μM)

☐ 분화유도배지 C(배양 6−12일째)

		(최종농도)
분화유도기초배지	10 mL	
human BMP4	2 μL	(2 ng/mL)
human VEGF	5 μL	(5 ng/mL)
human SCF	10 μL	(10 ng/mL)
human TPO	10 μL	(10 ng/mL)

*7 기본적으로는 항상 BMP4와 Activin A를 첨가하고 있는데, ES 및 iPS세포 간에 효과 차이가 있으므로, 최대 효과를 기대하는 경우에는 BMP4와 ActivinA의 첨가 양을 조절하여 최적화를 시행한다[7].

*8 LY364947(TGFβ inhibitor)도 Activin A와 마찬가지로 ES 및 iPS 세포 간에 효과 차이가 있으므로, 첨가 양을 조절하여 최적화를 시행하는 것이 좋다[8].

□ 분화유도배지 D(배양 12일째 이후)

		(최종농도)
분화유도기초배지	10 mL	
human VEGF	5 μL	(5 ng/mL)
human SCF	10 μL	(10 ng/mL)
human TPO	10 μL	(10 ng/mL)

프로토콜

　배아형태모형을 통해 혈액세포의 분화유도는 ① 배아형태모형형성, ② 중배엽 유도 ③ 혈액세포 유도 ④ 혈액세포 분화의 크게 4단계로 구분된다(그림 1). Feeder 세포와 함께(MEF 세포 등) 또는 feeder free 배양(mTeSR™1 등)으로 배양된 인간 ES·iPS 세포를 Accumax처리하여 단일 세포 부유액으로 배아형태모형 생성배지에서 배아형태모형을 만든다. 그 다음에 분화 유도 배지에서 cytokine으로 처리하면 중배엽계 세포, 조혈내피 세포(hemogenic-endothelium)를 포함 조혈 전구 세포 및 분화된 혈액 세포로 분화 유도를 시행할 수 있다. 다음은 해당 프로토콜의 세부사항들이다.

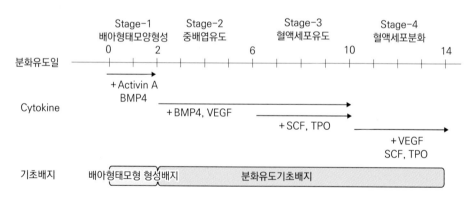

그림 1　분화유도법의 개요

❶ 인간 ES·iPS 세포를 100 mm 배양 접시 1장 준비한다.

❷ 배양 상층액을 흡인 제거하고 Accumax 2 mL를 첨가 후 세포 배양 incubator에 넣는다[*1].

[*1]　PBS 등에 의한 세척은 필요없다.

❸ 세포배양 incubator에서 5분간 위치한 후, 한 번 꺼내 가볍게 두드려주고 (태핑), ES 및 iPS 세포 colony가 배양 접시에서 박리되는지를 확인한다. 세포 배양 incubator에 세포를 추가로 3분 더 위치한 후, 다시 세포를 꺼내서 태핑을 하고, 박리된 ES·iPS 세포 덩어리를 부서뜨린다. 이때 완전히 단일 세포 부유액(single cell suspension)할 필요는 없고, 어느 정도 세포 덩어리가 부서지고 나면 태핑을 중단한다[*2].

❹ IMDM 배지(FBS 등은 포함하지 않는다)를 8 mL 넣고, 10 mL 마이크로 피펫으로 5회 피펫팅하여 단일 세포부유액을 만든다[*3].

❺ 세포 수를 측정하고, 세포를 원심분리한다.

300G (≒ 1,000 rpm) 4분 실온.

❻ 원심분리 후, 상층액을 흡인 제거하고, 배아형태모형 형성 배지를 이용하여 1×10^7 cells/mL에 세포를 현탁한다.

❼ ❻에서 제작한 ES·iPS 세포 부유액(1×10^7 cells/mL) 100 μL와 6×10^5 방사선 조사된 MEF 세포를, 페트리 배양 접시(60 mm)의 배아형태 모형 형성 배지 5 mL에 넣는다.
즉, 1×10^6 ES·iPS 세포와 6×10^5 방사선 조사된 MEF 세포/5 mL/배양접시 60 mm의 형태가 된다[*4].

❽ 세포 배양 incubator 안에 설치한 rotor에 세포를 혼합한 배양접시를 놓아 둔다.
회전 속도 : 70 rpm.

❾ 배양 2일째에 세포(배아형태모형)를 원심분리용 튜브에 넣고, 원심 분리하여 회수한다.
300G (≒ 1,000 rpm), 1분 실온

❿ 상층액을 흡인제거하고, 분화 유도 배지 A를 10 mL 넣고 5 mL씩 2개의 배양접시로 나눈다.

*2 배양 시간은 세포의 상황에 따라 다소 다르지만, 일반적으로 8분의 인큐베이션으로 충분하다.

*3 과도한 피펫팅은 세포에 손상을 주기 때문에 피펫팅은 5회까지 한다.

*4 Rotator를 사용하지 않을 경우, 저접착 배양접시를 사용하여 세포 배양 인큐베이터에 고정하여 놓고 ❾을 진행한다.

배아형태모형은 침전되기 쉬우므로 부드럽게 섞어가며 균등하게 분배한다. 격렬하게 혼합하면 모처럼 형성시킨 배아형태모형이 손상되므로 주의한다.

⓫ 배양 4일째에는 배양 접시를 기울여 상층액(2.5 mL)을 제거하고, 분화 유도 배지 B를 2.5 mL 첨가하여 배양 incubator rotor에 놓아 둔다.

⓬ 배양 6일째에는 세포(배아형태모형)를 원심분리 튜브에 넣고 원심 분리 하여 회수한 뒤, 분화 유도 배지 C를 5 mL 첨가하여 배양 incubator rotor에 놓아 둔다.

⓭ 배양 10일째에는 세포(배아형태모형)를 원심분리 튜브에 넣고 원심 분리 하여 회수한 뒤, 분화 유도 배지 D를 5 mL 첨가하여 배양 incubator rotor에 놓아 둔다.
조혈전구세포의 분석은 배양 10일째의 세포를 사용하여 진행한다.

⓮ 배양 10일째 이후는 4일 간격으로 분화유도배지 D를 이용하여 13번과 같은 방식으로 배지교환을 시행한다.
분화된 조혈 세포의 분석은 배양 14일 이후의 세포를 사용하여 진행한다.

 문제 발생 시 대응

■ 충분한 혈액세포의 분화 유도를 얻을 수 없다.

다음의 2가지가 대표적인 큰 원인이다.

→ ES 및 iPS 세포의 상태

이번 장에서 소개한 배아형태모형을 통한 혈액 세포의 분화 유도 방법에서뿐만 아니라, 거의 모든 혈액 세포의 분화 유도에서 분화 유도를 실시하기 전의 ES 및 iPS 세포의 상태가 매우 중요하다. 경험으로 보통 ES 및 iPS 세포를 계대 하루 전날 상태의 세포를 이용함으로써 안정된 혈액 세포의 유도를 얻을 수 있다.

→ 세포박리 후 분주할 때까지의 시간

인간 ES 및 iPS 세포는 trypsin 처리 등으로 단일세포 부유 등을 시키는 과정에서 큰 스트레스를 받게 되고, 이 때 Rock inhibitor (Y-27632)가 첨가되지 않으면 즉시 사멸한다. 따라서 이 방법에서 사용되는 Accumax를 이용하여 세포를 박리한 경우에는 신속하게 Rock inhibitor 가 첨가된 배아형태모형 형성배지에 세포를 분주하는 것이 중요하다.

실험 결과

1. 배아형태모형 형성 (그림 2)

분주 후 몇 시간안에 세포 응집 덩어리를 만들기 시작하고 24시간 후에는 배아형태의 세포 덩어리를 형성하고, 배양 2일째에는 표면이 매끄럽게 된 구형 배아형태모형을 확인할 수 있다. 배양 4일째가 되면 배아형태모형 내부에 포낭이 형성되고, 배양 8일째에 포낭 안쪽에 혈액 세포가 나타나게 된다. 배양 12일째 무렵이 되면 배아형태모형도 크게 변화하고 혈액 세포로 가득찬 포낭을 확인 할 수 있다.

2. 혈액세포의 분화양식 (그림 3)

배양 4일째에는 CD34를 발현하는 중배엽 세포의 출현이 확인된다. 배양 8일째에 CD34와 CD43를 발현하는 혈액 전구 세포가 출현한 후(배양 10일째 이후) CD34의 발현이 감소된 CD43 양성인 분화 혈액 세포가 많은 관찰된다. 마찬가지로, 배양 6일째 무렵 중배엽 세포의 마커 유전자인 BRACHYURY 유전자의 일시적인 발현을 볼 수 있고, 배양 8일째 무렵부터 조혈 내피세포 · 조혈 전구세포 및 혈액 세포의 마커 유전자인 RUNX1 유전자 발현이 관찰된다. 또한 배양 10일째가 되면 분화 혈액세포의 하나인 적혈구계 세포의 마커 유전자

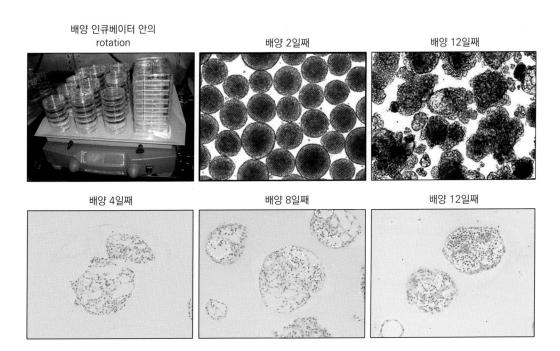

배양 인큐베이터 안의 rotation   배양 2일째   배양 12일째

배양 4일째   배양 8일째   배양 12일째

그림 2 배아형태모형(Embyoid body) 형성
상단은 배아형태모형의 외견, 하단은 배아형태모형의 H&E 염색절편

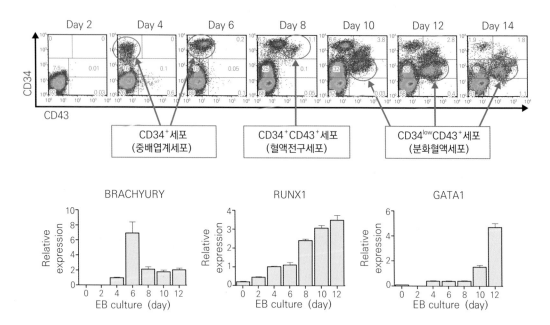

그림 3 혈액성분의 분화양식

상단은 FACS 해석자료, 하단은 유전자발현 자료

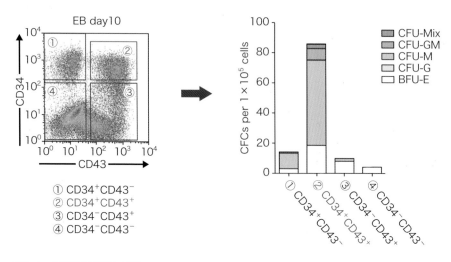

그림 4 혈액전구세포의 분리

인 GATA1 유전자의 발현을 볼 수 있다. 따라서, 세포 표면항원 및 유전자 발현의 시간적 변화에서도 알 수 있듯이 이 분화 유도시스템이 생체 내의 조혈 발생을 모방하고 있음을 알 수 있다.

3. 조혈 전구세포의 분리 (그림 4)

배양 10일째 세포를 이용한 분석은 CD34 양성 CD43 양성 세포 분획에 조혈 colony 형성 능력을 갖는 조혈 전구세포가 농축되어 있는 것을 확인할 수 있다.

결론

인간 만능줄기세포에서 혈액 세포의 분화 유도 방법으로, 지금까지 많은 혈액 세포의 분화 유도 방법이 보고되어 왔다[9]. 각각의 분화 유도 방법은 혈액 세포의 효율적인 유도 및 표적 세포의 선택적 유도 등의 분화 유도의 특성도 달라 개별 연구자의 목적에 맞는 유도 방법을 선택하는 것이 중요하다고 생각된다. 예를 들어, 이번 장에서 소개한 배아형태모형을 통해 혈액 세포의 분화 유도 방법도 연구자의 목적에 맞게 feeder 세포(OP9, AM20, UG26, EL08 등)을 바꾸거나, feeder 세포 대신 콜라겐 등의 지지 조직을 코팅한 배양 접시를 이용하여 배양을 할 수도 있다. 또한 균일한 크기의 배아형태모형을 대량으로 제조할 수 있기 때문에 배아형태모형을 이용한 약물 스크리닝 검사로의 응용도 괜찮다고 생각된다. 마지막으로, 혈액 세포의 분화 유도에 국한되지 않고, 체외 분화 유도에서 분화 단계별 치밀한 관찰과 분자 메커니즘을 이해하는 것은 생체 내의 분화 및 생성의 양식을 이해하는데 매우 중요한 일이다.

◆ 문헌

1) Takahashi, K. et al. : Cell, 131: 861-872, 2007
2) Niwa, A. et al. : PLoS One, 6: e22261, 2011
3) Yanagimachi, M. D. et al. : PLoS One, 8: e59243, 2013
4) Nakajima-Takagi, Y. et al. : Blood, 121: 447-458, 2013
5) Yu, P. et al. : Cell Stem Cell, 8: 326-334, 2011
6) Kennedy, M. et al. : Cell Rep., 2: 1722-1735, 2012
7) Kattman, S. J. et al. : Cell Stem Cell, 8: 228-240, 2011
8) Wang, C. et al. : Cell Res., 22: 194-207, 2012
9) Kardel, M. D. & Eaves, C. J. : Exp. Hematol., 40: 601-611, 2012

2 인간 ES 및 iPS 세포로부터 적혈구 분화유도

히로야마 타카시(寬山 隆)

Flow chart

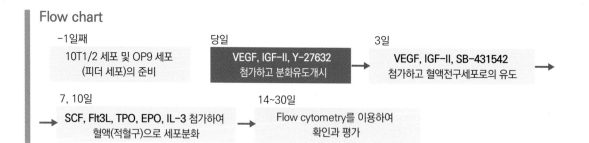

−1일째
10T1/2 세포 및 OP9 세포
(피더 세포)의 준비

당일
VEGF, IGF-II, Y-27632
첨가하고 분화유도개시

3일
VEGF, IGF-II, SB-431542
첨가하고 혈액전구세포로의 유도

7, 10일
SCF, Flt3L, TPO, EPO, IL-3 첨가하여
혈액(적혈구)으로 세포분화

14~30일
Flow cytometry를 이용하여
확인과 평가

서론

만능 세포 또는 다능성 줄기세포라 일컬어지는 ES 및 iPS 세포는 그들이 유지하는 분화능에서 의료에의 응용이 기대되는 세포이다. 특히 iPS 세포는 사람 배아를 조작하지 않고 만들 수 있으므로 세계적으로 주목을 받고있다. 전 세계적으로 다능성 줄기세포로부터 치료에 유용한 세포를 생산하려는 시도가 진행되고 있으며, 세계 최초의 iPS 세포(iPS 세포에서 유래된 신경세포)를 이용한 임상 시험도 임박했다. 이러한 상황에서 우리는 다능성 줄기세포에서 수혈이 가능한 적혈구를 대량으로 생산하기 위한 배양 시스템을 개발하고자 연구를 진행하고 있다.

지금까지 수혈을 수반하는 치료에서 헌혈을 통해 모은 수혈 적혈구 및 혈액 제제가 사용되어 왔다. 그러나 최근 저출산 고령화에 따른 헌혈자 감소로 인해 향후 수혈 적혈구의 부족이 우려된다. 또한 수혈을 통한 간염 바이러스(HBV, HCV)와 에이즈 바이러스(HIV)의 감염이 사회 문제가 되고 있는 것도 주목할 만한 사실이다. 이러한 감염 문제에 관해서는, 충실한 검사 체제를 확립하고도 "초기 감염의 발견" 혹은 "미지의 감염" 등의 대처에 어려움이 있으며, 이러한 위험을 완전히 제거하는 것은 불가능하다. 이에 따라 안전한 수혈 적혈구 및 혈액 제제를 인공적으로 대량 생산하는 기술의 개발이 요구되고 있다. 적혈구는 주요 조직 적합 항원을 갖지 않기 때문에 적혈구 수혈은 일반적으로 다른 장기이식과는 달리, ABO 식 및 Rh 식 혈액형이 일치하면 거의 모든 사람이 가능하다. 또한 적혈구는 핵이 없는 세포이기 때문에 ES 및 iPS 세포 유래 세포를 이용한 이식 의료에 우려되는 종양 형성의 위험이 없다. 이 때문에 ES · iPS 세포 유래 적혈구의 임상 응용은 다른 조직 세포(유핵 세포)에 비해 안전성이 높다고 생각된다. 따라서 ES · iPS 세포를 이용하여 적혈구 대량 생산 배양 시스템을 설치하는 것은 미래에 예상되는 수혈 적혈구의 부족을 보충하고 동시에 미리 철저한 검사를 실시하여 품질 관리에 만전을 기한다면, 감염의 위험을 방지할 수 있는 획기적인 수혈 적혈구의 공급 체제의 구축으로 이어질 것으로 기대된다.

　　저자는 지금까지 꼬리 짧은 꼬리 원숭이 ES 세포에서 효율적으로 혈액계 세포를 분화 유도하는 기술 개발에 임해왔다. 그 결과, 전체 혈구계 세포(성숙 적혈구, 성숙 백혈구, 혈소판 전구 세포 등)의 유도에 성공하고, 장기(약 6개월) 동안 혈액 세포를 생산하는 것을 계속할 수 있는 배양 시스템을 개발했다[1]. 또한 이 배양 시스템을 변경하여, 마우스 ES 세포에서 3종의 적혈구 전구 세포주를 수립하는 데에도 성공하였다[2]. 이번 장에서는 저자들이 지금까지 꼬리 짧은 꼬리 원숭이와 쥐 ES 세포를 이용하여 구축한 유도 방식을 수정하여, 인간 ES 및 iPS 세포에 응용한 유도 방법을 소개하도록 하겠다. 지금까지는 ES 및 iPS 세포에서 분화 유도한 혈액 세포를 장기간 배양을 할 경우 일반적으로 혈액 세포 이외의 세포가 대량으로 증식해 버리기 때문에 세포 분별기 등으로 혈액 세포만을 선별하고 배양하는 필요가 있었다. 그러나 이번 저자의 배양 시스템은 분화 유도된 부유 세포를 수집하여 계속 배양을 지속하는 간단한 방법이며, 특수 기법 등을 전혀 필요로 하지 않고, 일반적인 배양 조작만으로 혈액계 세포를 장기 유지 및 배양 할 수 있는 것이 특징이다.

준 비

1. 세포

☐ 인간 ES 혹은 iPS 세포 [*1][*2]

☐ Feeder 세포

　10T1/2 세포, OP9 세포

2. 배지

☐ IMDM (without glutamine) (Sigma Aldrich, #I3390)

☐ ITS liquid media supplement (x100) (Sigma Aldrich, #I3146)

☐ MTG (1-Thioglycerol) (Sigma Aldrich, #M6145)

☐ L-Ascorbic Acid 2-phosphate (Sigma Aldrich, #A8960)

☐ Penicillin-Streptomycin-Glutamine (Life Technologies, #10378-016)

☐ FBS (Fetal bovine serum)[*3]

☐ 분화유도배지 (Differentiation Medium : DM)의 조성

(최종농도)

IMDM	415 mL	
FBS	75 mL	(15%)
ITS liquid media supplement (x100)	5 mL	
Penicillin-Streptomycin-Glutamine (x100)	5 mL	

*1　세포는 모두 이화학 연구소 세포 은행에서 구할 수 있지만 (http://www.brc.riken.jp/lab/cell/), 인간 ES 세포의 사용은 윤리 심사를 거쳐 문부 과학성에 신고가 필요하다 (일본의 경우). ES 및 iPS 세포와 feeder 세포의 유지 배양에는 별도 전용 배지 • 조건이 있으므로 구입처에서 확인한다.

*2　ES 및 iPS 세포는 각각의 세포주마다 분화의 방향이 다른 경우가 많다. 실제 분화 유도 실험 실시에 있어서는 문헌 등을 조사하여 사용할 세포주를 선택한다. 또한 여러 종류의 ES 및 iPS 세포주를 사용하여 실험을 실시하여 비교하는 것도 중요하다.

*3　FBS는 특별히 지정하지는 않았지만, Lot의 차이로 인해 유도 효율에 영향을 미칠 수 있기 때문에 feeder 세포 등에 적합한 Lot를 선택하시길 권장한다.

MTG	20 μL	(0.45 mM)
L-Ascorbic Acid 2-phosphate	25 mg	(50 μg/mL)
	500 mL	

3. 시약

Cytokine 종류 [*4]

- ☐ Human Recombinant Protein VEGF (Vascular Endothelial Growth Factor) (R & D, #293-VE-010)
- ☐ Human recombinant protein IGF-II (Insulin like Growth Factor II) (R & D, #292-G2-050)
- ☐ Human recombinant protein SCF (Stem Cell Factor) (R & D, #255-SC-010)
- ☐ Human recombinant protein Flt3L (Flt-3 Ligand) (R & D, #308-FK-005)
- ☐ Human recombinant protein TPO (Thrombopoietin) (R & D, #288-TPN-025)
- ☐ Human recombinant protein IL-3 (Interleukin-3) (R & D, #203-IL-010)
- ☐ EPO (Erythropoietin) Espo® (Kyowa Hakko Kirin)

효소 억제재

- ☐ Rock inhibitor (Y-27632) (Wako Pure Chemical Industries, #257-05111)
- ☐ ALK 5 inhibitor (SB-431542) (Wako Pure Chemical Industries, #580-77603)
- ☐ 항체 (Flow cytometry 분석용) [*5]
- ☐ CD45, Glycophorin A(적혈구 마커) 등에 대한 항체

기구 및 장비

- ☐ 젤라틴 코팅 접시 (ø 100 mm) [*6]
- ☐ 방사선 조사 장치 [*7]
- ☐ CO₂ incubator (37℃, 5% CO₂)
- ☐ 저속 원심 분리기 (1200 rpm (280G) 3분 사용)
- ☐ Flow cytometry

[*4] 다른 회사 제품을 사용해도 문제 없지만, 다른 회사 제품의 경우 활성이 다른 경우도 있으므로 주의를 요한다.

[*5] BD Biosciences 또는 eBioscience사 등 다른 회사로부터 여러 종류의 항체를 구입할 수 있다.

[*6] 기성품을 사용할 수도 있지만, 저자는 정제수와 0.1% 젤라틴 용액으로 제작한 배양접시에 넣고, 37℃에서 30분 정도 놓아둔 뒤에 사용한다.

[*7] Feeder 세포의 증식을 정지시키는 데 사용하지만, 장비가 없는 경우 Mitomycin C 처리도 가능하다.

프로토콜

1. 유도법의 개요

인간 ES 및 iPS 세포로부터 적혈구계 세포 유도 방법의 개요를 그림 1에 나타냈다. 먼저 배양하여 증식시킨 인간 ES 및 iPS 세포

를 방사선 조사한 feeder 세포에 분주하여, VEGF, IGF-II, Y-27632를 첨가하여 분화 유도 배양을 시작한다. 유도 시작 후 3일째에 배지를 교환한다. 이 때, 배지(부유 세포를 포함)는 제거하고, 새로운 배지에 VEGF, IGF-II, SB-431542을 첨가하여 배양을 지속한다. 유도 시작 후 7일째에 부유 세포를 회수하고 새로 마련한 feeder 세포에 분주하여 SCF, Flt3L, TPO, EPO, IL-3를 첨가하여 배양한다. 이 시점에서 혈액 세포는 아직 거의 없다. 유도 개시 후 10일째에 배지를 교환한다. 이제 지금 시점부터 혈액 세포가 확인 가능하다. 14일 이후에는 SCF, EPO, Y-27632를 첨가하여 배양을 계속한다. 부유 세포는 적절하게 회수하여 다시 배양하거나 새 feeder 세포에 파종한다. 이런식으로 적혈구계 세포를 계속 증식시킬 수 있다.

2. 유도법의 실제

❶ 분화 유도를 시작하기 전날에 feeder 세포인 10T1/2 세포를 4×10^5 cell/dish의 밀도에 젤라틴 코팅된 배양접시(100 mm 접시) 1장에 준비해 놓는다[*1].

❷ 다음날, 전날 준비한 feeder 세포를 방사선(50 Gy) 처리한다[*2].

❸ 방사선 조사 후 1시간 이상 CO_2 incubator에 놓아 두고 나서, feeder세포의 배지를 분화 유도 배지(DM)로 교환한다[*3].

❹ 배지 교환한 방사선 처리된 feeder 세포의 배양액을 제거하고, 효소 처리 등에 의해 회수 한 인간 ES · iPS 세포(5×10^5 cells/dish)를 새로운 DM 10 mL를 이용하여 분주한다.

각각 VEGF(20 ng/mL), IGF-II(200 ng/mL), Y-27632(20 μM)을 최종 농도 만들어서 배지에 섞어주고, 분화 유도를 시작한다.

❺ 유도 개시 후 3일째 배지 교환한다.

오래된 배지를 제거하고 VEGF(20 ng/mL), IGF-II (200 ng/mL), SB-431542 (10 μM)을 첨가한 새로운 DM 10 mL 배지로 교환한다[*4].

*1　이 시점에서는 feeder 세포용 배지를 사용한다.

*2　저자는 보통 30~40분 정도 50 Gy를 방사선 조사하고 있다. Mitomycin C 처리의 경우는 시간이 걸리므로 유도를 시작하는 시간으로부터 거꾸로 시간을 계산하여 준비한다.

*3　이 작업은 적어도 인간 ES · iPS 세포를 분주 시작 30분 전에 실시한다. 배지의 양은 특별히 제한이 없다. 세포가 배지에 잠기기만 한다면 문제는 없다.

*4　이 시기에 SB-431542을 추가해서 혈액세포의 분화유도 효율을 높일 수 있다. 반대로, 유도시작부터 추가하면 효율이 나빠지므로 주의한다(그림 2 참조).

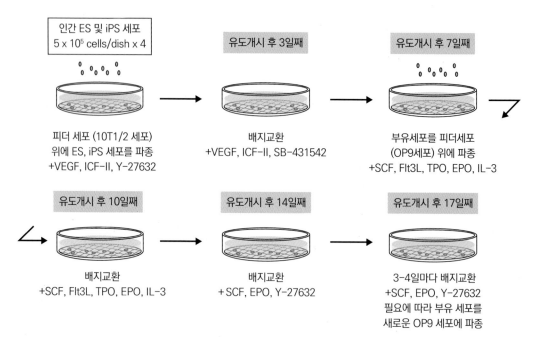

그림 1 인간 ES 및 iPS 세포의 적혈구 분화유도배양 시스템

인간 ES 및 iPS 세포를 이용한 적혈구 분화 유도 배양 시스템의 개략. Cytokine 등의 조합을 변경하여 다른 혈액 세포를 유도하는 것도 가능하다.

❻ 유도 개시 후 6일째, OP9 세포를 4 x 10⁵ cells/dish 밀도로, 젤라틴 코팅된 배양접시에 분주한다(1장)[*5].

❼ 유도 개시 후 7일째, 전날 준비한 feeder 세포를 방사선(50 Gy) 처리한다. ❸작업과 마찬가지로 방사선 조사 후 배지를 교환한다.

❽ 유도 개시 후 7일째, 부유 세포를 원심 분리하여 회수하여, SCF(50 ng/mL), Flt3L (25 ng/mL), TPO (50 ng/mL), EPO(5 unit/mL), IL-3(10 ng/mL)을 첨가한 새로운 DM 10 mL 배지에 넣고, 새 feeder 세포(방사선 처리 된)에 분주한다[*6].

접착 세포(부유되지 않는 세포)는 버린다.

❾ 유도 개시 후 10일째, 배지 교환한다.

SCF(50 ng/mL), Flt3L(50 ng/mL), TPO(50 ng/mL), EPO (5 unit/mL), IL-3(10 ng/mL)을 첨가한 새로운 DM 10 mL 배지로 교환한다[*7].

*5 10T1/2 세포로 대체 가능하지만, OP9 세포를 사용하는 것이 적혈구계 세포분화에 더 좋다.

*6 부유 세포를 회수 할때, 피펫팅 시 접착된 세포를 잘 씻어내는 듯한 이미지로 시행한다. 남은 접착 세포에 같은 배지를 첨가 다시 배양하여도 혈액 세포를 얻을 수 있지만, 혈액 세포를 선택적으로 증가시키는 목적이라면 추천하지 않는다.

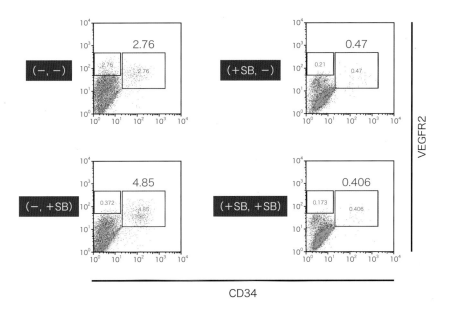

그림 2   ALK5 억제제를 첨가하는 타이밍의 중요성

인간 ES 세포주 H1을 사용하여 분화 유도하고, 유도후 7일째에 분석을 실시한다. ALK5 억제제를 첨가할 타이밍을 잘못 이용하면 CD34+ VEGF+ 세포 유도 효율이 현저하게 나빠진다. (−, + SB)는 유도 개시시에는 ALK5 억제제를 추가하지 않고, 3일째 배지 교환시 ALK5 억제제를 첨가한 것을 나타낸다.

❿ 유도 개시 후 14일째, 배지 교환한다[*8].

SCF(50 ng/mL), EPO(5 unit/mL), Y−27632(20 μM)을 첨가한 새로운 DM 10 mL배지로 교환한다.

이후 3~4일마다 배지를 교환한다. 그에 따라 부유 세포를 회수하고 새로 마련한 OP9 세포 부유 세포를 파종한다. SCF(50 ng/mL), EPO(5 unit/mL), Y−27632(20 μM)는 배지 교환 할 때마다 추가한다.

*7   이 때 부유 세포는 회수하여 다시 배양한다.

*8   따라서 유도 시작부터 1개월 전후, 적혈구계 세포가 있는 상태에서 배양을 계속할 수 있다.

 문제 발생 시 대응

이 배양 시스템을 수행하는데는 시간이 걸리기 때문에, 유도 효율이 낮거나 전혀 유도를 할 수 없으면 시간적인 손실이 커진다. 따라서 배양 시스템의 중간과정에서 확인을 실시하는 것이 중요하다. 혈액 세포는 CD34(+), VEGF 수용체2(VEGFR2/KDR)(+) 세포에서 생산되는 것으로 알려져 있기 때문에, 유도 개시 후 7일째 세포를 CD34, VEGFR2 항체를 이용하여 분석한다. 또한 SB−431542을 첨가하는 타이밍이 중요하다는 것도 분명하다. SB−431542은 인간 ES · iPS 세포에서 혈액 세포 유도에 효과가 있는 것으로 알려져 있지만[3),4)], 그림 2에 나타낸 바와 같이, 본 프로토콜에서 (−,+SB)에서 가장 CD34(+) , VEGFR2(+) 세포의 비율이 높은 것을 알 수 있다(가장 효율적인 조건). 이처럼 7일 전후의 세포를 검증함으로써 배양 시스템이 순조롭게 진행되고 있는지를 평가할 수 있다. 따라서 예를 들어 cytokine들의 활성이 떨어져 있는지도 확인 가능하다. 또한 cytokine들은 되도록이면 분주하여 동결 보존하고, 사용시 고갈 등이 발생하지 않도록 주의가 필요하다.

실험 결과

위의 **적혈구계 세포 유도방법**은 인간 ES · iPS 세포의 분화 유도를 시작한 후 7일째까지 혈액 세포를 확인할 수 없다. 그러나 8일 이후 feeder 세포에 접착한 혈액세포를 현미경으로 확인할 수 있게 된다(그림 3). 인간 ES 세포주 인 H1(위스콘신 대학 유래)를 사용하여 배양 시작 후 14일째 부유세포를 flow cytometry 로 분석하면, CD45(−), Glycophorin A(+)의 적혈구계 세포가 90%이상의 비율로 출현하는 것을 확인할 수 있다(그림 4). 이 시점에서 회수한 부유세포를 원심 분리기로 회수해보면, 헤모글로빈이 합성되어서 붉게된 것을 확인할 수 있다. 그 후, 1주일마다 부유 세포를 분석하면 28일까지는 90%이상이 CD45(−) Glycophorin A(+)이다(그림 3, 그림 4). 그 이후로, CD45(−), Glycophorin A(+)의 비율은 점차 감소하고, 49일째에서는 대부분이 Glycophorin A(−)의 세포가 된다. 장기간 배양시 실험 간 오차가 커질 수는 있지만 시간이 지날수록 Glycophorin A(+) 세포가 감소하는 경향은 변하지 않는다. 또한 다양한 인간 ES · iPS 세포주를 이용하여 유도 개시 후 28일째의 부유 세포를 분석하고 비교했다. 사용하는 세포주에 따라 적혈구계 세포의 유도율이 다를 수 있다(그림 5).

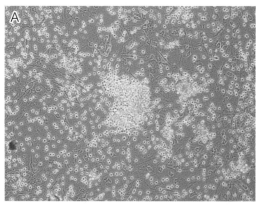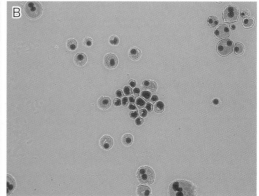

그림 3 **유도적혈구계 세포의 형태**
인간 ES 세포주 H1을 이용한 적색구 분화유도를 시행했다. A) 유도후 14일째에 위상차 현미경으로 관찰상 다수의 혈구세포가 유도되는 것을 알 수 있다. B) 유도후 28일째의 부유세포를 Light Giemsa 염색으로 염색했다. 대부분이 적혈구계 세포임을 알 수 있다.

적혈구계 세포유도방법 : 이 배양계에서는 적혈구계 세포는 14~21일 경까지 1차 조혈 의한 적혈구가 우위이며, 점차 2차 조혈 의한 적혈구가 우세하게 된다.

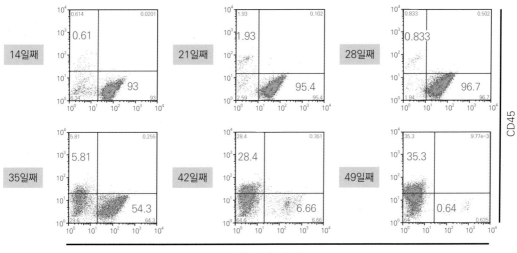

그림 4 인간 ES 세포 H1을 이용한 적혈구 분화 유도

인간 ES 세포 H1 (University of Wisconsin 에서 입수)을 사용하여 적혈구 분화 유도를 실시한다. 유도 개시후 14~49일째까지 1주일에 부유 세포를 flow cytometry로 분석했다. CD45 : 혈액세포 표지자, Glycophorin A : 적혈구 표지자

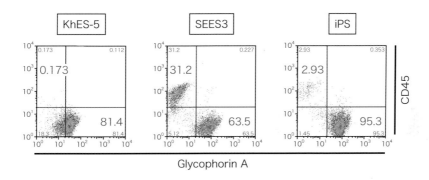

그림 5 인간 ES 및 iPS 세포주에 의한 적혈구 분화 유도의 비교

기원이 다른 인간 ES 및 iPS 세포를 사용하여, 동일한 배양시스템을 이용해서 적혈구 분화 유도를 시행했다. 유도 개시후 28일째에 flow cytometry로 해석했다. KhES-5 : 교토대 제공, SEES3 : 국립생육의료센터 제공. iPS : 제대혈액에서 독자적으로 확립한 iPS 세포주

결론

본 배양 시스템은 적혈구를 주로 유도하는 배양 시스템이지만, 우선 혈액 전구 세포를 유도하는 것이 가장 중요한 단계이다. 이 점에서 cytokine들의 조합 등을 궁리하여 혈소판과 과립구 등을 유도하는 배양 시스템으로 응용할 수 있는 가능성도 있다.

저자는 인간 ES · iPS 세포에서 대량의 탈핵 적혈구를 생산할 수 있는 배양 시스템의 확립을 목표로 연구를 진행하고 있다. 지금까지 제대혈에서 존재하는 혈액 줄기세포에서 효율적으로 탈핵 적혈구를

생산하는 분화 유도 기술을 개발했으며[5], 인간 제대혈 줄기세포 및 iPS 세포에서 인간 적혈구 전구세포주를 수립하였다[6]. 이러한 기술을 바탕으로 응용하여 인간 적혈구 전구 세포주에서 효율적으로 수혈 가능한 탈핵 적혈구를 생산하는 기술을 개발하고, 미래에 수혈용 적혈구 공급 시스템을 확립하기를 희망한다.

◆ **문헌**

1) Hiroyama, T. et al. : Exp. Hematol., 34 : 760-769, 2006
2) Hiroyama, T. et al. : PLoS One, 3 : e1544, 2008
3) Wang, C. et al. : Cell Res., 22 : 194-207, 2012
4) Kennedy, M. et al. : Cell Rep., 2 : 1722-1735, 2012
5) Miharada, K. et al. : Nat. Biotechnol., 24 : 1255-1256, 2006
6) Kurita, R. et al. : PLoS One, 8 : e59890, 2013

III 분화유도의 프로토콜

3 인간 ES 및 iPS 세포를 이용한 혈소판 분화유도

나카무라 소오(中村 壯), 에토오 히로유키(江藤浩之)

Flow chart

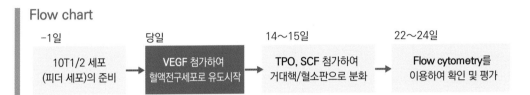

-1일 → 당일 → 14~15일 → 22~24일

| -1일 | 당일 | 14~15일 | 22~24일 |
| 10T1/2 세포 (피더 세포)의 준비 | VEGF 첨가하여 혈액전구세포로 유도시작 | TPO, SCF 첨가하여 거대핵/혈소판으로 분화 | Flow cytometry를 이용하여 확인 및 평가 |

서론

만능 줄기세포인 ES 세포 혹은 iPS 세포[1)]는 하나의 세포에서 무한히 증가시킬 수 있다는 장점이 있으며, 혈소판을 포함한 혈액세포 생산의 자원으로서 매우 매력적이며, 미래의 수혈 요법, 조혈 모세포 이식 방법에 대해 기여할 수 있을 것을 기대할 수 있다.

인간 ES 혹은 iPS 세포에서 혈액 세포를 분화 유도하는 방법은 크게 두가지로 나뉜다. 인간 ES 혹은 iPS 세포를 부유배양에서 배아형태모형(Embryoid Body : EB)을 형성시키는 배아형태모형법(부유 배양법)[2)]과 골수 중간엽 세포와 같은 스트로마 세포와 공동 배양하는 방법[3)~5)]이 있다.

저자들은 마우스 유래의 중간엽 세포주와 공동 배양을 하여, 인간 ES 혹은 iPS 세포에서 다기능 혈액 전구세포를 다분화능성 혈액전구세포가 농축된 낭포구조물 **ES/iPS-sac** (ES/iPS cell-derived sac; 이후 iPS-sac으로 표시)을 유도하고, 내부의 혈액 전구세포에서 거핵 세포 및 혈소판으로 분화시키는 방법을 새롭게 확립하였다[6),7)]. 이 방법은 분화능력이 뛰어난 혈액 전구세포를 얻을 수 있어서, 거핵 세포/혈소판을 비롯해 호중구, 대식 세포, 적혈구 등의 각 혈액 세포 계보의 발생에 대해서도 조사 할 수 있다. 여기에서 거핵 세포/혈소판 유도 방법에 대해 설명할 것이다. 또한 이번 장에서는 인간 iPS 세포를 이용한 프로토콜을 소개하지만, 인간 ES 세포에서도 같은 방법으로 혈액 전구세포, 거핵 세포/혈소판 분화 유도를 하는 것이 가능하다.

준비

☐ 100 mm 배양 접시
☐ 6 well plates

- ☐ 필터가 있는 P-1000 micropipette
- ☐ 40 µm cell strainer
- ☐ 0.1% gelatin PBS

배지

- ☐ IMDM (Sigma Aldrich #I3390)
- ☐ 혈구분화용 FBS
- ☐ ITS (Life Technologies, #41400-045) [*1]
- ☐ 50 mg/mL Ascorbic acid (Sigma Aldrich, #A4544) [*1]
- ☐ Penicillin Streptomycin-L-Glutamine solution (100xPSG) (Life Technologies, #10378-016)
- ☐ 450 mM MTG (1-Thioglycerol) (Sigma Aldrich, #M6145) [*2]
- ☐ 20 µg/mL Recombinant human VEGF (R&D, #293-VE) [*3]
- ☐ 10 µg/mL Recombinant human TPO (R&D, #288-TP) [*4]
- ☐ 10 µg/mL Recombinant human SCF (R&D #255-SC) [*4]
- ☐ BME (Life Technologies, Inc., #21010-046)
- ☐ 10T1/2 유지용 FBS

배지의 조제

- ☐ 분화배지

		(최종농도)
IMDM	500 mL	
혈구분화용 FBS	90 mL	(15%)
50 mg/mL Ascorbic acid	600 µL	(50 µg/mL)
100x PSG	6 mL	
ITS	6 mL	
450 mM MTG	600 µL	(0.45 mM)
	총 600 mL	

- ☐ 분화배지A (100 mL의 경우)

		(최종농도)
분화배지		100 mL
20 µg/mL Recombinant human VEGF		100 µL (20 ng/mL)

- ☐ 분화배지B (50 mL의 경우)

		(최종농도)
분화배지		50 mL
10 µg/mL Recombinant human TPO		500 µL (100 ng/mL)
10 µg/mL Recombinant human SCF		250 µL (50 ng/mL)

- ☐ 10T1/2 세포유지배지

		(최종농도)
BME	500 mL	
100x PSG	5.6 mL	
10T1/2 유지용 FBS	56 mL	(10%)

[*1] 4℃에서 1개월간 보관 가능

[*2] -20℃에서 보관. 사용 후에는 다시 동결, 융해는 피하자.

[*3] 저장은 100 µg/mL 농도로 -20℃에서 12개월간 보존 가능. 사용시에는 IMDM으로 20 µg/mL로 희석하여 4℃ 1개월간 보존 가능하다.

[*4] 저장은 100 µg/mL 농도로 -20℃에서 12개월간 보존 가능. 사용시에는 IMDM으로 10 µg/mL로 희석하여 4℃ 1개월간 보존 가능하다.

□ 메틸셀룰로오스 배지(Methocult H4434) (STEMCELL Technologies)

기타 시약

□ 2.5% Trypsin (Life Technologies, #15090-046)

□ 100 mM CaCl$_2$ [*5]

□ KSR (Life Technologies, #10828-028)

□ PBS

□ 세포박리액A

		(최종농도)
2.5% Trypsin	20 mL	(0.25%)
100 mM CaCl$_2$	2 mL	(1 mM)
KSR	40 mL	(20%)
PBS	138 mL	

□ 0.25% Trypsin-EDTA (Life Technologies, #25200-056)

□ Trypsin-EDTA (1x) (Sigma Aldrich, #T3924)

□ TruecountTM Tube (BD biosciences, #340334)

□ Anti-CD41a-APC antibody (integrin α Ⅱ b subunit) antibody (Biolegend, #303710) [*6]

□ Anti-CD42b-PE antibody (glycoprotein Ibα) (eBioscience, #12-0429-42) [*6]

□ Anti-CD42a-PB antibody (glycoprotein Ⅸ) (eBioscience, #48-0428) [*6]

□ ACD solution

□ Flow cytometer

FACS Aria (BD Biosciences)

*5 4℃에서 12개월간 보존 가능

*6 원액을 초순수(ultra pure water)로 1/4 희석하여 사용

프로토콜 ||||||||||||||||||||||||||||||||||||||||||||||||||||||||||||||||||||||||||||||

1. iPS-sac을 이용한 인간 iPS 세포에서 다능성 혈액 전구 세포로의 분화유도

인간 iPS 세포를 준비한다.

분화유도 시작 3~4일전에 인간 iPS 세포를 같은 세포수로 6 cm 배양 접시에 2개를 계대 배양 해놓고, 매일 배지 교환을 시행한다. 이 장에서는 도쿄대학에서 만들어진 인간 iPS 세포, TkDA3-4을 사용한 방법을 주로 설명한다. 인간 iPS 세포는 클론 간에 혈소판 생산 효율에 차이가 있다. 이 중에서 iPS 세포를 이용한 혈소판 생산 효율이 좋은 클론을 선택해야 한다[*1].

혈액 세포로의 분화 유도를 위한 feeder 세포(10T1/2 세포주)를 준비한다.

❶ 인간 iPS 세포를 분주하기 전날 10T1/2 세포주에 50 Gy 방사선 조사를 시행하여 증식을 중단시킨다[*2].

*1 인간 ES 세포 역시 클론간에 혈소판 생산 효율에 차이가 있다. 교토대학에서 만들어진 KhES-1, KhES-2, KhES-3을 사용할 때 3개의 세포주는 모두 혈액분화는 가능하지만, KhES-3가 가장 혈소판 생산 효율이 좋다는 것을 확인하였다.

*2 Mitomycin C(최종농도 10 μg/mL)로 2시간동안 처리하는 것은 문제없다.

❷ 젤라틴 코팅된 100 mm 배양 접시에 7×10^5 세포를 분주한다.

❸ 다음날 단층으로 세포가 퍼져서 배양접시에 전반적으로 모두 덮혀 있는지를 확인한다(그림 1).

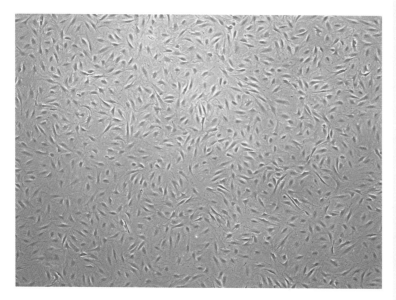

그림 1 방사선 조사하여 증식을 멈춘 10T1/2 세포주

인간 iPS 세포주를 분주한다.

❶ 앞서서 준비해둔 동일한 세포수의 60 mm 배양접시 1장을 이용하여 세포수를 확인한다[*3].

0.25% Trypsin-EDTA 1mL를 첨가하고 37℃에서 5분 incubator에 놓아둔 후, P-1000을 이용하여 단일 세포화 시킨 후 trypan blue로 살아있는 세포수를 측정한다.

❷ 남은 다른 한장의 인간 iPS 세포 배양 접시에서 배양액을 흡인제거 하고, 세포박리액A 1 mL를 넣고 37℃에서 5분 incubator에 놓아둔다.

iPS 콜로니 주위가 살짝 박리된 상태가 되면 세포박리액A를 흡진제거 하고, 분화배지 2 mL 첨가하여 trypsin 반응을 멈춘다. P-1000을 이용하여 iPS 콜로니를 MEF 를 이용하여 분리해낸다[*4].

[*3] 세포수 측정을 위해 인간 iPS 세포를 완전히 단세포로 만들면 혈구시스템으로의 분화능력이 많이 떨어지기 때문에 이 중에서 하나는 온전히 측정용으로 사용된다.

[*4] 이 때 완전히 단일 세포로 만들어서 수백개로 콜로니 상태로 준비한다.

❸ ❶에서 측정한 세포수를 참고로, ❷의 세포현탁액을 feeder 세포가 준비된 100 mm 배양 접시에 5~10 × 10⁴ cells/dish 수가 되도록 만들어서, 분화배지 A에서 배양한다.

❹ 9일째까지 3일마다, 9 ~ 15일까지는 2일마다 배지를 교환한다.

배양 9일 이후 iPS 세포에서 분화 증식이 활발해져, 배지의 영양분이 빨리 소모되기 때문이다[*5].

❺ 배양 13일째 무렵부터, 융기된 콜로니는 낭포 구조(iPS-sac)가 되어, 내부에 혈구 모양의 세포를 확인 할 수 있게된다(그림 2)[*6].

배양 14~15일째에 내부의 혈액 전구세포를 회수한다.

2. 다능성 혈액 전구세포의 거핵 세포 / 혈소판 분화유도

새로운 feeder 세포 (10T1/2 세포주)를 준비한다.

혈액 전구 세포를 분주하기 전날, 10T1/2 세포주에 50 Gy 방사선 조사하여[*7] 젤라틴 코팅된 6-well plate 1장에 7 × 10⁵ 세포를 분주한다. 다음날 단층으로 퍼진 세포가 배양접시의 바닥에 덮여있는지를 확인한다.

iPS-sac에서 다능성 혈액 전구 세포의 회수

❶ 현미경으로 혈구와 같은 세포가 들어있는 iPS-sac을 모두 P-1000에서 회수하여, 50 mL 튜브에 넣는다.

[*5] 배양 7~8일째 무렵부터 단층 인간 iPS 세포로부터 유도된 세포 콜로니가 융기되기 시작한다.

[*6] 조건이 좋을 때 전체 낭포 구조의 70~80% 정도에서 혈구세포를 확인할 수 있다.

[*7] Mitomycin C(최종 농도 10 μg/mL) 2시간 처리는 괜찮다.

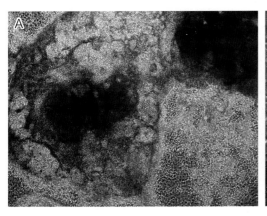
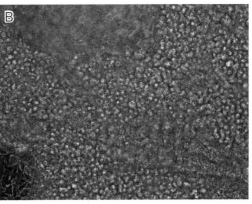

그림2 iPS-sac을 통해 혈액 전구 세포로의 분화 유도

배양 15일째의 iPS-sac. A) 주머니 모양의 내부에 혈액세포형태의 구형세포를 확인할 수 있다(x40). B) 혈액전구세포(x200)

1,500 rpm(440G), 5분간 원심분리를 진행한다.

 배지를 약 1 mL 정도 남기고 상층액을 흡인 제거한다.

 P−1000을 이용하여 펠렛을 현탁한다.

펠렛을 수차례 피펫팅을 진행하면, iPS−sac 내부에서 혈구 전구세포를 분리될 수 있다[8].

❺ 40 µm 셀 스트레이너를 이용하여 여분의 세포성분을 제거하고, 필요한 세포는 새로운 50 mL 튜브에 넣는다.

[8] 이 혈액 전구세포는 메틸셀룰로오스 반 고형 배지에서 호중구, 대식세포, 적혈구 등으로 이루어진 혈구 콜로니를 형성한다(그림 3).

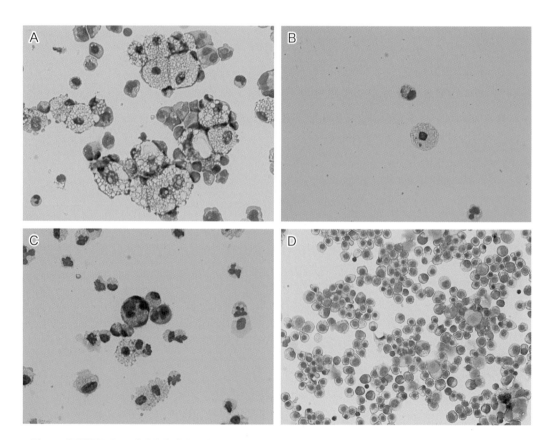

그림 3   메틸셀룰로오스 배지에서 배양 14일째의 콜로니
KhES-3 유래 혈액분화세포의 배양 74일째의 콜로니. A) 대식세포와 호중구, B) 호산구, C) 거핵 세포, D) 적아구

❻ 1,500 rpm(440G), 5분간 원심분리를 진행한다.

❼ 상층액은 흡인제거한다.

❽ 배지로 현탁하여 준비한 6-well plate의 10T1/2 세포에, 3 × 10^5 cells/well로 분주한다.

분화배지B로 변경하고 4 mL/well 추가한다.

❾ 분주를 하고나서, 3, 5, 7, 9일째에 배지를 2 mL 버리고 새로운 배지를 2 mL 넣는다.

Cytokine을 4 mL씩 넣는다[*9].

Flow cytometry를 이용한 거핵 세포 표면 마커의 확인

❶ 세포를 튜브에 넣고 1,500 rpm(440G), 5분간 원심분리를 진행한다.

❷ 상층액은 흡인제거하고, 3% FBS가 들어있는 PBS로 현탁하여, 세포를 1 x 10^5/50 µL 조절한다.

❸ Anti-CD41a –APC antibody 1 µL, anti-CD42b-PE antibody 1 µL, anti-CD42a-PB antibody 1 µL를 넣고, 30분간 반응시킨다.

❹ 3% FBS가 들어간 PBS 2 mL를 첨가하여 1,500 rpm(440G), 5분간 원심분리 후 상층액을 흡인제거한다.

❺ PI을 더한 3% FBS가 들어간 PBS 300 µL에 현탁하여 Flow cytometry로 분석한다.

Flow cytometry를 이용하여 혈소판 수 측정

❶ 세포 상층액을 15 mL 튜브에 취해서 넣는다. 남은 배양 접시에 PBS 1 mL 넣어서 세척 후 취하여 동일한 15 mL 튜브에 넣는다.

❷ ACD 액을 1:10이 되도록 넣는다.

*9 저자의 경험상 대개 거핵구 혈소판은 분주 후 8∼9일째에 최고조에 달한다.

❸ 균일해지도록 잘 썩어서 200 μL를 FACS 튜브에 넣는다.

❹ Anti–CD41a–APC antibody 5 μL, anti–CD42b–PE antibody 5 μL를 넣고, 실온에서 30분동안 반응되도록 놓아둔다.

❺ 혈소판 현탁액을 미리 개수가 알려진 Truecount™ Tube에 넣고 균일하게 잘 섞이도록 피펫팅을 한다.

❻ FACS Aria을 사용하여 분석한다.

혈소판용 FACS 게이트는 인간 말초혈액의 혈소판을 이용하여 기준을 삼는다.

3. 분화용 피더 세포주(C3H10T1/2 세포주)의 유지

❶ 배양액을 흡인제거후 PBS 5 mL/dish(100 mm 배양접시)로 2회 세척

 문제 발생 시 대응

■ **iPS–sac 형성효율이 떨어진다.**

iPS–sac 형성 효율은 혈청에 의해 좌우된다. 저자는 실험 시작 전에 10 Lot 이상의 혈청을 검사하여 iPS–sac 형성 효율이 좋은 것을 선별하였다. 또한, 효율적인 Lot 혈청은 ES 세포에서도 동등한 sac 효율이 얻을 수 있다.

■ **여러형태의 Sac이 관찰된다.**

현미경으로 자세히 보면, 내부에 다수의 구형 세포가 밀집된 sac과 단순히 내피 세포 모양의 막만으로 구성되는 sac을 볼 수 있다. 이 때 구형 세포가 조밀한 sac만을 선택하여 내부 세포 덩어리를 꺼내는 것이 혈액 세포 유도에서 중요하다.

■ **회수된 혈소판의 숫자가 적다.**

만들어진 혈소판은 10T1/2 세포와 같은 feeder 세포에 접착하기 쉬워서, 때때로 회수된 혈소판의 숫자가 적어지기도 한다. 이 때에 저자들은 혈소판 억제제, 항응고제 등을 쓰면서 동시에 적절한 피펫팅 조작을 반복함으로써 회수율을 증가시킨다.

■ **계대의 적절한 타이밍을 모르겠다.**

10T1/2 세포가 80% 합류(confluence)가 되면 계대를 실시한다. 다른 접착 세포도 마찬가지지만 완전히 합류하지 않도록 주의한다. 합류된 세포를 feeder세포로 사용하면 분화효율이 현저히 감소한다.

0.05% Trypsin-EDTA 1 mL를 첨가하고 37℃에서 5분 동안 incu-bator에 놓아둔다.

 배양액을 첨가하여 반응을 중지하고, 수회의 피펫팅으로 세포를 가급적 단세포화 시킨다.

❹ 1:8 비율이 되도록 배양액을 첨가하여 새 배양접시에 분주한다.

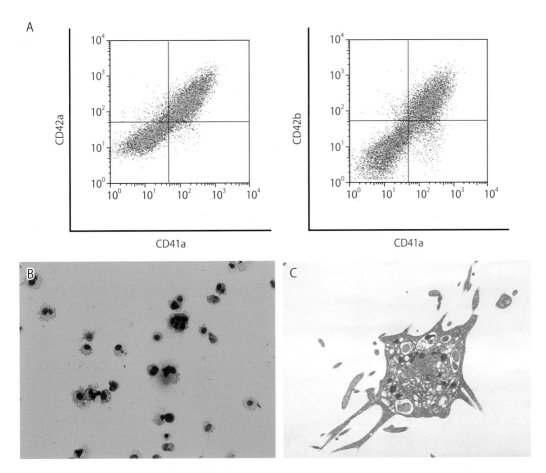

그림 4   인간 iPS 세포 유래의 거핵 세포 / 혈소판

A) Flow cytometry에 의한 분석에서 거핵세포 표지자인 CD41a/CD42a. CD41a/CD42b가 관찰된다. B) Cytospin 표본 이미지, C) 전자현미경 이미지, 혈소판 내의 과립, 개방소관계, 미세소관구조를 확인 할 수 있다.

실험결과

이번 장에서 소개한 방법을 사용하면 iPS-sac의 혈액 전구 세포의 50% 이상에서 거핵 세포로 분화 유도가 가능하며, 효율적으로 고순도 거핵 세포를 얻을 수 있다(그림 4AB). 동시에 배양 상층액에서 혈소판을 확인할 수 있다(그림 4C). 실제 몸속에 있는 생체 거핵 세포는 존재 빈도가 적게 얻기가 매우 힘들지만, 이 방법을 이용하면 쉽게 거핵 세포를 얻을 수 있다. 여기에서는 거핵 세포·혈소판계를 중심으로 언급했지만, 혈액 전구 세포 유도 후 cytokine의 조합을 바꾸는 것으로, 과립구, 대식세포 및 적혈구 등 다른 혈액계의 연구에도 응용이 가능하다(그림 3).

결론

인간 iPS 세포에서 만들어진 혈소판은 미래 의료에의 적용될 가능성이 시사된다. 그러나 현 시스템의 문제점으로는 ① 의료 목적으로 사용하기 위해서는 원하는 세포로의 분화 유도 효율이 낮다. ② 최종 산물로 만들어 질 때까지의 시간이 길다(1개월 전후) 등의 문제점이 있다. 이상의 문제점에 대한 해결책으로 저자들은 혈소판 직전의 전구 세포인 거핵 세포의 불사멸화 기술 확립을 목표로 하고 있다. 저자들은 인간 ES 및 iPS 세포는 상대적으로 바이러스를 이용한 유전자 도입을 실시하기 쉬운 장점을 활용하여, 인간 ES 및 iPS 세포에서 만들어진 혈액 전구 세포에 바이러스를 이용하여 유전자를 강제 발현시킴으로써 불사멸화된 거핵구 세포주를 제작하도록 노력하거나 Tet-on, off 등의 발현 제어 시스템을 함께 사용하여 불사멸화된 거핵 세포 세포주에서 기능적인 혈소판을 방출시키는 것이 가능하도록 연구를 진행해오고 있다.

또한 인간 iPS 세포에서 유도된 조혈전구세포를 유전자 제어함으로써 사멸하지않는 거핵 세포주를 제작하여, 각 HLA별로 다량으로 저장하여 HLA 적합 혈소판제제를 효율적으로 단기간에 제작하는 것이 가능해질 것으로 생각된다. 이에 따라 각종 HLA에 대응한 혈소판 제제를 안정적으로 제공 할 수 있을지도 모른다. 저자가 제시하고 있는 표적 분화 세포 혹은 그 전구 세포 단계에서 세포 불사화 기술은 재생의료 실현을 위한 새로운 대안으로 주목받고 있다.

이러한 연구를 통해 임상에 조금이라도 더 도움이 될 수 있도록 항상 노력하겠다.

◆ 문헌

1) Takahashi, K. et al. : Cell, 131 : 861-872, 2007
2) Wang, L. et al. : Immunity, 21 : 31-41, 2004
3) Nakano, T. et al. : Science, 265 : 1098-1101, 1994
4) Eto, K. et al. : Proc. Natl. Acad. Sci. USA, 99 : 12819-12824, 2002
5) Vodyanik, M. A. et al. : Blood, 105 : 617-626, 2005
6) Takayama, N. et al. : Blood, 111 : 5298-5306, 2008
7) Takayama, N. et al. : J. Exp. Med., 207 : 2817-2830, 2010

Ⅲ 분화유도의 프로토콜

4 혈관 내피 세포로의 분화 유도

마츠나가 타이치(松永太一), 이쿠노 타케시(幾野 毅), 야마시타 준(山下 潤)

Flow chart

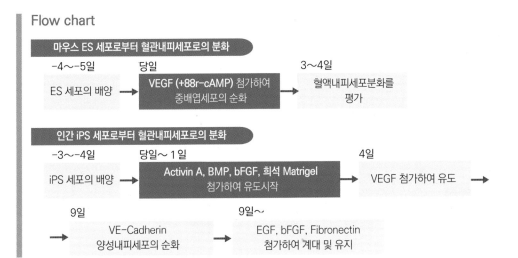

마우스 ES 세포로부터 혈관내피세포로의 분화

-4~-5일 → 당일 → 3~4일

ES 세포의 배양 → VEGF (+88r-cAMP) 첨가하여 중배엽세포의 순화 → 혈액내피세포분화를 평가

인간 iPS 세포로부터 혈관내피세포로의 분화

-3~-4일 → 당일~1일 → 4일

iPS 세포의 배양 → Activin A, BMP, bFGF, 희석 Matrigel 첨가하여 유도시작 → VEGF 첨가하여 유도 →

9일 → 9일~

VE-Cadherin 양성내피세포의 순화 → EGF, bFGF, Fibronectin 첨가하여 계대 및 유지

서론

혈관은 내부 공간의 한층을 덮는 내피 세포와, 외부로부터 둘러싸인 혈관 구조의 지지와 수축·이완 등의 기능을 갖는 혈관벽 세포(혈관 평활근 세포 및 페리 사이트)의 2종류의 세포로 구성된다. ES 세포와 iPS 세포는 몸의 모든 세포로 분화할 수 있는 이른바 "만능" 줄기 세포로 간주되며, 여기서 저자들은 미분화된 마우스 ES 세포와 iPS 세포에서 중배엽 마커인 혈관내피 성장인자 수용체2(VEGFR2/KDR) 양성 세포를 분화 유도하는 분화시스템과 유동 세포 측정기술을 결합하여 혈구 및 혈관 세포를 분화 유도할 수 있는 새로운 체외 분화 시스템을 개발했다[1)2)]. 그림 1과 같이, 이러한 실험 시스템은 VEGFR2 양성 세포에서 혈관 내피 세포 및 벽세포의 분화 과정의 분석을 가능하게 했으며, 혈관 형성에 관련된 매우 다양하고 복잡한 내피세포 및 벽세포의 행동 분석이 용이해졌다. 최근 저자들은 이 분화 실험시스템을 이용하여 cAMP 신호의 활성화에 의해 동맥 내피 세포의 분화 유도에 성공했다[3)~6)]. 또한, 인간 iPS 세포를 이용한 심근세포 분화방법[7)~9)]을 수정하고, 인간 iPS 세포에서 만들어진 혈관 내피세포로의 분화 유도방법을 확립했다. 이번 장에서는 마우스 ES 세포 및 인간 iPS 세포에서 혈관 내피 세포로의 최신 분화 유도 방법을 설명하겠다.

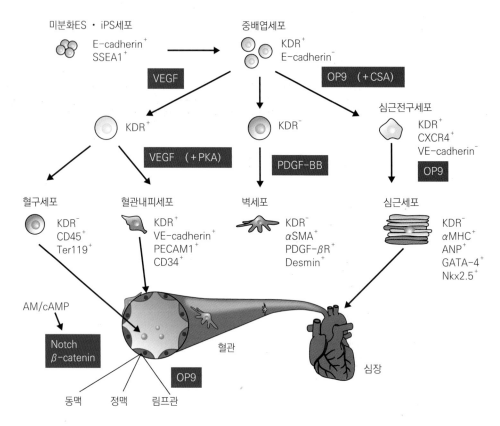

미분화ES · iPS세포　　　　　중배엽세포

E-cadherin⁺　　　　　　　KDR⁺
SSEA1⁺　　　　　　　　　E-cadherin⁻

VEGF　　　　　　　OP9 (+CSA)

심근전구세포

KDR⁺　　　　　　　KDR⁻　　　　　　KDR⁺
　　　　　　　　　　　　　　　　　　CXCR4⁺
　　　　　　　　　　　　　　　　　　VE-cadherin⁻

VEGF (+PKA)　　　PDGF-BB　　　OP9

혈구세포　　　혈관내피세포　　　벽세포　　　　심근세포

KDR⁻　　　　KDR⁺　　　　　KDR⁻　　　　KDR⁻
CD45⁺　　　VE-cadherin⁺　　αSMA⁺　　　αMHC⁺
Ter119⁺　　PECAM1⁺　　　PDGF-βR⁺　ANP⁺
　　　　　　CD34⁺　　　　Desmin⁺　　GATA-4⁺
　　　　　　　　　　　　　　　　　　Nkx2.5⁺

AM/cAMP

Notch
β-catenin

혈관

OP9

심장

동맥　　　정맥　　　림프관

그림 1　ES 및 iPS 세포를 이용한 심장 혈관 세포로의 분화

ES 및 iPS 세포에서 각종 순환기계 세포군으로 체계적으로 분화 유도할 수 있어, 심혈관의 발생 분화 과정을 배양하에서 자의적으로 조작하면서 경시적으로 관찰할 수 있다.

A. 마우스 ES 세포에서 혈관 내피 세포로의 분화유도

준 비

☐ 1α-MEM (Life Technologies, #11900-024)

☐ NaHCO₃

☐ 10% fetal bovine serum (FBS)

☐ Penicillin

☐ Streptomycin

☐ 2-ME (Mercaptoethanol) (Life Technologies, #21985-023)

☐ GMEM (Life Technologies, #11710-035)

☐ KSR (KnockoutTM Serum Replacement) (Life Technologies, #10828-028)

- [ ] Sodium pyruvate (Sigma Aldrich, #S8636)
- [ ] LIF (Leukemia inhibitory factor)
- [ ] NEAA (non-essential amino acid) (Life Technologies, #11140-050)
- [ ] PBS (-)
- [ ] PBS-t (0.03% Tween-20)
- [ ] 정상 마우스 혈청

  직접 조제한 것도 가능

- [ ] 0.25% Trypsin-ETDA (Life Technologies, #25200-076)
- [ ] HBSS / BSA (Hanks Balanced Salt Buffer Containing 1% BSA) (Life Technologies, #14185)

배지의 조제

- [ ] 분화 유도 배지

			(최종농도)
α-MEM	1	pack	
NaHCO$_3$	2.2	g	(2.2 μg/mL)
FBS	100	mL	(10%)
Penicillin	50,000	U	(50 U/mL)
Streptomycin	50	mg	(50 μg/mL)
2-ME[*1]	909	μL	(0.1 mM)
Total	1,000	mL	

[*1]   2-ME는 마지막에 넣는다.

- [ ] 유지용 배지[*2]

			(최종농도)
GMEM	434.1	mL	
FBS	5	mL	(1%)
KSR	50	mL	(10%)
NEAA	5	mL	(1%)
Sodium pyruvate	5	mL	(1 mM)
Penicillin	25,000	U	(50 U/mL)
Streptomycin	25	mg	(50 μg/mL)
2-ME[*1]	909	μL	(0.1 mM)
Total	500	mL	

[*2]   배양 중에는 이는 최종 농도 2×10^3 U/mL이 되도록 LIF를 첨가한다.

항체

- [ ] Anti-mouse KDR antibody

  동일한 클론이면 문제 없음 (AVAS12).

- [ ] Anti-mouse CD31 antibody (BD Biosciences, #553370)
- [ ] Anti-mouse CD31-PE antibody (BD Biosciences, #553373)
- [ ] Anti-mouse CXCR4-Biotin antibody (BD Biosciences, #551968)
- [ ] Streptavidin-APC antibody (BD Biosciences, #554067)
- [ ] EphB4 / Fc chimeric protein (R & D, #446-B4-200)
- [ ] Streptavidin-Alexa 488 antibody (Life Technologies, #S-11223)
- [ ] Anti-rat-Alexa 546 antibody (Life Technologies, #A-11081)

☐ Anti-human-HRP antibody (MP biomedicals, #0855226)

기타

☐ Recombinant growth factor

human VEGF 165 (Wako Pure Chemical Industries, Ltd., #223-01311).

☐ 8Br-cAMP (Nacalai Tesque, #05430-86)

☐ 0.1% gelatin solution

Gelatin (Sigma Aldrich, #G1890).

☐ Dimethyl sulfoxide / methanol

☐ Methanol

☐ H_2O_2 / methanol

☐ DAPI (4',6-diamidino-2-phenylindole) (Life Technology)

☐ TSA Kit (PerkinElmer)

TNB buffer, Biotin-Tyramide, Amplification Diluent를 포함한다.

프로토콜

1. 분화유도

❶ 보통 trypsin처리하여 회수한 미분화 ES 세포를 분화 유도 배지에 현탁하고 젤라틴 코팅 100 mm 배양 접시에 1 X 10⁵ cells/dish 밀도로 분주를 한다[*1].

배양액은 10 mL를 넣고 37℃, 5% CO_2에서 4.5일간 배양한다. 이때 배지 교환을 2회 실시한다 (1회차 : 분화유도 시작 1.5~3일 후 사이. 2회차 : 4일 후 정도).

❷ 배양 상층액을 회수하고 PBS (-)로 2회 씻는다.

다음으로, 0.25% trypsin-EDTA 를 1 mL/dish로 넣고, 37℃ 의 5% CO_2 Incubator에서 5분간 놓아둔다. 이후에 5 mL의 분화 유도용 배지를 넣어 세포를 회수하여 튜브에 넣는다. 240G에서 5분간 원심분리 후 상층액을 흡인제거하고 분화유도 배지 10 mL를 넣고 37℃, 5% CO_2 incubator에 30분간 놓아둔다[*2].

❸ 240G에서 5분간 원심분리 후 상층액을 흡인제거한다.

❹ 1 x 10⁷ 세포 당 50~100 µL의 정상 마우스 혈청에서 현탁하여 4℃,

*1 ES 세포에서 내피세포로의 분화 능은 클론따라 다르다. 또한 세포주에 따라 8Br-cAMP 첨가하여 세포접착이 약해질 가능성이 있어서 세포 밀도 등에 대한 검토가 필요하다. 또한 젤라틴 코팅 배양접시에 부착이 되지 않는 세포주에 관해서는, type 4 collagen과 fibronectin 등으로 코팅하거나 OP9 stromal cell 등의 feeder 세포위에 분주 하는 것을 검토한다.

*2 Trypsin-EDTA 처리에 의해 부분적으로 손상된 세포막 항원 발현의 회복을 기다린다. 특히 CXCR4를 염색하는 경우, 60~90분 정도 37℃에서 놓아두는것이 Flow cytometry로 평가할 때 도움이 된다.

20분간 넣어둔다.

❺ 적당량의 항 KDR 항체를 넣고, 4℃, 20분간 넣어둔다.

❻ HBSS/BSA로 2회 씻은 후 KOR⁺ 중배엽 세포를 flow cytometry를 이용하여 정제한다.

❼ 정제된 KDR⁺ 세포를 젤라틴 코팅된 6-well plates에 1 x 10⁵ cells/dish로 분주한다[*3].
분화유도배지에 VEGF 50 ng/mL 첨가 배양하면, 내피세포 및 벽세포의 분화가 관찰된다[*4].

❽ 3~4일 후, flow cytometry 방법 및 면역 염색법으로 내피 세포 분화를 평가한다.

2-A. Flow cytometry 방법을 이용한 평가

❶ 배양 상청을 제거하고 PBS(-)로 2회 씻는다.

다음으로 0.25% trypsin-EDTA를 250 μL/well 농도로 넣고, 37℃, 5% CO_2에서 5분간 놓아둔다. 1 mL의 분화 유도용 배지를 첨가하여 세포를 회수한 후, 240G에서 5분간 원심분리를 하고 500 μL의 분화 유도 배지에 현탁하여 37℃, 5% CO_2에서 30~60분간 놓아둔다[*2].

❷ 240G에서 5분간 원심분리후 상층액을 흡인제거 한다.

1 x 10⁷ 세포 당 50~100 μL의 정상 마우스 혈청에서 현탁하여 4℃, 20분간 놓아둔다.

❸ 적당량의 anti-CXCR4-Biotin antibody를 추가로 넣고 4℃, 20분간 놓아둔다.

❹ HBSS/BSA로 2회 씻은 후 anti-CD31-PE antibody 및 항체 및

*3 면역염색을 시행할 경우, 24-well plates에 1~2×10⁴ 세포

*4 VEGF와 8Br-cAMP 0.5 mM을 첨가하면 동맥 내피 세포가 유도될 수 있다.

III

4

혈관 내피 세포로의 분화 유도

Streptavidin-APC antibody를 추가로 넣고, 다시 4℃, 20분간 반응시
킨다.

❺ HBSS/BSA로 2회 씻은 후 flow cytometry를 이용하여 내피 세포의 분
화를 평가한다.

2-B. 면역 세포 염색법을 이용한 평가

❶ 배양 상층액을 제거하고, 차가운 PBS(-)로 2회 씻는다.

500 μL/well의 5% dimethyl sulfoxide / methanol을 넣고 4℃, 10분간 고정
한다.

❷ 차가운 methanol 750 μL를 넣고 4℃, 10분간 진탕시킨다.

이것을 2회 반복한다.

❸ 0.3% H_2O_2/methanol을 넣고 4℃에서 30∼60분간 처리하여 endog-
enous peroxidase를 실활시킨다.

❹ 차가운 PBS(-)로 2회 세척한다.

❺ 500 μL의 TNB buffer을 넣고, 4℃ 오버 나이트에서 처리하고 차단한다.

❻ TNB buffer로 희석한 EphB4/Fc chimeric protein(500x), anti-CD31
antibody(500x)를 300 μL 추가하고, 4℃ 오버 나이트로 반응시킨다.

❼ PBS-t에서 10분간 실온에서 진탕시킨다.

이것을 2회 반복한다.

❽ TNB buffer로 500배 희석한 anti-human HRP antibody를 300 μL /
well 첨가하고, 30분 실온에서 반응시킨다.

❾ PBS-t에서 10분간 실온 진탕시킨다.

이것을 3회 반복한다.

❿ Amplification Diluent로 50배 희석 한 Biotin-Tyramide를 300 μL/well 넣고 10분간 실온에서 반응시킨다[*5].

⓫ PBS-t에서 10분간 실온 진탕시킨다.

[*5] TSA kit의 Biotin-Tyramide 용액은 동결,융해의 반복에 약하다. 품질이 나빠지면 비특이적 염색의 원인이 될 수 있다. 적은양으로 나누어서 −20℃에서 저장하여 DMSO가 동결되기 전에 사용한다.

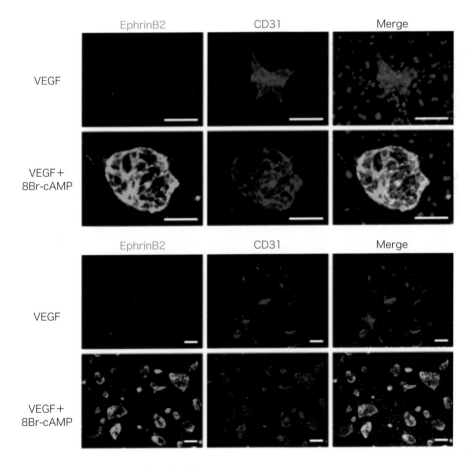

그림 2　마우스 ES 세포 유래 혈관 내피 세포

VEGF 단독 처리에 의해 EphrinB2 음성 정맥 또는 미숙 내피 세포의 분화를 유도할 수 있다. VEGF 이외에 BBr-cAMP 첨가에 따른 cAMP 신호 활성화에 의해 EphrinB2 양성 동맥 내피 세포의 분화를 유도할 수 있다. Bar = 250 μm

이것을 3회 반복한다.

⓬ TNB buffer로 희석한 Streptavidin-Alexa 488 antibody(500x), anti-rat-Alexa 546 antibody(500x), DAPI (final concentration: 100 ng / mL)을 0.3 mL/well을 넣고 1시간 실온 진탕시킨다[*6].

*6   이후로는 차광하여 작업을 한다.

⓭ PBS-t에서 10분간 실온 진탕시킨다.

이것을 3회 반복한다.

⓮ 형광 현미경으로 내피세포의 분화를 평가한다.

실험 결과 (마우스 ES 세포에서 혈관 내피 세포로의 분화 유도)

저자들은 마우스 ES에서 만들어진 Flk1 양성 세포를 VEGF가 포함된 배지에서 3일간 배양하였다. VEGF 단독 처리에 의해 유도된 혈관 내피 세포는 EphrinB2 음성 정맥 또는 미성숙 내피세포이다(그림 2). 또한 VEGF 에 추가로, 8Br-cAMP 를 첨가하여 cAMP 신호를 활

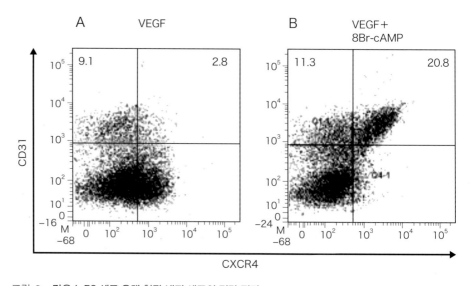

그림 3   마우스 ES 세포 유래 혈관 내피 세포의 정량 평가
A) VEGF 단독 처리에 의해서 유도되는 혈관 내피 세포는 대부분 CXCR4 음성 정맥 혹은 미숙한 내피 세포이다 . B) 8Br-cAMP 첨가에 따른 cAMP 신호 활성화로 CXCR4 양성의 동맥 내피 세포의 분화를 유도할 수 있다 .

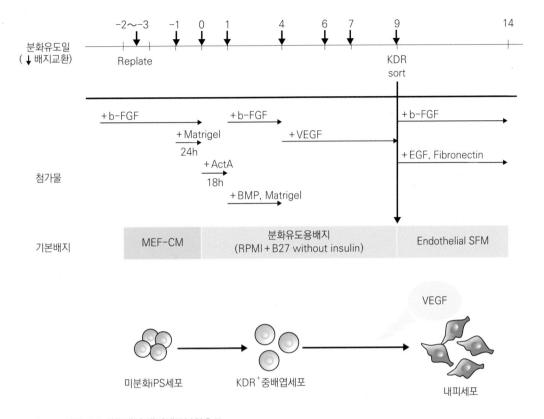

그림 4   인간 iPS 세포에서 내비세포분화유도

b-FGF 존재하에 MEF-CM에서 유지된 iPS 세포를 Activin A에 이어서 BMP4와 b-FGF에서 중배엽 세포로 유도하고, VEGF 및 8Br-cAMP에서 내피 세포로 분화시킨다. 분화 유도 9일째에 VE-Cadherin 양성 세포를 FACS로 분류하여 정제된 내피 세포를 얻을 수 있다. 정제된 내피 세포는 다시 배양과 증식이 가능하다.

성화함으로써 EphrinB2 양성 동맥 내피세포의 분화를 유도할 수 있다. 그리고, 동맥의 표현 인자인 CXCR4를 이용하여 flow cytometry를 통해서 정량적인 평가가 가능하다(그림 3).

B. 인간 iPS 세포에서 혈관 내피세포로의 분화 유도(그림 4)

준 비

☐ Mitomycin C (Wako Pure Chemical Industries, #3377)

☐ Matrigel

　Growth Factor Reduced.

☐ 0.1% Collagenase IV

☐ 0.25% Trypsin (Life Technologies, #15050-057)

☐ KSR

☐ CaCl$_2$

☐ PBS

☐ CTK용액

		(최종농도)
10g/mL Collagenase IV	10 mL	(0.1%)
2.5% Trypsin	10 mL	(0.25%)
KSR	20 mL	(20%)
100mM CaCl$_2$	1 mL	(1 mM)
PBS	59 mL	
	100 mL	

☐ DMEM (Dulbecco's modified Eagle's medium),(Life Technologies, Inc., #11965-118)

☐ FBS

☐ L-Glutamine (Life Technologies, Inc. #25030-81)

☐ NEAA

☐ KnockoutTM-DMEM (Life Technologies, #10829-018)

☐ 2-ME

☐ RPMI 1640 (Life Technologies, Inc. #12633-20)

☐ B-27® Supplement Minus Insulin (Life Technologies, #0050129SA)

☐ Endothelial SFM (Life Technologies, #11111-044)

☐ 5 mM EDTA 5% FBS in PBS

　　EDTA, FBS, PBS.

배지의 조제

☐ MEF-CM (mouse embryonic fibroblast conditioned medium) 배지

　　프로토콜 중 MEF-CM 배지의 제작 참조

☐ MEF 배지

		(최종농도)
DMEM	500 mL	(90%)
FBS	50 mL	(10%)
L-Glutamine	5 mL	(2 mM)
NEAA	6 mL	(1%)

☐ ES 배지

		(최종농도)
Knockout™-DMEM	470 mL	(80%)
KSR	120 mL	(20%)
200mM L-Glutamine	3 mL	(1 mM)
55mM 2-ME	1.1 mL	(0.1 mM)
NEAA	6 mL	(1%)
총	600 mL	

☐ 분화유도용배지

	(최종농도)	
RPMI1640	485 mL	(97%)
200 mM L-Glutamine	5 mL	(2 mL)
B-27® Supplement Minus Insulin	10 mL	(2%)
	500 mL	

첨가제

☐ Activin A (R & D, #338-AC-010)

☐ BMP4 (R & D, #314-BP-010)

☐ Recombinant growth factor

　bFGF [fibroblast growth factor (basic)], human EGF.

☐ 8Br-cAMP

☐ VEGF

☐ human fibronectin (Life Technologies, #33016-015)

☐ Y27632 (Wako Pure Chemical Industries, #257-0051)

　ROCK (Rho-associated coiled-coil forming kinase/Rho-linked kinase) inhib-

　itor

☐ DAPI

　Mouth anti-human CD309 (KDR)-PE antibody (Miltenyi Biotec #130-

　102-559)

☐ 기타

☐ Versene (Life Technologies, Inc. #15040066)

☐ Accumax (Innovative Cell Technologies)

☐ 100X20 mm 세포 배양 접시(BD Biosciences)

☐ cell culture 6-well multi well plate flat bottom lid (BD Biosciences)

☐ 15 mL polystyrene conical tube (BD Biosciences)

☐ Cell scraper (Sumitomo Bakelite)

☐ Cell strainer/Tube with cap (BD Biosciences)

프로토콜

1. Feeder free 조건에서 iPS 세포 계대 및 유지

MEF-CM 배지의 제작

❶ Mitomycin C에서 2.5시간 동안 처리한 마우스 태아 섬유아세포(MEF)
　세포를 55,000 cells/cm²의 밀도로, MEF 배지 0.5 mL/cm²에서 1일
　간 배양한다.

❷ 다음날부터 7일간 0.5 mL/cm² 밀도의 ES 배지에 4 ng/mL의

b-FGF를 추가하여 매일 배지를 교환한다.

이때 회수한 배지를 MEF-CM 배지로 사용한다[*1].

*1   사용하기 직전에 b-FGF 4 ng/mL를 추가한다.

계대(4~6일마다, 합류(confluence)시)

❶ iPS 세포를 배양하는 배양 접시에서 배지를 흡입제거하고, PBS 5 mL를 넣은 후 다시 흡입제거하여 세척한다.

❷ 배양 조직에 CTK 용액 1.5 mL를 넣고 37℃에서 3분간 놓아둔다.

한편, 새로이 Matrigel 코팅된 배양 접시에서 Matrigel을 흡인 제거하고, 37℃로 가온해놓은 b-FGF 4 ng/mL를 첨가한 MEF-CM을 8 mL씩 추가한다.

❸ CTK 용액을 흡입제거하고, MEF-CM을 2 mL 추가한다. 스크레이퍼에서 iPS 세포 colony를 남지 않게 박리하여, 15 mL 원심관 튜브에 넣는다. 나머지 MEF-CM에 배양 조직을 세척하여 시험관에 넣는다.

시험관 내에서 대략 10회정도 피펫팅을 한다.

❹ 세포가 들어 있는 배지를 각각 2 mL씩, 준비된 배양 접시에 분주한다.

유지

❶ 계대 다음날을 제외하고, 매일 배양 조직에서 배지를 흡입제거한 후, 가온 놓은 b-FGF 4 ng/mL이 첨가된 MEF-CM 10 mL로 배지를 교환한다.

2. 혈액 내피세포의 분화 유도

다시 파종에 의한 분화 유도 [3일 전(-3일째) (또는 4일 전)]

❶ PBS 5 mL로 세척한다.

❷ Versene 2 mL를 추가하고, 37℃, 3~5분 동안 incubator 시행한다.

❸ Versene 흡입 제거 후, MEF-CM 1 mL를 1,000 µL 마이크로 피펫을 사용하여 약간 강하게 피펫하여 세포를 회수한다[*2].

*2   이때 10번 이상 피펫팅은 세포 사멸의 원인이 될 수 있으므로 다소 남아있더라도 중단한다.

❹ 세포 수를 측정하고, Matrigel이 코팅된 배양 조직에 800,000 ~1,000,000 cells/well의 밀도로 MEF-CM과 함께 파종한다.

Matrigel overlay 분화 유도 (~1일째)

❶ 다시 분주하여 2-3일 배양하여 iPS 세포가 배양접시를 완전히 덮은 때까지 증식된 것을 확인한 후, b-FGF 4 ng/mL가 첨가된 MEF-CM 5 mL를 이용하여 1/60 희석된 Matrigel을 넣은 배지로 교환한다.

따라서 Matrigel이 세포의 상층에 도포가 된다.

Activin A 첨가 (분화 유도 0일째)

❶ Matrigel overlay를 진행한 24시간 후, 4 mL 분화 유도용배지에 125 ng/mL의 Activin A를 넣은 배지로 교환한다.

Rematrigel overlay (분화 유도 1일째)

❶ Activin A 첨가 18시간 후, 분화 유도용 배지에 10 ng/mL의 BMP4, 10 ng/mL의 b-FGF, 그리고 1/60 희석된 Matrigel을 첨가한 배지 5 mL로 배지교환을 시행한다.

VEGF 첨가 (분화 유도 4, 6, 7일째)

❶ 100 ng/mL의 VEGF 들어간 분화 유도용 배지 5 mL로 배지를 교환한다.

3. 혈관 내피세포의 정제 및 재배양 (분화 유도 9일째)

❶ PBS 5 mL로 세척하고, Accumax를 넣고 37℃에서 15분 동안 놓아둔다.

❷ α-MEM 배지 1 mL를 넣고 1,000 μL 마이크로 피펫으로 20회 정도 피펫팅을 한다.

단세포화된 현탁액을 15 mL 원심관 튜브에 회수한다.

❸ 세포수를 측정한다.

5 mM EDTA 5% FBS in PBS 10 mL를 세포가 들어있는 15 mL 원심관 튜브에 넣고, 1,100 rpm (AX-310, Tomy Industries)에서 5분간 원심분리 진행 후 흡인제거한다. 동일한 방법으로 총 2회 세척한다.

❹ 5 mM EDTA 5% FBS 500 μL로 현탁한다.

이 중 5 μL를 FACS 이용시 컨트롤용으로 따로 준비한다. 먼저 5 mL

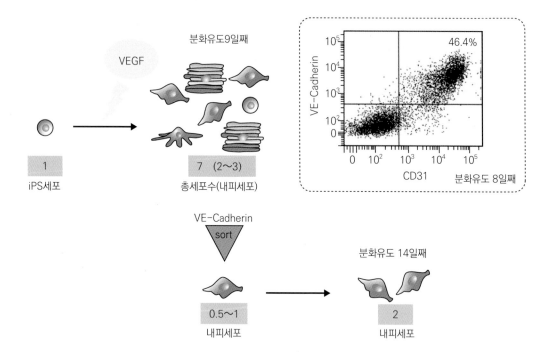

그림 5　내피 세포 분화 유도 및 순화 , 그리고 다시 배양

본 프로토콜은 분화 유도 9일째에는 총 세포 수는 7배가 된다. VEGF을 이용하면 내피 세포 유도율은 분화 유도 8일 또는 9일째 최고로 30~40%(최대 46.4%)를 보인다. 분화 유도 9일째 VE-Cadherin 양성 세포를 FACS로 정제하면, 하나의 iPS 세포부터 0.5~1.0개의 내피 세포를 얻을 수 있다. 얻어진 내피 세포는 다시 배양 증식이 가능하며 5일정도의 시간이면 2.5배로 증가된다.

폴리스티렌 튜브에 준비된 5 μL을 넣고, 여기에 100 ng/mL DAPI를 첨가한 5 mM EDTA 5 % FBS 100 μL 현탁하고, 셀 스트레이너 캡 튜브를 이용해서 회수한다. 나머지는 VE-Cadherin-PE antibody 0.5 μL / 1,000,000 cell 을 첨가한 후 실온에서 30분간 반응시킨다.

❺ 5 mM EDTA 5% FBS in PBS 10 mL로 2회 세척한다.

5,000,000 cell마다 5 mM EDTA 5% FBS in PBS 3 mL에 현탁하여, 50 ng/mL의 DAPI를 첨가한 후 셀 스트레이너 캡 튜브에 분주한다.

❻ FACS에서 VE-Cadherin 양성 세포를 PE의 형광 휘도를 이용해서 정제한다(그림 5).

정제된 세포를 보관해 놓고, 분화유도용 배지는 penicillin, streptomycin, 및 VEGF 100 ng/mL를 첨가하여 준비한다.

❼ 정제 후 세포수를 측정한다.

1% 젤라틴으로 코팅된 배양 접시(100 × 20 mm)에 250,000 수의 세
포를 분화유도용 배지 5 mL와 함께 파종한다.

<유지용 배지>　　　　　　　　(최종농도)

Endothelial SFM

b-FGF*3　　　　　　　　　　(20 ng/mL)

EGF*3　　　　　　　　　　　(10 ng/mL)

fibronectin*3　　　　　　　　(10 µg/mL)

*3　모두 사용 직전에 추가한다.

4. 혈관 내피세포의 계대 및 유지

계대

❶ PBS 5 mL로 세척한다.

❷ 0.05% Trypsin 500 µL를 첨가하고 37℃에서 3분간 incubator에 놓아둔
다.

❸ 유지용 배지 1 mL를 첨가하여 세포를 회수한다.

❹ 세포수를 측정하여 200,000 수 세포를 유지용 배지 4 mL에 파종한다.

유지

❶ 2일마다 유지용 배지 5 mL로 배지를 교환을 시행한다.

 문제 발생 시 대응

- **■ 미분화 iPS 세포가 재파종 후 생착되지 않는다.**

  과도한 피펫팅이 세포사멸의 원인이 될 수 있으므로, Versene에서의 배양 시간을 조금 길게함으
  로써 세포 박리가 용이해지고 피펫팅의 횟수를 줄일 수 있다.

- **■ 분화유도 4일째 이상부터 세포가 잘 박리된다.**

  이 시기의 세포는 꽤 박리되기가 쉽고, 6일째부터 점차적으로 총 세포수가 감소하는 주요 원인이
  다. 배지교환시 배지를 제거하거나 넣을때에 시간을 들여 천천히 수행해야 한다. Matrigel은 가온
  시 빠르게 겔 형태로 굳어진다. 따라서, 분화유도 -1일과 1일에는 식은 배지에 Matrigel을 넣고
  잘 썩은 후에 가열하지 않으면, Matrigel은 덩어리가 되어 세포를 균일 하게 덮지 않아서 세포 박
  리가 잘 일어날 수 있다.

III

4

혈관 내피 세포로의 분화 유도

실험결과(인간 iPS 세포에서 혈관 내피세포로의 분화 유도)

본 프로토콜에서 인간 iPS 세포로부터 분화유도를 시행하면, 내피세포 특이적 표면 항원인 VE-Cadherin 및 CD31 이중양성 내피세포는 분화유도 8일 또는 9일째에 최대 46%가 내피 세포로 분화한다. VE-Cadherin 양성 세포를 FACS로 정제하여 순수 내피세포를 얻을 수 있다. 회수된 내피세포는 다시 배양이 가능하며, 5일 동안 2.5배로 증식되었다(그림 5)

결론

이 장에서는 마우스 ES 세포 / 인간 iPS 세포에서 혈관 내피세포 분화유도 방법을 소개했다. 이 방법은 혈관의 발생 분화 과정을 배양하에 임의적으로 조작하면서 시간적으로 관찰할 수 있기 때문에, 혈관의 발생 분화 메커니즘을 세포 수준, 분자 수준에서 검토 할 수 있다. 따라서 knock-out 마우스의 형질 분석에 의존하여 진행한 분화의 분자 메커니즘의 분석을 in vitro에서 실시하는 새로운 접근이 가능하게 되었다. 또한 인간 iPS 세포 유래 내피세포는 고밀도 단층 배양이며, 쉽게 확장될 뿐 아니라, 재생 의료를 고려하여 무혈청 배양이 시행될 수 있고, 이식 실험과 질환모델에서의 실험에 응용도 가능하다. 따라서 이 분화 체계에 의해 혈관 발생을 다각적으로 분석 할 수 얻은 지식을 다양한 방식으로 재생 의료를 중심으로 한 응용 연구에 도움이 될 수 있겠다.

◆ 문헌

1) Yamashita, J. et al. : Nature, 408 : 92-96, 2000
2) Narazaki, G. et al. : Circulation, 118 : 498-506, 2008
3) Yurugi-Kobayashi, T. et al. : Arterioscler. Thromb. Vasc. Biol., 26 : 1977-1984, 2006
4) Yamamizu, K. et al. : Blood, 114 : 3707-3716, 2009
5) Yamamizu, K. et al. : Stem Cells, 30 : 687-96, 2012
6) Yamamizu, K. et al. : J. Cell Biol., 189 : 325-338, 2010
7) Laflamme, M. A. et al. : Nat. Biotechnol., 25 : 1015-1024, 2007
8) Foster, L. J. : Mol. Cell. Proteomics, 11 : A110.0063871, 2012
9) Masumoto, H. et al. : Stem Cells, 30 : 1196-1205, 2012

5 인간 iPS 세포에서 killer T 세포로의 분화 유도

마스다 타카코(增田喬子), 카와모토 히로시(河本宏)

Flow chart

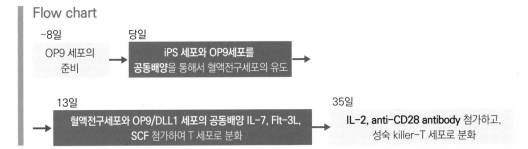

-8일	당일
OP9 세포의 준비	iPS 세포와 OP9세포를 공동배양을 통해서 혈액전구세포의 유도

13일	35일
혈액전구세포와 OP9/DLL1 세포의 공동배양 IL-7, Flt-3L, SCF 첨가하여 T 세포로 분화	IL-2, anti-CD28 antibody 첨가하고, 성숙 killer-T 세포로 분화

서론

모든 혈액 세포는 골수에서 만들어진다. **조혈 줄기세포**는 태생기에는 간에, 성인에서는 골수에 존재하고, T 세포 이외의 혈액 세포는 태아 간 또는 골수에서 분화한다. 그러나 T 세포는 예외여서 **T 전구 세포**가 흉선으로 옮겨간 뒤, 흉선에서 T 세포 고유의 분화가 일어난다. 그림 1에 인간 T 세포의 분화 과정을 보여주고 있다[1], [2].

흉선에서 T 세포의 분화를 지원하는 것은 **흉선 상피 세포**이다. 그렇다면 흉선 상피 세포를 꺼내 조혈 전구 세포와 함께 배양하면 T 세포로 분화가 가능한가 하면, 그렇지는 않다. 흉선 상피 세포를 단층 배양하면 빠르게 T 세포 분화를 지원하는 능력을 잃을 것이다. 따라서 오랫동안 T 세포의 분화 유도는 흉선 조직 자체가 사용되어 왔다. 즉, 디옥시구아노신(deoxyguanosine) 이라는 약물을 이용하여, 태아 흉선에서 어린 T 세포를 제거하고 지지 세포만을 남긴 상태를 만들고, 거기에 조혈 전구 세포를 배양하는 방법이다.

흉선에서만 T 세포 분화가 일어나고 있다는 것은 **흉선 환경**에는 특유의 T 세포 분화 유도 인자가 있다는 것을 의미한다. 그 인자의 정체는 오랫동안 불분명했지만, 1999년에 그것이 **Notch 신호**임이 밝혀졌다[3], [4]. 이로 인하여 T 세포 배양법은 크게 발전했다. 골수 유래의 기질세포로 만든 세포주는 일반적으로 B세포와 골수 세포의 분화는 지원하지만, T 세포의 분화는 지원하지 않는다. 그런 기질 세포에 Notch Ligand 중 **DLL1 (Delta-like 1)**을 강제 발현 시키면 T 세포의 분화를 지원하는 것이 밝혀졌다[5]. 즉 기질 세포와 공동 배양에 의해 단층 배양으로도 T 세포를 유도할 수 있게 된 것이다. 자주 사용되는 기질 세포는 마우스 유래세포이지만, 이 시스템은 인간 세포의 분화 유도에도 사용할 수 있다. 또한, 이 배양밥법은 DLL1을 이용하지만, 실제로 흉선에서 Ligand로 작용하는 것은 DLL4임이 알려졌다[6].

이번 장에서는 단층 기질세포인 **OP9/DLL1 세포**를 이용한 방법을 소개한다. 단순히 조혈 전구 세포에서 T 세포를 분화 유도 할 뿐이라면 다른 기질 세포도 좋지만, ES · iPS 세포에서 혈액 세포의 유도에는 OP9/DLL1 세포가 적합하다. 인간 ES 세포에서 T 세포를 유도하는 방법은 잘 알려져 있어서[7], 이번 장에서 기존에 알려진 것을 중심으로 소개하겠다.

그러나 단층 기질세포와 공동 배양은 흉선 조직과의 공동 배양법에 비해 큰 단점이 있다. 그것은 성숙 T 세포로 아주 잘 분화가 되지는 않는다는 것이다. 마우스로도 인간도 **γδT 세포, NKT 세포**는 단층 기질세포와의 공동 배양법으로 성숙 세포까지 분화 유도가 가능하지만, 보통의 αβT 세포의 경우는 이른바 **이중 양성(double positive : DP) 세포**인 CD4 CD8 모두 양성인 단계에서 분화가 멈춰 버리는 것이다(표 1). 여기서부터 추가적인 분화 유도를 위해서는 더 많은 연구가 필요한데, 이번 장에서는 저자들이 개발한 Killer T 세포(CD8 T세포)를 유도하는 방법을 소개하도록 하겠다[8].

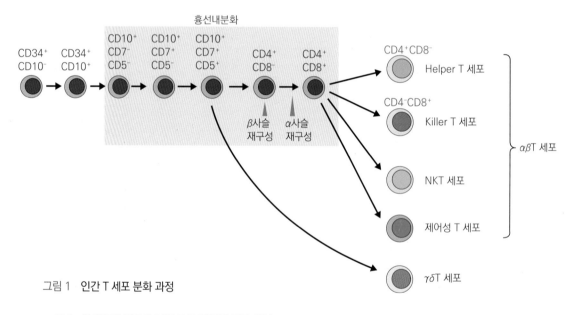

그림 1   인간 T 세포 분화 과정

표 1   T 세포의 종류와 분화 유도 배양의 성공 여부

T 세포의 종류		항원 인식 방법	단층 스트로마세포공배양	
			마우스	인간
γδT세포		단백질, 지질 항원 등을 직접 인식	○	○
αβT세포	Helper T 세포	MHC 분자에 제시된 펩티드 항원을 인식	△	△
	Killer T 세포		△	△
	Controlled T 세포		△	△
	NKT 세포	CD1d 분자에 제시된 당지질 항원을 인식	○	○

△ : DP단계까지 가능

☐ StemPro®EZPassage™Disposable Stem Cell Passaging Tool (Life Technologies, #23181-010)

☐ EZ-passage 롤러를 포함한다.

☐ 0.1% 젤라틴/PBS 용액(Sigma Aldrich)

☐ HBSS (+Mg, +Ca) (Life Technologies, Inc., #24020-117)

☐ PBS (-) (Wako Pure Chemical Industries, Ltd., #166-23555)

☐ Collagenase IV (Life Technologies, Inc., #17104-019)

☐ αMEM (Life Technologies, Inc., #11900-073)

☐ Fetal bovine serum (FBS) *1

☐ 0.05% trypsin / EDTA (Life Technologies, #25300054)

☐ OP9 stroma cell line (RIKEN BioResource Center, BRC ID: RCB 1124) *2

☐ OP9 / N-DLL1 stroma cell line (RIKEN BioResource Center, BRC ID: RCB2927) *3

☐ Human recombinant IL-7 (R & D Inc., #207-IL-005)

☐ Human recombinant SCF (R & D Inc., #255-SC-010)

☐ Human recombinant Flt-3L (R & D Inc., #308-FK-005)

☐ Human recombinant IL-2 (R & D Inc., #202-IL-010)

☐ Anti-CD3 antibody (eBioscience, #16-0037-81)

　clone: OKT3

☐ Anti-CD28 antibody (eBioscience, #16-0289-81)

　clone: CD28.2

☐ Penicillin / streptomycin (Life Technologies, #15140-148)

배지의 조성

☐ medium A (OP9 기질세포 유지용)

		(최종농도)
α MEM	500　mL	
FBS	125　mL	(20%)
Penicillin / streptomycin solution *4	6.25 mL	(1%)
Total	631.25 mL	

☐ medium B (T 세포 분화 유도용)

		(최종농도)
α MEM	500　mL	
FBS	125　mL	(20%)
Penicillin / streptomycin solution *4	5　mL	(1%)
hrIL-7 (10 µg/mL)	0.315 mL	(5 ng/mL)
hrFlt-3L (10 µg/mL)	0.315 mL	(5 ng/mL)
hrSCF (10 µg/mL)	0.630 mL	(10 ng/mL)
Total	631.26 mL	

*1 OP9 세포는 fetal bovine serum 의 Lot가 잘 맞지 않으면 유지가 어렵기 때문에, 처음에는 많은 혈청 Lot검사를 수행하여 OP9 에 맞는 최적의 것을 선택해 둔다. OP9을 여러번 계대 배양했을 때의 계대 기간이 일정 해지는 것이 바람직하다.

*2 op/op 마우스의 골수 세포에서 생성된 기질세포는 유전적 이상으로 인해 M-CSF가 만들어 지지 않는다.

*3 OP9 세포주 GFP에 인간 NGFR를 마커로 마우스 DLL1을 도입해서 만든 세포주. OP9/G-DLL1(이화학 연구소 바이오자원 센터, BRCID : RCB292⁵⁾도 마찬가지로 사용될 수는 있지만, 생성된 세포를 FACS로 분석하는 경우 기질세포의 GFP가 방해가 될 수 있으므로, 일반적으로 OP9 / N-DLL1을 사용한다. 이것은 토론토 대학의 그룹과는 별개로 저자들이 제작한 것이다.

*4 Penicillin/streptomycin 용액의 조성은 Penicillin 10000 U/mL, streptomycin 10000 µg/mL이므로, 최종농도는 각각 100 U/ mL, 100 µg/mL이다.

1. OP9 세포의 조제

OP9 세포의 준비 (8일전)

❶ 0.1% 젤라틴/PBS 용액 6 mL를 100 mm 배양 접시에 넣고, 37℃에서 30분 이상 놓아둔다.

❷ 합류(바닥이 세포로 가득 찬 상태, confluence) 상태가 된 OP9 세포를 trypsin–EDTA 용액으로 박리한 후, 그 1/4 상당량($2\sim3 \times 10^5$개)을 젤라틴 코팅된 100 mm 배양 접시에 배양한다[*1].

배지는 medium A를 10 mL 정도가 되도록 넣는다.

*1 인간 iPS 세포가 OP9가 들어있는 배양 접시안에서 접착 될 수 있도록 젤라틴 코팅 처리된 배양 접시를 사용한다.

새로운 OP9 배지 첨가 (4일전)

4일전에 배양한 OP9 세포 배양 접시에 새로운 medium A를 10 mL 첨가하여, 전체량이 20 mL이 되도록 만든다.

2. iPS 세포와 OP9 세포의 공동배양

인간 iPS 세포에서 T 세포 분화 유도는 1) iPS 세포로부터 혈구 전구 세포의 유도, 2) 혈구 전구 세포에서 T 세포 분화 유도, 3) 미성숙 T 세포 단계에서 성숙 킬러 T 세포 단계로 유도하는 단계로 진행한다(그림 2).

1) iPS 세포로부터 혈구 전구 세포의 유도

❶ iPS 세포와 OP9 세포의 공동 배양 시작(분화 유도 0일째)

공동 배양에 사용하는 OP9 세포의 배지를 흡입제거하고 새로운 medium A로 교환한다. 또한 인간 iPS 세포 배양 접시의 배지도 마찬가지로 흡입 제거하고 새로운 medium A를 10 mL 첨가 한다.

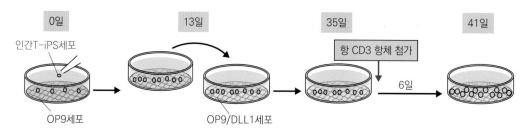

그림 2 스트로마 세포와 공동 배양에 의한 인간의 T-iPS 세포에서 T 세포 분화 유도 실험 절차

EZ-passage 롤러로 박리한 인간 T-iPS 콜로니 일부를 OP9 세포에 파종하고, 2주 후에 OP9/DLL1에 옮긴다. 35일째 항 CD3 항체를 첨가하여 CD8 SP 세포를 유도한다.

❷ EZ-passage 롤러로 인간 iPS 세포를 박리한다.

❸ 박리된 iPS 세포 덩어리들을 200 μL 마이크로 피펫으로 피펫팅하여 부유시
킨 후, 육안으로 대략 600개의 iPS 세포 덩어리를 OP9 세포에 분주한다.

❹ 배지 교환 (1일째)

배지를 새로운 medium A 20 mL로 교환한다.

❺ 배지 절반 교환 (5일째)

배지의 절반만 새로운 medium A 10 mL로 교환한다.

❻ 배지 절반 교환 (9일째)

배지의 절반만 새로운 medium A 10 mL로 교환한다.

2) 혈구 전구세포로부터 T 세포분화유도

❶ 유도된 혈구전구세포는 OP9 세포에서 OP9/DLL1 세포로 옮긴다(13일째).
배지를 흡인하고, 세포 표면에 HBSS (+Mg,+Ca)용액으로 배지를 세척
한다.

❷ 그 후에 250U Collagenase IV/HBSS (+Mg +Ca) 용액 (Collagenase 용
액) 10 mL를 첨가하고, 37℃에서 45분간 배양한다[*2].

❸ Collagenase 용액을 흡입하고, PBS (-) 10 mL로 세척한다.

❹ 그 후 5 mL의 0.05% trypsin-EDTA 용액을 가하고, 37℃에서 20분 배양
한다.

❺ 배양하게되면 세포가 막 모양으로 벗겨지기 때문에, 피펫팅을 통해 물리적

*2   이 처리를 해도, 외관상 변화는
     거의 없다.

으로 미세하게 만든다*3.

❻ 여기에 새로운 medium A를 20 mL 첨가하고, 추가로 37℃에서 45분간 배양한다*4.

❼ 배양 후, 부유세포를 포함하는 상층액을 100 μm의 메쉬를 통해 회수한다.

❽ 4℃, 1,200 rpm (280G)에서 7분간의 원심분리를 진행, 이후 펠릿은 10 mL의 medium B에 현탁한다.

이 중 1/10을 FACS 분석용으로 준비하고, 나머지 세포들을 OP9/DLL1 세포에 분주한다*5. 여러장의 배양접시로부터 얻은 세포로 진행했을 경우, 다시 원래의 수와 같은 수량이 되도록 재분배하여 세포를 다시 분주한다.

❾ 회수된 세포에 조혈전구세포가 포함되어 있는지를 확인하기 위해, 항 CD34 항체와 항 CD43 항체를 사용하여 FACS 분석을 시행한다*6 *7.

조혈 전구 세포가 유도되면, CD34^{low}CD43$^+$ 세포 분획에서 충분한 세포 수를 확인할 수 있다(그림 3).

❿ 세포의 계대(16일째) *8

OP9 세포에 느슨하게 접착된 세포를 부드럽게, 천천히, 수회 피펫팅을 시행하고, 100 μm의 메쉬를 통해 50 mL 코니칼 튜브로 회수한다. 4℃, 1,200 rpm(280G)에서 7분간의 원심분리를 진행하고, 만들어진 펠릿을 10 mL의 Medium B에 현탁한다. 이후에 새로 준비된 OP9/DLL1 세포에 분주한다.

⓫ 세포의 계대(23일째) 혈액 세포 colony가 보이기 시작

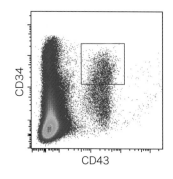

그림 3 배양 13 일째의 FACS 결과
얻은 세포를 항 인간 CD43, CD34 항체를 이용하여 FACS 분석을 실시한다. 혈액 세포를 유도할 수 있는 CD34^{low}CD43$^+$ 분화면의 세포 집단을 발견 할 수 있다. 문헌 8 을 참고.

*3 접착 세포를 분리하기 위해

*4 이렇게 하면 배양 접시에 부착된 세포를 제거된다.

*5 필요한 때에 OP9/DLL1 세포가 합류(confluence)가 되도록, 3일 전에 OP9 / DLL1 세포를 계대한다. 합류가 일어난 OP9 / DLL1 세포를 trypsin/EDTA 용액으로 박리하여 10 cm 배양 접시에 1/8에 해당되는 양을 파종하는 것이 좋다.

*6 여기에서는 CD34^{low}CD43$^+$ 세포 분획을 분리하지 않고, OP9 / DLL1 세포에 파종한다. 이 분획을 분리한 경우, 얻을 수 있는 세포수가 감소하거나 분류에 따른 세포손상으로 시행하지 않은 경우에 비해 세포로의 분화 유도 효율이 떨어질 수 있다.

*7 배양 기간 동안 분화 단계를 확인하기 위해 FACS 분석을 실시하게되는데, 모든 기간에서 배양 중에 죽은 세포가 많이 관찰된다. 따라서 FACS 분석시에는 PI (Propidium Iodide) 혹은 7-AAD 등을 이용하여, 죽은 세포는 제거한 후 분석을 하는 것이 바람직하다

*8 인간 iPS 세포 1클론 당 3개 이상의 배양 접시를 사용한다. 계대 할 때 세포를 한꺼번에 1개로 모아서 진행하고, 다시 매수에 맞추어 재 분주함으로써, 배양접시 사이에 편차를 줄일 수 있다.

A

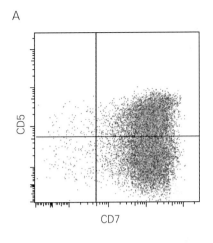

CD5

CD7

B T전구세포

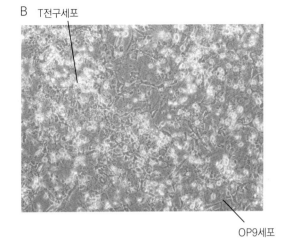

OP9세포

그림 4   배양 30일째의 세포의 모습과 FACS 결과

A) 얻어진 세포를 항 인간 CD5, C07 항체를 이용하여 FACS 분석을 실시한다. T 전구 세포는 CD7⁺CD5⁻ 분획 및 CD7⁺CD5⁺ 분획으로 검출

할 수 있다. B) 배양 세포의 위상차 현미경 사진(200배). 빈틈없이 밀집 해있는 것이 OP9 세포이다. T 전구 세포는 OP9에 느슨하게 결합하여

증식한다.

OP9 세포에 느슨하게 접착된 세포를 부드럽게, 천천히, 수회 피펫팅을
시행하고, 100 μm의 메쉬를 통해 50 mL 코니칼 튜브로 회수한다. 4℃,
1,200 rpm(280G)에서 7분간의 원심분리를 진행하고, 만들어진 펠릿을
10 mL의 Medium B에 현탁한다. 이후에 새로 준비된 OP9/DLL1 세포에
분주한다.

⓬ 세포의 계대(30일째) : CD7⁺ CD5⁺ 세포가 나타나기 시작*⁹.

OP9 세포에 느슨하게 접착된 세포를 부드럽게, 천천히, 수회 피펫팅을
시행하고, 100 μm의 메쉬를 통해 50 mL 코니칼 튜브로 회수한다. 4℃,
1,200 rpm(280G)에서 7분간의 원심분리를 진행하고, 만들어진 펠릿을
10 mL의 Medium B에 현탁한다. 이후에 새로 준비된 OP9/DLL1 세포에
분주한다. 이 중에서 1/10을 FACS 분석에 사용하고, 나머지 세포들을
OP9/DLL1 세포에 분주한다.

T전구 세포가 유도되었는지 여부를 확인하기 위해서, 항 CD7 항체와 항
CD5 항체를 이용하여 FACS 분석을 수행한다. T전구세포인 CD7 세포가
관찰되고, 일부 세포에서는 CD7⁺ CD5⁺ 단계까지 분화되어 있다(그림 4A).

*9 그림 4B는 위상차 현미경으로
관찰한 모습이다. OP9 세포는
바닥에 밀집되어서 붙어있기때
문에 회색으로 보인다. T 전구
세포는 OP9에 느슨하게 결합하
여 증식하기 때문에 OP9과 비
교해서 색상이 밝아 보인다. 그
러나 세포가 응집한 것 같은 뚜
렷한 colony 형태로 보이지 않
고 둥글게 밝은 입자 같은 것들
이 여러개 뭉쳐서 보인다.

⓭ 세포의 계대(35일째) : CD4⁺ CD8⁺세포가 나타나기 시작.

OP9 세포에 느슨하게 접착된 세포를 부드럽게, 천천히, 수회 피펫팅을
시행하고, 100 μm의 메쉬를 통해 50 mL 코니칼 튜브로 회수한다. 4℃,
1,200 rpm(280G)에서 7분간의 원심분리를 진행하고, 만들어진 펠릿을

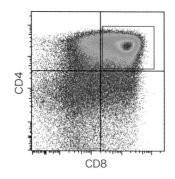

그림 5 배양 35일째의 FACS 결과
얻어진 세포를 항 인간 CD4, COB 항체를 이용하여
FACS 분석을 실시한다. DP 세포 (보통 60~70 %)
의 출현을 확인할 수 있다.

10 mL의 Medium B에 현탁한다. 이 중에서 1/10을 항 CD4와 CD8을
이용하여 FACS 분석을 시행한다. DP 세포가 60~70% 정도 나타남을 알
수 있다(그림 5).

3) 미숙 T 세포 단계에서 성숙된 Killer T 세포 단계로 유도

❶ CD8 SP 세포의 유도(35일째)

성숙된 킬러 T 세포(CD8 SP 세포)를 유도하려면, 여기 항 CD3 항체 및
항 CD28 항체를 huIL-2와 함께 추가로 넣어주어야 한다. 일단 24 well
plate에 새롭게 OP9/DLL1 세포를 준비해서 T 세포가 3 x 105 cells/well
이 되도록 분주한다. 여기에 항 CD3 항체(50 ng/mL), 항 CD28 항체 (2
ng/mL), huIL-2(200 U/mL)를 첨가한다.

❷ CD4–CD8+ T 세포의 발생(41일째)

항 CD3 항체 및 항 CD28 항체를 넣고 배양 후 6일째에는 성숙 CD8 SP
세포가 생성된다(40~50 %)(그림 6). 한편, 이 그림은 T 세포로부터 만
들어진 iPS 세포를 배양하여 다시 유도 한 결과이다. 이 경우 T 세포 수
용체(TCR)를 조기에 발현하기 때문에 CD8SP 세포가보다 효율적으로

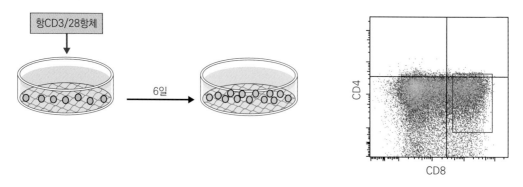

그림 6 DP 세포에서 CD8 SP 세포로 유도
배양 35일째에 DP 세포가 출현을 확인하였을 때, 그 곳에 항 인간 CD3 항체를 첨가하여 6일간 배양을 계속하면 CO8 SP 세포(보통
40~50%)을 유도 할 수 있다.

생성한다. T 세포 이외의 세포에서 만들어진 iPS 세포에서 T 세포를 유도하는 경우 DP 세포까지는 동일한 효율로 유도할 수 있지만, CD8 SP 세포로 유도 효율은 그다지 좋지 않다.

실험 결과

이번 장에서는 인간 iPS 세포에서 CD8 T 세포의 유도 방법을 소개했다. 일반적으로 흉선에서 특정 MHC 분자에 적당한 반응을 보이는 T 세포가 **양성선택**을 받은 결과로, 그 MHC를 발현하는 세포에만 반응하는 반응하는 T 세포가 된다(**MHC restriction**). 이번 장에서 소개한 방법은 항 CD3 항체로 TCR을 자극할 뿐이지, MHC에 제한되는 T 세포를 선택하는 것은 아니다. 재생된 T 세포의 특성상 원래의 iPS 세포가 섬유 아세포와 같은 T 세포 이외의 세포에서 만들어진 경우는 T 세포에서 만들어진 경우와 이야기가 달라진다. 만약 이용한 iPS 세포가 T 세포 이외의 세포에서 만들어진 것이라면, 이 방법으로 생성된 CD8 T 세포는 항 CD3 항체 등으로 직접 TCR을 자극하면 활성화 될 수는 있지만, 항원 전달 세포에서 활성화시키는 것은 힘들것으로 생각된다.

결론

이번 장에서 설명한 방법은 인간 T 세포 분화 연구에 사용할 수 있다. 또한 유전성 면역결 증후군에서 T 세포의 분화 장애를 나타내는 예 등은 환자에서 제작한 iPS 세포를 재료로 사용함으로써 질병의 메커니즘을 해명하는 연구에 도움을 줄 수 있다.

한편, 저자들은 항원 특이적인 킬러 T 세포에서 iPS 세포를 제작하고 iPS 세포에서 킬러 T 세포를 재현하는 연구를 진행하고 있다. 이미 흑색종 항원의 일종 인 MART-1 항원에 특이적인 킬러 T 세포의 재생에 성공하였다[8]. 그러나 CD8 ST 세포의 유도 방법이 아직 명확히 확립되지는 않았으며, CD8 ST 세포의 유도 방법과는 다르게 Helper T 세포 또는 Regular T 세포를 유도하는 방법은 TCR의 자극을 추가하는 방법을 고려해야 한다고 생각된다.

◆ 문헌

1) Doulatov, S. et al.: Nat. Immunol., 11: 585-593, 2010
2) Hao, Q. L. et al.: Blood, 111: 1318-1326, 2008
3) Radtke, F. et al.: Immunity, 10: 547-558, 1999
4) Pui, J. C. et al.: Immunity, 11: 299-308, 1999
5) Schmitt, T. M. et al.: Immunity, 17: 749-756, 2002
6) Hozumi, K. et al.: J. Exp. Med., 205: 2507-2513, 2008
7) Timmermans, F. et al.: J. Immunol., 182: 6879-6888, 2009
8) Vizcardo, R. et al.: Cell Stem Cell, 12: 31-36, 2013

6

인간 ES 및 iPS 세포에서 심근 세포로의 분화 유도

유아사 신스케(湯浅慎介), 후쿠다 케이이치(福田恵一)

Flow chart

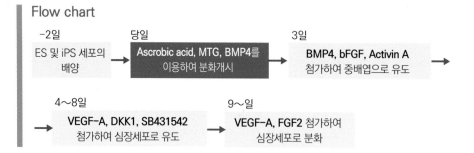

-2일
ES 및 iPS 세포의 배양

→ 당일
Ascrobic acid, MTG, BMP4를 이용하여 분화개시

→ 3일
BMP4, bFGF, Activin A 첨가하여 중배엽으로 유도

→ 4〜8일
VEGF-A, DKK1, SB431542 첨가하여 심장세포로 유도

→ 9〜일
VEGF-A, FGF2 첨가하여 심장세포로 분화

서론

최근 급속하게 발전하고 있는 줄기세포 생물학이지만, 그 줄기세포를 분리, 선별하여 체외에서 심근 세포에 증식, 분화를시킨 후 난치성 심장 질환에 대한 심근 세포 이식 치료의 공급원으로 확립하고자 하는 시도가 전 세계적으로 이루어지고 있다. 초기 배아인 배반포의 내부 세포 덩어리에서 수립된 배아줄기세포 (ES 세포) 연구가 가장 먼저 성행했지만 뛰어난 증식능과 분화능을 가지는 반면, 생명 윤리 문제와 이식에 따른 면역 거부 등이 임상 응용에 큰 장벽이되고 있었다. 거기에 ES 세포와 거의 같은 줄기세포의 성질을 획득한 iPS 세포가 2006년에 개발되어 재생 의학에 큰 변화가 초래되었다[1]. ES 세포에 관한 쌓인 지식을 응용하여 iPS 세포에서 심근 세포로의 분화 유도가 가능하다. 이보다 난치성 심장 질환 등의 발병 메커니즘의 해명, 나아가 심장 재생 의료를 위한 심근 이식 세포 소스도 될 수 있다고 생각된다. 실제 응용을 위해 가장 중요한 점은 효율적인 심근 세포 분화 유도 기술의 확립과 유도된 심근세포의 상세한 기능 평가이다.

지금까지의 심근 세포 분화 연구

마우스 ES 세포 수립이 보고된지 약 4년 후, 1985년에 Doetschman와 그 공통 연구자들이 ES 세포에서 심근세포로 분화 가능한 것으로 보고하였다[2]. 1990년대 중반에 들어가면서 심근 세포로 분화 유도를 시킨 후 세포이식 가능성을 고려해두고 연구가 진행되면서 심근 세포 분화 유도 연구가 활발하게 시작되었다[3]. 2001년이 되면서 인간 ES 세포 또한 심근 세포로 분화가 가능함이 보고되어, ES 세포 유래 심근 세포를 심장 마비 모델의 심장에 이식함으로써 말기 심부전 치료가 가능해질 수 있지 않을까하고 생각하게 되었다.

ES 세포에서 심근세포로의 분화 유도 방법에 관한 연구는 다양한 방식으로 수행되어 왔다. 그들 중 대부분은 ES 세포의 분화는 정상의 발생을 모방하는 것보다 심장 및 심근 세포의 발달과 분화에 중요한 성장 인자를 ES 세포 분화시 첨가하는 분화 유도 방법으로 개발되어 왔다. 특히 그 중에서도 BMP 또는 Wnt 관해서는 여러가지 연구보고가 있다. 이러한 연구 결과가 많은 것은 ES 세포를 가지고 심근 세포로 분화 유도 시킨다는 목적 외에 BMP 또는 Wnt의 심근 세포 분화에서 특이한 현상을 많은 연구자들이 발견했기 때문이다. 즉, BMP 및 Wnt는 원래 심근 세포의 분화를 촉진하는 인자 또는 억제 인자로 간주했지만, 실제로는 그렇게 단순하지 않고 분화되는 시기에는 촉진시키는 역할을 하고 다른 시기에 억제시키는 역할을 하였다[4)5)]. 이러한 시기 특이적인 상반되는 행동을 보이는 현상을 이용하여, 심근 세포의 발생 및 분화에 응용하여 효율적인 심근 세포 분화 유도 방법이 개발되어 왔다[6)].

또한 발생 현상의 응용과는 달리, 심근세포 분화유도인자 탐색으로 화합물 스크리닝도 다양하게 이루어져 왔다. 2003년에 다카하시 고사부로와 그의 동료들은 약 880 여종의 화합물을 사용하여 ES 세포에서 심근 세포로의 분화 스크리닝 검사를 실시했다. 그 결과, 아스코르빈산(Ascorbic acid)이 심근세포 분화를 촉진하는 것을 발견하고 보고하였다[7)]. 이러한 화합물 스크리닝은 이후에도 여러번 반복되어서 다양한 합성 화합물에 의한 심근 세포 분화 유도 방법이 개발되어 왔다.

이후로도 인간 ES · iPS 세포를 이용한 연구 및 임상에 응용하기 위해서는 더 나은 분화 유도 방법이 필요하고, 최근에 다양한 심근 세포 분화 유도 방법은 매우 많이 보고되고 있다. 그러나 이번 장에서는 과거의 다양한 보고들을 통합하여 비교적 최근의 연구 결과를 소개하고자 한다[8)].

─────── 준 비 ───────

1. 분화전 배양

☐ Matrigel (BD Biosciences #356234)

☐ SF medium (Corning Inc., #40-101-CV)

☐ KSR (Knock-Out™ Serum Replacement) (Life Technologies, Inc., #10828-028)

☐ NEAA (nonessential amino acids) (Sigma Aldrich, #M7145)

☐ 2 mM L-Glutamine (Sigma Aldrich, #G3126)

☐ 10 ng/mL Penicillin / Streptomycin (Sigma Aldrich, #P4333)

☐ 2-ME (2-Mercaptoethanol) (Sigma Aldrich, #6250)

2. 분화개시

- ☐ Collagenase B (Roche Diagnostics, Inc., #088807)
- ☐ Trypsin-EDTA (0.05%)
- ☐ 6-well low-cluster plates (Corning)
- ☐ StemPro®-34 (Life Technologies, Inc., #10639-011)
- ☐ Ascorbic acid (Sigma Aldrich)
- ☐ MTG (monothioglycerol) (Sigma Aldrich, #A5960)

3. 중배엽유도

- ☐ Human recombinant BMP4 (R & D, #NFBMP4)
- ☐ Human recombinant bFGF (R & D, #233-FB-O1M)
- ☐ Human recombinant Activin A (R & D, #338-AC-010)

4. 심근세포유도

- ☐ Human recombinant DKK1 (R & D, #5439-DK-010)
- ☐ Human recombinant VEGF (R & D, #293-VE-050)
- ☐ SB-431542 (Tocris Bioscience, #1614) 또는 dorsomorphin (Sigma Aldrich, #P5499).

5. 기구

- ☐ 5% CO_2, 5% O_2 세포배양용 incubator
- ☐ 5% CO_2 세포배양용 incubator

프로토콜

1. 분화전배양 : KSR/FGF 배양액 (2일전~분화유도 0일째)

❶ 인간 ES·iPS 세포를 Matrigel에 계대하고 24~48시간 배양한후 feeder 세포를 제거한다.

인간 ES 세포 유지 배양액으로 DMEM/F12에 다음과 같이 첨가 한 배양액을 사용한다.

		(최종농도)
DMEM/F12	500 mL	
KSR	125 mL	(20%)
nonessential amino acids	5 mL	(100 µM)
glutamine	6.25 mL	(2 mM)
penicillin	5 mL	(50 U/mL)
streptomycin	5 mL	(50 µg/mL)
β-mercaptoethanol	0.5 mL	(10^{-4} M)
hbFGF	1 mL	(20 ng/mL)
Total	647.75 mL	

2. 분화개시 : StemPro34 (분화개시 0일째~1일째)

❶ 인간 ES · iPS 세포를 1 mg/mL Collagenase B에서 20분, 이어서 trypsin–EDTA 용액으로 2분 처리하여 작은 세포 덩어리 (10~20 세포)로 분산시킨다.

❷ 분산된 세포들을 PBS로 세척 후 2 mL의 배양액을 이용하여 6–well low clusterplate에서 배양한다.

그 때 사용되는 배양액은 다음과 같이 조제한다.

		(최종농도)
StemPro–34	500 mL	
Penicillin/Streptomycin	5 mL	(10 ng/mL)
L–Glutamine	5 mL	(2 mM)
Ascorbic acid	5 mL	(1 mM)
MTG	5 mL	$(4 \times 10^{-4} \text{ M})$
BMP4	500 μL	(0.5 ~ 5 ng/mL)
Total	520.5 mL	

❸ 위의 경우, 배양 10일째까지 5% CO_2, 5% O_2 세포 배양용 인큐베이터에서 배양하고, 이후로는 일반적으로 5% CO_2 세포 배양용 인큐베이터에서 배양한다.

3. 중배엽유도 : Activin A, BMP4, FGF2

(1~3, 4일째)

❶1 mL의 배양액을 주의깊게 제거한다. 2.❷배양액에 다음의 최종 농도로 만들어진 배지를 1 mL를 첨가한다.

		(최종농도)
Human–BMP4	4 μL	(2 ~ 10 ng/mL)
human–bFGF	1 μL	(5 ng/mL)
human–Activin A	2 μL	(0 ~ 6 ng/mL)
Total	7 μL	

4. 심근세포유도 : VEGFA, DKK1, SB431542/Dorso-morphin (3~8일째)

❶ 마찬가지로 배양액에 최종 농도가 다음과 같이되도록 만들어진 배지로 교환한다.

		(최종농도)
human–DKK1	4 mL	(150 ng/mL)
human–VEGF	4 mL	(10 ng/mL)
SB–431542[*1]	4 mL	(0 ~ 5.4 μM)
Total	12 mL	

*1   또는 dorsomorphin 4 mL (0~0.6 μM)

5. 심근세포분화 : VEGFA, FGF2 (9일째~)

❶ 이후로 배양유지 시, 2.❷배양액에 아래와 만들어진 추가된 배지로
교환하고 유지한다.

	(최종농도)
human-bFGF	(5 ng/mL)
human-VEGF	(10 ng/mL)

 문제 발생 시 대응

■ **프로토콜을 따라서 시행해도 원하는 심근세포로 분화 유도가 불가하다.**

인간 ES · iPS 세포를 이용한 심근 세포로의 분화 유도에서 가장 많은 문제점으로 지적되는 것은 프로토콜대로 시행해도 원하는 심근세포 분화 유도를 할 수 없다는 것이다. 예전처럼 혈청을 이용한 분화 유도에 비해 무혈청 프로토콜에서는 첨가물 자체의 편차는 줄어들었지만, 여전히 분화유도 효율의 차이는 해소되지 않는다. 가장 큰 요인으로 인간 ES · iPS 세포의 세포주 단위의 특성의 차이로 생각되고 있다. 이것은 적절한 농도로 특정 성장 인자를 첨가해도 iPS 세포 또는 iPS 세포유래 분화세포 자체에서 증식인자 및 저해물질이 발현하고, 그 발현량은 세포주마다 차이가 있는 것으로 알려져 있다. 즉 사용하는 세포주마다 첨가해야한다. 성장인자와 사이토카인 등은 적정 농도가 크게 달라, 조건 검토를 계속 반복수행하여 심근세포로의 분화 유도에 적정한 조건을 설정할 필요가 있다.

실험 결과

심근 세포 분화 유도의 경우, 결과적으로 자기 박동이 관찰되므로, 별도로 결과 해석에 고심하는 일은 적은 것으로 보인다. 일반적으로 자가 박동 배아가 많이 보이면, 심근 세포 분화 유도 효율이 높은 것으로 생각한다. NKx2.5와 Myosin heavy chain (MHC) 등의 심근 특이적 마커를 이용하여 면역염색을 시행하면 더 정량적인 평가가 가능하다.

결론

인간 ES · iPS 세포에서 심근 세포로의 분화 유도 기술의 효율을 향상시키기 위해서 전세계에서 다양한 방법이 보고되고 있으나 여전히 매우 혼란한 상황이라고 생각된다. 그러나 느리지만 서서히 발전되어가고 있는 것도 사실이며, 더욱 개선해 나갈 것으로 보인다. 혁신적인 방법을 개발함으로써 급격히 임상 응용이 진행될 것으로 예상되지만, 현재상태의 최고의 방법을 사용하여 더 나은 결과를 도출하는 것도 중요하다.

◆ **문헌**

1) Takahashi, K. & Yamanaka, S. : Cell, 126: 663-676, 2006
2) Doetschman, T. C. et al. : J. Embryol. Exp. Morphol., 87: 27-45, 1985
3) Klug, M. G. et al. : J. Clin. Invest., 98: 216-224, 1996
4) Yuasa, S. et al. : Nat. Biotechnol., 23: 607-611, 2005
5) Onizuka, T. et al. : J. Mol. Cell Cardiol., 52: 650-659, 2012
6) Shimoji, K. et al. : Cell Stem Cell, 6: 227-237, 2010
7) Takahashi, T. et al. : Circulation, 107: 1912-1916, 2003
8) Kattman, S. J. et al. : Cell Stem Cell, 8: 228-240, 2011

인간 iPS 세포에서 골격근 세포로의 효율적인 분화 유도

쇼오지 에이미(庄子栄美), 사쿠라이 히데토시(櫻井英俊)

Flow chart

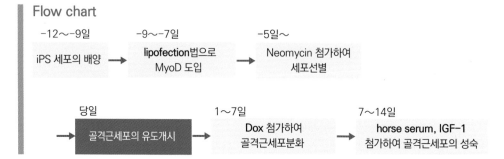

서론

이번 장에서는 골격근 제어 인자로 알려진 MyoD를 인간 iPS 세포에 과발현시켜 약 90% 의 높은 효율로 골격근 세포로 분화 유도하는 방법을 소개한다.

지금까지 마우스 ES 세포에서 골격근 세포로의 분화 유도 방법은 점진적 분화 방법[1] 및 MyoD 강제 발현법[2] 등 일부 보고되고 있지만, 인간 iPS · ES 세포를 이용한 안정된 분화 유도 방법은 아직까지 확립되지 않았다. 아데노 바이러스 벡터를 이용한 MyoD 유전자 도입[3] 과 MyoD-RNA 도입[4] 등 많은 시도가 행해졌지만, 효율성과 재현성 또한 장기간 배양 기간이 문제로 보고되어서, 본 저자들은 tetracycline-responsive *piggyBac* 벡터를 이용하여 MyoD 유전자 발현 제어를 가능하게 함으로써 보다 안정적이고 재현성있는 골격근 분화 유도법을 만드는데 성공했다.[5] 이 방법을 이용하여 단기간 배양에서 매우 효율적으로 균일한 골격 근육 세포 집단을 얻을 수 있었다. 또한 본 실험에 사용 된 벡터는 저자들의 실험실에서 MTA (Material transfer agreement)를 통해 배급도 가능하다.

준 비

인간 iPS 세포에 효율적으로 MyoD 발현 piggyBac 벡터(PB111_ MyoD)을 도입하려면 주로 lipofection 법 혹은 electroporation 법 등에 의한 두가지 방법이 있다. 이번 절에서는 lipofection 법인 FuGENE®HD의한 벡터 도입 방법을 소개한다.

1. FuGENE®HD을 이용한 PB111_MyoD 도입

세포

☐ 6-well plate 에 파종한 인간 iPS 세포 *1

~ 60%의 합류(confluence)

배양재료

☐ Polystyrene FACS Tube (Corning #352058)

Plasmid

☐ Plasmid PB111_MyoD *2

☐ Plasmid PBase *2

시약

☐ FuGENE®HD Transfection Reagent (Promega, E2311)

☐ Opti-MEM® I Reduced serum Media (Life Technologies, #31985062)

☐ bFGF (Wako Pure Chemical Industries, 064-04541)

☐ G418 Disulfate Solution 50 mg/mL (Nacalai Tesque, #09380-86)

☐ PBS

배지

☐ 영장류 ES 세포용 배지(Reprocell, #RCHEMD001)

2. 골격근 세포로의 분화유도

배양재료

☐ Matrigel (BD Biosciences, #356231) *3

또는 Collagen I.

☐ 6-well plates (AGC Techno Glass Co., Ltd. #4810-010)

시약

☐ Dox (Doxycyclin Hyclate) (LKT Labs, #D5897)

☐ Y-27632 (Nacalai Tesque, Inc., #08945-84)

☐ Human recombinant IGF-I (Peprotech, #100-11)

☐ 0.25% trypsin / 1 mM EDTA (Nacalai Tesque, #35554-64)

☐ Penicillin-Streptomycin Mixed Solution (Nacalai Tesque, #26253-84)

☐ 2-ME (Nacalai Tesque, #21438-82)

70 μL의 2-ME를 10 μL의 PBS(-)로 희석하고, 0.22 μm 필터를 통해 멸균하여 사용한다.

☐ PBS

☐ KSR (Knock Out™ Serum Replacement) (Life Technologies, #10828-028)

*1 주의 : Feeder 세포를 이용하는 경우는 Neomycin 내성인 것이 요구된다. 저자의 연구실에서는 SNL feeder 세포를 이용한다.

*2 각각 7.0 μg씩 분주를 위해서 MTA가 필요하다.

*3 Matrigel에서 분화유도시에는 작업 전날부터 2시간 전까지 Matrigel 코팅이 시행되어야 한다. Matrigel을 영장류 ES 세포용배지에서 50배 희석한다. 배양접시를 코팅 한 후 37℃에서 도 적어도 2시간 incubator에 놓아둔다. 사용 직전에 Martrigel을 흡인제거한다.

□ 2.5% trypsin (Life Technologies, #15090-046)

□ 1 mg/mL Collagenase IV (Life Technologies, #17104-019)

□ 0.1M CaCl$_2$

　필터 멸균

□ CTK 용액

2.5 % trypsin	5	mL
1 mg/mL collagenase IV	5	mL
0.1M CaCl$_2$	0.5	mL
KSR	10	mL
D$_2$W (Autoclaved)	29.5	mL
Total	50	mL

배지의 조제

□ 영장류 ES 세포용배지

□ 5 % KSR/ αMEM

α MEM basal media*4	47.4 mL
100 mM 2-ME	100　µL
KSR	2.5 mL
Total	50.0 mL

□ 2 % horse serum /DMEM

Horse serum*5	1　mL
100 mM 2-ME	100　µL
DMEM basal media*6	48.9 mL
Total	50　mL

*4　αMEM basal media는 αMEM (Nacalai Tesque, #21444-05) 500 mL와 Penicillin-Streptomycin 2.5 mL를 혼합하여 제조한다.

*5　Horse serum은 Sigma-Aldrich, #H1138을 사용한다.

*6　DMEM basal media는 DMEM high glucose (Life Technologies, #11960-069) 500 mL, Penicillin -Streptomycin 2.5 mL, L-Glutamine 5.0 mL를 혼합하여 제작한다.

▐▎▌ 프로토콜 ▶ ||||||||||||||||||||||||||||||||||||||||||||||||||||||||||||||||||||||||||||||||||||||||||||||||||||||||||||||||||||||||||

1. FuGENE®HD 을 이용한 PB111_MyoD 도입

실험작업전

❶ PB111_MyoD을 도입한 세포*1를 6-well plates에 준비한다. (2~3일 전)

❷ 사용할 배지 및 시약을 상온에서 준비한다. (작업 30분 전)

❸ 준비한 세포 (6-well plates)의 배지를 영장류 ES 세포용 배지 (+bFGF, 4 ng/mL)로 바꾸어 놓는다.

*1　-60% 정도 합류(confluence) 상태의 인간 iPS 세포를 사용한다.

실험작업

❶ Master Mix (조금 넉넉하게 7 well 사용량)를 제작준비한다.

Opti-MEM® I	700　µL
Plasmid PB111_MyoD	7.0 µg
Plasmid PBase	7.0 µg

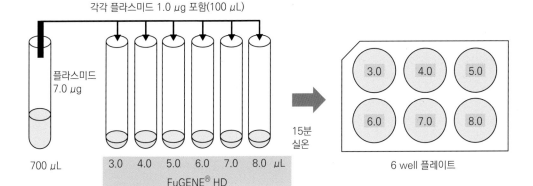

그림 1 FuGENE®HD 첨가량 (μL)

7개분의 마스터 믹스를 polystyrene FACS tube로 제작하여 각 100 μL씩 분주 한 후, FuGENE®HD 을 위에 언급된 양을 각각 첨가하고 실온에서 15분간 보관 후 6-well plate에 준비된 인간 iPS 세포에 투여한다.

 polystyrene FACS tubes 6개에, 각각 100 μL씩 을 넣는다.

 튜브에 FuGENE®HD 을 각각 3.0, 4.0, 5.0, 6.0, 7.0, 8.0 μL씩 첨가한다(그림 1). *2

 을 1~2초씩 Vortex를 한다.

 을 15분간, 실온에서 놓아둔다.

 을 6-well plates의 각 well에 첨가한다*3.

 다음날 배지 교환은 영장류 ES 세포용 배지(+ bFGF)로 바꾸어서 진행한다.

 도입 2일째 이후는 영장류 ES 세포용 배지(+ bFGF, + G418)로 교환한다.

❾ 도입 5-6일째에 PB111_MyoD 벡터가 도입된 neomycin 내성 colony형성을 볼 수 있다(MyoD-hiPSCs).

도입 7~9일째에 MyoD-hiPSCs의 식민지가 충분히 성장했다고 판단되면, feeder 세포가 준비되어 있는 100 mm 배양접시에 계대를 시작하고, 몇 번의 계대 증식시킨 후 냉동보관 및 분화유도 실험을 시행한다. 그동안의 유지배양 하는 동안에 G418을 계속 첨가해서 진행한다.

*2   주의: FuGENE®HD 첨가시 polystyrene FACS tube의 벽면에 묻지 않도록 작업한다.

*3   실험조언 : 주입하는 플라스미드의 양에 대해서는 표준 FuGENE®HD의 프로토콜에 따라 2.0 μg/well로 제시되지만, 400 ng/well 정도까지 줄여도 MyoD_hiPSCs 유도 효율은 크게 차이가 없다. 이를 고려해 보았을때, 위의 경우 FuGENE®HD 를 1.5~40 μL 사이에서 0.5 μL 씩 양을 조절해가면서 최적 용량을 결정한다.

2. 골격근 세포로의 분화유도

분화유도실험 *4

❶ 70% 정도 합류(confluence)된 MyoD-hiPSCs 배양접시를 5 mL PBS로 한 번 씻는다.

❷ 1 mL의 CTK 용액을 첨가하여 실온에서 2~3분 놓아둔다.

Feeder 세포가 떠오르면 CTK 용액을 흡입제거하고 PBS로 두 번 씻는다. 잘 붙어있던 feeder 세포가 박리되는 것을 확인하고, 만약 남아있는 것 같으면 다시 PBS로 씻는다.

❸ 2 mL의 0.25% trypsin/ 1 mM EDTA를 넣고, 37℃에서 5분간 incubator에 넣어둔다.

❹ 10 mL 영장류 ES 세포용 배지를 첨가하여 중화 현탁한다.

❺ 1,200 rpm(250G) 에서 3분간, 원심분리를 진행한다.

❻ 상층액을 흡인 제거 후, 영장류 ES 세포용 배지(+Y-27632, 10 μM)에 재현탁한다.

❼ 세포수를 확인한다.

준비된 Martrigel 코팅 (여분의 Martrigel 은 흡입제거) 혹은 collagen I 코팅된 배양접시에 영장류 ES 세포용 배지(+Y-27632, 10 μM)를 넣고, 6단계로 설정된 세포수(1 x 10^5 ~ x 10^6)에 파종한다(그림 2)*5.

❽ 이후로 분화유도 배지는 그림 3과 같이 교환한다.

기본적으로 매일 배지를 교환한다. 분화 9일째에는 성숙 골격근 세포를 얻을 수 있지만, 전기 자극에 반응하는 정도의 충분한 성숙화에는 14일 정도 소요될 경우가 많다*6.

*4 실험 조언 : piggyBac 벡터는 다양한 copy 수에서 인간 iPS 세포에 들어가서 게놈에 통합된다. Neomycin에서 선택된 단일 다클론 세포 집단은 Doxycyclin에 반응하지 않는 세포도 포함되어 있기 때문에, 유도 효율은 40-70% 정도지만, 더 높은 분화 효율을 원한다면 추가적인 클로닝을 수행하여 분화 효율이 더 좋은 클론을 선택한다. 그 때, 클론마다 적절한 세포밀도가 다르기때문에, 세포밀도조사가 필요하다. 최적의 밀도가 결정되면, 그 후로는 매우 재현성이 높은 분화유도가 가능해진다.

*5 골격근의 분화 유도는 밀도에 의해서 차이가 나기때문에, 이 단계에서 다양한 세포수를 준비하고 적정 세포수를 검토할 필요가 있다.

*6 분화 7일 이후, 분화배지로 교환하면 근육세포 이외의 다른 세포가 과도하게 증식하는 경우가 종종 발생된다. 그 경우는 분화 2~9일까지 5% KSR / αMEM + Dox에서 배지 교환을 계속진행하고, 분화 9일째에 분석을 권한다. Chemically Defined 성숙 배지에 대해서는 현재도 검토 중이다.

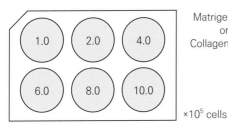

그림 2 적정 세포수의 조건 검토 예

6-well plate의 Matrigel 혹은 Collagen I 코팅된 배양접시에 1.0 x 10^5부터 1.0 x 10^6까지 세포 수를 변화시켜 적정 세포 수의 조건 검토한다.

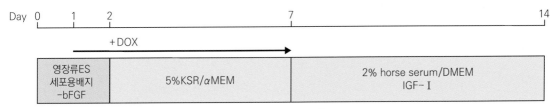

그림 3 분화 유도 기간과 분화 배지

분화 유도 기간은 14일로 하고, 분화 유도 시작 다음날부터 Doxycyclin (Dox)를 7일째까지 첨가한다.

 문제 발생 시 대응

■ **MyoD 유전자 도입후 죽은 세포가 많거나 유전자 삽입시 효율이 낮다.**

→ FuGENE® HD 혹은 삽입하는 유전자의 농도를 조절하는 조건검토가 필요하다.

→ Plasmid DNA의 정제도를 높인다.

■ **MyoD 유전자 삽입후 미분화 상태를 유지하기가 어렵다.**

→ 계대를 시행한다.

필요시, 서브클로닝을 진행하여 균일한 iPS 세포를 확보할 수 있다.

■ **미분화 세포가 분화유도 기간 중간에 늘어난다.**

→ 분화 유도시의 세포수가 적절하지에 대한 조건 검토가 필요하다.

클론에 따라 적정세포 수가 다르기 때문에 분화 유도시에는 각각의 적정 세포 수를 확인한다.

■ **Doxycyclin 첨가 후 죽은 세포가 증가한다.**

→ 서브 클로닝하고, 안정적으로 분화하는 세포 클론을 선택한다.

→ feeder 세포의 혼입은 Doxycycline 추가 후 세포 죽음을 더욱 조장하므로, 가급적 feeder 세포의 혼입을 피하기 위해, CTK 처리 후 PBS (-)로 세척을 증가시킨다.

분화세포의 평가 방법

골격근 세포 마커로는 주로 Myosin heavy chain과 Skeletal muscle actin 등을 분화 유도 9일째에 면역염색 등을 통해서 확인할 수 있다. RT-PCR에서도 내생 MyoD 및 골격근 마커로 알려진 Myogenin의 발현을 분화유도기간과 함께 상승하는 것을 확인할 수 있다.

실험결과

PB111_MyoD 벡터 도입 후, 약 5일째부터 neomycin 내성 인간 iPS 세포의 콜로니가 보이기 시작한다(MyoD-hiPSCs). MyoD 도입 전과 비교하여 형태적인 변화는 보이지 않았고 (그림 4) 미분화 상태 을 유지하면서 증식시키는 것이 가능하였다.

골격근 세포로의 분화 유도에서는, 분화유도 2일째부터 세포의 형태가 변화하기 시작하여, 분화 유도 6일째에는 골격근 세포의 특징인 방추형으로 변화하였고, 14일째부터는 성숙한 골격근 세포로 분화가 가능하였다(그림 5).

결론

인간 iPS 세포에서 골격근 분화 유도 방법은 매우 재현성이 낮은 것이 과제였다. 이번 장에서 소개한 방법은 간편하면서도 매우 재현성 높고, 약 14일이라는 짧은 기간에도 불구하

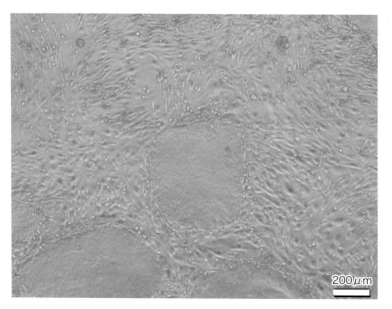

그림 4　MyoD-hiPSCs (도입 5 일째)

인간 iPS 세포에 PB111_MyoD 벡터를 도입한 MyoD-인간 iPS 세포. 정상적인 인간 iPS 세포와 비교하여 형태적인 차이는 없어보인다.

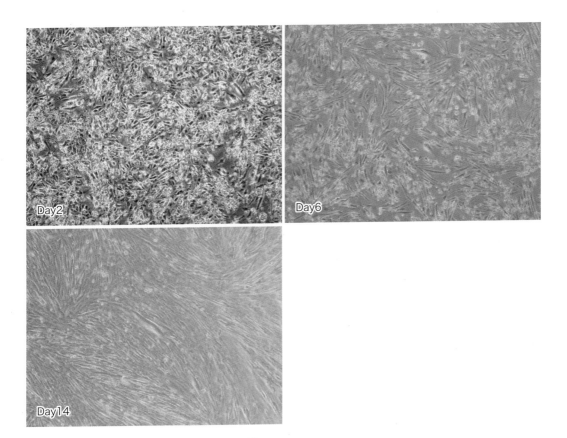

그림 5 인간 iPS 세포로부터 골격근세포로의 분화유도

분화 유도 2일째(Day2)부터 형태적인 변화를 보이기 시작한다. 6일째(Day6)는 골격근 세포 특이적이며, 방추형으로 변화한다. 14일째(Day14)는 근육 세포가 융합하며, 다핵 성숙 골격근 세포가 형성된다.

고 골격근 세포로 분화유도가 가능했던 것은 매우 획기적이었다. 또한 이번 장에서 소개된 분화 유도 방법으로 제작한 골격근 세포는 전기자극에 의한 근수축의 관찰이 가능하며, 성숙 골격근 세포로 분화 및 기능이 가능하다고 보여졌다. 인간 iPS 세포에서 균일한 골격근육 세포의 제작이 가능해짐으로 인하여 골격근질환에 특이적 iPS 세포를 이용한 병태 생리적 해석이나, 나아가서 약물 치료 스크리닝 등으로의 응용이 기대된다.

◆ 문헌

1) Sakurai, H. et al. : Stem Cell Res., 3 : 157-169, 2009

2) Ozasa, S. et al. : Biochem. Biophys. Res. Commun., 357 : 957-963, 2007

3) Goudenege, S. et al. : Mol. Ther., 20 : 2153-2167, 2012

4) Warren, L. et al. : Cell Stem Cell, 7 : 618-630, 2010

5) Tanaka, A. et al. : PLoS One, 8 : e61540, 2013

8 ES 및 iPS 세포에서 신경 줄기세포로의 분화 유도

오카다 요오헤이(岡田洋平), 오카노 히데유키(岡野栄之)

Flow chart

당일	6일	12~일
EB 형성을 통해서 분화유도의 개시 Noggin 또는 **저농도 RA 첨가**	→ **FGF2 첨가를 통해서** neurosphere (신경구) 유도	→ **접착**에 의한 뉴론 등 신경세포로의 분화유도

서론

신경 줄기세포는 신경 발생 및 신경 재생연구에서 그 자체가 흥미로운 연구 대상일뿐 아니라 중요한 필수분석 도구로 활용되어 왔다[1]. 기존 태아뇌에서 채취한 신경 줄기세포는 *in vitro* 모델로 다양한 분석에 응용되어 왔지만, 신경 줄기세포는 만들어지는 시기와 장소에 따라 특이성(시간적·공간적 특이성)을 갖고, 그 세포의 가소성도 한정되어 있기 때문에 태아유래 신경 줄기세포에서 할 수 있는 분석은 한정되어 있다[2]. 또한 특히 발생 초기에 태아뇌에서 충분히 근 신경 줄기세포를 채취하는 것은 어렵다. 반면, ES·iPS 세포는 무한히 증식하며 개체를 구성하는 모든 세포를 만들어낼 수 있기 때문에, 발생 초기의 신경 줄기세포를 대량으로 유도 할 수 있다. 또한 ES·iPS 세포의 신경 분화 유도는 *in vivo* 신경 발생을 잘 반영하고 신경 발생의 *in vitro* 모델로도 유용하다. 또한 인간 ES·iPS 세포에서 유도 된 신경 줄기세포는 인간 신경 발생의 *in vitro* 모델로서 유용 할 뿐만 아니라 신경 재생에의 응용과 질병 특이적 인간 iPS 세포를 이용하여 새로운 질환 모델로의 이용도 기대할 수 있다.

본 장에서는 지금까지 저자들이 연구 및 시행하고 있는 ES·iPS 세포에서 neurosphere(신경구)로 신경 줄기세포를 유도하는 방법을 소개 하고자 한다[3]. 이 방법은 마우스와 인간의 경우 모두에 해당하는 것으로 먼저 신경 줄기세포를 낭포형태로 많이 가지는 태아형태모형(Embryoid Body : EB)를 만들고, 거기에 포함되어 있는 신경 줄기세포를 유도할 수 있는 증식 인자(FGF와 EGF)를 넣은 무혈청배지를 이용하여 선택적으로 배양하여 순도가 높은 신경 줄기세포를 만들 수 있다. 본 장에서는 주로 마우스 ES 및 iPS 세포에서 신경 줄기세포의 유도(그림 1)를 중심으로 자세한 설명하고자 한다.

준 비

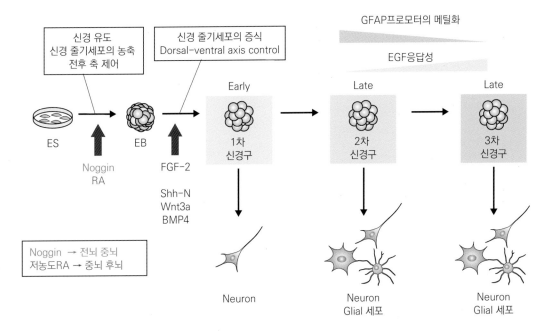

그림 1   마우스 ES 세포 유래 신경 줄기세포의 시간적 및 공간적 특이성 제어

마우스 ES 세포에서 배아형태모형(EB) 형성을 통해 Neurosphere(신경구)를 유도한다. 1차 신경구에서 주로 신경 세포가, 2차 신경구에서 뉴런뿐만 아니라 glial 세포가 만들어져 in vivo의 신경 줄기세포의 시계열적인 분화능의 변화를 잘 반영하고 있다. 또한 EB 형성시에 Noggin 또는 다양한 농도의 retinoic acid를 이용하여 신경 줄기세포의 전후 부분을 제어하고, 신경구 형성시 Shh, Wnt3a, BMP4 등을 첨가함으로써 복부 부분을 제어할 수 있다. 문헌 3을 기초로 작성함.

1. 세포

☐ 마우스 ES · iPS 세포 [*1]

☐ Feeder 세포(Feeder free인 경우는 불필요) [*2]

2. 배양기구

☐ 5 mL, 10 mL, 25 mL pipette

☐ Transfer pipette

BM EQUIPMENT Co., #262-1S.

☐ Gelatin coated dish

0.1% 젤라틴을 이용하여 100 mm 배양접시 혹은 플라스크를 코팅한다(2시간 정도). Feeder 세포를 제거하는 작업까지 사용할 100 mm 배양접시는 하룻밤 이상 코팅하는 것이 좋다.

☐ 박테리아 배양접시 (EB 배양용), 100 mm 배양접시(Kord-Valmark, #2910)

[*1] 저자는 주로 EB3(일본 이화학연구소 발생 재생 종합연구센터 丹羽仁史선생 공여)를 이용하여 실험을 실행하고 있다. 이외에도 RF8, R1, 핵이식 ES 세포(NT-ESC), 다양한 마우스 iPS 세포들도 신경 줄기세포를 유도할 수 있는지 확인하고 있다[1].

[*2] Feeder 세포를 필요로 하는 경우, SNL 세포 또는 MEF를 준비한다. EB3는 feeder free 배양이 가능하기 때문에 불필요하다.

대장균용을 사용하면 저렴한 가격에 구입이 가능하다. 같은 회사 제품으로 15 cm 혹은 6 cm 사이즈도 발매되고 있으니, 세포가 접합 해버리는 경우에는 다른 다른 로트를 사용할 수 있어서 좋다. 세포배양용 박테리아 배양접시와 낮은 접착력 세포배양접시를 이용해도 괜찮다.

☐ 플라스크, 배양접시, 플레이트(신경구 배양용)

EasyFlask (Thermo Scientific Inc., #156499: T75 flask)제품은 접착력이 좋고, 신경구 배양하기에 적합하다. 다른 회사제품을 이용하는 것도 가능하다.

☐ 저접착용 플레이트, 플라스크, 배양접시

신경구의 접합력이 너무 강한경우에 사용한다. Corning사의 Ultra-Low Attachment Culture Dish, 혹은 NOF Corporation 사의 LIPIDURE® Coated Dish 등.

☐ Cell strainer (70 μm) (Corning, #352350)

3. 시약류

☐ 배양용 물(Sigma Aldrich, #W3500)

☐ PBS

☐ 7.5% $NaHCO_3$

☐ 1M HEPES

☐ 30% glucose

☐ 0.25% Trypsin-EDTA

☐ 0.05% Trypsin-EDTA

☐ TrypLE™ Select (Life Technologies, #12563-029)

☐ Trypsin inhibitor (Sigma Aldrich, #T2011)

DMEM/F12 또는 MHM (추후기술) 등의 배지에 용해하여 2 mg/mL가 되도록 만들고, 나누어서 동결보관한다.

☐ Noggin

recombinant mouse Noggin-Fc Chimera (R&D,#719-NG-050) 등의 유전자 재조합 단백질과 Noggin을 강제발현한 Cos7 또는 293T세포의 배양 상청액 등.

☐ 레티노인 산(Retinoic acid : RA) (Sigma Aldrich, #R2625)

100% 에탄올 또는 DMSO를 이용하여 용해한다. 100% 에탄올을 사용하는 경우, 5 mM로 용해하고 1 mM로 분주 및 스톡을 만들어 시행한다. DMSO를 사용하는 경우는 10~20 mM로 용해하여 분주 및 스톡을 시행한다.

☐ B-27® supplements (Life Technologies, #17504-044)

☐ bFGF (FGF-2) (Peprotech 등)

bFGF는 DMEM/F12에 10 μg/mL로 나누어서 냉동보관한다. 500 × (최종농도 20 ng/mL)로 희석해서 사용한다.

☐ EGF (Peprotech 등)

EGF는 DMEM/F12에 10 μg/mL로 나누어서 냉동보관한다. 500 × (최종농도 20 ng/mL)로 희석해서 사용한다.

☐ Cover glass: Matsunami Glass Industry Co., Ltd. 등

☐ Poly-L-Ornithine (Sigma Aldrich, #P3655)

50 mg을 333.3 mL 물에 용해한 뒤, 분주하여 냉동 보관(10× PO). 커버 유리를 코팅할 때는 2×(5배 희석)로, 플라스틱 접시를 직접 코팅할 때는 1 × (10배 희석)로 사용한다.

☐ Fibronectin (Sigma Aldrich, #F4759)

5 mL의 배양용 물을 첨가하여 가끔씩 흔들어주면서 37℃에서 30분간 보온. 나중에 분주하여 냉동보관. PBS로 100배 희석하여 사용한다.

4. 배지

배지

☐ αMEM (Life Technologies, Inc., #11900-024)

αMEM 분말봉투를 800 mL 정도의 배양용 물에 용해한다. 7.5% $NaHCO_3$을 15 mL 첨가하고, 배양용 물을 추가하여 1 L를 만든다. 0.22 μm 필터로 여과 멸균하여 냉장 보관.

☐ DMEM (Life Technologies, Inc., #12100-046)

☐ Ham's F-12 (F12 Nutrient Mixture) (Life Technologies, Inc., #21700-075)

☐ Transferrin: apo-Transferrin from human (Nacalai Tesque, #34401-55)

☐ Insulin (Wako Pure Chemical Industries, Ltd., #094-03444)

☐ Putrescine (Sigma Aldrich, #P5780)

☐ 3 mM selenium

1 mg selenium (Sigma-Aldrich, #S9133)에 1.93 mL 배양용 물을 넣고 완전히 용해한다. 80 μL씩 분주하여 냉동 보관한다.

☐ 2 mM Progesterone

1 mg Progesterone (Sigma-Aldrich, #P6149)에 100% 에탄올 1.59 mL를 넣고 완전히 용해한다. 80 μL씩 분주하여 냉동 보관한다.

배지의 조제

☐ ES · iPS 세포 유지배지

각각 ES/iPS 세포의 배양에 적합한 것을 사용한다.

☐ 태아모양형태(EB) 형성용 배지

αMEM, 10% FBS, 0.1 μM 2-ME.

☐ 신경 줄기세포용 배지

MHM (Media Hormone Mix)에 bFGF (FGF-2) 20 ng/mL를 첨가하여 사용한다. 경우에 따라 EGF 20 ng/mL를 첨가할 수 있다.

□ MHM의 자가제작법 *3

❶ 살균된 500 mL 비커에 다음을 혼합하여 교반기에 의해 잘 혼합한다.

(최종농도)

10 × DMEM/F12 A)	50 mL	
10 × HM B)	50 mL	
L-Glutamine	5 mL	(200 mM)
Glucose	10 mL	(30%)
NaHCO₃	7.5 mL	(7.5%)
HEPES	2.5 mL	(1 M)
배양용 물	375 mL	
합계	500 mL	

❷ 0.22 μm의 필터를 이용하여 여과멸균하고 냉장 보관

A) 10 × DMEM/F12 의 제작

❶ 살균된 1 L용기에 배양용 물 700 mL 정도 넣고 교반기를 돌리면서, DMEM 1봉지씩, 총 5봉지를 용해시킨다.

❷ F-12를 1봉지씩, 총 5봉지를 완전히 용해시킨다*4.

❸ 배양용 물을 넣어서 1 L를 만든 후에 0.22 μm 필터로 여과 멸균하고 냉장 보관한다.

B) 10 × HM (10 × Hormone Mix) 의 제작

❶ 살균된 1 liter 비커에 다음을 혼합하여 교반기에 의해 잘 혼합한다.

10 × DMEM/F12	80 mL
30 % Glucose	16 mL
7.5 % NaHCO₃	12 mL
1M HEPES	4 mL
배양용 물	652 mL
합계	764 mL

❷ Transferrin 800 mg을 ❶의 혼합액에 첨가한 후, 교반기를 이용해서 잘 혼합한다.

❸ 인슐린 200 mg을 50 mL 원심관에 넣고, 0.1M HCl 4 mL를 첨가하고 흰 실 같은 것이 없어질 때까지 완전히 용해시킨다. 용해되면 배양용 물을 첨가하여 50 mL가 되도록 만든다.

❹ Putrescine 77 mg을 50 mL 원심관에 넣고 30 mL 정도의 배양용 물을 첨가하여 완전히 용해시킨다. 용해 후 배양용 물을 넣어 50 mL를 만든다.

❺ ❷혼합액에, 용해된 인슐린과 putrescine 전체를 첨가하고, 3 mM selenium 80 μL, 2 mM progesterone 80 μL을 첨가하여 교반기로 혼합한다.

❻ 완전히 혼합되면 0.22 μm 필터로 여과 살균하고, 분주 및 냉동 저장한다*5.

*3   같은 조성의 배지를 KOHJINBIO 사로부터 구입 가능 (# 1650100 KBM Neural Stem Cell).

*4   DMEM가 완전히 용해되고나서 F-12를 용해시키지 않으면 완전히 용해되지 않을 수 있다.

*5   사용량에 따라 분주량을 조절하면 좋다.

5. 면역염색

□ 각형 멸균 페트리 디쉬, 파라필름 등

□ 일차 항체

- Anti-βIII-tubulin, mouse IgG2b (Sigma Aldrich, #T8660)

- Anti-GFAP, Rabbit IgG (DAKO, #Z0334)

- Anti-CNPase, mouse IgG1 (Sigma Aldrich, #C5922)

□ 이차 항체

- Alexa Fluor® 647 Goat anti-Mouse IgG2b (Life Technologies Inc., #A21242)

- Alexa Fluor® 488 Goat anti-Rabbit IgG (Life Technologies Inc., #A11034)

- Alexa Fluor 555 Goat anti-Mouse IgG1 (Life Technologies Inc., #A21127)

□ 핵염색

DAPI 또는 Hoechst33258.

□ 현광 현미경

프로토콜 (그림 2)

1. EB 의 형성 (0일째)

❶ 반쯤 합류가 된 마우스 ES·iPS 세포를 PBS로 세척후 0.25% Trypsin-EDTA를 1 mL 첨가하여 37℃, 5% CO_2 배양기에서 3~5분간 보온 보관한다.

❷ 마우스 ES 세포 유지배지(혈청 세트)를 4~5 mL 첨가하여 잘 혼합하여 Trypsin의 반응을 멈춘다.

그 후 20~40회 피펫팅하여 단일세포로 분산한다. 15 mL 원심관에 넣고 원심분리 [실온, 800 rpm(140G) 5분]를 시행한다.

❸ Feeder 세포에서 ES·iPS 세포를 배양할때는, 원심분리 후 마우스 ES 세포 유지배지에 현탁하고 젤라틴 코팅된 배양접시에 일단 파종 후 30~60분 정도 놓아둔다.

Feeder 세포는 젤라팅 코팅된 배양접시에 첩착되므로 상층액을 흡인제거하면 feeder 세포를 어느정도 제거가 가능하다. Feeder가 필요 없는 경우는 이

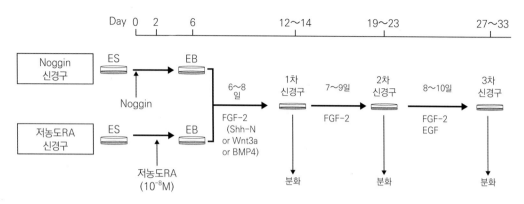

그림 2 마우스 ES 세포의 분화 유도의 프로토콜

작업은 필요치 않다.

❹ 원심분리가 진행되는 동안 마우스 EB 형성용 배지를 박테리아 배양 접시에 10 mL/dish로 미리 준비해 둔다[*1].

❺ 원심분리가 완료되면 상층액을 흡입제거하고 마우스 EB 형성용 배지를 5~10 mL 정도 첨가하여 수 회의 피펫팅으로 세포를 현탁한다.

❻ 세포수를 계산한다.

❼ ❹에서 준비해 놓은 박테리아 배양접시에 5×10^4 cells/mL 세포밀도 (5×10^5 cells/dish, 10 mL)가 되도록 세포를 파종한다.

❽ EB형성 2일째 Retinoic acid (RA)를 첨가한다.

10 μM로 준비된 RA 10 μL(1/1,000 용량)를 첨가하고, 배양접시를 전후 좌우로 잘 흔들어서 섞어준다(최종농도 10~8 M)[*2].

2. 신경구의 형성 (6일째)

❶ EB를 50 mL 원심관 튜브에 넣고, 5~10분 자연 침강시킨다[*3].

❷ 상층액은 흡입제거하고, PBS를 넣고 5~10분 자연 침강시킨다[*4].

❸ Trypsin-EDTA를 1~1.5 mL 넣고, 37℃ 5% CO_2 배양기에서 5분 간 보온보관한다[*5].

❹ 혈청이 포함된 마우스 EB 형성용 배지를 3 mL 첨가하여 잘 섞어주면, Trypsin의 반응을 멈추게 된다.

*1 Noggin을 이용할 경우, 이 시점에서 마우스 EB 형성용 배지에 Noggin을 첨가한다. ("recombinant mouse Noggin Fc Chimera의 경우 최종 농도 0.3~1 μg/mL)

*2 RA는 사용시 마우스 EB용 배지(또는 αMEM)에서 10 μM까지 희석한 후 1000 X 로 첨가하면 좋다. 에탄올 최종 농도는 0.1% 이하, DMSO 최종 농도는 0.01% 이하로 억제한다.

*3 박테리아 배양접시를 천천히 회전시켜서, EB를 중심에 모아서 회수하는 것도 괜찮은 방법이다.

*4 흡인제거시 세포까지 흡인할 수 있으므로 주의한다. PBS로 추가 세척하므로, 배지를 완전히 흡인 제거하려고 노력하지 않아도 된다. 100 mm 배양접시 1장당 10 mL 이상의 PBS로 세척한다.

*5 100 mm 배양접시 1장인 경우 1 mL 추가한다. 2~5장의 경우 1.5 mL이면 충분하다.

❺ 트랜스퍼 피펫을 이용하여 거품이 발생되지 않도록 부드럽게 30회 정도 피펫팅을 한다.

피펫팅 후 세포 현탁액을 15 mL 원심관 튜브로 옮긴다[*6].

❻ 무혈청 αMEM을 첨가하여 총 10~12 mL가 되도록 만든 후, 원심분리 (실온 800 rpm, (140G) 5분간)를 시행한다.

❼ 상층액을 흡인제거하고, 무혈청 αMEM 3 mL 첨가하여 펠렛을 녹인다. 다시 무혈청 αMEM을 첨가하여 총 10 mL가 되도록 만든후 다시 원심 분리 (실온, 800 rpm(140G) 5분간)를 시행한다.

❽ 상층액을 흡인제거하고, MHM (bFGF 등은 추가로 넣지 않아도 된다)을 이용하여 ❼과 동일한 작업을 수행한다[*7].

❾ 펠렛의 크기에 따라 MHM을 적당량 첨가하여 세포를 현탁한후, 70 μm 셀 스트레이너를 통과시킨다[*8].

❿ 세포수를 계산한다.

⓫ 0.5~1.0 × 10^5 cells/mL 세포밀도가 되도록 MHM에 세포를 분주한다. bFGF 가 20 ng/mL이 되도록 첨가한다[*9~13].

3. 신경구의 계대, 접착분화

❶ 형성된 신경구를 50 mL 원심관 튜브에 넣고 원심분리(실온, 800 rpm(140G) 5분간)를 시행한다.

❷ 상층액을 흡인제거 후, 0.05% Trypsin–EDTA 또는 TrypLE Select 를 1~1.5 mL 첨가하고 37℃, 5% CO_2 배양기에서 5분간 보온보관한다.

❸ 2 mg/mL의 Trypsin inhibitor 용액을 동량 첨가하여 반응을 중지시킨다.

❹ P1000 마이크로 피펫으로 10~20회 정도, 거품이 생기지 않도록 조심스럽게 피펫팅하여 세포를 분산시킨다.

❺ MHM을 첨가하여 총 10 mL이 되게 만든후, 원심분리 [실온, 800 rpm(140G), 5분간) 시행한다.

[*6] 세포덩어리가 남아 있어도 30회 정도로 피펫팅을 멈추는 것이 좋다. 30회 이상의 피펫팅은 세포생존율이 극단적으로 저하되어서, 신경구의 형성이 나빠진다.

[*7] 무혈청 배지에서 2번 세척하여 신경구 형성을 억제하는 혈청을 완전히 제거한다.

[*8] 셀 스트레이너를 통해 분산되지 않은 세포 덩어리를 제거한다. 세포 덩어리를 남기면 신경세포 형성시 신경계 이외의 세포가 더 많이 생성 될 수 있다.

[*9] T75 플라스크에 40 mL, T25 플라스크에 12 mL의 배지에서 배양한다. 배지 용량뿐만 아니라 배양 면적도 고려하여 파종할 세포수를 결정한다. 세포 밀도가 낮은 편이 순도가 높은 신경구를 얻을 수 있지만, 반면에 신경구 형성 효율이 낮아진다.

[*10] 이후로, 신경구 배양에서 필요에 따라 B-27를 추가하면 신경구 형성에 더 효율적이고 배양이 잘 진행될 수 있다. 또한, bFGF 뿐만 아니라 Heparin을 추가하는 것도 괜찮다.

[*11] clonal culture를 할 때 0.8% 메틸 셀룰로오스 (Nacalai Tesque, #22223-52) 함유 배지에서 배양하면 좋다.

[*12] 비접착용 말고 일반 플라스크나 배양접시에 세포를 파종하는 것이 좋으며, 이는 접착성 비신경 세포를 어느 정도 제거 할 수 있다. 저자들의 경험상 이지플라스크를 이용하는 것이 좀 더 좋았다.

[*13] EB의 분산은 최대한 빨리 끝내는 것이 좋다. 1시간을 초과하면 세포의 생존율이 저하된다.

❻ 펠렛의 크기에 따라 적당량의 MHM에 세포를 현탁한후, 70 μm 셀 스트레이너를 통과시킨다. (경우에 따라 생략 가능)

⬇

❼ 세포수를 계산한다.

⬇

❽-1 5 x 10⁵ cells/mL가 되도록 MHM에서 세포를 파종하고, 20 ng/mL 의 bFGF를 첨가한다.

3차 신경구를 배양할 때, 20 ng/mL의 EGF를 첨가하면 성장에 도움이 된다*¹⁴.

⬇

❽-2 접착분화를 시행할때, 분산된 신경구를 MHM에 현탁하여, 1~2 x 10⁵ cells/well (500 μL)의 세포 밀도에서, 10 mm 커버 글라스를 넣은 48-well plate에 분주한다.

신경구를 분산하지 않고 세포 덩어리형태로 접착분화시키는 것도 가능하다. bFGF 와 EGF등의 성장 인자는 첨가하지 않는다. 5~7일째에 4% PFA로 고정하면서 면역 염색을 시행한다. 분주시 세포밀도는 배양 규모(면적)나 목적에 따라 조정할 수 있다*¹⁵.

⬇

❽-3 동물에 이식을 할 경우, 효소 처리 혹은 단세포로 분산시키지 말고, 신경구의 세포 덩어리 상태로 이식을 진행하는 것이 세포의 생존율을 높일 수 있다.

4. 면역염색 : 신경세포 , 성상세포 , (oligodendrocytes) 의 삼중 염색

❶ 각형 멸균 페트리 접시 등의 용기에 파라필름을 깔고, 세포를 얹은 커버 글라스를 세포 표면을 위로하여 올려 놓는다.

마르지 않도록 즉시 PBS 방울로 적셔준다*¹⁶.

⬇

❷ 흡인기 또는 피펫을 사용하여 PBS를 제거한 후, 차단액을 투입하고 실온에서 1시간 보관한다*¹⁷.

⬇

❸ 일차 항체 희석액을 투입하고, 4℃에서 하룻밤 보관한다*¹⁸.

⬇

❹ 일차 항체 희석액을 제거하고 PBS로 5분씩 3회 세척한다.

⬇

❺ 이차 항체 희석액을 투입하고, 실온에서 1시간 보관한다*¹⁹.

⬇

*14 신경구가 충분히 커지면 계대가 가능하다. 기준으로는 1차 신경구는 6~8일째, 2차 신경구는 7~9일째, 3차 신경구는 8~10 일째이다. B-27를 사용하면 계대 타이밍이 빨라진다.

*15 커버 글라스는 Poly-L-Orni-thine에서 하룻밤 코팅 한 후, Fibronectin에서 하룻밤 코팅한다. 슬라이드 챔버를 이용해도 좋다.

*16 커버 글라스에 PBS등을 떨어뜨릴 때 세포의 박리를 방지하기 위해 세포에 직접 떨어뜨리지 않고, 커버 글라스의 가장자리에서 살짝 떨어뜨리는것

*17 블로킹 액 : 예 : PBS에 10 % 정상 염소 혈청, 0.3 % Triton-X 를 첨가하여 사용 (최종 농도).

*18 일차항체 (블로킹 액에 희석) β Ⅲ-tubulin(mouse IgG2b)1 : 1,000(신경세포) GFAP(Rabbit IgG)1 : 4,000(성상세포) CNPase(mouse IgG1)1 : 4,000 (희돌기교세포)

*19 이차항체 (블로킹 액에 희석): 각 1: 1000으로 사용. 핵염색을 위해 DAPI나 Hoechst33258을 첨가할 수 있다.

❻ 이차 항체 희석액을 제거하고 PBS로 5분씩 3회 세척한다.

❼ 마지막으로 물로 1회 세척하고, 슬라이드 글라스에 봉입한다.

❽ 형광 현미경으로 관찰한다.

⚠ 문제 발생 시 대응

■ 신경구가 만들어지지 않는다

원인으로 ①분화유도에 사용된 ES 세포나 iPS 세포의 상태가 나쁨(미분화 상태를 유지하지 못함) ②EB와 신경구의 분산시 너무 격렬한 피펫팅 혹은 조작시에 너무 시간이 오래 걸려서 세포에 손상이 감 ③파종된 세포의 밀도가 낮음 ④사용하는 배지(MHM)가 오래됨(제작 후 1주일 이내에 권고) 등의 원인을 고려해 볼 수 있다. 이러한 문제점을 해결하고도 잘 되지 않으면, 신경구 배양시에 B-27® supplement를 첨가해 보도록 한다.

■ EB가 접착해 버린다

박테리아 배양접시의 Lot에 따라서 EB가 배양접시의 바닥에 붙어버리는 경우가 발생하기도 한다. 다른 lot의 박테리아 배양접시나 세포배양가능한 박테리아 배양접시, 혹은 낮은 접착력 배양접시 등을 이용하면 개선 할 수 있다.

■ 신경구가 플라스크 바닥에 접착해 버린다

사용하는 ES 세포나 iPS 세포 주에따라서 신경구 배양시작 후 3~4일에 세포가 플라스크 바닥에 현저하게 접착할 수 있다. 이런 경우는 신경구 형성 시작 3~4일째에 세포를 낮은 접착력 플라스크에 옮기면 된다. 처음부터 낮은 접착력 플라스크를 사용하면 세포가 응집하기 쉬우므로, 비신경 세포가 같이 응집되어 배양될 수 있다. 따라서 처음 3~4일간은 일반 플라스크에서 배양하는 것이 좋다. 일반 플라스크에서 단세포 상태의 비신경 세포는 플라스크 바닥에 접착하거나 혈청 배지에서 사멸해 버리는 경우가 많다. 그러나 96-well plate에서 배양하는 것은 세포가 바닥에 접하기 쉬우므로, 처음부터 저접착성 플레이트를 사용하는 것이 좋다.

■ 신경구들속에 비신경세포가 많이 섞여있다.

EB 분산시에 단세포로 분산되지 않았을 가능성이 있다. 단일 세포로 수집하기 위해서는 일단 분산된 EB를 15 mL 원심관에 넣어 자연 침강시킨후 상층액을 회수하는데, 이때 셀 스트레이너를 사용하면 좋다. 또한, 신경구 파종시에 세포 밀도를 낮추면 된다.

■ 동물에 이식한 세포가 생착하지 않는다

이식용 신경구를 회수할 때, 신경구를 분산하지 말고 회수하고, 세포 덩어리 상태로 이식하면 생존율이 향상된다. 그리고, 이식하는 세포수를 늘리는 것도 한 방법이다. 또, 신경구가 너무 성장하면 죽은 세포의 비율이 증가하므로 이식의 타이밍을 앞당겨 보는 것도 도움이 된다.

1. 마우스 ES 세포 유래 신경구의 분화 유도

　　마우스 ES 세포의 분화유도에서 EB 형성시 BMP 신호 억제를 위한 Noggin 및 저농도 RA를 추가함으로써, 신경구의 형성효율을 향상시킬 수 있었다. 이렇게 유도된 일차(Primary) 신경구는 주로 신경세포로 분화하고 아교세포(glial cell)를 거의 만들지 않는다. 한편, 계대하여 얻어지는 이차(Secondary) 삼차(Tertiary) 신경구는 신경세포뿐만 아니라 아교세포(성상세포, 희돌기교세포)로 분화했다(그림 3). 이것은 포유류 신경 발생에서 먼저 신경이 만들어지고, 나중에 아교세포가 만들어지는 신경 줄기세포의 시계열적인 분화능의 변화를 잘 반영하고 있다. 이러한 신경 줄기세포의 특이적 변화는 신경 줄기세포의 성장인자에 반응의 변화(초기에는 FGF 반응성이, 후기에는 EGF 반응성이 획득된다)와 DNA 메틸화(GFAP promoter의 메틸화)가 관찰된 포유류 신경줄기세포 발생모델이 될 것으로 생각된다. 또한 EB 형성시 첨가된 Noggin과 다양한 농도의 RA를 이용하여 유도된 신경 줄기세포의 전후 축을 또한 일차 신경구 형성시에 복부화 인자인 Shh (Sonic hedgehog) 신호를 활성화하거나 또는 등쪽 인자인 Wnt3a, BMP4 등을 추가함으로써, 유도된 신경 줄기세포의 배축 제어가 가능하게 되었다(그림 1). 전자는 신경관 복부에서 생성된 운동신경이, 후자에서 신경관 후부에서 생성된 감각신경과 신경 크레스트 세포(말초 신경계의 신경세포 등)이 만들어진 것이다. 또한 ES 세포 유래 신경구에서 유도된 신경세포는 전기 생리학적 분석(패치 클램프법)에 따라 활동전위가 기록되어 기능적이라는 것이 입증되었다(그림 4).

　　이렇게 배양된 마우스 ES 세포 유래 신경구를 척수손상 모델 마우스에 이식하면 *in vivo*에서도 1차 신경구는 신경세포로 분화되고, 2차 신경구는 신경세포뿐만 아니라 아교세포로 분화했다. 게다가, 2차 신경구를 이식한 경우에는 현저한 운동능력의 호전을 보였다[4].

2. 마우스 iPS 세포 유래 신경구의 분화 유도

　　마우스 iPS 세포를 사용한 실험에서도 다양한 세포주에서 유사한 방법으로 신경구를 유도할 수 있었다(그림 5). 그러나 일부 마우스 iPS 세포에서 분화 유도후 미분화 세포가 일부 남아 있었으며, 이는 마우스 뇌에 이식되었을때에 기형종을 형성했다. 이 결과는 iPS 세포 유래 신경 줄기세포를 이용한 신경 재생시 안전 확보(조 종양성 회피)의 중요성을 시사하고 있다. 또한 이 기형종 형성 능력은 마우스 iPS 세포를 만들때 원래의 체세포의 종류에서 기원하는 것으로 알려졌다[4]. 한편, 기형종 형성 능력을 보여주지 않았던 마우스 iPS 세포 유래 이차 신경구를 척수 손상 모델 마우스에 이식한 경우 신경세포 및 아교세포로 분화하고, 마우스 ES 세포의 경우와 마찬가지로 운동 기능의 개선을 보여주었다[7].

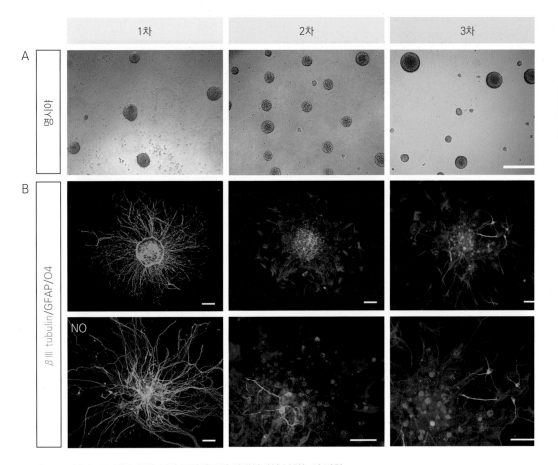

그림 3　마우스 ES 세포 유래 신경 줄기세포의 시계열적인 분화능의 변화

유도한 신경구는 반복 계대할 수 있다. 1차 신경구는 주로 주로 뉴런(β III –tubuln: 녹색)에 2차 및 3차 신경구는 신경 세포뿐만 아니라. 성상세포(astrocytes) (GFAP : 파랑) 또는 희돌기교세포(oligodendrocytes) (O4 : 빨간색)로 분화한다. Scale bar : 200 μm (A), 50 μm (B). 문헌 3을 참고함.

3. 인간 iPS 세포 유래 신경구의 분화 유도

또한 마우스 ES 세포의 분화 유도 방법을 수정함으로써, 인간 ES 세포와 인간 iPS 세포에서도 EB 형성을 통한 유사한 방법으로 신경구를 유도할 수 있었다(그림 6). 인간 iPS 세포 유래 신경구도 마우스와 영장류인 마모셋 원숭이의 척수 손상에 이식했을 때 운동기능의 향상에 기여하는 것으로 밝혀져 향후 임상 응용이 기대된다[8)9)].

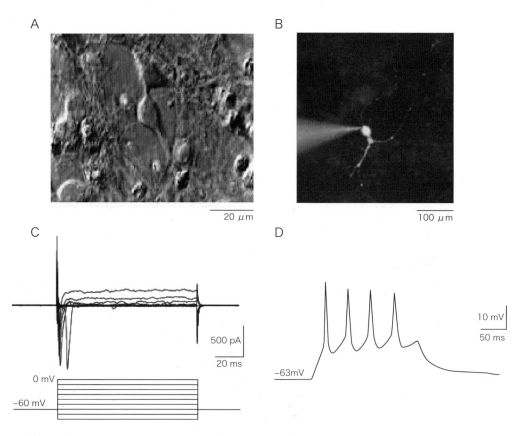

그림 4   마우스 ES 세포유래 신경구에서 유도된 신경세포의 활동 전위

유도된 신경 세포에서 Whole cell patch-clamp 법을 이용하여 분석 한다 . A) B) 전위 고정법은 내향의 Na 전류가 유도된다 (C). 전류 고정
법에서 활동 전위가 기록된다 (D).

결론

이번 장에서는 가장 기본적인 마우스 ES · iPS 세포에서 신경 줄기세포 (신경구)의 유도
방법을 소개하였다. 현재는 마우스, 인간 ES · iPS 세포 모두 다양한 신경 줄기세포의 분화
유도 방법이 개발되어보다 간편하게 고효율 유도하는 방법이 다수 보고되고 있다. 특히 기
존 방법으로는 비싼 유전자 재조합 단백질이 사용되고 왔지만, 이에 대체하는 저분자 화합
물도 개발되고있어, 보다 편리하게 ES · iPS 세포 유래 신경 줄기세포를 얻을 수 있게 되었
다. 또한 각종 리포터 유전자를 이용하여 특정 유형의 신경 세포의 시각화 및 flow cytom-
etry를 이용한 정제가 가능해졌다. 이러한 기술의 발전에 의해 ES · iPS 세포 유래 신경 줄기
세포의 다양한 실험에의 응용이 기대된다.

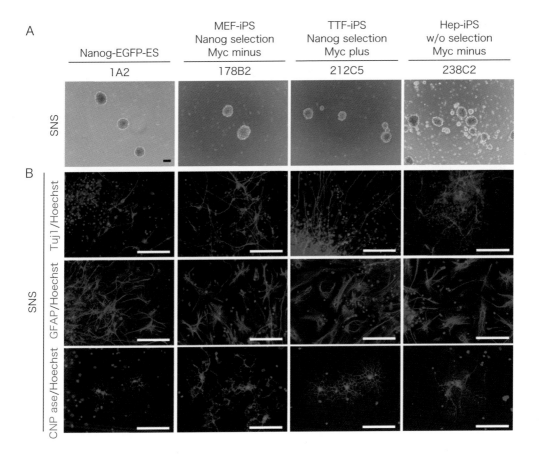

그림 5   마우스 iPS 세포에서 신경구 유도

여러 마우스 iPS 세포에서 마우스 ES 세포와 유사한 방식으로 신경구를 유도하였다. 유도된 2차(Secondary) 신경구를 접착 분화시키면, 신경세포, 성상세포, 희돌기교세포의 3계통 세포가 유도된다. Scale bars : 200 μm (A), 100 μm (B). 문헌 4 실렸음.

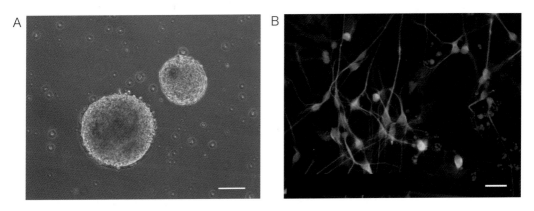

그림 6   인간 ES 및 iPS 세포에서 신경 줄기세포(신경구)의 유도

A) 마우스 ES 세포의 배양 방법을 수정하여 인간 ES 세포로부터 EB를 통해 신경구를 유도할 수있다. B) 접착 분화 시키면, β Ⅲ−tubulin (녹색) / Hu (적색) 양성 신경 세포가 유도된다. 또한 인간 iPS 세포에서도 신경 줄기세포를 유도 할 수 있다. Scale Bar : 100 μm (A), 20 μm (B)

◆ 문헌

1) Reynolds, B. A. & Weiss, S. : Science, 255: 1707-1710, 1992
2) Temple, S. : Nature, 414: 112-117, 2001
3) Okada, Y. et al. : Stem Cells, 26: 3086-3098, 2008
4) Miura, K. et al. : Nat. Biotechnol., 27: 743-745, 2009
5) Shimazaki, T. et al. : J. Neurosci., 21: 7642-7653, 2001
6) Kumagai, G. et al. : PLoS One, 4: e7706, 2009
7) Tsuji, O. et al. : Proc. Natl. Acad. Sci. USA, 107: 12704-12709, 2010
8) Nori, S., Okada, Y., et al. : Proc. Natl. Acad. Sci. USA, 108: 16825-16830, 2011
9) Kobayashi, Y., Okada, Y., et al. : PLoS One, 7: e52787, 2012

9 대뇌피질 신경세포로의 분화 유도

콘도오 타카유키(近藤 孝之), 이노우에 하루히사(井上 治久), 타카하시 료오스케(高橋 良輔)

Flow chart

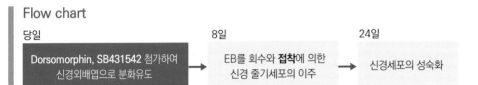

당일

Dorsomorphin, SB431542 첨가하여
신경외배엽으로 분화유도

→

8일

EB를 회수와 **접착**에 의한
신경 줄기세포의 이주

→

24일

신경세포의 성숙화

서론

신경 질환의 가장 중요한 부분인 중추 신경계는 재생이 잘 안되기 때문에 제한된 경우를 제외하고는 생검재료를 얻을 수 없다. 따라서 직접적인 질병 상태에 대한 검사·치료 활동에는 한계가 있고, 인간 신경세포를 연구에 이용하기도 어려웠다. 그러나 인간 ES 세포가 1998년에 수립된 이후, 인간 ES 세포로부터 신경세포로의 분화유도 방법이 개발 및 진행되었다. 이어 2007년에 체세포 리프로그래밍에 의해 인간 iPS 세포 수립 기술이 개발되면서, ES 세포에서 축적된 분화 유도에 관한 지식을 바탕으로, 신경질환 환자유래의 인간 iPS 세포에서 신경세포에 분화유도 및 분석을 수행할 수 있는 질환 모델링이 이루어져 의학연구의 큰 패러다임의 변화를 낳고 있다.

이번 장에서는 인간 ES 세포와 iPS 세포에서 특히 대뇌피질 신경세포로 분화 유도하는 기술에 대해 설명한다. 이 방법은 笹井(사사이) 등이 개발한 SFEBq 법(Serum-free Floating culture of Embryoid Body-like aggregates with quick reaggregation)[1]을 바탕으로 수정한 것으로, 만능 줄기세포에서 99% 이상의 고순도의 신경 줄기세포(Nestin 양성)을 유도하고, 성숙 신경세포로 분화시킬 수 있는 매우 강력한 방법이다[2].

준 비

다능성간세포

☐ 인간 iPS 세포 혹은 인간 ES 세포

이번 장에서는 SNL 세포 등의 feeder에서 배양하는 것으로 한다[*1].

배양관련 소모품

☐ 저흡착처리된 U-bottom 96-well plate

*1 70~80% 합류가 된 60 mm 배양접시 1장이면 96-well plate 한 개 정도의 충분한 양의 세포수를 얻을 수 있다. 또한 신경계 세포에 안정적이고 순도가 높은 분화 유도를 위해 처음 시작할

예) Greiner SC U-bottom plate, #650185.

☐ Cell reservoir

예) AS Bio Corp. Disposable Pipetting Reservoir, #1-6773-01.

☐ 단백질 저흡착 튜브

예) Watson, #PK-15C-500

배양관련 시약

☐ DMEM/Ham's F12 Glutamax (Life Technologies, Inc. #10565-018)

☐ Neurobasal Medium (Life Technologies, Inc. #21103-049)

☐ KnockOut Serum Replacement (Life Technologies, Inc. #10828-028)

☐ NEAA (x100)

☐ 2-ME (2-Mercaptoethanol 55 mM)

☐ Penicillin/Streptomycin (x100)

☐ N-2 supplement (100x) liquid (Life Technologies, Inc. #17502-048)

☐ B-27®Supplement Minus Vitamin A (50x) (Life Technologies, Inc. #12587-010)

☐ Glutamax (Life Technologies, Inc. #35050-061)

☐ Human recombinant BDNF CF

멸균 증류수로 500 μg/mL로 만든다. −80℃에서 6개월 보존가능[*2].

☐ Human recombinant GDNF CF

멸균 증류수로 500 μg/mL로 만든다. −80℃에서 6개월 보존가능[*2].

☐ Human recombinant NT3 CF

멸균 증류수로 500 μg/mL로 만든다. −80℃에서 6개월 보존가능[*2].

☐ Y-27632

멸균 증류수로 10 mM로 만든다. 차광하여 −20℃에서 6개월 혹은 4℃에서 1개월 보존가능.

☐ Dorsomorphin[*3]

DMSO로 2 mM로 만든다. −20℃에서 6개월 혹은 4℃에서 1개월 보존가능.

☐ SB431542[*3]

DMSO로 10 mM로 만든다. −20℃에서 6개월 혹은 4℃에서 1개월 보존가능.

☐ Matrigel (BectonDickinson, #354234)

☐ Pluronic® F-127 (Sigma Aldrich, #P2443)[*4]

에탄올로 1% w/v로 조제한다. 상온에서 6개월 저장할 수 있다. 알루미늄 호일로 차광한다.

☐ 에탄올

☐ Accutase (Innovative Cell Technologies, #AT104)

그밖에 필요기구

☐ 원심분리기

때의 줄기세포 상태가 매우 중요하다.

[*2] 단백질 흡착이 낮은 튜브를 사용하자.

[*3] DMSO로 희석한 Dorsomorphin 및 SB431542은 4℃에서도 얼어버린다. 냉동과 해동의 반복을 피하기위해 사용량에 따라 가능한 소분하여 저장하자.

[*4] Pluronic®F-127는 상온에서 잘 녹지 않고, 녹여서 쓰고 다시 저장해도 문제 없다.

96-well plate의 원심분리가 가능한 스윙바구니를 가진 것.

☐ Water bath

☐ 배양 incubator

37℃, 5% CO_2 유지 가능한 것

☐ 멀티채널 피펫

8ch 또는 12ch.

☐ Cell counting board

혹은 Cell counter

배지의 조제

신경 세포 분화에 사용되는 배지의 혼합 용량을 표 형식으로 기재한다.

제작 후 4주 이내에 사용하도록 한다.

☐ DFK 5% DS 배지

2.에서 사용

		(최종농도)
DMEM/Ham' sF12 Glutamax	463.0 mL	
KnockOut Serum Replacement	25.0 mL	(5 % v/v)
NEAA (x100)	5.0 mL	(× 1)
Penicillin/Streptomycin (x100)	5.0 mL	(100/100unit/mL)
2-ME (55 mM)	0.909 mL	(0.1 mM)
Dorsomorphin	500 µL	(2 µM)
SB431542	500 µL	(10 µM)
합계	총 500.0 mL	

☐ DFN2D 배지

3.에서 사용. Water bath로 보온 금기

		(최종농도)
DMEM/Ham' sF12 Glutamax	483.6 mL	
N2 supplement (100x)	5.0 mL	(× 1)
NEAA (x100)	5.0 mL	(× 1)
Penicillin/Streptomycin (x100)	5.0 mL	(100/100unit/mL)
2-ME (55 mM)	0.909 mL	(0.1 mM)
Dorsomorphin	500 µL	(2 µM)
합계	총 500.0 mL	

☐ NB27full 배지

4.에서 사용. Water bath로 보온 금기

		(최종농도)
Neurobasal Medium	480 mL	
B-27® Supplement Minus Vitamin A (50x)	10 mL	(× 1)
Glutamax	5 mL	(× 1)
Penicillin/Streptomycin (x100)	5 mL	(100/100 unit/mL)
BDNF	10 µL	(10 ng/mL)
GDNF	10 µL	(10 ng/mL)
NT3	10 µL	(10 ng/mL)
합계	총 500 mL	

신경분화 프로토콜의 각 단계를 1.SFEBq 용 플레이트 준비 2. SFEBq 의한 세포 응집 덩어리의 형성과 신경 유도, 3. 신경 줄기세포의 유주 4. 성숙 신경 세포에 나누어 설명하겠다.

1. SFEBq Plate 의 준비 (Pluronic F-127 코팅)

 스톡용액 중에서 실온으로 일부 옮겨 놓은 Pluronic® F-127[3]을 3℃ water bath에서 완전히 해동한다.

 U형태바닥 96-well flat에 20 μL/well로 분주한다[*1].

 클린 벤치안에서 뚜껑을 열어[*2] 2시간 혹은 하룻밤동안 보관하여 완전히 건조시킨다.

❹ 뚜껑을 닫아놓고, 사용할 때까지 상온에서 알루미늄 호일로 차광 보존한다.

6개월 정도 사용 가능하다.

2. SFEBq 의한 세포 응집체 형성과 신경계 유도 (Day 0-8)

 CTK 처리하여 feeder 세포를 박리하고, 이어서 PBS로 세척을 2회 실시한다[*3].

 Accutase 1 mL/dish (60 mm 배양접시)를 넣고, 37℃에서 12~14분간 보온 보관하여 단일 세포화 시킨다.

 DFK 5%DS 배지 (9 mL/dish, 60 mm 배양접시)를 넣어서 Accutase를 희석하고, ES · iPS 세포를 현탁한다.

❹ 15 mL 튜브에 현탁액 전량을 옮긴 후, 원심분리(200G, 3분간)를 시행한다.

*1 일부가 엉기지 않도록 신속하게 분주한다.

*2 뚜껑을 열어놓는 것이 중요하다.

*3 Feeder 세포가 신경분화에 관여하지 않도록 계대시에 CTK를 약간 강하게 처리하도록 하며, PBS 세척도 좀 부드럽게 진행하자.

❺ 상층액은 흡인제거하고, DFK 5%DS 배지를 첨가 후 다시 현탁하고, 세포 수를 계산한다.

❻ ❼에서 필요한 용량(200 µL/well)의 DFK 5%DS 배지에 Y-27632를 최종 농도 10 µM가 되도록 넣는다.

❼ 45,000 cells/mL가 되도록, Y-27632을 미리 넣어놓은 DFK 5% DS 배지에 세포를 현탁한다.

❽ 1. ❹를 Pluronic® F-127 코팅된 96-well plate에 200 µL/well씩 분주한다. (9,000 cells/well)

❾ 96-well plate를 원심분리 (200G, 1분간)를 진행하여 U모양바닥 중앙에 세포를 모은 후, 인큐베이터에 넣어놓는다.

❿ Day8까지 그대로 배양을 계속한다[*4].
다음날에는 1개의 세포 응집체가 형성이 되면, 이를 EB (Embryoid body)라고 호칭한다(그림 1).

*4 배지액 량이 줄어들면, 적당량 DFK 5% DS 배지를 추가한다.

3. EB의 접착에 의한 신경 줄기세포의 유주 (Day8-24)

❶ 얼음 위에서 해동된 Matrigel 100 µL를, 4℃ 냉장되어 있던 DFN2D 배지 1,900 µL에 넣고 얼음 위에서 섞는다.

❷ 6-well plate에 1 mL/well의 코팅액을 넣고(총 2 well), 실온에서 2시간 코팅한다.

❸ 2. ❾에서 만들어진 EB를 P1000 마이크로 피펫을 사용하여, 15 mL 튜브 2개에 모두 나누어 넣는다.

❹ 1분간 놓아두면 EB가 튜브바닥에 가라 앉는데, 이때 상층액을 흡인제거 한다.

❺ DFN2D 배지를 각각 3 mL씩 추가한다.

다시 1분간 놓아두면 EB가 튜브바닥에 가라 앉는데, 이때 상층액을 흡인
제거 한다.

❻ DFN2D 배지를 각각 4 mL씩 추가한다.

❷의 Matrigel 코팅액을 모두 제거하고, EB가 들어있는 DFN2D 배지 4mL
전량을 6-well plate의 1개의 well에 옮겨 인큐베이터안에 보온보관시킨
다[*5].

[*5] 96-well plate에서 EB를 꺼내옮
기는데, 48개당 6-well plate의
1 well에 해당되도록 계산한다.

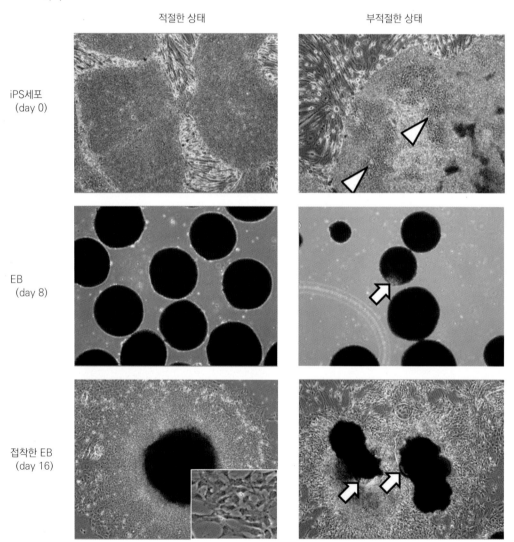

그림 1 적절하게 유지된 iPS 세포를 사용하는 것이 중요

분화된 콜로니(화살촉)가 많으면 EB 형성 시점으로 크기가 불균일해져서, 낭종 모양의 구조물 (화살표)이 형성된다. 신경 줄기세포의 유주도 불균일해져
서 편평 또는 다각형 세포가 나타나게 된다. 적절한 상태의 iPS 세포를 이용한 경우 균일한 구형 EB가 형성된다. 짧은 돌기를 뻗은 신경 줄기세포가 떠다
니는 것을 볼 수 있다.

❼ 이후 3일마다 배지를 전량 교환하면서 Day24까지 배양을 계속하면, EB 접착부를 중심으로 주위에 신경 줄기세포가 모여든다(그림 2)[*6].

4. 신경 세포의 성숙화 (Day24~56)

❶ 3. ❶❷와 동일한 절차에 필요한 최소한의 배양 접시에 Matrigel 코팅을 진행한다.

그러나 Matrigel의 희석에 NB27full 배지를 사용한다[*7].

❷ 3.❼부터 Day24까지 과정을 진행한 신경 줄기세포를 PBS로 세척한다.

❸ Accutase를 700 μL/well (6-well plate)으로 첨가하고, 37℃ 10~20분간 보온 보관하여 단일세포화 시킨다[*8].

❹ NB27full 배지(7 mL/well, 6-well plate)를 넣고 Accutase를 희석하고, 세포를 현탁 용해한다.

❺ 15 mL 튜브에 현탁액 전량을 옮겨서, 원심분리(200G, 3분간)를 진

[*6] EB의 성장이 불량하지 않은지, 혹은 신경 줄기세포의 이동 형태가 나쁘지 않은지 등을 계속 관찰 한다. 특히 분화유도 개시 시점에서 미분화시기의 상태가 나쁜 것(분화된 colony가 많으면)이 크게 영향을 미친다(그림 1).

[*7] 24-well plate 의 경우 300 μL/well를, 12-well plate의 경우 500 μL/well을 사용한다. 코팅된 플레이트는 랩으로 싸서 냉장고에 1주일 정도 보관하고 사용가능하다(이때 플레이트 표면이 건조하지 않도록 약간 넉넉하게 코팅액을 넣어 둔다).

[*8] 신경돌기가 뻗어있는 세포가 많고 몇 분 정도의 짧은 효소처리를 하는 경우, 접착된 세포의 박리시에 손상이 커지는 경향이 있다(그림 2).

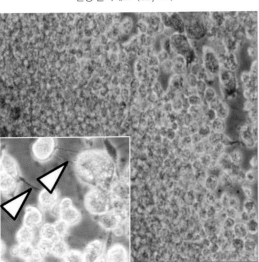
Accutase처리 중
신경 줄기세포 (day 24)

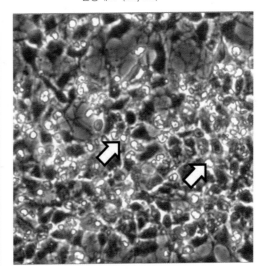
계대 후 돌기를 신장하는
신경세포 (day 26)

그림 2 Day 24의 신경 줄기세포의 계대

Day24 의 Accutase 처리는 장시간 진행하게 되면, 신경 돌기는 탈락한 구형 단일 세포가 된다. 일부 성숙 신경은 긴 돌기가 그대로 유지되다 (화살촉)가 원심 분리 단계에서 흡입 제거된다. 계대 후 48시간인 Day26는 신경 돌기가 다시 나타나서 길어지고있는 모습이 관찰된다. 계대 스트레스로 죽은 세포(화살표)가 많이 포함되지만, 배지 교환을 계속하여 제거한다.

행한다.

❻ 상층액을 흡인제거하고, NB27full 배지를 넣고 다시 현탁용해시켜 세포수를 계산한다.

❼ ❽과정에 필요한 용량의 NB27full 배지에 Y-27632를 최종농도 10 μM가 되도록 첨가한다.

❽ ❶과정에서 미리 코팅해 놓은 배양접시에 세포를 파종한다[*9].

❾ 이후 3일마다 배지를 전량 교환하면서 Day56까지 배양을 계속진행한다(그림 3).

*9   세포 분주시 밀도는 세포의 클론·분석 시스템에 따라 조절한다(예: 100,000 cells/well, 24-well plate 등). 세포를 분주하고 계대한 다음날 상당량의 죽은 세포가 혼합되지만, 배지교환시에 제거된다(그림 2).

분화·성숙한 신경세포 (day 56)

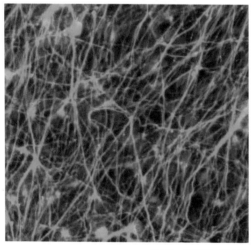

DAPI CTIP2 TUJ1

그림 3   **Day 56의 성숙 신경세포**
분화 유도된 신경 세포는 TUJ1와 MAP2 같은 신경 세포 마커 및 대뇌 피질에 특이적인 전사 인자를 발현한다. DAPI는 핵, CTIP2는 대뇌 피질 신경 세포 전사 인자, 그리고, TUJ1은 신경 세포를 나타낸다.

실험 결과

이번 프로토콜에 의해 분화 유도된 신경세포는 신경세포의 표지자인 TUJ1와 MAP2 양성을 보이고, 대뇌 피질의 마커인 CTIP2, TBR1, SATB2 등의 전사인자를 발현함을 관찰할 수 있다(그림 3). 또한 신경세포의 유형으로는 95% 정도가 VGLUT1 양성 신경세포이다(나머지는 ChAT 양성 신경세포, GAD 65/67 양성 GABA 신경세포이다).

결론

최근 연구 결과가 축적됨에 따라 저자 연구실에서도 클론들 사이의 분화효율에 차이가 있음을 확인하고 있다. 따라서 우선 일본 이화학 연구소 세포뱅크에서 배포되는 정상인 유래 인간 iPS 세포주를 사용하여 프로토콜 기술의 확인이 필요하였다. 특히 201B7와 409B2 세포주는 iPS 세포의 적절한 유지와 계대가 용이하고, 게다가 신경 세포로의 분화가 양호하였다. 다음 단계로 다수의 클론에 배포할 때, ① 다기능성 줄기세포를 분화 시작 직전까지 적절한 상태를 유지할 수 있는 지와 ② Day24에서 세포 파종 밀도를 고려하여 저자 연구실에서는 적어도 20개 이상의 클론 신경 세포 마커 양성률을 최소 60~70%보다 높게 유지할 수 있는지를 확인하고 있다.

신경 세포로의 분화 방법은 나날이 개선되고 있어 향후 본격적인 신약 개발 및 독성 연구에 도달하기 위해 더 분화 기간이 짧고, 안정적이고 효율적인 분화 유도법 개발해야 할 것으로 생각된다.

◆ **문헌**

1) Eiraku, M. et al. : Cell Stem Cell, 3: 519–532, 2008
2) Kondo, T. et al. : Cell Stem Cell, 12: 487–496, 2013
3) Dang, S. M. et al. : Biotechnol. Bioeng., 78: 442–453, 2002

10 도파민 신경세포로의 분화유도와 동물 모델로의 이식

키쿠치 테츠히로(菊地哲広), 타카하시 준(高橋 淳)

Flow chart

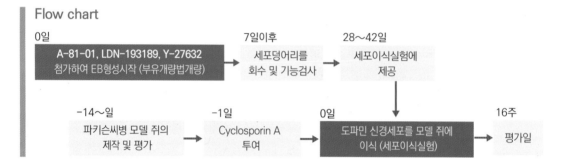

서론

최근 ES · iPS 세포(만능 줄기세포)의 신경 분화에 관해서는 여러 가지 방법이 보고되고 있으며, 특히 도파민 신경세포로의 분화 유도는 파킨슨 병의 병태 생리의 이해 및 이 질환에 대한 세포 이식 치료의 세포원으로 주목 받고있다. ES · iPS 세포에서 신경 외배엽으로 분화는 주로 TGF−β/Activin/Nodal 및 BMP 신호 경로에 의해 조절되고 있지만, 이 두 경로를 억제함으로써 좋은 신경 분화가 얻어지는 것으로 알려져 있다(Dual−SMAD inhibition)[1]. 저자는 永樂(에이라쿠)가 보고한 부유 배양(Serum−free Floating culture of Embryoid Body like aggregate with quick reaggregation : SFEBq)법[2]을 약간 변형하여, 도파민 신경세포를 유도하는 방법을 채택하고 있다. 이번 장에서는 이 방법을 이용한 도파민 신경세포 분화 유도 및 파킨슨병 모델 쥐에 세포 이식에 대해 설명하겠다.

준 비

1. 세포배양

- ☐ SNL feeder에서 유지되는 다기능 줄기세포
- ☐ Lipidure® coated 96−well U bottom plate (NOF Corporation)
- ☐ D−MEM/Ham's F−12 배지
- ☐ KnockOut SR
- ☐ MEM Non−Essential Amino Acids

- ☐ 2-Mercaptoethanol (2-ME)
- ☐ L-Glutamine
- ☐ Collagenase Ⅳ
- ☐ 0.25% Trypsin
- ☐ CaCl$_2$
- ☐ PBS (−)
- ☐ Glasgow-MEM
- ☐ Sodium pyruvate 용액
- ☐ Neurobasal Medium
- ☐ B27® Supplement Minus Vitamin A

배지의 조제

☐ ES · iPS 세포유지배지

			(최종농도)
D-MEM/Ham's F-12배지	500	mL	
KnockOut SR	125	mL	(20%)
MEM Non-Essential Amino Acids	5	mL	(0.1 mM)
2-Mercaptoethanol	5	mL	(0.1 mM)
L-Glutamine	6.25	mL	(2 mM)

☐ 분화배지

			(최종농도)
Glasgow-MEM	500	mL	
KnockOut SR	45	mL	(8%)
MEM Non-Essential Amino Acids	5.5	mL	(0.1mM)
Sodium pyruvate solution	5.5	mL	(1mM)

☐ NB/B27 배지

		(최종농도)
Neurobasal Medium	500 mL	
B27® Supplement Minus Vitamin A	10 mL	
L-Glutamine	5 mL	(2 mM)

기타

☐ CTK 박리액

		(최종농도)
Collagenase Ⅳ	10 mL	(1 mg/mL)
Trypsin	10 mL	(0.25%)
KnockOut SR	20 mL	(20%)
CaCl$_2$	1 mL	(1 mM)
PBS (−)	59 mL	
	100 mL	

- ☐ Accumax (Innovative Cell Technologies)
- ☐ Accutase (Innovative Cell Technologies)
- ☐ 각종시약

표 1 **시약농도**

시약	회사명	Stock 용액	최종농도
LDN-193189	ReproCELL Inc.	100 μM	100 nM
A-83-01	Wako Pure Chemical Industries, Ltd.	500 μM	500 nM
Y-27632	Wako Pure Chemical Industries, Ltd.	5 mM	10~30 μM
FGF8	PeproTech Inc.	100 μg/mL	100 ng/mL
Purmorphamine	Calbiochem	10 mM	2 μM
CHIR99021	Wako Pure Chemical Industries, Ltd.	3 mM	3 μM
BDNF	R & D	100 μg/mL	20 ng/mL
GDNF	R & D	10 μg/mL	10 ng/mL
AA (ascorbic acid)	Sigma Aldrich	200 mM	200 μM
dbcAMP	Sigma Aldrich	200 mM	400 μM

농도는 표 1 참조

☐ O.C.T. Compound (Sakura Finetech Co., Ltd.)

☐ Poly-L-Ornithine

☐ Laminin

2. 모델 동물 제작

☐ Slc/SD female rat (200-250 g)

☐ 6-OHDA (6-hydroxydopamine hydrochloride)

☐ Ascorbic acid

☐ Isoflurane

☐ 마취장취 (Sinano Seisakusho, #SN-487)

☐ 뇌 정위 고정장치 (Narishige, #SR-5R)

☐ 해밀턴 주사기 10 μL (GL Science Inc.)

☐ 26s 게이지 해밀턴 바늘 (GL Science Inc.)

☐ KDS 310 PLUS Infusion Pump (Muromachi 기계회사)

☐ Methamphetamine

3. 세포이식

☐ 22s 게이지 해밀턴 바늘 (GL Science Inc.)

☐ Cremophore EL

☐ Cyclosporin A

100 mg Cyclosporin A를 600 μL 99.5% 에탄올에 용해후, 거기에 400 μL Cremophore EL을 추가하고 다시 용해한다.

1. 신경분화

❶ 상층액을 흡입제거하고, 10 mL PBS로 세척한다.

❷ 1 mL CTK 박리액을 넣고, 37℃에서 1분간 보온보관한다.

가볍게 배양접시를 탭핑을 하면서 SNL세포를 박리한다. PBS 9 mL 넣고 세포박리액과 같이 함께 흡입하여 수집한다[*1].

❸ Accumax 를 1 mL 넣고, 37℃에서 5-10분간 보온보관한다[*2.]

피펫팅을 시행하여 세포를 단일세포 상태로 만든다.

❹ 분화배지를 9 mL 넣고, 4℃ 1,000 rpm(190G)에서 3분간 원심분리를 시행한다.

상층액을 흡입제거하고, 1 mL 분화배지를 넣고 펠렛을 현탁하고 세포수를 계산한다.

❺ 분화배지에 500 nM A-83-01, 100 nM LDN-193189, 30 μM Y-27632를 첨가하고, 9,000 cells/150 μL가 되도록 세포수를 조절한다[*3].

❻ Lipidure® coated 96-well U bottom plate에 150 μL/well로 세포를 분주한다.

분화시작일을 Day 0으로 정한다. Day 1까지는 세포가 응집하여 배아형태 모형을 형성한다.

❼ 96-well plate에는 배지교환은 절반 정도만 시행한다. 배지교환은 Day 1, 3, 7에 각각 시행한다[*4].

❽ Day 12 이후는 기본 배지를 NB/B27로 변경하고, 2-3일 간격으로 1번씩 배지 교환을 시행한다.

[*1] 이러한 조작으로 대부분의 SNL 세포를 제거 할 수 있다. Feeder free인 ES·iPS 세포를 유지 배양하는 경우에는 이런 조작은 불필요하다.

[*2] 단일 세포상태의 ES·iPS 세포는 쉽게 anoikis가 발생하여 세포사멸될 수 있으므로, 이후 작업은 빠르게 진행한다.

[*3] Y-27632은 ES·iPS 세포의 anoikis을 억제한다. 특히 미분화 iPS 세포는 단일세포상태에서는 생존율이 현저하게 저하되기 때문에, 일반적인 것보다 높은 농도인 30 μM Y-27632 를 첨가하고 작업은 가능한 한 빠르게 진행한다. 그럼에도 불구하고 세포 생존율이 낮고 양호한 세포덩어리가 형성되지 않는 경우는 분화시행 전날에 10 μM Y-27632를 첨가하거나 분화시 Y-27632의 농도를 50 μM로 높일 수 있다.

[*4] 그림 1에 따라 시약을 첨가하는데 배지 교환시 절반만 교환하기 때문에, 추가 배지의 최종 농도의 2배 농도의 시약을 첨가하는 것에 유의하자.

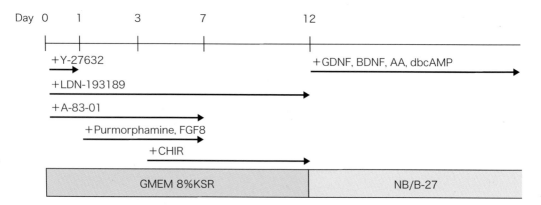

그림 1 신경분화 프로토콜

2. 세포의 평가

Day 7 이후에는 세포 덩어리가 충분한 크기가 되어서 동결절편의 면역 염색이 가능하다. 부착 배양이 필요한 경우에는 Day28에서 세포를 작게 혹은 단일세포상태로 만들고, ornithine 혹은 laminin 코팅한 배양 접시에 분주한다. 세포 이식실험에 사용할 때에는 부유상태에서 배양하고 Day 28~42 사이에 이식을 한다.

동결절편제작

❶ 6~10개의 세포덩어리를 회수하고, PBS로 2회 세척한다.

❷ 4% paraformaldehyde 용액 1 mL를 첨가하고, 4℃ 15분간 저장보관 한다.

❸ PBS로 2회 세척한다.

❹ 세포덩어리를 회수하고, O.C.T 화합물로 포배한다.

❺ cryostat로 10~20 ㎛ 간격으로 얇게 절편으로 잘라낸다.

❻ 절편은 슬라이드 글라스에 접착시켜 면역 염색을 시행한다.

부착배양

❶ 세포덩어리를 코니칼 튜브에 넣고, PBS(−)로 세척한다.

❷ Accutase 1 mL 넣고, 37℃ 10~20분간 보온보관한다.

❸ 피펫팅을 하여 필요한 크기까지 세포를 분산시킨다.

❹ 배지 9 mL를 넣고, 4℃에서 1,000 rpm(190G) 3분간 원심분리를 한다.
상층액을 흡인제거하고, 10 μM Y-27632가 첨가된 배지에 현탁한다.

❺ 실험 목적에 따라서 ornithine (50 μg/mL) 혹은 laminin (5 μg/mL)로 코팅한 배양접시 혹은 플레이트에 20,000~200,000 cells/cm² 정도의 농도로 세포를 분주한다.

❻ 다음날이면 부착상태가 되어서 면역염색 등의 평가가 가능하다. 배지 교환은 2~3일에 1회 배지를 반용량만 교환한다.

3. 파킨슨병 모델 쥐의 제작

❶ 약 200~250 g의 Slc/SD 암컷 쥐를 사용하며, 모든 과정은 isoflurane 마취하에서 실시한다.

❷ Ascorbic acid를 생리식염수에 용해 0.02% Ascorbic acid 용액을 만들어서 얼음에 차갑게 보관한다.

❸ 쥐를 뇌정위 고정장치에 고정한다.
Tooth bar의 위치는 -2.4 mm로 한다.

❹ 6-OHDA를 0.02% Ascorbic acid 용액에 용해하여 6.4 μg/mL로 조정한다[*5].
해밀턴 주사기로 흡인하여 주입 펌프에 세팅한다.

❺ Bregma 보다 바깥쪽에 1.2 mm, 후방에 4.4 mm의 위치에 천공하고, 경막 표면에서 7.8 mm 복부쪽에 6-OHDA를 1 μL/min의 속도로 2.5 μL 주입한다[*6].

❻ 1분간 정치시킨 후 해밀턴 주사바늘을 빼고 닫는다.

❼ 수술 2주뒤에 동물모델의 평가를 실시한다.
Methamphetamine 2.5 mg/kg를 복강내 주사하고, 주사 후 30~90분의 회전수를 측정한다. 6회전/min 이상 회전하는 동물을 모델로 사용한다[*7].

*5 6-OHDA는 용해 후 빠르게 산화되어 활성을 잃어버린다. Ascorbic acid 용액에 용해는 사용직전에 용해하고, 용해한 후에는 얼음위에서 사용한다. 용액이 핑크색으로 변색된 것은 활성이 없기 때문에 사용하지말자.

*6 이 프로토콜은 내측전뇌다발(medial forebrain bundle: MFB)에 6-OHDA를 주입하여, 편측 중뇌 흑질의 도파민 관련 뉴런을 저해한다. 쥐의 종류, 성별, 주령 또는 뇌 정위 고정장치의 미묘한 차이, 시술자의 특성 등에 따라 좌표 조정이 필요할 수 있다. 6-OHDA 대신 trypan blue 등의 색소를 주입하고, 그 직후에 뇌 절편을 제작하여 목적하는 장소에 주입되었는 지를 확인할 수 있다.

*7 중뇌 흑질의 도파민 신경이 손상된 동물에서는 선조체(corpus striatum) 안쪽 도파민이 감소되어 있다. 이런 동물에 도파민 방출을 증가시키는 methamphetamine을 투여하면, 건강한 측면 선조체 안쪽 도파민이 증가하고 장애가 발생한 쪽으로 회전 운동이 증가하는 모습을 보이게 된다. 세포이식에 의해 선조체 내부에 도파민 양이 회복되면 회전 운동은 감소한다.

4. 세포이식

❶ 이식 전날부터 cyclosporin A 10 mg/kg 투여를 시작하고 평가일까지 지속한다[8].

⬇

❷ 모델 쥐의 제작과 마찬가지로 모든 절차는 isoflurane과 마취 하에서 실시한다.

⬇

❸ 쥐를 뇌 정위 고정장치에 고정한다.
Tooth bar의 위치는 0 mm로 한다.

⬇

❹ 이식할 세포 덩어리를 회수하여, 해밀턴 주사기로 흡인한다[9].
해밀턴 바늘은 22G를 사용한다.

⬇

❺ Bregma에서 바깥쪽으로 3 mm, 앞쪽으로 1 mm 위치에 하고 천공한다[10].
경막표면에서 5.5 mm 복부 측으로 뚫고 들어간뒤, 0.5 mm 뒤로 뺀후에 세포를 6 μL/min의 속도로 1 μL 주입한다. 1분간 정치한 후, 1 mm 뒤로 조금 더 후진한 후에 또 세포를 주입하고, 1분간 정치시킨다.

⬇

❻ 해밀턴 주사 바늘을 빼고 닫는다.

⬇

❼ 인퓨전 펌프를 이용하여, 1 μL 세포를 100 μL의 0.25% 트립신으로 회수하고, 37℃에서 20분 이상 보온보관한다.
피펫팅을 하여 충분히 세포를 분리시킨 후 이식 세포 수의 측정한다.

[8] Cyclosporin A는 100 mg/mL 용액으로 미리 준비해놓고, 사용 직전에 생리 식염수로 10배 희석하여 사용한다.

[9] 세포막 상태 혹은 이식 날짜에 따라 다르지만, 대개 $0.5 \sim 2.0 \times 10^5$ cells/well 정도의 세포가 회수 가능하다.

[10] 세포의 생착이 나쁜 경우 이식 시 세포가 잘 주입되어 있지 않을 가능성이 있다. 세포를 흡입하기 전에 해밀턴 주사기에 미리 배지를 충전하고, 공기가 트랩되지 않도록 한다. 해밀턴 바늘을 뇌에 넣기 전에 연습을 시행하고, 펌프가 제대로 작동하고 있는지 세포가 제대로 해밀턴 바늘에서 배출되는 지를 확인한다.

실험 결과

저자는 앞에서 기술한 부유 배양법을 이용하여 인간 iPS 세포로부터 도파민 신경을 유도하였다(그림 2). 신경 세포 마커인 Tuj-1 양성 세포의 약 50%가 tyrosine hydroxylase (TH) 양성의 도파민 신경세포 였고, 이들 중 대부분은 중뇌 도파민 신경의 마커인 FoxA2 양성이었다. 이러한 도파민 신경 파킨슨병 모델 쥐에 이식하고 Methamphetamine 투여 하에서 회전 수가 감소하는 것을 확인했다.

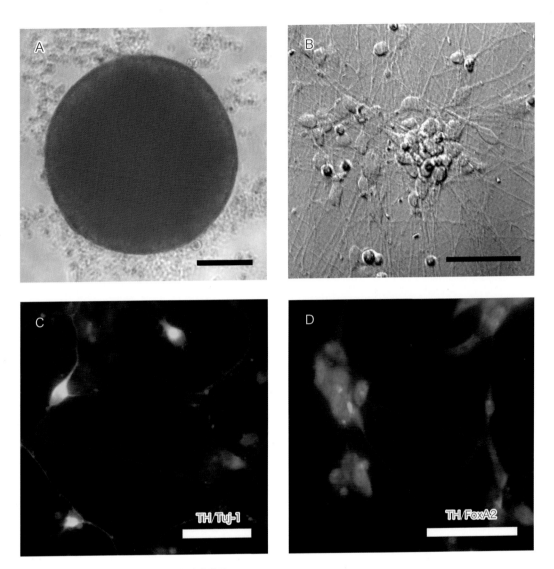

그림 2　인간 iPS 세포로부터 도파민 신경 유도

A) Day 12에 위상차현미경상. B)~D) Day 28 이상 부착배양세포의 Day 42에 위상차현미경상. (B) 및 면역염색 (C, D). Scale : 100 μm (A), 50 μm (B), 40 μm (C, D)

결론

　　부유 배양에 의한 도파민 신경 분화 유도 및 파킨슨병 모델 쥐에게 세포 이식에 대해 설명하였다. 최근 ES·iPS 세포의 신경 분화 방법은 PA6와 MS5 같은 Feeder 세포를 이용하는 방법[3), 4)], 세 배엽의 성분을 포함 태아모양모형을 통한 방법[5)] 등 여러 가지가 있지만, 저자들의 방법은 feeder 세포 및 동물 유래의 세포와 기질을 사용한다는 점, 그리고 기술을 요하는 세포분류를 필요로 하지 않는다는 점에서 임상 응용에 적합하다고 생각한다. 또한 부유배양

세포덩어리는 그대로 세포 이식에 사용할 수 있기 때문에 세포의 박리에 의한 세포 손상을 방지 할 수 있는 장점도 있다. 분화 된 신경세포는 파킨슨병 모델 쥐에 이식함으로써 생체 내에서의 기능 평가가 가능하다.

◆ 문헌

1) Chambers, S. M. et al. : Nat. Biotechnol., 27 : 275-280, 2009
2) Eiraku, M. et al. : Cell Stem Cell, 3 : 519-532, 2008
3) Kawasaki, H. et al. : Neuron, 28 : 31-40, 2000
4) Perrier, A. L. et al. : Proc. Natl. Acad. Sci. USA, 101 : 12543-12548, 2004
5) Lee, S. H. et al. : Nat, Biotechnol, 18 : 675-679, 2000

11 인간 장기의 인위적 구성에 기본인 간 세포의 분화 유도

타케베 타카노리(武部貴則), 세키네 케에스케(関根圭輔), 타니구치 히데키(谷口英樹)

Flow chart

-9일째
Cttokine 첨가하여 간 내배엽세포유도

→ 당일
HUVEC, hMSC과의 혼합하여, 간 원시기원제작

→ +2일 이후
면역결핍마우스로의 이식으로 간 제작

서론

　　최근에 개체를 구성하는 모든 세포로 분화가 가능한 유도만능 줄기세포(iPS)와 같은 줄기 세포를 이용하여, 약물검사 및 재생의료에 도움이 되는 인간유래 다기능 세포를 분화유도하는 방법이 주목 받고 있다. 종래 유도만능 줄기세포를 이용한 분화 유도 방법은 다양한 분화 인자를 결합하여 목적하는 기능 세포 만의 분화 유도를 시도하는 것이었다. 즉, 기초 생물학 자가 밝힌 분자생물학적 지식을 재구성하여 세포 분화과정의 진행에 중요하다고 생각되는 단백질과 유전자를 평면적 환경에 도입하는 방법이 대부분이었다. 하지만 지금까지와 같이 3차원적인 조직 구조의 재구현없는 분화유도 시스템에서 얻어진 세포의 기능은 미성숙하거나 분화유도의 효율성이 매우 낮거나 재현성이 부족하는 등 여러가지 심각한 미해결 문제가 존재하였다.

3차원적 장기 구성의 중요성

　　한편, 장기 부전증 등과 같은 질환 치료를 가정할 때, 분화 유도된 기능 세포를 대량으로 이식하는 이른바 세포요법이 1차적 선택으로 생각할 수 있다. 그러나 고전적인 간 세포 이식과 간 이식의 임상적 유효성을 비교해보면 명확해지겠지만, 일반적으로 "세포"를 이용한 다는 개념은 의료 기술로서의 한계가 있다. 만일, 높은 기능성을 갖는 간 세포를 분화 유도 하였다고 하더라도, 세포 이식시에 생착효율에 문제가 있고 신진대사기능의 발휘에 필수적 인 혈관생성을 재현하는 것은 어렵다. 따라서 장기 이식을 대체할만한 뛰어난 치료효과를 가진 재생의학을 구현하기 위해서는, 3차원적인 "장기"를 재구성할 수 있는 혁신적인 기술 개발이 필수적이라고 생각된다.

　　그래서 최근 저자들은 태아의 장기발생 과정에서 생기는 이종 세포와의 협력적인 상호

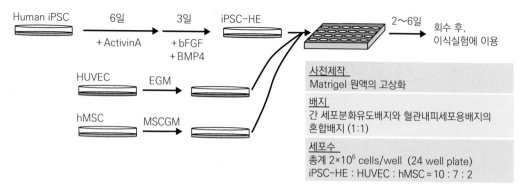

그림 1 인간 iPS 세포 유래 간 원기 제작 프로토콜의 개요

iPSC-HE: Humani PSC-derived Hepatic Endoderm Cell. HUVEC : Human Umbilical Vein Endothelial Cell. hMSC : human Mesenchymal Stem Cell

작용을 재현함으로써 혈관 구조를 가지는 기능적인 사람 장기를 인위적으로 구성하는 방법을 확립했다. 즉, 장기 발생의 초기 과정에서 발생하는 혈관 내피세포 및 중간엽 세포간 밀접한 상호 작용을 인위적으로 재구성하여, 시험관 내에서 인간 iPS 세포로부터 장기의 근원이 되는 장기원기(Organ Bud)가 자율적으로 유도됨을 확인하였다. 또한 배양 시스템에서 유도된 간의 장기원기(Liver Bud)를 면역결핍 마우스에 이식하여 기능적인 인간 혈관망을 가지는 사람의 간을 만드는데 성공하였다. 지금까지 달성되기 힘들었던 3차원적인 고차원 구조가 재구축을 통해 말단까지 분화유도가 가능해졌기 때문에 기능세포의 생산기술로서 가치가 높은 기술이 될 것이 예상된다. 본 장에서는 저자들이 수립한 iPS 세포에서 인간 간 장기원기를 시험 관내에서 유도하는 방법(*in vitro* 실험) 및 그것을 이식하여 기능적인 장기를 얻는 방법(*in vitro* 실험)에 이르기까지의 프로토콜을 설명하겠다(그림 1).

준 비

1. *in vitro* 실험

☐ 인간 iPS 세포주 *1

☐ 정상 인간 제대정맥내 내피세포 (Lonza, #CC-2517)

☐ 인간 중간엽 줄기세포 (hMSC) (Lonza, #PT-2501)

☐ Matrigel GFR (BD Biosciences, #356230)

☐ Accutase

☐ RPMI 1640

☐ B27

☐ Activin A

☐ Matrigel (BD Biosciences, #356234)

☐ 0.5% Trypsin-EDTA (Life Technologies, #15400-054)

*1 저자 실험실에서는 도쿄대 나카우치 등이 수립한 TkDA3 세포주를 사용하고 있다.

□ HCM™ (Hepatocyte Culture Medium) (Lonza, #CC-3198)

□ Dexamethasone (Sigma Aldrich, #31375)

□ Oncostatin M (R & D, #295-OM-010)

□ HGF (Kringle Pharma, #C-64531)

□ iPS-DE 유도배지

		(최종농도)
RPMI1640	50 mL	
B27 (Δinsulin)	500 μL	(1%)
Activin A	50 μL	(100 ng/mL)

□ iPSC-HE 유도배지

		(최종농도)
RPMI1640	500 mL	
B27	50 μL	(1%)
bFGF	50 μL	(10 ng/mL)
bBMP4	50 μL	(20 ng/mL)

□ 간 세포 분화유도용 배지

HCMTM에 들어있는 SingleQuots 중에서 EGF와 항생제물질 (Gentamicin/Amphotericin-B)을 제외한 다른 것들은 첨가한 후, Dexamethasone, Oncostatin M, HGF 등을 추가로 넣은 배지.

		(최종농도)
HCM™ (CC-3198) (EGF, EGF, 항생제 비첨가)	50 mL	
Dexamethasone	50 μL	(0.1 μM)
Oncostatin M	50 μL	(20 ng/mL)
HGF	200 μL	(20 ng/mL)

□ 혈관 내피세포용 배지 (EGM) (Lonza #CC-3124)

□ 간엽 줄기세포용 배지 (MSCGM) (Lonza, #PT-3001)

2. *in vivo* 실험

□ 면역결핍 (NOD/SCID) 마우스

□ TMR-DA (Dextran, Tetramethylrhodamine, 2,000,000MW, Lysin Fixable) (Life Technologies, #D-7139)

□ 소독용 에탄올 (Wako Pure Chemical Industries, #059-07895)

□ 멸균생리식염수 (Otsuka Pharmaceutical)

□ Ketalar (エール薬品社)

□ Xylazine (Sigma Aldrich, #X1251)

□ Spongel(Astellas Pharma Inc.)

□ 세포배양용 24-well Plate (Corning, #353047)

□ 공촛점 레이저 주사 현미경

저자들은 Leica Microsystems SP5을 사용함.

III

11

인간 장기의 인위적 구성에 기본인 간 세포의 분화 유도

□ Human Albumin ELISA Quantitation Kit (Bethyl Laboratories, #E80–129)

□ Human alpha 1–antitrypsin ELISA Quantitation Kit (GenWay Biotech, #GWB–1F2730)

프로토콜

1. 간 내배엽 세포의 분화유도

❶ 미분화 iPS 세포의 배양은 기본방법을 따른다.

구체적으로는, feeder 세포로 마우스 태아 섬유아세포 (MEF)에서 배양한 iPS 세포 또는 Matrigel GFR (1:30 – 1:100 희석) 코팅된 배양접시에 mTeSRTM1 등의 feeder free 배양용 배지를 이용하여 배양된 iPS 세포를 준비한다.

❷ 미분화 iPS 세포를 Accutase를 이용하여 단일 세포화 한 뒤, Matrigel GFR (1:30 – 1:100 희석) 코팅된 배양접시에 0.5–1 × 10⁵ cells/cm²의 밀도로 분주한다.

미분화 iPS 세포용 배지에 ROCK 저해제를 첨가하고 하룻밤 배양한다.

❸ 다음날 RPMI 1640 또는 PBS로 세포를 세척한 후 iPSC–DE 유도 배지에서 5일간 배양하여, FOXA2⁺SOX17⁺ 배아 내배엽세포(Definitive Endoderm : hiPSC–DE)를 유도한다(그림 2A, 중앙).

배지교환은 2일에 1회 실시, 배지 교환시에는 RPMI 1640 또는 PBS로 1회 세척하여 죽은 세포를 제거한다.

❹ 다음 배아 내배엽 세포를 iPSC–HE 유도배지에서 3일간 배양하여, HNF4a⁺AFP⁺ 간 내배엽 세포 (Hepatic Endoderm : hiPSC–HE)를 유도한다(그림 2A 오른쪽)[*1].

배지교환은 2일에 1회 실시한다.

2. 간 원기 제작 프로토콜

❶ 세포배양용 24–well plate에 원액 Matrigel을 약 300 µL 넣고, 세포배양용 인큐베이터에서 20분 이상 보온보관하여 고정한다(그림 1).

❷ 간 원기 형성에 필요한 3종류의 세포를 필요한 양을 조제한다[*2].

인간 iPS 세포에서 간 내배엽 세포의 분화유도는 1.의 방법에 따라 시행한다. 정상 인간 제대정맥내피세포(HUVEC, 그림 2B)와 인간 중간엽 줄기세포(hMSC, 그림 2C)는 각각 Lonza 회사의 권장 프로토콜[2) 3)]에 따라 세포를 준비한다.

*1 분화수준평가는 qPCR 및 면역염색으로 한다. hiPSC–DE에서 FOXA2⁺SOX17⁺ 모두 양성세포, HIPSC–HE에서 HNF4A⁺AFP⁻ 세포가 각각 80~90% 이상임을 확인하고, 이후 간 장기원기 형성실험에 사용한다.

*2 in vitro 또는 in vivo에서 혈관구조를 가시화하기 위해서는 HUVEC 및 hMSC 를 각각 다른 형광단백질로 표시하면 된다. 구체적으로는 GFP나 DsRed 등의 형광 단백질을 발현하는 레트로바이러스 벡터를 세포에 감염시킨 것을 사용한다. 저자 연구실의 프로토콜은 문헌 1을 참조하면 된다.

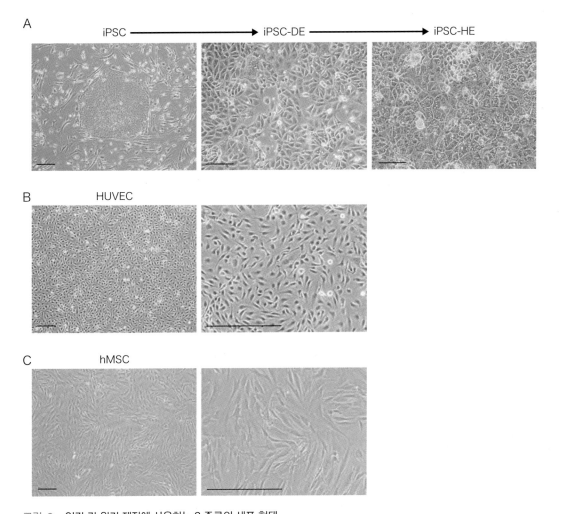

그림 2   인간 간 원기 제작에 사용하는 3 종류의 세포 형태

A) 인간 iPS 세포(좌)에서 배아체 내배엽세포(중앙)를 거쳐 얻은 간 내배엽세포(우). B) 인간 제대혈유래혈관내피세포 (HUVEC). C) 인간 골수 유래 중간엽 줄기세포 (hMSC). 문헌 5에서 발췌

❸ hiPSC–HE, HUVEC 및 hMSC에 대해, 각각 0.05% Trypsin–EDTA 용액으로 효소 처리를 동시에 시작하고 각 세포를 다른 튜브에 회수 한다[*3].

⬇

❹ 세포수를 계산한 후 새로운 튜브를 준비하여, hiPSC–HE : HUVEC : hMSC = 10 : 7 : 2의 비율로, 총 세포 수는 2.0×10^6 cells이 되도 록 3 종류의 세포를 1개의 튜브에 넣고 혼합한다.

⬇

❺ 원심분리(150G, 4℃, 5분간) 후 상층액은 흡인제거하고, 간 세포 분화

*3   이후의 작업(❸–❼)은 3 명의 작 업자가 서로의 타이밍을 맞추면 서 세포 회수후 시간지연이 발 생하지 않도록 병행하여 실험을 진행한다.

유도 배지와 혈관 내피 세포용 배지를 1 : 1로 혼합한 배지 1 mL에 다시 현탁한다.

❻ 3종류의 세포 혼합액을 앞에서 미리 준비해 둔 Matrigel 고정된 세포 배양용 24-well plate에 분주한다.

❼ 세포 배양용 인큐베이터에서 2～6일 정도까지 배양한다. 또한, 배지 교환은 ❺에서 이용한 혼합 배지를 사용하여 매일 교환할 것을 권장한다(그림 3)*4.

*4 대체로 48시간 정도 배양을 하면, 이식 가능한 간 원기가 자동적으로 생성되었다고 인정한다.

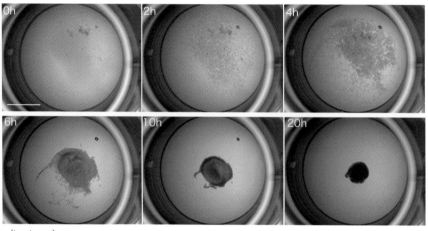

(h=hour)

그림 3 인간 간 원기가 자율적으로 형성되는 모습.
문헌 5로부터 발췌

3. 이식 프로토콜

❶ 이미징에 의한 이식세포 동태추적을 목적으로 한 실험에서는 면역결핍 마우스로 제작한 Cranial Window (두부 관찰 창: CW)를 사용한다(그림 4)*5.

*5 두부관찰 창 제작에 대한 자세한 지침은 문헌 4를 참조한다.

❷ Ketalar 90 mg/kg, Xylazine 9 mg/kg 농도로 혼합된 마취제를, 멸균 처리된 PBS로 1개체당 200 μL씩 투여되도록 조제하여, CW 마우스 복강에 주사하여 마취를 시행한다*6.

*6 마취 후 CW 마우스 체온이 극도로 떨어지지 않도록 적절히 보온패드 등으로 가온하면서이후의 작업을 진행한다.

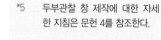

❸ CW 주변을 70% 에탄올로 철저히 소독하고 뇌 표면에 상처가 나지 않도록 주의하면서, CW의 원형 유리 슬라이드를 제거하고 뇌 표면을 노출시킨다.

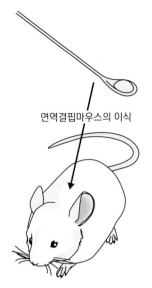

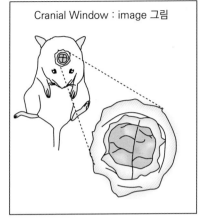

Cranial Window : image 그림

면역결핍마우스의 이식

그림 4 　인간 간 원시의 Cranial Window (두부 관찰 창: CW) 마우스로의 이식

이때 만일 뇌 표면에 출혈이 생긴 경우에는 잘게 썰어진 Spongel을 이용하여 지혈한다[7].

❹ 세포배양용 24-well plate 보다 작은 약숟가락 등으로 이식용 간 원기를 박리 회수한다[8].

❺ 노출된 뇌 표면을 생리식염수로 가볍게 세척하고, 회수한 조직을 가만히 위치시킨다.

❻ 7 mm 정도의 원형 유리 슬라이드를 빠르게 얹는다.

이때 기포가 혼입되어 버린 경우, 이식편이 CW 밖으로 흘러 앉도록 원형 유리 슬라이드 변연부에서 조심스럽게 식염수처리를 하여 기포를 제거한다.

❼ 원형 유리 슬라이드의 변연부를 CW 제작때와 마찬가지로 Aron Alpha 등의 접착제로 밀폐한다.

❽ ❷에서 사용한 Ketalar와 Xylazine 혼합 마취제로 마취를 하고, 공초점 레이저 주사 현미경(또는 깊은 관찰을 할 경우 Two-photon excitation microscope)를 이용하여 이식편의 추적 관찰을 실시한다(그림 5)[9]. 현미경의 사양에 따라 적절히 고정 장치 등을 사용한다.

*7　사용하는 CW 마우스는 뇌 표면의 출혈, 염증, 감염 등이 없는 상태가 매우 좋은 마우스를 사용한다.

*8　간 원기의 박리를 수행할 때, 구조가 파괴하지 않도록 신중하게 수행합니다.

*9　❽에서 제조된 CW 마우스는 이식 후 1~2시간 이후부터 이미징 실험에 사용 가능해진다.

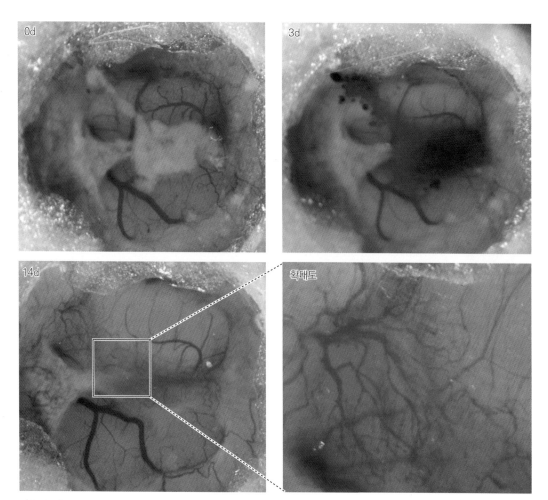

(d = day)

그림 5　이식한 사람유래 간 원기 내부로 혈액이 유입되는 모습
문헌 5로부터 발췌

❾ 이식한 간 원기 내부의 혈류를 시각화하기 위해서는 생리식염수에 녹인 TMR-DA을 마우스 체중 20 g당 100 µL로, 마우스 꼬리 정맥에 주사한다.

❿ 이식된 부분의 기능 분석을 위해서는 ELISA 법(Enzyme-Linked ImmunoSorbent Assay)으로 인간 특이적인 단백질 생산을 반복하고 평가하는 것을 권장한다.
외부 족근정맥에서 수십 µL 정도의 혈액을 채취하여, 인간 알부민 및 α1-antitrypsin을 측정하여 분석을 실시한다.

문제 발생 시 대응

- **간 원기가 형성되지 않는다.**
  - → 세포의 혼합 비율 및 총 세포 수에 오류가 없는지 확인한다
  - → 과증식(overgrowth) 등 평면 배양시에 문제가 없었지를 확인한다
  - → Matrigel가 충분히 겔화 되어서 사용되었는지를 확인한다

- ***In vitro* 간 원기 내부에서 혈관 네트워크 상 구조의 형성이 확인되지 않는다**
  - → HUVEC의 배양시 세포의 과증식 등의 문제가 없었는지 확인하기
  - → 환자의 차이 혹은 Lot차이도 있으므로, 다른 세포주 사용을 고려한다

- **이식 후 혈액 관류가 생기지 않는다**
  - → 많은 원인은 이식 작업이 제대로 수행되지 않은 것에 기인한다
    이식 시술에 숙련이 필요하며, 저자 연구실은 보통 3~4개월 정도의 교육을 실시하고 있다. 이식시 손상이 없는 상태 좋은 CW 마우스였을까? 이식시 간 원기를 파괴한건 아닌가? 이식후 뇌 표면에 염증 부종 등이 발생하지 않았나? 청결 작업을 했나? (감염이 발생하지 않았나?) 등
  - → 간 원기 배양시 사용 배지액 조성에 오류가 없는지 확인하기
  - → 세포의 혼합 비율 및 총 세포수에 오류가 없는지 확인하기
  - → HUVEC의 배양시 과증식 등의 문제가 없었는지 확인하기

- **이식 후 단백질 분비가 확인되지 않는다.**
  - → 미분화 iPS 세포의 유지배양이 적절하였나? 미분화 마커를 유전자 발현과 면역염색으로 확인한다
  - → iPS 세포 유래 간 내배엽 세포가 순도 높은 분화유도가 되어 있있는지? 분화 마커를 유전자 발현 및 면역 염색으로 확인한다.

실험 결과

이번 장의 프로토콜에 따라 제대로 분화유도를 시행하였다면, 60 mm 배양접시에서 높은 순도(> 약 80%)에서 약 1×10^6 cells의 간 내배엽 세포를 얻을 수 있다. 유전자 발현분석 및 면역염색 등을 해서 다기능 줄기세포 마커(NANOG, OCT4 등) 및 배아 내배엽 세포 마커(CXCR4, FOXA2 등)의 발현 감소와 간 내배엽 세포 마커(HNF4A 등)의 발현 증가가 확인되면, 다음 단계의 실험에 사용할 수 있는 것으로 판단할 수 있다. 다음 단계로 앞에서 만든 인간 iPS 유래 간 내배엽 세포(그림 2A)를 적절하게 준비된 HUVEC(그림 2B), hMSC(그림 2C)와 혼합 및 파종하면, 초기 상태에서는 24-well plate 전체에 세포가 전체적 균일하게 퍼져있다가, 배양시작 후 몇 시간이 지나면 well 전체에 퍼져있던 세포가 중심에 모여들기 시작하고, 점차적으로 3차원적인 간 원기를 자연스럽게 형성되기 시작한다(그림

3). 결국 48시간 정도 지나면 육안으로 확인가능한 이식 및 이식수술에 사용가능한 입체적 간 원기를 얻을 수 있다. 본 프로토콜에 의해 얻어지는 간 원기 형태는 대략 4~7 mm 정도의 구형이지만, 이 크기는 배양시에 파종하는 총 세포 수에 따라 조정 가능하다. 또한 형광 표지자를 가진 혈관 내피세포를 이용하여 간 원기 내부의 혈관 네트워크 구조의 형성을 현미경으로 시각화할 수 있다. 얻어진 간 원기를 면역 조직 화학염색을 하여 AFP, CK8, CK18 등의 간 아세포 마커의 발현이 확인해보면 발생 초기에 형성되는 간 초기 조직과 매우 유사한 것을 알 수 있다. 이것은 간 원기에서 분리된 세포를 flow cytometry를 이용해서 분석을 하면 좀 더 정량적으로 측정할 수 있다. 또한 microarray 등 유전자 발현 분석을 실시함으로써 초기 간 세포 분화 마커 등의 발현 증강이 확인 가능하고, 이들간 세포간의 상호작용을 통해 간 초기 분화 유도가 발생되는 것을 확인할 수 있다.

다음으로, 인간 iPS 세포에서 만들어진 간 원기를 CW 내부에 이식하면, 이식후 48시간 정도에서 육안으로 이식편 내부에서 혈액 관류가 관찰된다(그림 5). 숙련된 술자가 이식을 담당함으로써 이러한 혈액 관류는 일관성 있게 재현된다. 이후 공초점 현미경 하에서 실시간 관찰을 통하여 재구성된 인간 혈관이 마우스 혈관과 직접 문합되고 내강으로 혈액이 교통하는 것을 확인할 수 있다. 이식 조직 내부에서 재구성된 인간 혈관망은 hMSC에서 분화된 벽세포에서 기인한 혈관이며, 재구성된 인간 혈관망을 중심으로 iPS 세포 유래 간세포는 생착 및 증식을 진행한다. 기능적인 인간 혈관망이 재구성됨으로써 인간 iPS 세포 유래 간 원기는 점차 성체 간 유사한 조직으로 성숙되어진다. 마우스 혈청으로 진행한 ELISA 분석 결과, 이식 후 15일 정도에서 인간 특이적인 단백질의 생산을 확인할 수 있다. 또한 이식 후 60일 이후에 단백질 생산량이 증가할뿐만 아니라, 조직학적 및 유전자 발현 분석을 통해서 인간 iPS 세포에서 성숙 간세포가 분화 유도되는 것으로 확인된다. 참고 문헌1에서는 체내에서 성숙한 인간 간 원기는 인간 특이적인 약물 대사 활동 등 간 특이적인 기능을 발휘하는 것으로 보고하고 있다.

결론

장기 부전증을 치료하기 위한 장기기증은 절대적으로 부족하여, 인간 iPS 세포에서 대체 장기를 제작하는 시도에 기대가 모아지고 있다. 지금까지 iPS 세포에서 기능 세포로의 분화 유도를 시도 했다는 보고는 다수 존재하지만, 간 등과 같이 혈관망을 가지는 복잡한 인간 장기의 제작에 성공했다는 보고는 전무했다. 저자는 인간 iPS 세포를 가지고 in vitro에서 만들어 낸 입체적인 간 원기를 이식하여 혈관망을 가지는 기능적인 사람 간조직으로 제작 가능한지를 보여왔다. 이번 장에서는 저자가 개발한 간 원기 제작법에 관한 표준 프로토콜 및 그 이식법에 대해 설명하였다. 이 기술을 임상에 응용하기 위해서는 향후 다양한 검증이 필요하지만, 장기원기를 이식하는 전혀 새로운 재생 의료 기술(Organ-Bud Transplantation

Therapy)을 설명하였으며, 이는 장기 부전증을 대상으로한 좋은 치료를 제공할 수 있을 것으로 기대된다. 다양한 연구자가 본 법의 개량이나 다른 장기로의 확장성 등을 검증하고, 이러한 컨셉의 의료 및 산업 응용에 대한 연구가 가속화되기를 희망한다.

◆ 문헌

1) Takebe, T. et al. : Nature, 458 : 524-528, 2013
2) HUVEC http://bio.lonza.com/uploads/tx_mwaxmarketingmaterial/Lonza_ManualsProductInstructions_Instructions_-_HUVEC-XL_Pooled_Cell_System.pdf
3) hMSC http://bio.lonza.com/uploads/tx_mwaxmarketingmaterial/Lonza_ManualsProductInstructions_Poietics_Human_Mesenchymal_Stem_Cells.pdf
4) Yuan, F. et al. : Cancer Res., 54 : 4564-4568, 1994
5) Takebe, T. et al. : Nat. Protocols, 9 : 396-409, 2014

12 뼈 세포 분화 유도

마츠모토 요시히사(松本佳久), 이케가야 마코토(池谷真), 토구치다 아츠야(戸口田淳也)

Flow chart

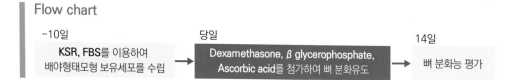

-10일 → KSR, FBS를 이용하여 배야형태모형 보유세포를 수립 → 당일 → Dexamethasone, β glycerophosphate, Ascorbic acid를 첨가하여 뼈 분화유도 → 14일 → 뼈 분화능 평가

서론

ES 및 iPS 세포에서 뼈 세포로 분화유도하는 목적으로는 먼저 분화유도된 뼈 세포를 이용한 조직 재생에의 응용과 어떤 유전적 배경을 가진 뼈 질환 환자에서 확립한 iPS 세포를 이용한 병태 해명 및 신약 개발을 들 수 있겠다. 결국 뼈 세포를 유도한다는 점에서 양자는 동일하지만, 분화 유도법에서는 다소 차이가 있다. 예를 들어 재생의료용 뼈 세포라면 유도 과정 보다는, 최종 산물인 뼈 세포가 생체내 뼈 세포와 동등한 것임이 중요한 요소가 된다. 한편, 병태생리 연구가 목적인 경우는 병태의 문제가 되는 세포가 반드시 최종 분화된 뼈 세포에 한정되지 않기 때문에 전구 세포 또는 더 이전의 단계로 간주되는 중간엽 줄기세포 (mesenchymal stem cell : MSC)에서 단계를 거쳐 분화 유도하는 방법이 바람직하다. 이번 장에서는 먼저 이러한 관점에서 지금까지 보고된 분화 유도 방법을 설명하고 이어서, 현재 우리가 사용하는 방법을 소개하겠다.

뼈 세포의 발생 과정

생체는 다양한 뼈로 구성되어 있으며, 해부학적으로는 척추, 대퇴골 등으로, 형태학적으로는 장관골, 단관골, 편경골 등으로, 그리고 형성 메커니즘으로는 내연골성 골화와 막성 골화로 분류될 수 있다. 또한 발생과정으로 분류하자면 사지의 뼈와 척추는 각각 중배엽의 lateral mesoderm과 paraxial mesoderm에서 유래되었다. 그러나 최근 연구에 의해 중내배엽이라는 분화 단계가 존재하는 것과 더불어 신경계 및 중배엽 조직은 동일한 체축 줄기세포에서 발생한다는 설이 제기되고 있으며[1], 또한 머리와 목의 뼈 연골의 기원세포로 생각되는 신경 크레스트 세포의 일부가 신체의 다른 부위로 이동하여 조직 줄기세포로 변형되는 등 뼈 조직의 발생은 하나의 온전한 경로로 모든 것을 설명할 수 없는 매우 복잡한 상황에 있다(그림 1). 발생 과정을 재현할 수 있는 *in vitro*분화 유도 방법이 제시되어 있지만, 뼈 세포의 경우는 아직도 잘 알 수 없는 부분이 많이 남아있다. 그래서 일단 뼈 세포로의 분화능을 가진 조직 줄기세포인 MSC를 ES 혹은 iPS 세포로부터 유도한 뒤, 그곳에서 뼈 세포를 유도하는 2단계 방식이 검토되고 있다. 재생 의료의 응용이라는 측면에서도 전단계인 MSC 상태에서 대량으로 증식시켜 저장하여 둘 수 있다면 매우 유용하다고 생각된다.

전구세포 유도법의 분류

표1에는 지금까지의 대표적인 유도법을 보여준다. 이를 크게 분류하면 배아형태모형 (embryoid body : EB) 형성을 이용하는 방법과 이용하지 않는 방법으로 분류된다. 두 방법 모두 콜로니 형태의 ES 및 iPS 세포로부터 만들어진 단층으로 증식하는 방추형 세포들을 MSC로 이용하여 최종 뼈세포로 분화 유도를 진행하는 방식을 취하고 있다.

1. EB 형성을 이용한 방법

이 방법은 EB를 일정 기간 만들어서 세포가 자율적으로 분화하여 중간엽 세포가 될 수 있는 세포군을 유도한 후 코팅된 배양접시에 접착시키고, 거기에서 성장해서 자라나오는 세포(outgrowth cell로 표현되는)를 MSC를 포함한 세포군으로 배양하는 방법이다(그림 1). 첫

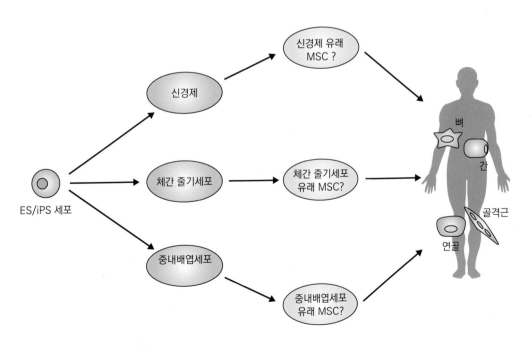

그림 1 MSC 발생 과정의 이해도

표 1 뼈 분화 유도법

초기분화유도법	뼈 분화유도법*	배양 기간	*In vitro* 평가	*In vivo* 평가	문헌
EB 형성을 이용한 방법					
10일간 EB 형성후, gelatin 코팅된 상태에서 배양. DMEM+10% FBS, L-glut (2mM)	DMEM + 10% FBS Dex (100 nM), β-gly (10 mM), AA (50 μM)	2주	Von kossa 염색, ALP	MSC의 상태에서 PLLA/PLGA의 위에서 10일 배양, 그후 누드 마우스에 8주 이식	문헌 4
3~4일 EB 형성후, single cell 형태로 gelatin 코팅된 상태에서 배양. KODMEM + 10% FBS, L-glut, NEAA, BME	KODMEM+ 10% FBS Dex (100 nM), β-gly (10 mM), AA (50 μM)	3주	Von kossa 염색, ALP	없음	문헌 5
3일간 EB 형성후, 첫 계대배양 하는 인간 골아세포와 같이 파종	공동배양을 2주간	2주	RT-PCR	PLLA/HA의 위에서 BMP2 를 넣고 같이 파종. SCID 마우스에 4 혹은 8주간 이식	문헌 3
7일간 EB 형성후 gelatin 코팅된 상태에 배양. αMEM+ 10%FBS, L-glut (200 mM), NEAA (10 mM), bFGF (4 ng/mL)	αMEM+10%FBS Dex(100 nM), β-gly(10 mM), AA(200 μM)	3주	Von kossa 염색, ALP	없음	문헌 6
10일간 EB 형성후, fibronectin 코팅된 상태에 배양. DMEM+ 15% KSR, SB421543 (10 μM), EBOG을 CDM에 배양유지	αMEM+ 10% FCS, β-gly (10 mM), AA (100 μg/mL)	20일	FACS 분석, alizarin red 염색, ALP, real-time PCR	HT/TCP 복합체에 섞어서 NOD/ SCID 마우스 피하에 8주간 이식	문헌 2
5일간 EB 형성후, Matrigel 코팅된 상태에서 배양. DMEM/F12+ 10% KSR, NEAA, BME	접착된 EB 상태에서 분화유도. Dex (100 nM), β-gly (10 mM), AA (0.1 mM) + /- LY294002 (5 μM) + AKT inhibitor (0.5 μM) + Rapamycin (1 nM) or FK506 (10 nM)	3주	Von kossa 염색, ALP, real-time PCR	없음	문헌 7
EB 형성을 이용하지 않는 방법					
OP9세포에서 20% FBS첨가로 분화 유도 후, CD73로 분류 및 회수	αMEM+10%FBS Dex(100 nM), β-gly(10 mM)AA(200 μM)	3~4주	alizarin red 염색, Von kossa 염색, real-time PCR	없음	문헌8
Feeder free 배양으로 분화된 세포를 회수하여 MSC 로 사용	αMEM+20%FBS Dex(10 nM), β-gly(5 mM)AA(200 μM)	2주	alizarin red 염색,	없음	문헌9
콜로니 상태의 세포를 모아서 feeder free 배양하고 24시간 후에 다시 single cell 형태로 파종	αMEM+10%FBS Dex(10 nM), β-gly(5 mM)AA(50 μM)	4주	Von kossa 염색, ALP	없음	문헌10
Single cell 형태로 gelatin 코팅에서 배양 DMEM-HG + 10% FBS, L-glut, bFGF (10 ng/mL)	DMEM+10%FBS, Dex(100 nM), β-gl(10 mM)AA(50 μM)	3주	Von kossa 염색	없음	문헌11
Single cell 형태로 gelatin 코팅에서 배양 αMEM + 20% FBS, NEAA, L-glut, bFGF (1 ng/mL) 4계대 배양한 것을 MSC로 사용	DMEM+10%FBS, β-gly(10mM)AA(50μM) Dex (100 nM) and/or BMP7 (50 ng/mL) Scaphoid, matrices 혹은 film 위에서 Dex + BMP7의 조건에서 배양	4~6주	Von kossa 염색 ALP	없음	문헌12
DMEM-low glucose + 10% FBS에서 배양후, 분화된 세포를 MSC 로 하여, 0.1% gelatin 코팅에서 배양	DMEM-high + 10% FBS Dex (100 nM), β-gly (5 mM), AA (290 μM)	3주	alizarin red 염색,	polycaprolactone (PCT)와 PCT에 hyaluronic acid와 TCP를 코팅한것에 파종하여 이식	문헌13

*Dex : Dexamethasone, β-gly : β-glycerophosphate , AA : ascorbic acid

번째 과정인 EB 형성은 세포 자율적인 분화 유도 방법이기 때문에, 거기에서 자라나오는 세포량과 질이 실험에 따라 다르므로, 실험마다 결과가 다른 경향이 있다. 따라서 EB에서 성장해 나오는 세포에 일정한 방향 설정을 해줄 필요가 있다. 예를 들어 Mahmood 등은 ALK5 억제제(SB421543)를 이용하여 TGF-β/Activin계의 신호를 억제하여 중간내배엽에서 내배엽으로 분화가 아니라 더 많은 세포를 중배엽계로 유도하여 MSC와 같은 세포의 유도 효율을 상승시켰다[2]. 한편, MSC로 유도하는 단계를 생략하고, 일차 배양시 인간 뼈 세포와 공동 배양을 시행하여, 직접 뼈 세포를 유도하는 방법도 보고되고 있다[3].

2. EB 형성을 이용하지 않는 방법

이 방법은 EB 형성 과정의 불안정성을 피하고, ES 및 iPS 세포에서 직접 중간엽 세포를 유도하는 방법이다. 콜로니 상태에서 증식하고있는 ES 및 iPS 세포를 직접 단층배양 시스템으로 옮겨가는 것은 어렵지만, 최근 소위 chemically defined medium을 포함한 다양한 배지와 코팅 재료가 개발되어서 점차 가능해지고 있다. 비교적 안정된 결과를 얻을 수 있는 장점으로 인해 점차 널리 응용되고 있다. 한편, 중간엽이 아닌 신경 크레스트를 통해 MSC를 유도하는 방법도 EB형성 과정을 이용하지 않는 분화 유도 방법이다.

뼈세포의 최종 분화 유도

전구세포로의 유도 방법은 다양하지만, 그 전구세포에서 최종 뼈 세포로의 분화유도 방법은 체세포에서 유래된 MSC를 사용하는 방법이 거의 표준화되어 있으며, Dexamethasone, β glycerophosphate, 그리고 Ascorbic acid가 공통된 유도 화합물이다. BMP와 같은 성장 인자를 첨가하는 방법도 있지만, 세포의 분화 단계에 따라 BMP가 반드시 분화에 촉진적으로 작용하는 것은 아님을 명심해야 한다.

뼈세포의 평가 방법

1. *in vitro* 평가법

실제 뼈조직, 즉 미숙한 뼈조직을 *in vitro*에서 형성하는 것이 직접적인 증거가 되지만, 현시점에서는 아직 그런 방법은 없으므로 다음의 다양한 방법으로 평가하고 있다.

1) Alkaline phosphatase 염색

Alkaline phosphatase는 골아세포로의 분화 과정의 초기에 생성되는 단백질이며, 효소 활성을 이용하여 염색한다.

2) 조직 내 칼슘의 검출

조직에 칼슘 침착을 평가하는 방법이며, alizarin red 염색 또는 좀 더 뼈 형성을 잘 반영하는 인산 칼슘의 침착을 감지하는 von Kossa 염색을 이용하여 정성 또는 정량적으로 분석한다. 칼슘 함량을 측정 할 수도 있다.

3) 투과 전자 현미경

기질소포(matrix vesicle), 방향성이 있는 collagen fibril, 그리고 β glycerophosphate가 들어가서 농축된 칼슘 염 결정의 침착 등을 확인한다.

4) RT-PCR 법

대표적인 유전자 〔표 2 (p252) 참조〕의 발현을 확인한다.

2. *In vivo* 평가법

*In vivo*에서 뼈 형성 능력의 평가에 관해서는 아직 일정한 방법이 확립되어 있지 않다. 인간 세포를 가진 면역결핍 동물에 이식하여 이소성 뼈 형성 능력을 평가하게 된다. 종종 세포 단독으로 뼈 형성은 어려울 것으로 예상되기 때문에 이른바 운반체로서 고분자 화합물이 선택된다. 또는 뼈 유도 능을 갖는 HA/TCP 복합체와 같은 재료가 선택된다.

■ 분화유도 실험의 실제

앞에서 설명한 내용중에서 EB 형성을 통한 대표적인 유도 방법에 대한 실험 결과를 소개하고자 한다.

준 비

1. EB 형성

시약

- ☐ DMEM (Life Technologies, Inc. #11965-118)
- ☐ KSR (Life Technologies, Inc. #10828-028)
- ☐ FBS (Nichirei Biosciences, Inc. #171012)
- ☐ 페트리 접시
- ☐ Trypsin (2.5%) (Life Technologies, Inc. #15090-046)
- ☐ Collagenase IV (Life Technologies, Inc. #17194-019)
- ☐ CaCl$_2$ (Nacalai Tesque, Inc., #06731-05)
- ☐ PBS (Takara Bio Inc. #T900)

시약의 조제

☐ EB 형성용 배지 (DMEM/10% KSR/10% FBS))

		(최종농도)
DMEM	400 mL	
KSR	50 mL	(10 %)
FBS	50 mL	(10 %)
	500 mL	

☐ CTK 용액

		(최종농도)
Trypsin (2.5%)	5.0 mL	(0.25 %)
Collagenase IV (1mg/mL)	5.0 mg	(0.1 mg/mL)
CaCl₂ (0.1M)	0.5 mL	(1 mM)
KSR	10.0 mL	(20 %)
증류수	30.0 mL	
합계	총 50.0 mL	

2. EB 유주세포의 수립

☐ EB 형성배지

☐ Gelatin 코팅 배양접시

Gelatin 분말 (Sigma Aldrich, #G1890-100G)을 1,000배 희석(0.1%)하여 코팅하여 제작.

3. 뼈 분화유도

시약

☐ Cell strainer (70 μm) (BD Falcon, #352350)

☐ αMEM (Nacalai Tesque, #21444-05 등)

☐ Dexamethasone (Sigma Aldrich, #D2915)

☐ β Glycerophosphoric acid(Sigma Aldrich, #G9422-100G)

☐ Ascorbic acid (Nacalai Tesque, #D3420-52)

☐ Trypsin-EDTA (Life Technologies, Inc, #25200-056)

시약의 조제

☐ 기본배지

		(최종농도)
α MEM	450 mL	
FBS	50 mL	(10 %)
	500 mL	

☐ 뼈 분화유도배지 [*1]

			(최종농도)
기본배지	98.9	mL	
Dexamethasone (1 m M)	10	μL	(0.1 μM)
β Glycerophosphoric acid (1M)	1	mL	(10 mM)
Ascorbic acid (50 mM)	2,825	μL	(50 μg/mL)
합계	100	mL	

[*1] 기본배지에 Dexamethasone 및 β Glycerophosphoric acid를 넣고 준비해놓고, Ascorbic acid는 사용직전에 첨가 후 사용한다.

4. 뼈 분화유도평가

시약

- [ ] Alizarin red's (Nacalai Tesque, Inc., #03420-52)
- [ ] 질산은 Silver nitrate (Nacalai Tesque, Inc., #31019-04)
- [ ] 무수 탄산나트륨 Anhydrous sodium carbonate (Sigma Aldrich, #S2127-500G)
- [ ] 포름 알데하이드 Form aldehyde (Nacalai Tesque, Inc., #16222-65)
- [ ] 포름산 Formic acid (Wako Pure Chemical Industries, #066-00466)

시약의 조제

- [ ] Alizarin red 염색

  Alizarin red S 1 g/100 mL 증류수, pH 6.4에 맞춘다.

- [ ] von Kossa 염색

  질산은 3 g을 60 mL 증류수에 용해 후 필터로 여과한다[*2].

- [ ] 무수탄산나트륨-포름 알데하이드 용액

		(최종농도)
무수 탄산나트륨	3 g	
포름 알데하이드 (37%)	25 mL	(9.25%)
증류수	75 mL	
합계	총100 mL	

- [ ] Alkaline phosphatase 염색

  조직염색을 위한 Alkaline phosphatase 킷트(Vector Laboratories, #SK-5100)

- [ ] 칼슘 함량 정량

  N-assay LCa-S (Nitto Boedical Co., #12371214, 12371114), 포름산 용액 (10%)

- [ ] RT-PCR (표 2)

  표 2 PCR 용 Primer

유전자명	PCR용 Primer	
RUNX2	Fow	TTACTTACACCCCGCCAGTC
	Rev	TATGGAGTGCTGCTGGTCTG
COL1A1	Fow	CTGCAAGAACAGCATTGCAT
	Rev	GGCGTGATGGCTTATTTGTT
Osterix	Fow	GCCAGAAGCTGTGAAACCTC
	Rev	GCTGCAAGCTCTCCATAACC
ALP	Fow	CCTCCTCGGAAGACACTCTG
	Rev	GCAGTGAAGGGCTTCTTGTC
Osteocalcin	Fow	GACTGTGACGAGTTGGCTGA
	Rev	CTGGAGAGGAGCAGAACTGG

*2 질산은 용액은 조제후, 사용전까지는 차광유지.

1. EB 형성

❶ Feeder (SNL) 세포 위에, 70~80% 합류가 되어진 ES 및 iPS 세포를 PBS로 세척한다[*1].

❷ PBS로 2회 세척하고, SNL세포를 제거한다.

❸ 남아있는 iPS 세포를 스크래퍼로 박리하고, 세포 덩어리를 EB 형성용 배지에 현탁하다.

❹ 현탁액을 박테리아용 배양접시에 파종하고, 세포 덩어리가 떠있는 상태에서 배양한다.

❺ 5일간 배양을 계속한다.

2. EB 유주세포의 수립

❶ 1.에서 제작한 EB에서 EB 부유액을 제거시, EB는 가만히 세워놓고 침강시킨다.

❷ 상층액을 제거 후 EB를 gelatin 코팅된 배양접시에 파종한다.

❸ EB 형성용 배지에서 5일간 배양한다.

❹ EB에서 유주해 오는 세포를 확인한다(그림 2)[*2].

3. 뼈 분화유도

❶ 2.에서 제작 한 EB 유주세포[*3]를 PBS로 세척한다.

❷ 0.25% trypsin/EDTA를 첨가하여, 37℃에서 3~5분간 보온보관한다.

❸ 기본배지에서 세포를 회수한다[*4].

❹ 셀 스트레이너를 이용하여 여과한다.

III
12
뼈 세포 분화유도

*1 EB 형성에 사용하는 ES 및 iPS 세포는 세포 밀도가 낮으면 EB 형성 효율이 나빠지므로, 반쯤 합류된 상태의 세포를 사용한다. 스레이퍼로 박리한 후 피펫팅은 하지 않는다.

*2 세포 밀도가 너무 높으면 전체가 막상태로 분리되므로, 합류되지 않도록 주의하자.

*3 어느정도 계대가 진행된 것을 사용한다.

*4 회수한 세포 중에는 기질을 많이 포함한 세포 덩어리가 포함되어 있어서, 이를 제거하기 위하여 진행한다.

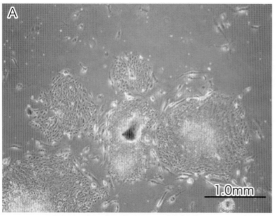
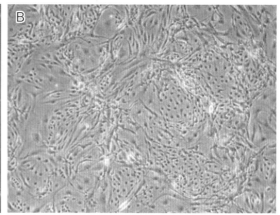
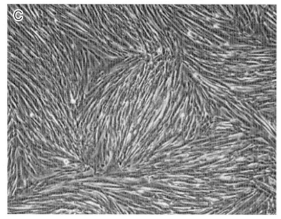

그림 2　EB 유주세포
A) 초기모양, B) 첫계대시, C) 10회 계대시

❺ 세포수 측정후, 2 x 10^6 세포수로 기본배지에 현탁하여 젤라틴 코팅된 6-well plate에 분주한다.

❻ 12시간 후, 뼈 분화 유도배지로 변경한다.

❼ 2일에 1회 배지를 교환하고 14일 후에 평가한다[*5].

4. 뼈 분화성 평가

1) Alizarin red 염색

❶ PBS로 2회 세척한다[*6].

❷ 100% 에탄올로 고정(10분)을 실시한다.

*5　시간이 지날수록 기질이 생산되어 막 모양으로 벗겨지기 쉬우므로, 배지 교환시에는 PBS 등을 사용시 따뜻하게 해서 서서히 세척한다.

*6　배양 중과 마찬가지로 첫 번째 단계의 세척시에 세포가 막상으로 벗겨지지 않도록 유의한다.

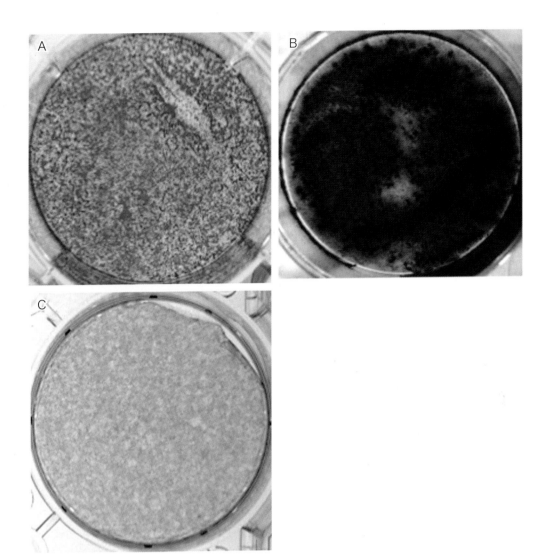

그림 3　뼈 분화능의 평가
A) Alizarin red 염색, B) von Kossa 염색, C) Alkaline phosphatase 염색

❸ 실온 건조(5~10분)시킨다.

❹ Alizarin red S 처리 10분.

❺ 증류수로 5~6회 세척 후 평가한다(그림 3A).

2) von Kossa 염색

❶ PBS로 1회 세척한다[*6].

❷ 4% paraformaldehyde로 고정(15분) 한다.

 ❸ 질산은 액으로 처리(차광)을 한다.

❹ 증류수로 3회 세척한다.

❺ 탄산나트륨 − 포름 알데하이드로 처리, 2분.

❻ 증류수로 2회 세척 후, 평가한다(그림 3B).

3) 칼슘 함량 정량

 ❶ PBS로 2회 세척한다[*6].

❷ 포름산을 1 mL/well이 되도록 첨가하여, 실온에서 12시간이상 유지하여 스며들도록 한다.

 ❸ 상청액을 회수한다.

❹ N−assay L−Ca를 이용하여 칼슘 함량을 정량한다.

4) Alkaline phosphatase 염색

 ❶ 4% PFA/PBS로 30분 고정한다.

 ❷ PBS로 3회 세척한다[*6].

❸ 조직염색용 Alkaline phosphatase 키트를 이용하여 실온에서 10분간 반응시킨다.

 ❹ PBS로 세척후 평가한다(그림 3C).

문제 발생 시 대응

어떤 방법을 사용하던지 단층배양으로 옮겨진 세포군은, MSC를 포함한 다양한 분화 단계의 세포가 혼합되어 있는 상태이며, 배양법의 차이에 의해 최종 결과가 달라지는 것으로 생각됩니다(그림 2A-C). 계대를 진행할수록 특정 세포집단으로 좀 더 수렴이 가능해지고 안정된 결과는 얻을 가능성이 높다고 생각되어지지만, 한편으로 특정의 분화능을 가진 세포를 잃을 수도 있는 가능성도 있다는 것을 염두해두어야 합니다.

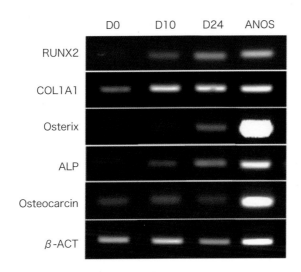

그림 4 뼈 관련 유전자의 발현
분화유도 전 (D0), 유도개시 후 10일째 (D10) 및 24일 (D24)의 뼈 관련 유전자 발현. ANOS 는 인간 뼈 육종 세포주

실험 결과

iPS 세포에서 만들어진 EB를 통해 뼈 분화 유도를 시행한 후 RT-PCR로 유전자 발현을 평가한 결과, 그림 4와 같이 배양 기간에 따라 뼈 관련 유전자의 발현이 점차적으로 유도되는 것을 확인할 수 있다.

결론

iPS 세포에서 MSC를 유도하는 것은 MSC는 자체의 이해에도 도움이되는 중요한 과제이다. 그러나, 미래에 iPS세포 은행을 이용하여 타인에게 널리 이식가능한 iPS세포 공급이 가능해지고 뼈 조직의 재생 의료에의 응용이 현실이 될 경우에는, 현재의 분화 유도 방법으로는 불충분할 것이 예상된다. *in vitro*에서 얻은 경험과 지식을 바탕한 3차원 배양법의 개발 등 새로운 기술이 필요할 것으로 생각된다.

◆ 문헌

1) Takemoto, T. et al. : Nature, 470: 394-398, 2011
2) Mahmood, A. et al. : J. Bone Miner. Res., 25: 1216-1233, 2010
3) Kim, S. et al. : Biomaterials, 29: 1043-1053, 2008
4) Hwang, N. S. et al. : Proc. Natl. Acad. Sci. USA, 105: 20641-20646, 2008
5) Tremoleda, J. L. et al. : Cloning Stem Cells, 10: 119-132, 2008
6) Brown, S. E. et al. : Cells. Tissues. Organs, 189: 256-260, 2009
7) Lee, K. W. et al. : Stem Cells Dev., 19: 557-568, 2010
8) Barberi, T. et al. : PLoS Med., 2: e161, 2005
9) Olivier, E. N. et al. : Stem Cells, 24: 1914-1922, 2006
10) Karp, J. M. et al. : Stem Cells, 24: 835-843, 2006
11) de Peppo G. M. et al. : Tissue Eng. Part A, 16: 3413-3426, 2010
12) Hu, J. et al. : Tissue Eng. Part A, 16: 3507-3514, 2010
13) Zou, L. et al. : Sci. Rep., 3: 2243, 2013

13 원시 생식 세포로의 분화 유도

나카키 분유우(中木文雄), 하야시 카츠히코(林 克彦), 사이토오 미치노리(斎藤通紀)

Flow chart

~-2일	당일	2일	6일
ES 세포의 배양	KSR, Activin A, bFGF 첨가하여 EpiLCs로의 분화	BMP4, LIF, SCF, EGF 첨가하여 PGCLCs로의 분화	PGCLCs의 회수 및 기능검증

서론

생식세포 계보는 다음 세대에 유전 정보를 전달하는 유일한 세포 혈통이다. 마우스 생식 세포의 발생 과정에서 다기능성 유전자의 활성화와 체세포 프로그램의 억제와 함께 DNA 메틸화와 히스톤 변형 등 후생적 정보가 바뀌게 되는 "epigenetic reprogramming"이 발생하는 것으로 알려져 있다[1]. 이러한 현상은 생식 세포에 특징적인 것이지만 그 분자 메커니즘은 잘 알 수 없는 경우가 많다. 그 이유는 개체 발생 초기에 유도되는 원시 생식세포(primordial germ cells : PGCs)의 수가 매우 적고, 마우스는 수정 후 약 7.25일 원시장기에서 불과 40세포 정도를 얻을 수 있다. PGCs 10⁴세포 정도까지 성장하는 것은 생식 크레스트로 이동하여 성별결정이 완료되는 수정 후 약 12.5일 경쯤 되는데, 이때 재프로그래밍은 거의 완료된다. "epigenetic reprogramming"이 발생하고 있는 시기의 세포를 다수 얻기 위한 *in vitro*에서 발생과정을 재현하는 배양 시스템을 만들 수 있으면, 많은 새로운 지식을 얻을 수 있을 것으로 기대된다. 이번 장에서는 다기능성 줄기세포(마우스 ES 세포 또는 마우스 iPS 세포)를 기점으로 기능적인 원시 생식 세포를 유도하는 배양 방법에 대해 소개하고자 한다.

배양 시스템의 개요

본 배양 시스템은 *in vivo*에서 PGCs의 분화 유도를 Step-by-step으로 재현하는 점을 특징으로 한다. 마우스의 발생 과정에서는 배반포가 형성되고, 내부 세포층이 배반엽상층(epiblasts)으로 분화되는데, 배반엽상층에 BMP4 (bone morphogenetic protein 4) 신호가 들어감으로써 원시 생식 세포가 유도된다. 이를 *in vitro*에서 재구성하면 **먼저 다기능성 줄기세포를 배반엽상층 유사세포(epiblast-like cells: EpiLCs)로 분화시킨 다음 BMP4를 첨가하여 배양함으로써 PGC 유사세포(PGC-like cells : PGCLCs)를 유도할 수 있다**(그림 1). 만들어진

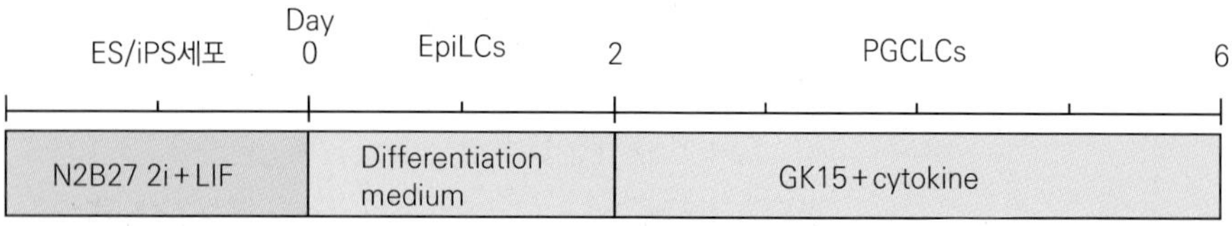

ES/iPS세포 　 Day 0 　 EpiLCs 　 2 　 PGCLCs 　 6

N2B27 2i+LIF	Differentiation medium	GK15+cytokine

주요 구성요소	N2B27 LIF CHIR99021 PD0325901	N2B27 KSR (1%) Activin A bFGF	GMEM KSR (15%) BMP4 LIF SCF EGF
접시 코팅	Poly-L-Ornithine Laminin	Fibronectin	Lipidure®-coat
배양법	평면배양	평면배양	응집시켜 부유배양
소요시간	48시간이내에 계대	48시간 정도 세포주마다 검토	4일간~

그림 1 　EpiLCs를 통한 PGCLC 유도배양법 개요

PGCLCs는 이식할때 *in vivo*에서 기능 검증을 할 수 있으며, 실제로 수컷 세포는 미세관 이식법, 암컷 세포는 재구성 난소 이식법에 의해 각각 기능적인 정자와 난자로 분화하는 것이 확인되었다[2)3)].

준 비

세포

PGCLCs의 유도를 특이적으로 관찰하기 위해, 저자의 연구실에서는 리포터 유전자 *Blimp1-mVenus, stella-ECFP* (이하 BVSC reporter)를 포함한 유전자변형 마우스 유래의 ES 세포주를 이용하고 있다[4)]. 형광 단백질을 지표로 이용해서 세포를 분류하는 것도 용이하다. 리포터가 없는 ES세포주의 경우에도 표면 항원(SSEA1, CD61)를 지표로 분화유도를 확인하고 분류할 수 있다. ES 세포는 2i + LIF에 의한 무혈청 배양[5)]을 유지해야 함으로, 혈청없이 수립 및 배양 된 것이 좋다.

1. ES 세포의 배양

특별히 문제가 없다면, 이 시약들은 분화를 유도할 때도 사용된다. 또한, 배지 조제와 배양 조작은 모두 클린 벤치 내에서 한다.

☐ TrypLETM Express (Life Technologies, #12604-021)

☐ PBS pH 7.2 (phosphate-buffered 생리식염수) (Life Technologies, #20012-027)

☐ 배양용 멸균증류수 (Life Technologies, #15230-162)

- [ ] Falcon™ multiwell cell culture (6-well 및 12-well) (BD Biosciences, #353046 및 #353043)
- [ ] Falcon™ conical tube (15 mL 및 50 mL) (BD Biosciences, #352196 및 #352070)
- [ ] CO_2 incubator [*1]
- [ ] 저접착용 칩(100~1,000 μL 및 1-200 μL) (Sorenson BioScience, #10231T 및 #15671T)
- [ ] 이번 배양 시스템에서는 세포 수가 매우 중요하기 때문에, 저접착용 칩으로 배양 작업을 실시함으로써 안정된 결과를 얻을 수 있다.
- [ ] 원심분리기

  저자 연구실에서는, Eppendorf, #5702을 사용한다.
- [ ] 혈구 계산기

*1   핵형 xx의 경우, 5% O_2에서 배양가능해야하므로, 기준 농도가 조절가능해야 한다.

III

13

염서 생쥐 세포로의 분화 유도

시약

- [ ] DMEM/F12 (Life Technologies, #11330-032)

  HEPES, Phenol red 포함.
- [ ] DMEM/F12 (Life Technologies, #21041-025)

  HEPES, Phenol red 제외
- [ ] BSA (bovine serum albumin Fraction V) (Life Technologies, #15260-037)

  7.5% (w/v) 용액
- [ ] Insulin (derived from bovine pancreas) (Sigma Aldrich, #I-1882)

  필터 멸균된 10 mM HCl 용액에 4℃에서 하룻밤 동안 용해하여, 25 mg/mL 저장용액을 만든다. 분주하여 −20℃ 이하에서 보관한다.
- [ ] Apo-transferrin(인간유래)(Sigma Aldrich, #T1147)

  멸균 증류수에 4℃에서 하룻밤 동안 용해하고, 100 mg/mL 저장 용액을 만든다. 분주하여 −20℃ 이하에서 보관한다.
- [ ] Progesterone (Sigma Aldrich, #P8783)

  에탄올에 용해하여 0.6 mg/mL 저장 용액을 만든다. 0.22 μm 필터 멸균하고, 분주하여 −20℃ 이하에서 보관한다.
- [ ] Putrescine dihydrochloride (Sigma Aldrich, #P5780)

  멸균 증류수에 용해하여 160 mg/mL 저장 용액을 만든다. 0.22 μm 필터 멸균하고, 분주하여 −20℃ 이하에서 보관한다.
- [ ] Sodium selenite (Sigma Aldrich, #S5261)

  멸균 증류수에 용해하여 3 mM 저장 용액을 만든다. 0.22 μm 필터 멸균하고, 분주하여 −20℃ 이하에서 보관한다.
- [ ] 2-ME (55 mM 용액) (Life Technologies, #21985-023)
- [ ] Neurobasal® Medium (Life Technologies, #12348-017)

  Phenol red 제외
- [ ] B27® supplement minus vitamin A (Life Technologies, #12587-010)

□ Penicillin/streptomycin 용액 (10,000 U/mL/10,000 μg/mL 용액) (Life Technologies, #15140)

□ L-Glutamine 용액 (200 mM 용액) (Life Technologies, #25030)

□ CHIR99021 (Biovision, #1677-5)

DMSO에 용해하여 30 mM 저장 용액을 만든다. 분주하여 −80℃에서 저장한다.

□ PD0325901 (Stemgent, #04-0006)

DMSO에 용해하여 10 mM 저장 용액을 만든다. 분주하여 −80℃에서 저장한다.

□ LIF (ESGRO®) (Merck, #ESG1107)

107 U/mL 용액으로 분주하여 4℃에 저장한다.

배지의 조제

□ Wash medium

□ 4℃ 보존

		(최종농도)
DMEM/F12	500.0 mL	
BSA	6.7 mL	(0.1%)

□ N2B27 medium

기존 방법[6]에서 2가지를 변경하고, 기초배지는 HEPES, Phenol red는 비포함 및 B27 supplement는 비타민 A 비포함된 것을 사용하고 있다. 소개하고자하는 N2 supplement 100 × 용액을 아래와 같이 조제한다.

【N2 supplement 100x 용액】		(최종농도)
DMEM/F12	3,595 μL	
Insulin	500 μL	(2.5 mg/mL)
Apo-transferrin	500 μL	(10 mg/mL)
Progesterone	16.7 μL	(2 μg/mL)
Putrescine dihydrochloride	50 μL	(1.6 mg/mL)
Sodium selenite	5 μL	(3 μM)
BSA[*2]	333.3 μL	(5 mg/mL)
합계	5 mL	

*2 N2B27 제작을 위해 분주한 것들은 −20℃ 이하에서 보관하는 것이 좋다.

N2 supplement 조제후, 바로 N2B27 medium을 조제한다.

【A 액】		(최종농도)
DMEM/F12 (HEPES, Phenol red 비포함)	495 mL	
조제된 N2 supplement	5 mL	(1 x)
2-ME	900 μL	(0.1 mM)

【B 액】		(최종농도)
Neurobasal® Medium (Phenol red 비포함)	480 mL	
B27 supplement minus vitamin A	10 mL	
Penicillin/ Sterptomycin 용액	5 mL	(100 U/mL/100 μg/mL)
L-glutamine 용액	5 mL	(2 mM)
2-ME	900 μL	(0.1 mM)

A 액과 B 액을 20 mL씩 혼합하여 50mL 튜브에 분주하고 −80℃에서 저장한다. 해동 후 4℃에서 저장하고 2주 이내에 사용한다.

☐ N2B27 2i + LIF medium

위의 N2B27 medium에 GSK3 억제제인 CHIR99021 및 MEK 억제제인 PD0325901 (2i)와 LIF를 첨가한 것5)을 4℃ 저장하고, 2주 이내에 사용한다. 사용시에는 사용하는 만큼 분주하고 37℃로 가온하여 둔다.

		(최종농도)
N2B27 medium	40 mL	
CHIR99021	4.0 μL	(3 μM)
PD0325901	1.6 μL	(0.4 μM)
LIF	4.0 μL	(10³ U/mL)

배양 접시의 준비

☐ Poly−L−Ornithine (Sigma Aldrich, #P3655)

멸균 증류수에 용해하여 0.01% (w/v) 용액을 제조한다. 4℃에서 저장.

☐ Laminin(마우스 유래) (BD Biosciences, #354232)

2 mg/mL 용액을 구입후 분주하여 −80℃에 보존. 해동 후에 4℃에서 저장. On ice에서 취급한다.

방법 : 0.01% poly−L−ornithine 1 mL를 6−well plate에 넣고 1시간 이상(~하룻밤동안) 실온에서 보관한다. PBS로 2회 세척하고, laminin (10~300 ng/mL)*3 용액을 첨가하고, 1시간이상(하룻밤 동안) 37℃ CO₂ incubator에서 보온보관한다. 사용 직전에 PBS로 2회 세척하고 배지를 추가한다. 건조되지 않도록 주의한다.

*3 핵형 XY는 10 ng/mL, 핵형 xx 는 300 ng/mL로 진행하고, 접 착이 약한 경우에는 농도를 재 검토 할 필요가 있다.

2. EpiLCs의 분화유도

시약

☐ KSR (Knockout™ Serum Replacement) (Life Technologies, Inc. #10828−028)

분주하여 −20℃ 이하에서 냉동보관. 해동 후 4℃에서 저장하고 2주 이내 사용한다*4.

☐ Human recombinant Activin A (Peprotech, #120−14)

☐ 멸균 증류수에 용해하고, 50 μg/mL 용액을 제조한다. 분주하여 −20℃ 이하에서 보관

☐ Human recombinant bFGF (Life Technologies, #13256−029)

☐ 필터 멸균된 10 mM Tris 완충액 pH 7.6, 0.1% BSA 용액을 용매로 10 μg/mL 용액을 제조한다. 분주하여 −20℃ 이하에서 보관.

*4 해동 후 2주 이상 경과 한 것은 사용하지 않는다.

배지의 조제

☐ 분화 배지

ES세포 배양과 같은 N2B27 medium을 기초배지로 한다*4. 필요한 만큼만 만

265

들고, 사용 전 37℃ 가온해 둔다.

		(최종농도)
N2B27 medium	1 mL	
KSR[*5]	10.0 µL	(1%)
Human recombinant Activin A	0.4 µL	(20 ng/mL)
Human recombinant bFGF	1.2 µL	(12 ng/mL)

배양 접시의 준비

☐ Fibronectin(인간 유래)(Merck, #FCO10)

1 mg/mL 용액을 4℃에서 저장

방법 : fibronectin (1 mg/mL)을 PBS로 희석 (10 µL/600 µL)하여, 12-well plate 에 600 µL/well씩 첨가한다. 37℃ CO$_2$ incubator에서 1~2시간 보온 보관하여 코팅한다. 용액을 흡인제거한 후 세척은 불필요하지만, 건조해지지 않도록 주의한다.

3. PGCLCs 의 유도

시약

☐ GMEM (Life Technologies, #11710−035)

☐ Non−essential amino acids (Life Technologies, #11140)

☐ Sodium pyruvate (Life Technologies, #11360)

배지의 조제

☐ GK15

조제법 : 처음에 2−ME를 GMEM에 가한 후 다른 시약을 혼합한다.

☐ 사용시 조제하고, 사용 전에 37℃로 가온하여 둔다.

			(최종농도)
GMEM	8.1	mL	
2−ME	18	µL	(0.1 mM)
KSR[*6]	1.5	mL	(15%)
Penicillin / streptomycin [*7]	100	µL	(100 U/mL / 100µg/mL)
L−Glutamine[*7]	100	µL	(2 mM)
Non−essential amino acid [*7]	100	µL	(0.1 mM)
Sodium pyruvate [*7]	100	µL	(1 mM)
합계	총10	mL	

☐ PGCLCs의 유도

BMP4, LIF[*8], SCF (stem cell factor), EGF (epidermal growth factor)의 각 cytokine을 사용한다. 저장용액의 조제법은 아래와 같습니다. 냉동 보관된 cytokine 용액은 해동후 4℃에 저장하고 2주 이내에 사용한다.

☐ Human recombinant BMP4 (R & D, #314−BP)

BSA 0.1%가 첨가된 4 mM HCl 용액을 필터멸균하고, 이것을 용매로 50 µg/mL 저장용액을 제조한다. 분주하여 − 80℃에서 저장한다.

☐ Mouse recombinant SCF (R & D, #455−MC)

*5 PGCLC 유도 효율은 Lot에 따라 차이가 많기 때문에, Lot를 잘 확인하는 것이 필요하다.
⚠ 문제 발생시 대응 편을 참고

*6 사용된 Lot를 확인하여, EpiLCs 의 유도에 사용된 것과 동일한 Lot를 사용한다.

*7 분주 후 −20℃ 이하에서 보관하고, 해동 후 각각 2주 이내의 것을 사용한다.

*8 ES 세포 배양에 사용하는 것과 같은 것임. 4℃에서 저장.

BSA 0.1%와 PBS (pH 7.2)을 용매로 50 µg/mL 저장용액을 제조한다. 분주하여 −80℃에서 저장한다.

☐ Mouse recombinant EGF (R & D, #2028−EG)

BSA 0.1%와 PBS (pH 7.2)을 용매로 500 µg/mL 저장용액을 제조한다. 분주하여 −80℃에서 저장한다.

배양접시

☐ Lipidure® −coat 96−well plate round bottom (Thermo Scientific Inc., #81100525)

4. PGCLCs 의 회수

☐ 10xPBS (Ca^{2+}, Mg^{2+} 포함) (Sigma Aldrich, #D1283)

☐ Photo Buffer

이하를 혼합하고, 필터 멸균된 것.

		(최종농도)
10 × PBS (Ca^{2+}, Mg^{2+}포함)	4 mL	(1 ×)
KSR	2 mL	(5%)
배양용 멸균증류수	34 mL	
합계	40 mL	

☐ FACS Buffer

PBS (pH 7.2)에 BSA를 첨가하여 최종농도 0.1%가 되도록 만든다.

☐ Anti−SSEA1 Alexa Fluor® 647 항체(eBioscience, #51−8813)

☐ PE anti−human CD61 항체(BioLegend, #104307)

☐ 35 µm cell strainer (polystyrene tube) (BD Biosciences, #352235)

☐ Glass capillary micropipette (Drummond, #2−000−100)

☐ 형광현미경

☐ Flow cytometer (cell sorter)

저자의 연구실에서는 FACSAriaTM III (BD Biosciences)를 사용하고 있다.

프로토콜

배양 시스템의 전체적인 흐름은 그림 1과 같이 ES세포를 2i + LIF, feeder free 조건에서 배양 한 후 EpiLCs로 분화유도시킨다. 36~48시간 정도 분화 시킨후 회수하고, 부유배지에서 세포을 응집시켜서 PGCLCs를 유도한다. 배양 4일째에는 PGCLCs가 분화 유도 되고 회수 가능해진다.

1. ES 세포의 배양

준비 1.에서 언급된, ornithine−laminin 코팅된 배양접시를 이용하여 ES 세포를 3회 이상 계대배양하고, feeder 세포는 제거한다. EpiLC 분화 유도는 feeder free 배양한 ES 세포를 사용한다. 저자의 연구실에서 표준으로 사용하고 있는 계대 방법을 아래에 기술하였다.

❶ 오래된 배지를 조심스럽게 흡인제거한다[*1].

❷ TrypLE™ 1 mL를 첨가하고, 37℃ CO_2 incubator에서 4분간 보온보관한다.

❸ Wash medium 4 mL를 첨가하여 희석하면 반응이 중지된다. 부드럽게 피펫팅을 진행하여 세포를 박리시킨다[*2].

❹ 세포수를 계산하여, 2.5×10^5 cell[*3] 상당의 현탁액을 15 mL 튜브로 옮겨담는다.

❺ 220G, 3분간 원심분리하고, 세포가 펠렛으로 침강되면, 흡인제거한다.

❻ N2B27 2i + LIF medium에 현탁하고, ornithine-laminin 코팅한 플레이트에 배지를 넣고, 현탁액을 분주한다.

배지의 양은 2 mL/well (6-well plate) 기준으로 한다.

❼ CO_2 incubator 사용할 때 37℃, 5% CO_2, 95% Air(XY) 또는 5% CO_2, 5% O_2, 90% N_2 (XX)에서 배양한다.

계대는 48시간 후를 기준으로 한다.

2. EpiLCs 의 분화 유도

EpiLCs는 ES 세포 분화 과정에서 일시적으로 거쳐가는 일과성 상태를 의미하며, 이때의 분화시간이 유도효율에 크게 영향을 미치기 때문에 세포주에 대한 검토가 필요하다. 여기에서는 일반적으로 48시간인 경우를 설명한다[*4].

❶ Feeder free ES 세포를 TrypLE™로 처리하고, Wash medium으로 희석하여 반응을 중지시킨다.

1. ❶ ~ ❸과 마찬가지

❷ 모든 세포를 15 mL 튜브로 회수하고, 220G, 3분간 원심분리하여 세포를 펠렛화 한다.

상층액을 흡인제거하고, 분화 배지에 현탁을 하여, 세포수를 계산한다.

❸ fibronectin 코팅된 배양접시에 1 mL 분화배지를 넣고, 1×10^5 cells/well 정도의현탁액을 첨가한다.

❹ CO_2 incubator를 이용하여 37℃, 5% CO_2, 95% Air (XX 및 XY)에서 24시간 배양을 한다.

❺ 새 분화 배지로 바꾸어 넣는다.

❻ 37℃, 5% CO_2, 95% Air (XX 및 XY)에서 24시간 배양을 한다.

3. PGCLCs의 유도

ES 세포 콜로니는 비교적 공모양이었지만, EpiLCs로 분화하면서 평편한 상피형태가 되고, 넓게퍼지는 확산되는 증식을 하게된다(그림 2). 분화유도된 EpiLCs를 회수하고, PGCLCs의 유도를 진행한다.

❶ 분화배지를 흡인제거하고, EpiLCs을 PBS로 1회 세척한다.

❷ PBS를 흡인제거하고, TrypLE™ 400 μL를 첨가한 후, 실온에서 2분간 보관한다.

❸ Wash Medium 800 μL를 넣어서 세포를 15mL 튜브로 회수한다.

❹ Wash Medium을 800 μL 추가로 더 넣어서 배양접시를 세정 후 모든 EpiLCs를 튜브에 회수한다(총 2 mL이 된다).

세포수를 계산하고, 총 세포수를 산출한다.

❺ 220G, 3분간 원심분리하고, 펠렛의 상층액을 흡인제거한다.

❻ 세포을 1×10^6 cells/mL (=1,000 cells/μL)이 되도록 GK15에 현탁한다.

❼ BMP4 + LIF + SCF + EGF가 들어간 GK15[*5]에, 100 μL 당 2 μL(2,000 세포)의 현탁액을 첨가한다.

Cytokine 농도는 다음과 같다.

【GK15 1 mL당 첨가량】 (최종농도)

BMP4	10	μL	(500 ng/mL)
LIF	0.1	μL	(10^3 U/mL)
SCF	2	μL	(100 ng/mL)
EGF	0.1	μL	(50 ng/mL)

*5 GK15와 LIF만으로 배양한 음성 대조군을 똑같이 만든다.

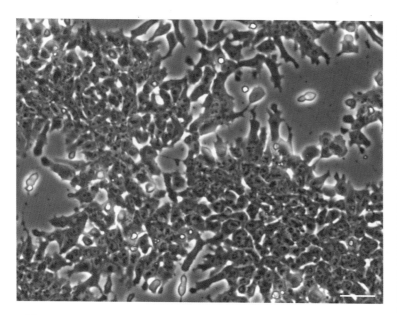

그림 2　EpiLCs
Scale bar : 50 μm

❽ Lipidure®-coat 96-well plate (U-bottom) 의 각 well 마다 100 μL씩 넣고, CO₂ Incubator를 이용하여 37℃, 5% CO₂, 95% Air (XX 및 XY) 에서 4일간 배양한다[*6].

4. PGCLCs 의 회수

저자의 연구실에서는 형광현미경 하에서 BVSC reporter 유전자의 발현을 관찰함으로써 유도을 확인하고 있다. 관찰은 Photo buffer를 넣은 배양 접시에 유리 모세관 마이크로 피펫[*7]을 사용하여 세포 덩어리를 옮겨 최대한 짧은 시간 안에 시행한다. 배양 2일째에는 BLIMP1 양성 세포가 명확해지고, 4일째 이후에는 reporter 양성 세포가 모여 세포 덩어리 가운데서 클러스터 상태로 분포한다(그림 3). 세포 회수의 방법으로 형광 단백질을 지표로 분류하는 경우와 표면 항원을 이용하여 분류하는 경우 두 가지 방법이 있다. 두 경우 모두 세포 덩어리를 회수하여 효소 분해하여 샘플을 준비할 때까지는 동일하다.

❶ 마이크로 피펫 등을 이용하여 세포 덩어리를 회수한다.

충분한 양의 PBS를 넣고 15 mL 원뿔 튜브에 회수한다.

❷ 220G, 1분간 원심분리를 하고, 세포 덩어리가 아랫쪽에 모여지면 상층액을 조심스럽게 흡인제거한다.

[*6]　세포가 U 모양바닥의 아랫부분에 모여서, 12시간정도면 응집하여 구형의 덩어리를 만들면서 성장한다.

[*7]　GK15 medium의 유입을 최소화하기 위해서, 세포 덩어리의 크기에 따라 가스버너 등을 이용하여 유리 모세관을 좀더 가늘게한다.

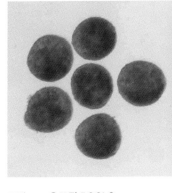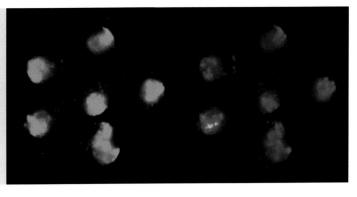

그림 3 유도된 PGCLCs

유도 4일째의 세포 응집 덩어리(좌 : 밝은시야). 형광 실체 현미경 하에서 BV (중), SC (우)의 형광을 발현하는 세포집단이 확인된다.

❸ TrypLE™를 넣고, 3~7분정도 37℃에서 보온보관한다.

손가락으로 탭핑을 하면, 세포 덩어리가 분리되는 것을 확인할 수 있다[*8].

❹ Wash medium을 넣고 희석하여 반응을 중지시킨다.

조심스럽게 피펫팅을 하여 세포를 분리한다. 광학 현미경 하에서 피펫팅 횟수를 최소화하는 것이 바람직하다. 표면 항원을 이용하여 항체 염색을 할 경우 ❺로 진행한다. 형광 단백질을 이용하여 PGCLCs를 정렬하려면 ⓫으로 진행한다.

❺ 70 μm cell strainer를 통과시켜서 새 15 mL 튜브로 이동시킨다.

❻ 220G, 3분간 원심분리를 하여 펠렛을 만든다. 적당량의 FACS buffer 를 넣고 재현탁한다.

❼ 현탁액에 항체를 아래에 적힌 희석배율을 이용하여 첨가한다[*9].

| Anti−SSEA1 Alexa Fluor647 항체 | 1 : 20 |
| PE anti−human CD61 항체 | 1 : 200 |

❽ 얼음위에서 15분간 보관한다.

❾ FACS buffer를 5 mL 이상 넣고, 현탁액을 적어도 5배 이상 희석한다.

*8 배양 2일째는 3분 정도, 4일째 는 7분 정도 보온보관을 진행한 다. 박리되는 세포의 손상을 방 지하기 위해서 가급적 신속하게 진행한다.

*9 항체 농도는 데이터를 기준으로 최적화한다.

⓾ 220G, 5분간 원심분리하고, 세포를 펠렛으로 만든후 상층액을 조심스럽게 흡인제거한다.

⓫ 적당량의 FACS buffer에 재현탁한다. 35 ㎛ cell strainer를 통과시켜서 polyethylene tube로 옮긴다.

분류수집를 진행하기 전까지는 얼음위에서 보관한다.

⓬ 분류수집 기능이 있는 flow cytometry를 이용하여 세포를 분류수집한다.

저저 연구실에서는 FACSAria™ Ⅲ를 사용하고 있다. 100 ㎛ 노즐로 세팅한다. 레이저 및 검출기는 사용하는 형광단백질의 형광색소에 맞추어서 적절히 선택한다[10][11][12].

⓭ 220G, 10분이상 원심분리하고, 세포가 펠렛이 되면 상층액을 조심스럽게 흡인제거한다.

⓮ 회수된 PGCLCs는 즉시 기능분석 및 생화학 분석에 사용한다.

*10 위의 anti-SSEA1 항체, anti-CD61 항체는 각각 APC 채널과 PE 채널에서 확인된다.
*11 유도 효율이 낮으면 분류수집에 시간이 다소 걸리기 때문에, 분류수집중 냉각 가능한 장치를 이용하는 것이 바람직하다.
*12 PGCLCs를 모집하는 튜브는 세포 수에 따라 적절하게 선택한다. 세포 수의 손실을 줄이기 위해 15 mL 원뿔 튜브 또는 1.5 mL 마이크로 튜브에 직접 분류수집한다. 세포를 회수할 튜브에 미리 BSA를 포함하는 배지(Wash medium 등)를 1 mL 정도 넣어 둔다.

⚠ 문제 발생 시 대응

- **Feeder free 배양에서 세포가 성장하지 않는다.**
  - → 처음에 분주시 세포수를 늘리고 밀도를 올린다.
  - → 배지를 새 배지로 바꿔준다.

    이 배양법은 무혈청 feeder free 방법이므로, 세포 발육은 배지의 활성도에 매우 크게 좌우된다. 배지는 -80℃에서 저장하고, 해동후 2i 및 LIF를 첨가하고 2주이내에 사용한다.

- **Feeder free 배양에서 세포가 접착하지 않는다.**
  - → laminin 농도를 확인한다.
  - → 콜로니가 너무 커지지 않도록 유지한다.

    콜로니가 너무 커지면 떠다니는 세포가 많아지므로, 다음 계대시 세포가 너무 많지 않도록 세포수, 배양기간을 조절한다. 48시간을 기준으로 계대를 할 수 있도록 한다. 계대가 가능하도록 단일세포로 만든 상태에서 균등하게 세포가 분포될 수 있도록 주의한다.
  - → 배양 접시 사이즈를 줄여본다.

- **EpiLC로 분화하지 않는다. ES 세포의 콜로니가 남아있다.**
  - → ES 세포의 콜로니가 혼입되지 않도록, 단일 세포로 분리시킨 상태에서 파종한다.
  - → KSR 농도 (1%)를 확인한다.

- **PGCLC 유도 효율이 낮다.**

PGCLCs 유도 효율은 ES 세포주에 따라 크게 좌우됨이 알려져 있다. 실험 목적에 맞게 비교 검토하여 유도에 효율적인 세포주를 선택할 필요가 있다. 여기에서는 또한 각 세포주에서 유도 효율을 높이는 데 주의해야 할 점에 대해 설명한다.

→ 계대를 적게한 ES 세포를 사용한다.

계대를 많이한 세포주에서는 세포수의 변화가 생길 가능성이 높고, 따라서 실험 결과가 불안정해질 가능성이있다. 최대한 빠른 계대의 ES 세포를 feeder free 배양하고 분주하여 저장 세포를 다수 제작하여 실험에 사용하는 것이 바람직하다.

→ EpiLCs의 분화 시간을 최적화한다.

EpiLCs의 분화 시간은 유도 효율에 있어서 매우 중요하여, 3~6시간 정도의 차이에서도 변화가 생길 수 있다. 따라서 꾸준하고 일정한 PGCLCs를 얻기 위해서는 분화 시간을 항상 일정하게 유지할 필요가 있다.

→ 세포 덩어리랑 세포수를 고려한다.

→ KSR의 Lot를 확인해 본다.

→ 항체의 활성도를 확인한다(표면 항원을 사용하는 경우).

PGCLCs의 기능 검사

기능적 검증을 할 경우 PGCLCs 분류수집 후 가급적 빨리 이식 실험을 한다. 저자 연구실에서 실시하고 있는 기능 검증 실험의 개요를 아래에 소개한다. 자세한 내용은 아래 참고문헌, 참고 서적을 참조하기 바란다. 동물 실험은 모든 소속 시설의 지침에 따라 실시한다.

1. 정자형성 [2)7)]

정세관 이식법(Seminiferous tubule transplantation)은 **B6WBF1-*W/Wv* 마우스**(SLC 사)를 이용하여 실시한다. 생후 7일령 *W/Wv* 수컷마우스를 얼음에서 저체온 마취시행하고, 하복부 피부와 복막을 절개한다. 고환을 견인해 노출시키고 주머니 모양의 고환낭을 확인한다. Trypan blue를 넣은 완충액에 회수한 PGCLCs를 5×10^3 cells/μL의 농도로 희석하고, PGCLCs를 고환낭 내에서 유리 모세관을 이용하여 고환 1개당 2 μL (1×10^4 cells) 주입한다. 고환을 재위치 시키고, 복막을 봉합 및 피부가 절개된 부분을 봉합한다. 체온을 올려서 마우스의 회복을 촉진시킨다. 10주 후에 다시 고환을 적출하고, 정세관 내에서 정자 형성의 유무를 관찰한다.

2. 난자형성 [3)8)9)]

1) 재구성 난소의 제작

임신 ICR 마우스(임신 12.5일, SLC 사)를 안락사시키고 자궁에서 태아를 얻는다. 광학

현미경 하에서 태아의 복부를 절개하여 암컷의 생식기를 잘라서 꺼내고, 신장 조직을 절제 후 trypsin 처리하여 세포를 분리한다. 얻어진 세포를 anti-SSEA1 microbeads (Miltenyi Biotec)와 혼합하여 **MACS 방법**을 이용해서 원시생식세포를 제거한다. 앞에서 얻어진 **체세포와 PGCLCs**을 GK15에 현탁하고 **10 : 1 비율**로 혼합하여 Lipidure®-coat 96-well plate (U bottom)에서 2일간 배양하여 응집시킨다.

2) 재구성 난소의 이식

암컷인 누드마우스 [KSN 마우스(SLC 사)]를 마취하여, 측복부(배측신장 부근)의 피부 및 복막을 자르고, 난소를 견인하여 노출시킨다. 광학 현미경 하에서 난소피막을 천공하여, 난소를 마이크로 나이프로 절개한다. 절개부분에 유리모세관을 이용하여 배양해 놓은 재구성 난소를 주입한다. 피막천공 부위를 봉합하고, 난소를 다시 재위치 시키고, 피부절개 부위를 봉합한다. 32일 후에 난소를 적출하고, 이식조직에서 난소 형성을 관찰하다.

실험결과

Cytokine을 첨가한 지 4일째에는 세포 덩어리 중에 BVSC reporter가 모두 양성인 세포가 유도된다. 형광현미경 및 flow cytometry 결과는 그림 3, 그림 4와 같다. 표면 항원을 이용하여 염색하고 flow cytometry를 시행한 결과는 그림 4에 나타낸다. SSEA1 및 CD61 모두 양성 세포 집단이 PGCLCs에 해당한다. 분류수집할 경우 Gate를 만든 방법의 예를 그림에서 보여준다. 이러한 PGCLCs는 유전자 발현 분석, 후성 유전학 분석을 통해 수정 후 약 9.5일 경의 PGCs에 가까운 것으로 추정되고 있다[2]. 배양 기간을 4일 이상으로 연장하여도 생식세포 후기마커(Ddx4, Daz1 등)가 강하게 발현되지는 않는다. 이러한 마커를 발현시키기 위해서는, 예를 들면 재구성 난소 배양과 같이 배양 시스템을 변경할 필요가 있다[3].

기능 분석을 실시했을 경우의 결과의 한가지 예를 제시하겠다(그림 5). 수컷 세포는 정세관내에 이식을 하면 정자 형성이 되는 것을 볼 수 있다. 또한, 암컷 세포에서는 재구성 난소에서 난포 형성을 확인할 수 있다. 이러한 배우자는 야생형의 배우자와 체외 수정 및 배아 이식을 함으로써 정상적인 태아의 출산에 기여할 것으로 생각된다.

BWBFI-W/Wv 마우스 : Kit 유전자 변형 마우스이다. 생식세포가 적다.

MACS (Magnetic-activated cell sorting) 방법 : 항체를 결합시킨 magnetic beads 를 사용하여, 원하는 세포를 분리하는 방법. 여기에서는 SSEA1 을 발현하는 원시생식세포를 제거하기 위하여 실시하고 있다. 구체적으로는 anti-SSEA1 beads 와 혼합한 생식기의 세포를 MiniMACS ™ separator (Miltenyi Biotec) 에 의해 magnetic field 가 발생된 MACS MS column (Miltenyi Biotec) 에

통과시킨다. 이때 beads 에 결합된 원시생식세포는 column 에 남고, 나머지 체세포들만 column 을 통과해서 빠져나간다.

체세포와 PGCLCs : 체세포 및 PGCLCs 의 정제는 여러 사람이 동시에 병행하는 것이 바람직하다.

비율 기준 : 체세포 50,000 cells + PGCLCs 5,000 cells 을 기준으로 검토한다.

결론

이번 장에서는 BMP4를 비롯한 cytokine을 이용하여 PGCLC 유도하는 방법에 대해 설명했다. 이 배양 시스템을 이용하여 기존에 어려웠던 생식세포 초기 발생의 분자 메커니즘에 접근할 수 있게되었다.

연구의 한 예로, 생식세포 프로그램을 시작하는데 충분한 전사인자군의 동정에 대해 소개하고자한다. 저자의 연구 그룹은 본 배양 시스템을 이용하여 생식 세포 운명 결정에 있어서 특히 중요한 유전자를 이용하여 PGCLCs을 유도하는 것을 시도했다. BVSC reporter 유전자를 갖고, rtTA (reverse tetracycline-regulated transactivator)를 항상 발현하는 ES 세포를 만들고, tetracycline 발현 유도 시스템을 이용할 수 있게 했다. 이 ES세포에 Blimp1, Prdm14, Tfap2c의 3가지 유전자를 도입했다. 이러한 외래 유전자는 tetracycline 반응 서열을 가지는 프로모터에 의해 발현이 지배되고 있으며, doxycycline 첨가에 의해 발현이 유도된다. 본 프로토콜에 따라 이 ES 세포를 EpiLCs로 분화시키고, GK15 배지에서 세포를 응집시켰다. 이 때 cytokine 대신 doxycycline에 의해서 3개 유전자의 발현이 유도되었다. 그 결과, 배양 2일째에는 BVSC reporter 유전자가 모두 양성되었다. 이 reporter 양성 세포를 분류 수집하고 정세관 이식을 하면 기능적인 정자로 분화했다. 유전자 발현 분석을 통해 이들 3개의 유전자에 의해 체세포 프로그램을 거치지 않고 직접적으로 생식 세포 프로그램을 활성화하고 있는 것으로 확인되었다[10]. 지금은 세포를 이용하여 생식 세포 프로그램에 의한 후

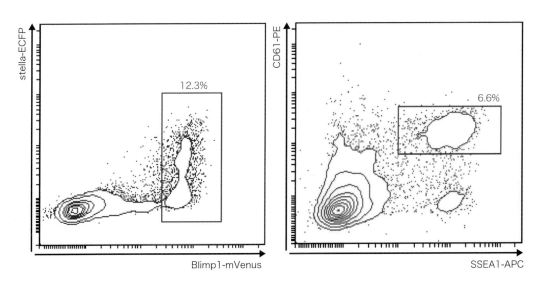

그림 4 Flow cytometry 에 의한 PGCLCs 를 포함한 세포 응집 덩어리의 분석 예

유도 4 일째 세포 응집 덩어리를 Flow cytometry 법으로 분석했다. A) 그림 3에서 표시된 BVSC report 형광으로 분석한 경우 BV를 FITC 채널에서, SC를 AmCyan Horizon V500 채널에서 검출했다. SC 양성 세포는 모두 BV 양성으로 표현된다. BV 양성 세포 (Gate 참고)가 PGCLCs에 해당한다. B) 항 SSEA1 항체, 항 CD61 항체로 염색한 경우, 각각 APC 채널. PE 채널에서 검출된 양 마커가 모두 양성인 세포집단(Gate 참고)가 PGCLCs이다.

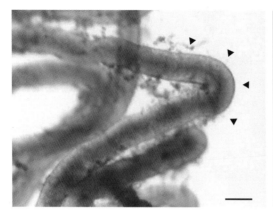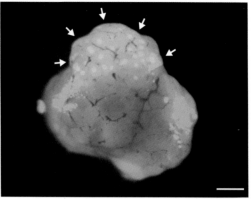

그림 5 PGCLCs의 기능 검증

그림 4 에서 볼 수 있듯이, BV reporter 로 PGCLCs를 분류 수집하고, 자웅을 각각 이식했다. A) 생후 7일령 W/WV 마우스의 고환에 이식했다. 10주 후 고환을 적출하고 실체 현미경으로 정밀 튜브를 박리하여 관찰했다. 정자 형성의 콜로니가 확인된다(화살촉 : 고환질 관내에서 세포가 증식하고 있다). Bar : 200 μm. B) 재구성 난소를 2일간 배양한 누드 마우스의 난소 피막하에 이식했다. 32일 후에 이식 난소를 적출하여 실체현미경하에서 관찰했다. 사진은 명 시야와 CFP 형광 사진 병합이미지. 화살표로 표시된 부분이 이식에 해당한다. 이식편안에서 stella-ECFP 양성 모세포가 인정된다. Bar : 500 μm

생학적 유전자 리프로그래밍 분자기구의 해명을 시도하고있다.

본 배양 시스템은 마우스 ES 세포 및 마우스 iPS 세포에서 기능 검증이 이루어지고 있다. 다른 동물 종, 특히 인간에서도 Step-by-step 방식에 의해 생식 세포가 유도 될 것으로 기대된다. 그 전제로서 인간 만능 줄기세포의 생물학적 특성, 특히 마우스 만능 줄기세포와 차이점과 영장류의 생식세포의 발생 과정을 파악하는 것도 중요한 테마가 되고 있다.

◆ **문헌**

1) Saitou, M. et al.: Development, 139: 15-31, 2012
2) Hayashi, K.: Cell, 146: 519-532, 2011
3) Hayashi, K. el al.: Science, 338: 971-975, 2012
4) Ohinata, Y. et al.: Reproduction, 136: 503-514, 2008
5) Ying, Q.-L. et al.: Nature, 453: 519-523, 2008
6) Nichols, J. & Ying, Q.-L.: Methods Mol. Biol., 329: 91-98, 2006
7) Chuma, S.: Development, 132: 117-122, 2004
8) Hashimoto, K. et al.: Dav. Growth. Differ., 34 :2 33-238, 1992
9) Matoba, S. & Ogura, A.: Biolo. Reprod., 84: 631-638, 2011
10) Nakaki, F. et al. Nature, 501: 222-226, 2013

◆ **참고 도서**

1) 林克彦 , 斎藤通紀 : 実験医学 , 30:pp.157-162, 2012
2) 『卵子学』(森崇英/編), 京都大学学術出版会, 2011

Ⅲ 분화유도의 프로토콜

14 종양세포에서 iPS 세포 제작과 분화유도

아라이 토시야(荒井俊也), 쿠로카와 미네오(黒川峰夫)

Flow chart

iPS 세포의 수립

| −7일 | −6일 | 당일 | 14〜24일 |
| 혈액/골수액으로부터의 CD34 양성 단핵구 분리 | FLT3L, SCF, IL-3, IL-6 첨가하여 CD34 양성 단핵구를 현탁 | OCT3/4, SK, UL, EBNA의 electroporation을 이용해서 iPS 세포에 도입 | 콜로니 출현 및 계대 혈구분화유도 |

혈구분화유도

| −1일 | 당일 | 14〜15일 |
| Feeder 세포 (C3H10T1/2 세포)의 준비 | VEGF 첨가하여 초기조혈세포로의 유도 | SCF, TPO, heparin 첨가하여 거핵구계로의 유도 |

서론

종양을 포함한 난치병 등의 매우 희귀한 세포에서 iPS 세포를 제작하는 것은 그 질환의 병리 생태를 해명하고 치료제를 개발하는데 매우 유용하다고 생각된다. 그러나 지금까지 다양한 iPS 세포 제작 기술이 개발되어 왔음에도 불구하고 정상 세포에 비해 질환 세포, 특히 종양 세포에서 iPS 세포 제작은 매우 어렵다. 그리고 이에 대한 보고는 세계적으로도 매우 소수에 그치고 있다[1)2)].

저자의 연구실에서는 지금까지의 경험을 토대로, 교토대학 iPS 세포 연구소가 개발한 episomal vector를 이용한 reprogramming 인자를 첨가하는 방법이 종양 세포에서 iPS 세포 제작 효율을 높이는 하나의 효과적인 방법이라고 생각하고 있으며[3)], 이번 장에서는 이 방법을 이용하여 종양 세포에서 iPS 세포 제작 및 종양 유래 iPS 세포로부터 혈구 분화 유도의 실제에 대해 설명하겠다.

준 비

필요한 시약과 기기

☐ 단핵구 분리 시약

LymphoprepTM (Axis−Shield, #1114544) 등.

☐ hCD34−PE 항체, hCD43−PE 항체, hCD34−APC 항체, hCD4la−APC

항체, hCD42b 항체,

- [ ] Cytokine

  rhSCF, rhFLT3L, rhIL-3, rhIL-6, rhTPO

- [ ] Anti-PE MicroBeads (Miltenyi Biotec, #130-048-801)

- [ ] MEF (Mouse embryonic fibroblasts) feeder 세포

  마우스 태생 13.5일째 배아를 이용하여 제작한다. 제작방법에 있어서 어떤것
  보다도 종양 세포 유래 iPS 세포의 수립과 유지에 있어서는 신선한 MEF를 사
  용하는 것이 매우 중요하기 때문에, 저자의 연구실은 2회 계대 이내의 MEF를
  사용하고있다. 또한 mitomycin C 처리(10 μg/mL)에 일반적으로 3시간 정도
  걸리지만, 최대한 2시간 이내로 노력하고 있다. 저자의 연구실에서는 2.5-3
  × 10^5 cells/dish (60 mm 배양접시)의 MEF를 사용하고 있다.

- [ ] ROCK inhibitor

  Y-27632 (Wako Pure Chemical Industries, Ltd., #257-00511) 등. 10 mM 수
  용액으로 제작하여 저장용액을 만들고, -20℃에서 보관

- [ ] C3H10T1/2 세포

- [ ] Mitomycin C

  PBS로 2 mg/mL 저장용액을 만들고, -20℃에서 보관.

- [ ] Plasmid

  pCXLE-hOCT3/4-shp53-F, pCXLE-hSK, pCXLE-hUL, pCX-
  WB-EBNA1 [US NPO Addgene 에서 구입가능 (그림 1)] [3)4)]

- [ ] Human CD34+ cell NucleofectorTM kit (Lonza, #VAPA-1003)

- [ ] Valproic acid

- [ ] D-MEM / F12 (Life Technologies, #11320-033)

- [ ] KSR (Life Technologies, Inc. #10828-028)

- [ ] Trypsin (Life Technologies, #25300-054)

- [ ] 동결건조액 (유리화법) (REPROCELL, #RCHEFM001)

- [ ] VEGF (R & D, #293-VE-050 등)

  20 ng/mL PBS [BSA 0.1% (w/v) 포함]의 저장용액을 만들어서, -20℃에 저
  장.

- [ ] BME (Life Technologies, Inc. #21010-046)

- [ ] ITS-X (Insulin-Transferrin-Selenium-Ethanolamine) (Life Technolo-
  gies, Inc., #51500-056)

- [ ] PSG (Penicillin-Streptomycin Glutamine) (Life Technologies, #10378-
  016)

- [ ] MTG (1-Thioglycerol) (Sigma Aldrich, #M6145)

- [ ] Ascorbic acid (Sigma Aldrich, #A4544)

- [ ] Iscove's Modified Dulbecco's Medium (Sigma Aldrich, #13390)

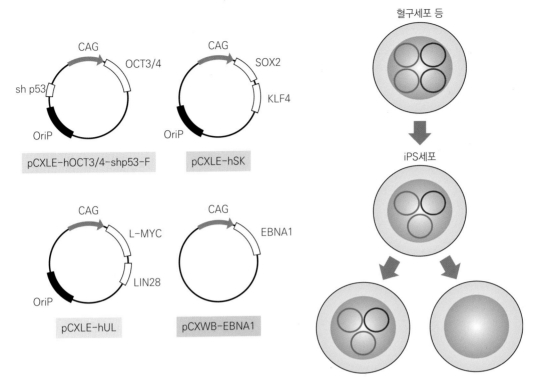

그림 1 Episomal 벡터를 이용한 iPS 세포의 제작

4개의 벡터를 electroporation으로 도입한다. OCT3/4, SOX2, KLF4, L-MYC, LIN28, shRNA을 발현하는 벡터는 복제 기점인 OriP 배열을 포함하고 있으며, 세포내에서 복제된다. EBNA1은 벡터 복제 및 reprogramming 인자의 전사를 촉진한다. 이 벡터는 게놈에 삽입되지 않고 복제 시간이 iPS 세포의 세포주기보다 길기 때문에 계대가 지속됨에 따라서 벡터를 포함하지 않는 iPS 세포의 비율이 증가해 간다.

☐ 반고형배지 Metho Cult™ H4034 Optimum (STEMCELL Technologies, #04034)

☐ 반고형배지 MegaCult-C (STEMCELL Technologies, Inc. #04973)

☐ autoMACS® Automatic magnetic cell separation device (Miltenyi Biotec)

　또는 이에 준하는 세포분리 장치

☐ Nucleofector™ 2b 장치 (Lonza, #AAB-1001)

☐ FACS Cell Sorter

☐ Multi-gas incubator(없다면 보통의 CO_2 incubator)

　저산소 배양 하에서 정상에 비해 2~3배 정도 iPS 세포의 수립 효율이 높아진다.

시약 및 배지의 조제

☐ PBS

		(최종농도)
NaCl	8 g	(137 mM)
KCl	0.2 g	(2.68 mM)
Na$_2$HPO$_4$/12H$_2$O	2.4 g	(8.1 mM)
KH$_2$PO$_4$	0.2 g	(1.47 mM)
HCl	소량[*1]	
증류수	Up to 1 L	

*1   pH=7.4가 되도록 한다.

☐ MACS buffer

		(최종농도)
BSA	2.5 g	(0.5 %)
0.5M EDTA	2 mL	(2 mM)
PBS	498 mL	
HCl	소량[*2]	
Total	총 500 mL	

*2   pH=7.2가 되도록 한다.

☐ 세포분리액

		(최종농도)
PBS	28 mL	
10M CaCl$_2$	16 μL	
KSR	8 mL	(2.5 %)
Trypsin	4 mL	

☐ MEF 배지

		(최종농도)
MEF	450 mL	
FCS	50 mL	(10%)
Total	500 mL	

☐ Electroporation reaction solution(5 × 10^{6}세포까지 처리가능)

			(최종농도)
Human CD34$^+$ cell Nucleofector® Solution	82	μL	
Human CD34$^+$ cell Nucleofector® Supplement	18	μL	
pCXLE-hOCT3/4-shp53-F	0.83	μL	(1μg/μL)
pCXLE-hSK	0.83	μL	(1μg/μL)
pCXLE-hUL	0.83	μL	(1μg/μL)
pCXWB-EBNA1	0.5	μL	(1μg/μL)
Total	103	μL	

□ iPSC 배지

			(최종농도)
D-MEM/F12	389.5	mL	
KSR	100	mL	
200 mM L-glutamine	5	mL	(2 mM)
10 mM MEM NEAA	5	mL	(100 μM)
β-mercaptoethanol	0.5	mL	(100 μM)
bFGF			(4 ng/mL)
Total	500	mL	

□ C3H10T1/ 2 배지

			(최종농도)
BME	500	mL	
FBS(비활성화 :heat inactivation)	56	mL	(10 %)
PSG	5.6	mL	(1 %)
Total	561.6	mL	

□ 혈구분화용 배지

			(최종농도)
IMDM	500	mL	
FBS*3	90	mL	
ITS-X	6	mL	(1 %)
PSG	6	mL	(1 %)
0.45 M MTG	0.6	mL	(450 μM)
50 mg/mL Ascorbic acid	0.6	mL	(50 μg/mL)
Total	603.2	mL	

*3 비활성없이 사용한다(Heat inactivation을 하지 않고 사용).

□ PI 염색약

			(최종농도)
PI	0.01	g	(50 ng/mL)
Sodium citrate	0.2	g	(1 ng/mL)
Triton X-100	0.2	g	(1 ng/mL)
RNase A	2	g	(10 mg/mL)
DDW	200	mL	
Total	200	mL	

프로토콜

1. 종양 세포에서 iPS 세포 수립

인간 혈액 및 골수액 세포에서 CD34 양성 단핵구의 분리

미리, 사용해야할 양의 Lymphop rep™을 실온에 보관준비한다.

❶ EDTA 또는 헤파린으로 항응고제 처리한 혈액 및 골수액을 PBS로 희석한다*1.

*1 혈액의 경우는 2배, 골수액은 5배로 희석하다.

❷ 50 mL 튜브에 ❶의 절반량에 해당하는 Lymphoprep™을 넣고, 액면이 흐트러지지 않도록 주의하면서 그 위에 ❶을 천천히 넣어서 서서히

중층화 시킨다.

❸ 스윙 로터를 이용하여 실온 800G에서 20분 원심 분리를 진행한다.

가속과 감속이 완만하게 되도록 원심 분리기를 설정하여 둔다.

❹ 원심분리 후 그림 2와 같이 검체(혈장)와 나머지 배지(Lymphoprep™)
의 경계면에 단핵구 밴드가 형성된다.

상단의 혈장을 대부분은 흡인제거한 후, 200 μL 마이크로 피펫을 사용하여
주의깊게 단핵구밴드를 채취한다[2].

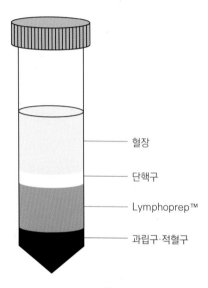

그림 2   단핵구 분리

희석된 혈액/골수액을
Lymphoprep™에 중층하고
원심분리하면, 혈장과
Lymphoprep™의 경계면에
명료한 단핵구의 밴드가 형
성된다. 혈장을 흡인제거한
후 이 밴드 부분을 마이크로
피펫을 사용하여 채취한다.

― 혈장

― 단핵구

― Lymphoprep™

― 과립구·적혈구

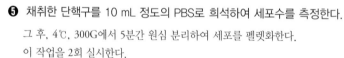

❺ 채취한 단핵구를 10 mL 정도의 PBS로 희석하여 세포수를 측정한다.

그 후, 4℃, 300G에서 5분간 원심 분리하여 세포를 펠렛화한다.
이 작업을 2회 실시한다.

❻ MACS buffer 100 μL, hCD34-PE 항체 3 μL를 이용해서 세포를 처리
할때, 차광하여 on ice 상태로 30분간 보관한다.

❼ 10 mL 이상의 PBS로 희석하고, 4℃, 300G에서 5분간 원심 분리하여
상청을 제거한다.

❽ 2 ×10^7 세포당 10 μL의 Anti-PE MicroBeads와 90 μL의 MACS 버퍼
로 세포를 처리할 때, 차광하여 on ice에서 15분간 보관한다.

❾ PBS로 희석하여 4℃, 300G에서 5분간 원심 분리하여 상청을 제거한다.

❿ 2 mL MACS buffer로 처리한 후, autoMACS® 자동 자기 세포분리장치
를 이용하여 MicroBeads와 결합한 hCD34 양성 세포를 회수한다[*3].

Episomal vector를 이용한 인간 CD34 양성 혈구에서 iPS 세포의 수립

❶ Cytokine[*4]를 첨가한 MEF 매체를 이용하여, 1 ~ 10 × 10⁴ cells/mL
가 되도록 hCD34 양성 혈구를 현탁한다(0일째).

48-well plate에 500 μL/well로 분주하고, 37℃, 5% CO_2, 5% O_2 조건에서
6일간 배양한다. 그동안 배지교환은 하지 않는다.

❷ 필요한 만큼의 60 mm 배양 접시를 0.1% gelatin/PBS 코팅시 실온 혹
은 37℃, 30분 이상의 조건에서 보온보관한다(5일째).

Gelatin을 흡인제거하고, mitomycin C 처리된 MEF 2.5 ~ 3 × 10⁵ cells을
MEF용 배지에 현탁하여 3 mL/dish로 분주한다. 1장의 배양접시당 electro-
poration 처리된 세포 1.0 × 10⁵ cells 정도까지 분주가 가능하다.

❸ ❷의 MEF 배양접시의 배지를 흡인제거하고, cytokine[*5]과 ROCK
inhibitor 10 μM을 첨가한 MEF 배지를 3mL/dish로 넣고, 37℃로 배양
유지한다(6 일째).

❹ 6일간 배양한 세포에서 1.-2)의 방법으로 CD34 양성 분획을 회수하
여 electroporation 반응액 100 μL에서 넣고 보관한다. Amaxa
Nucleofector II 프로그램 U-008으로 electroporation을 시행한다.

❺ 세포를 ❷의 gelatin 코팅된 배양접시에 파종하여, 37℃, 5% CO_2, 5%
O_2 조건에서 배양한다[*6].

❻ MEF 용 배지를 흡입제거하고, Valproic acid 0.5 mM, ROCK inhibitor
10 μM을 첨가한 iPSC 배지 3 mL로 배지교환을 진행한다(8일째).

이후 2일에 1번씩 같은 매체를 이용하여 배지를 교환한다.

❼ 점차 죽은 MEF가 떨어져나오면서 feeder가 얇아진다(15일째).

Mitomycin C 처리한 MEF를 1.8 × 10⁵ cells/dish (60 mm 배양접시) 정도
로 배양중인 접시에 새롭게 추가한다.

❽ 20~30일 이후 : 육안으로 보이는 콜로니가 나타나면 배지교환을 1일

1회 시행한다[*7][*8].

❾ ES 세포 모양의 콜로니가 성장하면, 분화가 시작되기 전에 분리한다[*9].

2. 종양세포 유래 iPS 세포로부터 혈구분화유도

iPS 세포로부터 혈구분화유도 [5)]

❶ Feeder로 사용할 C3H10T1/2 세포주를 100 mm 배양접시에서 배양한다[*10].

❷ 분화유도시작 1일전 : 혈구분화에 사용할 C3H10T1/2 세포를 100 mm gelatin 코팅된 배양접시에 준비한다.

C3H10T1/2 세포의 증식을 mitomycin C 처리(10 μg/mL, 2시간) 하여 중지시키고, 8 × 10^5 cells/dish (100 mm 배양접시)의 농도로 사용 전날에 파종하고, C3H10T1/2 용 배지를 넣어 둔다[*11].

❸ 미리 전날에 제작한 C3H10T1/2 세포의 배지를 VEGF 20 ng/mL 첨가된 혈구분화배지로 교체하고 37℃로 보온보관한다(0일째).

iPS 세포를 계대시의 요령으로 박리하고, 가능한 큰 세포 덩어리 형태로 1 × 10^5 cells/dish (100 mm 배양접시)의 세포 농도로 파종한다[*12]. 이후 3일마다 배지 전량을 교체한다.

❹ Feeder 위에 낭상 구조물 (iPS-Sac)이 형성되고, 그 안에 혈구가 생산된다(그림 3)(14~15일).

10 mL 피펫으로 물리적으로 접시 전체를 문질러서, feeder마다 혈구 세포를 채취하여 40 μm 셀 스트레이너를 통해 회수한다. 500G에서 10분간 원심분리하여 펠렛을 만든다.

❺ hCD43-PE 항체 5 μL, hCD34-APC 항체 5 μL, MACS buffer 90μL[*13]에서 펠렛을 현탁시키고, 차광하여 on ice에서 30분간 보관한다.

❻ MACS buffer 5 mL로 세척하고 원심분리 후 상청액을 흡인제거한 후, 1% 7-AAD가 들어있는 MACS buffer 400 μL를 넣고 현탁후, 차광하여 on ice에서 5분 보관한다.

❼ FACS 튜브에 옮겨 FACS Aria에서 7-AAD 음성, hCD43-PE 양성, hCD34-APC 양성의 초기 조혈 세포 분획을 분리하여 회수한다[*14].

초기 조혈세포로부터 거핵세포 계열로의 분화

위에서 언급된 hCD43, hCD34 양성세포을 이용한다.

*7 정상세포의 경우 대략 electro-poration 후 4주이내에 콜로니가 형성되지만, 종양 세포는 더 늦게 콜로니가 형성될 수 있기때문에 8주 정도까지 배양을 계속하는 것이 바람직하다.

*8 처음에 생기는 콜로니는 완전히 reprogramming 되지 않은 가짜 콜로니인 경우가 많다.

*9 종양세포에서 만들어진 ES 세포 모양의 콜로니가 iPS 세포로 안정화될때까지 몇계대 걸리며, 그 동안에 iPS 배지에 Rock inhib-itor를 10 μm 계속 추가로 넣어 주는 것이 요구된다.

*10 1:8 ~ 1:10의 희석 비율로 주 2회 계대할 정도의 성장 속도이다.

*11 80~90% 합류에서 약 2 × 10^6 cells/dish(100 mm 배양접시)의 세포를 얻을 수 있다.

*12 6 cm 배양접시에 최대한 증식시킨 iPS 세포는 2-3 × 10^6 개 정도가 된다. 세포를 과도하게 투여하면 오히려 혈구 분화 효율이 떨어지기 때문에 적절한 세포수를 결정하는 것이 중요하다.

*13 100 mm 배양접시 10장 분량까지의 세포는 이 항체량이면 충분하다.

*14 분화 유도가 문제없이 성공하면, 1 × 10^5 cells/dish(100 mm 배양 접시) 이상의 초기 조혈 세포를 얻을 수 있다.

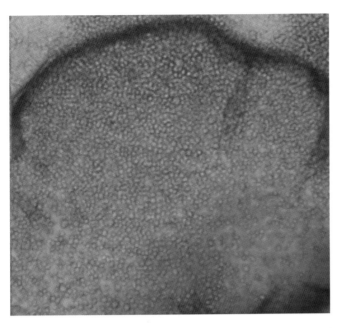

그림 3 iPS-Sac

C3H10T1/2 피더 세포에 iPS 세포 덩어리를 파종하고, VEGF로 혈구로 분화를 유도하면, 약 2주쯤에 iPS-Sac 라는 낭상 구조물 속에 혈구가 나타난다. 파종할 때 iPS 세포 덩어리의 크기와 밀도가 중요하다.

❶ Day-1 : Mitomycin C 처리한 C3H10T1/2 세포가 분주된 6-well plate를 혈구분화유도 때와 같은 요령으로 제작해 둔다.

1.3×10^5 cells/dish (6-well plate)의 농도로 사용 전날에 파종을 하고, C3H10T1/2용 배지를 넣어 둔다.

❷ ❶플레이트의 배지를 SCF 50 ng/mL, TPO 10 ng/mL, heparin 25 U/mL를 첨가한 혈구분화배지 (VEGF 제외)에 바꾸어준다(0일째).

hCD43, hCD34 양성세포 $2\sim3 \times 10^4$ cells/well로 파종한다. 이후 3일마다 배지를 교환한다.

❸ 비접착세포를 회수하여 MACS buffer로 세척한 후, hCD41a-APC 2 μL, hCD42b-PE 2 μL, MACS buffer 96 μL에 현탁하고, 차광하여 on ice에서 30분간 보관한다(9일째).

❹-1 FACS로 hCD41a, hCD42b의 발현을 분석하고, 거핵세포의 성공을 평가한다(그림 4).

❹-2 MACS buffer로 세척 후, 5 μL Anti-PE Micro-Beads와 45 μL

MACS buffer에서 현탁하고 차광하여 on ice에서 15분 보관한다.

MACS buffer로 세척 후 MACS buffer 2 mL로 현탁하고, autoMACS® 자동 자기장 세포분리기를 이용하여 hCD42b 양성 세포를 회수한다[*15]. PI 염색액을 10^5 세포 당 100 μL 넣고 차광하여 실온에서 30분 보온보관한다. FACS로 hCD42b 양성 분획의 PI를 분석하고, 거핵 세포의 염색체 수의 배수성을 평가한다.

*15 MACS® 세포분리 컬럼 등을 이용하여 할 수 있다.

초기 조혈 세포를 이용한 콜로니 분석하여 분화 경향의 평가

iPS 세포로부터 혈구로 분화에서 회수한 hCD43, hCD34 양성세포를 이용한다.

❶ rhSCF, rhGM-CSF, rhG-CSF, rhIL-3, rhEpo을 포함한 반고형 배지 Metho Cult™ H4034에 상기 세포를 2 × 10^4 cells/mL의 비율로 혼합하여 14일간 배양한다.

현미경 하에서 CFU-GEMM, BFU-E, CFU-GM, CFU-G, CFU-M 형성을 계산한다(그림 5)[6].

❷ rhTPO, rhIL-3, rhIL-6을 포함한 반고형 배지 Mega Cult-C에 상기세포를 2.5 x 10^4 cells/mL의 비율로 혼합하여 14일간 배양한다.

CD41을 면역염색하고, 양성 콜로니를 계산한다[7].

실험 결과

저자들은 이러한 실험계에서 만성 골수성 백혈병(CML) 환자 세포에서 iPS 세포를 제작하는데 성공하였다[2]. CML 유래 iPS 세포는 정상적인 iPS 세포와 비교하여 글로벌 유전자 발현과 DNA 메틸화 상태에 큰 차이가 없고, 재프로그래밍 과정에서 백혈병 유전자 이상이 많이 상쇄되는 것으로 나타났다. 한편, CML에 특이적인 BCR-ABL 키메라 유전자의 하류 신호의 일부는 항진되어있고, 이 질환의 특효약 tyrosine kinase inhibitor인 imatinib이 CML

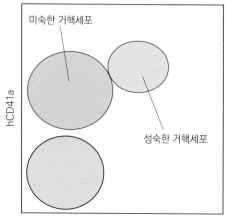

그림 4   액체 배지에서 거핵세포 계열로의 분화유도
TPO 등을 이용하여 초기혈구를 거핵 세포 계열로 분화 유도하면, 2주정도에 hCD41a와 hCD42b 양성 세포가 출현한다. hCD41a 양성세포가 거핵세포 계열 세포이지만 그 중에서도 hCD42b 양성 세포는 더 성숙한 세포이며, 이 분획을 분리하여 배수성을 관찰할 수 있다.

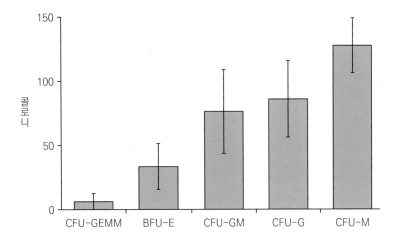

그림 5 **콜로니 분석을 통한 조혈 기능의 평가**
Cytokine이 들어있는 반 고형배지에서 초기 혈구를 분화유도시, 골수구계, 단핵구계, 적아구계의 분화
능을 평가할 수 있다. 여기에 나와있는 것은 정상적인 iPS 세포에서 분화유도한 혈구의 콜로니를 분석
한 것이다.

 문제 발생 시 대응

■ **iPS 세포의 수립 효율이 낮고, iPS 세포가 쉽게 분화한다.**

종양세포유래 iPS 세포는 수립의 효율성이 낮은 것 이외에도 수립 후에도 쉽게 분화되기 쉬운 경향
이 있어서 취급하기에 어려움이 많았다. 저자 연구실에서는 가능한 신선한 MEF를 사용함으로써
종양세포유래 iPS 세포의 미분화성이 잘 유지됨을 발견하고, MEF는 가급적 계대 횟수가 적은 것
을 사용하고, mitomycin C 처리 시간도 가급적 짧게하며, 파종 후 가급적 빠른시간에 iPS 세포를
분주하도록 노력하고 있다. 또한 gelatin 코팅된 배양접시보다는 collagen 코팅된 배양 접시를 사
용하는 것이 미분화성 유지에 더 효과적으로 생각된다.

■ **혈구로 분화 효율이 낮다.**

iPS 세포로부터 혈구로 분화 효율이 떨어진 경우에는 iPS 세포 자체의 문제, C3H10T1/2 feeder
세포의 문제, 또는 혈구 분화용 배지의 문제를 고려할 필요가 있다. iPS 세포 자체에 대해서는 미
분화성을 유지할 수 있는 것 외에, 마이코플라스마 감염을 일으키고 있지 않은가 등이 문제가되기
때문에 정기적인 감염의 모니터링은 중요하다. Feeder 세포를 장기 계대하면 혈구 분화지지 능력
이 떨어지므로, 10계대 정도를 기준으로 새 것으로 바꾼다. 혈구분화용 배지의 혈청은 분화유도효
율에 강하게 영향을 미치기 때문에 여러번 검사를 시행하여 성능이 좋은 것을 선택하는 것이 중요
하다.

iPS 세포 유래의 혈구의 증식을 특이적으로 억제하는 것이 확인되었다 이러한 결과로 인해 iPS 세포로부터 혈구로 분화 유도 과정에서 유전자 이상에 의한 병태가 재현될 수 있는 것을 확인하였다.

결론

종양을 포함한 혈액 및 골수세포에서 iPS 세포 제작법과 거기에서 혈구로의 분화 유도 방법 및 평가 방법, 또한 종양 세포를 취급 할 때 주의해야 할 점에 대해 설명했다. iPS 세포 실험은 세포의 상태나 feeder의 상태, 배지의 상태 등에 따라 민감하게 영향을 받으므로, 보편적이며 적절한 조건은 존재하지 않는다. 섬세한 종양 유래 iPS 세포를 자유롭게 증폭하고 거기에서 충분한 혈액 세포를 분화 유도하기 위해서는, 이번 장에서 소개한 것과 같은 프로토콜을 기반으로 다양한 조건에 대한 검토가 필요하다는 것을 명심하기 바란다.

◆ 문헌

1) Kumano, K. et al.: Int. J. Hematol., 98: 144-152, 2013
2) Kumano, K. et al. : Blood, 119: 6234-6242, 2012
3) Okita, K. et al.: Nat. Methods, 8: 409-412, 2011
4) Okita, K. et al.: Stem Cells, 31 : 458-466, 2013
5) Takayama, N.et al.: Blood, 111:5 298-5306, 2008
6) Tilgner, K. et al.: Cell Death Differ., 20: 1089-1100, 2013
7) Lu, S. J. et al.: Cell Res., 21: 530-545, 2011

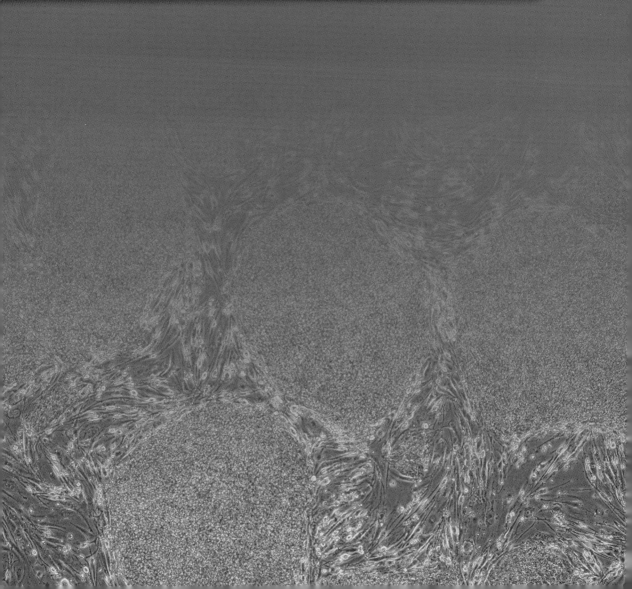

Ⅳ 환자 모델세포 및 유전자 변형

1 유전자 변형법 ①
부위 특이적 재조합 효소 시스템

오오츠카 마사토(大塚正人), 츠노다 시게루(角田茂)

Flow chart

【RMCE 법의 ES 및 iPS 세포의 응용】

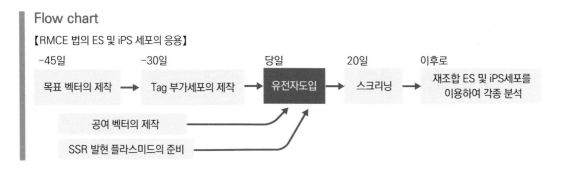

서론

유전자를 변형하는 기술, 즉 유전공학기술은 최근 몇 년간 크게 발전하고 있다. 그 중 Cre-*lox*P 시스템으로 대표되는 부위 특이적 재조합 효소(site-specific recombinase : SSR) 시스템은 배양 세포에서의 유전자 조작에 머물지 않고, 동물 개체의 유전자 조작에 폭넓게 사용되어 왔다. 즉 생명 현상에 매우 중요한 유전자를 표적 유전자 파괴했을 경우, 개체 발생 과정에서 문제가 발생하여 태어난 후 바로 사망 혹은 예상치 못한 심각한 질병 발병이 발생하는 등의 원래 계획하였던 생명현상을 볼 수 없거나 해석할 수 없는 경우가 발생하였다. 이때, 세포종 특이적 또는 시기특이적 (약제에 의한 유도 등)으로 유전자를 파괴하는 **conditional knockout**이 유효화되지만, 그 핵심 기술로서 SSR 시스템이 이용되고 있다. 한편, *in vitro* 실험에서는 특정 세포 분화 시의 **conditional knockout**과 여러 종류의 SSR과 돌연변이 표적 배열을 이용한 유전자 도입 / 교체(Recombinase-Mediated Cassette Exchange : **RMCE 법**)에도 응용되고 있다. 그리고 이들은 ES · iPS 세포를 이용한 연구도 다수 이용되고있다. 이 절에서는 SSR을 이용한 유전자 재조합 기술에 대해 설명한다.

A. Conditional Knockout

Gu 등에 의한 Cre-*lox*P 시스템(그림 1)를 이용한 유전자 결손 마우스 제작 기술이 확립된 이후 이러한 시스템을 이용하여 지금까지 불가능했던 태아사망을 일으키는 유전자에 대하여 성체의 유전자결손 마우스 분석이 가능해져 널리 이용되게 되었다.

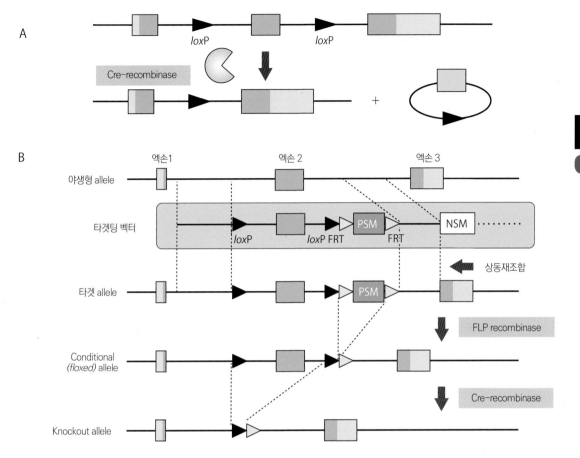

그림 1 **Cre-*lox*P 시스템을 이용한 Conditional Knockout의 원리**

A) Cre-*lox*P 시스템의 개요. *lox*P 배열에 끼고 있는 Conditional (*floxed*) 염기서열에 Cre-recombinase를 작용시키면, *lox*P 배열 부위에서 재조합이 일어난다. B) 타겟팅 벡터를 이용한 상동재조합에 의해 표적 유전자의 중요 엑손 부위에 *lox*P 배열을 삽입한 Conditional (*floxed*) 염기서열에 대해 Cre-recombinase 가 작용함으로써 Knockout 염기서열을 만들게 된다. PSM : 양성 선택 마커, NSM : 음성 선택 마커

　　기본적으로는 *lox*P 배열에서 표적 유전자의 중요 부위를 코딩하는 엑손을 끼운 conditional (*floxed*) allele를 제작하고, 특정 세포종에서 발현하는 Cre recombinase와 결합하여 특정 세포 종류에 분화했을 때 재조합이 일어난다(그림 1). 그러나 'knockout'을 시키기 위해서는 X 염색체상의 유전자 이외에서는 양쪽에 두 allele 변이를 도입할 필요가 있다. 이 경우, 최신의 게놈 편집 기술을 응용하면 가능하다(자세한 내용은 다른 항 참조). 일반적으로 conditional knockout ES·iPS 세포를 만들어야 하는 경우, 이미 설립 및 체계화된 conditional knockout 마우스에서 ES 및 iPS 세포를 수립하는 방법이 취해지고 있다. 이번 장에서는 일반적인 conditional knockout 마우스 제작의 단계를 설명하도록 하겠다. 또한, 대규모의 knockout 마우스 프로젝트(http://www.mousephenotype.org)에서 상당한 conditional knockout ES 세포가 제작되어 있기 때문에, 우리가 목적하는 유전자가 이미 만들어졌는지를 확인하고 실험 계획을 세우도록 한다.

☐ pCAG-NCre (Addgene, #26647)[1]

또는 Cre-recombinase 발현시키기 위한 발현 플라스미드.

☐ pCAGGS-FLPe (Gene Bridges GmbH사, #A201)

☐ SSR 표적 서열을 갖는 표적 벡터(Addgene)

☐ FLPe 유전자 변형 마우스(RIKEN BRC : RBRC01834)

프로토콜

❶ *lox*P 배열 삽입 위치[*1] 를 결정한다.

이때 중요한 것은 *lox*P 배열을 게놈상의 어디에 삽입할지이며, 다음 두 가지 사항을 고려할 필요가 있다.

1) 표적 유전자의 RNA 발현과 단백질의 기능에 영향을 미치지 않는 위치에 *lox*P 배열 삽입 부위를 결정한다.

*lox*P 배열이 삽입된 conditional allele (*floxed* allele)에서 정상 allele과 동일한 mRNA의 발현량이 유지되어야 한다. 따라서 유전자의 발현 조절에 관여하는 영역에 *lox*P 배열 또는 양성 선택 마커 유전자를 삽입하는 것은 피할 필요가 있다.

2) 결손을 일으켜서 유전자의 기능이 소실될 영역(엑손)을 결정한다.

엑손이 많고 큰 유전자의 경우 결손을 일으킬 표적 엑손을 표 1과 같은 기준으로 선택한다.

표 1   엑손이 많은 유전자에 있어서의 유의점

표적 엑손	기준
중요한 기능영역을 코드하는 엑손	전사인자인 경우 DNA 결합 영역을 선택하고, 효소 단백질의 경우 효소 활성 부위 등을 선택한다
단백질 합성시 프레임이 손상되어 정상적인 단백질 합성이 안되는 엑손	합성시작 코돈을 포함하는 엑손의 down stream에서 결손이 일어나면, Splicing을 통해서 엑손을 포함하지 않는 짧은 mRNA가 만들어진다. 이로 인해 프레임이 손상된다. 이때, mRNA 의 5' 측의 엑손이 선호된다.
다른 유전자 산물에 영향을 주지 않는 엑손	동일 유전자 위치에 다른 유전자가 존재하는 경우(상보적인 위치에 역방향 유전자가 있거나 intron내에 miRNA가 있는 경우 등)가 있으므로, 그러한 영역에 *lox*P 배열을 넣는 것은 피하도록 한다.

❷ 표적 벡터를 제작한다.

SSR 표적배열은 올리고 DNA 합성으로 제작하면 간단하다. 다만, 다음 나오는 두가지 사항에 유의하자[*2]. 이를 고려하여, 그림 1과 같은, 음성 선택 마커를 추가한 표적 벡터를 만든다.

[*1]   *lox*P배열의 삽입 부위 : 게놈 배열의 발현 제어 영역을 어느 정도 예측할 필요가 있다. 마우스 게놈 데이터베이스로 UCSC 게놈 브라우저(http://genome.ucsc.edu/cgi-bin/hgGateway) 등에서는 비특이적 배열의 존재나 동물 종간의 보존도를 시각적으로 보여주어서 매우 편리하다. *lox*P 배열의 삽입 위치는 동물 종간에서 보존되는 영역은 피해야 한다. 또한 mRNA의 접합에 영향을 주지 않도록 하기 위해, 엑손의 upstream에서 100 bp 정도(빨랫줄 구조의 형성에 필수의 배열을 포함하는)는 떨어져 있도록 고려한다. 또한 5'UTR에 *lox*P 배열을 삽입할 때 *lox*P의 "방향"에 주의할 필요가 있다. loxP 코어 배열 부분에 "ATG" 되는 배열이 존재하기 때문에 방향에 따라서는 5'UTR에 새롭게 번역 개시 코돈을 만들어 낼 위험이 있다.

[*2]   다만, ES 세포를 이용한 실험으로, 그 후 개체화를 하는 경우에

1) Arm의 설계 : 5'열 및 3'열을 따라서 각각 5~8 kb 정도가 되도록 설계한다. 또한 arm 중 먼쪽에 *lox*P 배열의 바깥쪽은 1~3 kb 정도가 되도록 한다(1차 스크리닝에 이용하기 위해). 또한, 3차 스크리닝을 위한 Southern hybridization method를 적용할 수 있도록 제한 효소 사이트를 체크한 후 제작하도록 한다(특이적 probe가 될 수 있도록 주의해서 설계한다).

2) 양성 선택 마커 유전자 : ES 세포의 상동재조합 분리를 위한 양성 선택 마커 유전자에는 PGK와 MC1 등의 강력한 프로모터가 포함된다. 따라서 그대로 게놈 중에 잔존하는 경우 표적 유전자와 그 주변의 유전자 발현에 영향을 미칠 수 있기 때문에 결국은 게놈에서 제거할 필요가 있다. 그래서 양성 선택 마커 유전자로는 FRT 배열에 끼워 넣은 것을 이용해서 FLP recombinase에 의해 재조합 혹은 제거될 수 있도록 해 둔다.

❸ 스크리닝 조건을 검토한다.

1) 1차 스크리닝 : 양성 선택 마커로부터 먼쪽의 arm내의 *lox*P 배열은 상동재조합 시에 결실되는 경우가 있다. 이 때문에, 먼쪽의 *lox*P 배열 부분에 PCR 프라이머를 설계하고, 이것을 지표로 스크리닝을 시행할 수 있도록 한다.

2) 2차 스크리닝 : 1차 스크리닝에서 양성으로 판정된 클론에 대해서 반대측의 arm에 대해서 PCR 법에 의한 2차 스크리닝을 실시하고, 같은 상동재조합 클론임을 확인한다.

3) 3차 스크리닝 : 클론을 재배양 및 동결 보존을 시행한 후, Southern hybridization method를 실시함으로써 정확한 상동재조합 반응의 확인뿐만 아니라, 클론의 순도와 벡터의 불필요한 삽입 여부를 판정할 수 있다.

❹ 상동재조합 클론을 분리 및 확립한다.

표적 벡터를 electroporation에 의해 삽입한 후에 약제 선택을 통해서 선별한다(자세한 내용은 다른 설명서 참조). 단일 콜로니를 분리 배양하고, 상동재조합 클론의 스크리닝을 실시한다.

❺ 개체화하는 경우에는 표적 클론을 이용하여 키메라를 제작한다.

또한 마우스의 계통화/생식계열 검사 과정에서 양성 선택 마커 유전자를 제거하기 위해 FLPe 유전자 변형 마우스와 교배를 실시한다.

❻ Cre recombinase 발현 유전자 재조합(driver) 마우스와 교배를 시행한다.

또한 Cre-driver 마우스 정보는 데이터베이스로 구축되어 있다[2]. *in vitro* 실험에서의 Cre 발현 프로모터 선택에 참고가 된다는 점에서 매우 유용하다.

한한다. *in vitro* 실험만 있는 경우, 두 allele에 변이를 도입할 필요가 있기 때문에, 일반 타겟팅 방법은 한쪽씩 2회 연속하여 수행되어야 하므로 현실적이지 않다. 따라서 최신의 게놈 편집 기술을 적용할 필요가 있다.

문제 발생시 대응

■ **유전자 위치에 따라서 상동재조합 클론을 좀처럼 얻을 수 없다.**

그런 경우에는 arm의 길이를 늘리거나 양성/음성 선택 마커 카세트의 삽입 위치를 변경하는 등, 타켓팅 벡터를 검토하여 상동재조합 효율을 향상 시킬 수 있다.

B. Conditional Knock-in

Conditional Knockout법의 응용형이며, 특정 세포종에서만 Knock-in 된 변이 유전자가 발현하는 방법이다. 우성 변이의 경우, 이형접합체인 경우도 문제가 없기 때문에, *in vitro* 실험에도 쉽게 응용될 수 있다. 여러 가지 방법이 고안되어 있으나 여기에서는 대표적인 minigene 법(그림 2)을 소개한다.

준 비

- ☐ pCAG-NCre (Addgene, #26647)[1]

  또는 Cre recombinase을 발현시키기 위한 발현 플라스미드.
- ☐ pCAGGS-FLPe (Gene Bridges GmbH사, #A201)
- ☐ SSR 표적 서열을 갖는 표적 벡터 (Addgene)
- ☐ FLPe 유전자 변형 마우스 (RIKEN BRC : RBRC01835)

프로토콜

❶ Conditional Knock-in 구조를 디자인한다(*lox*P 배열 삽입 부분의 결정).

다음 사항에 주의한다. ① 변이를 넣는 엑손에서 최종 코딩 엑손까지를 하나로 연결한 minigene을 제작하여 유전자 자리에 minigene이 Knock-In 된 상태를 만든다. 이때 minigene 3'열 downstream에는 polyA를 반드시 배치한다. ② *lox*P 배열의 삽입은 접합 수용체 부위에서 100 bp 이상 떨어진 곳에 위치시킨다. ③ 양성 선택 마커 유전자는 표적 유전자와는 전사가 반대로 되도록 위치시키고, *lox*P위치의 downstream열의 안쪽에 배치한다.

❷ 표적 벡터를 제작한다.

표적 벡터의 기본적인 구조와 그 흐름은 'conditional knockout'와 동일하다. 또한 *in vitro*에서 사용하는 경우, FLP 발현 플라스미드를 도입하고 양성 선택 마커를 제거한 후(그러나 유전자 자리에 따라 제거가 필요없는 경우도 있다), Cre-recombinase 유전자를 도입한 클론을 사용하여 실험을 한다.

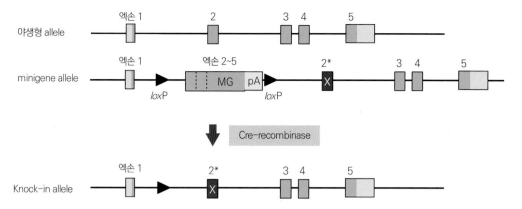

그림 2 Conditional Knock-in 의 개략도

변이를 도입하고 싶은 부위를 포함한 엑손에대하여, 그 이후를 모두 가지고 있는 정상형 minigene을 제작하고 loxP 배열에 끼운다. Downstream 쪽 본래의 엑손 부분은 변이를 도입한 것으로써, Cre-recombinase가 작용한 세포에서만 돌연변이 유전자를 발현시킬 수 있게 된다. MG : minigene, pA : poly A addition signal, X : 변이 도입 부분

C. RMCE법

　　Cre-loxP와 FLP-FRT 시스템 등의 SSR에 의한 부위 특이적 재조합 방법은 상기 A, B에 제시된 것처럼 한 쌍으로 이루어진 재조합 효소 표적 배열(loxP 및 FRT)에 끼워진 유전자 영역을 제거하는 목적으로 사용되는 경우가 많다. 한편, 변이형의 loxP 배열 또는 FRT 배열을 사용하여 유전자의 삽입을 할 수도 있다. 이때 두 개의 재조합 효소 표적 배열을 이용하여, 그 2개의 배열에 끼워진 영역을 다른 DNA로 바꿀 수 있다. 이를 RMCE 법이라고 부르고, 이는 겨냥한 유전자 위치에 1 copy의 표적 유전자를 벡터 배열이 포함되지 않은 형태로 삽입할 수 있다.

　　SSR을 유전자의 삽입에 응용하는 경우, loxP 배열 또는 FRT 배열 등의 표식(태그)를 미리 원하는 게놈 위치에 삽입해 둘 필요가 있다. 이것은 A, B에서 언급된 유전자 타겟팅 방법을 이용하여 삽입하는 경우가 일반적이다. 한번 태그를 삽입한 세포를 얻을 수 있게 되면, 다음부터는 유전자 타겟팅 방식보다 효율적인 RMCE 법을 이용하여 고효율적으로 표적 유전자를 삽입(대체) 할 수 있게 된다. 표적 유전자 부분만 다른 벡터를 제작하면 동일한 유전자 위치에 다양한 DNA 구조를 속속 신속하게 삽입 할 수 있는 등의 이점이 있다(그림 3). 또한 임의적인 삽입에 의해 다른 유전자를 손상할 우려를 피할 수 있다. 따라서 RMCE 법은 ES 세포나 iPS 세포에 의한 각종 연구 및 분석에 응용 가능하다. 지금까지 "야마나카 인자"(Oct4, Sox2, Klf4, c-Myc)의 발현 카세트를 게놈에 삽입하여 iPS 세포를 제작한 후 RMCE 법을 이용하여 "야마나카 인자" 발현 카세트를 표적 유전자 발현 카세트로 대체하는 기술도 보고되고 있다[4]. 이는 "불필요하게 된 re-programming 카세트 제거"와 "유전자 치료 등을 목적으로 한 발현 카세트의 안전한 게놈 영역에 삽입"을 동시에 수행 할 수 있다.

☐ pCAG-NCre (Addgene, #26647)[1]
☐ SSR 표적 서열을 갖는 표적 벡터 및 공여 벡터(Addgene)
☐ Lipofectamine® 2000 (Life Technologies사)

❶ 사용할 재조합 시스템과 그 표적 배열을 선택한다.[*1]

Cre 또는 FLP 재조합 시스템을 이용하는 경우가 일반적이지만, 다른 재조합 효소에 대해서도 여러 변형된 표적 배열이 개발되고 있으며, 어떤 배열의 조합을 사용하는지가 RMCE법의 삽입 효율에 영향을 끼친다. 또, 각 표적 서열은 핵심 부분의 배열 방향에 따라 방향이 규정되지만, RMCE 법을 이용할 때는 가진 2개의 표적 배열 방향을 같은 방향으로 할지 아니면 역방향의 방향으로 설치할지에 따라 삽입 효율성과 안정성에 차이가 생긴다. 저자들은 JT15, JTZ17과 *lox*2272라는 변이형 *lox*P 배열(표 2)의 조합을 사용하여 효율적이고 안정적으로 유전자를 삽입하는 데 성공하였다[1]. 덧붙여서, *lox*P자리에 끼워진 *floxed* allele를 RMCE 법으로 삽입하고 싶은 경우에는 Cre-*lox*P 시스템을 이용할 수 없기 때문에 FLP-FRT 시스템을 이용하게 된다.

❷ 표적 유전자 위치에 태그를 삽입한다[*2].

변이형 *lox*P 배열 또는 FRT 배열을 갖는 표적 벡터를 제작하고, 상기 A, B에 언급된 방법으로 유전자 타겟팅을 한다. 저자들은 JT15와 *lox*2272을 사용하고 있다. 표적 벡터는 일반적으로 양성 선택 마커 유전자를 넣는다(그림 3 : PSM1). 경우에 따라서는 양성 선택 마커뿐만 아니라 음성 선택 마커(그림 3 : NSM1)도 동시에 삽입할 수 있다. 이것은 다음 ❺의 RMCE 법을 시행할 때 선택 마커로 사용하는 것이지만 반드시 필요한 것은 아니다. 양성 선택 및 음성 선택의 기능을 모두 갖는 *puro△tk* 카세트 등도 사용된다[8]. 세포에 표적 벡터를 electroporation 시행 후, 양성 선택 마커를 이용하여 원하는 상동 재조합 클론을 분리 및 수립한다.

❸ 치환용 벡터(공여 벡터)를 제작한다.

❶에서 선택한 재조합 효소 표적 서열과 일치하는(재조합이 발생할 수 있다) 2개의 표적 서열을 포함하는 벡터를 제작하고, 그 2개의 표적 서열 내에 치환해야 할 표적 유전자를 클로닝한다[*2]. 예를 들면, 상기 ❷에서 사용한 JT15과 *lox*2272 대한 표적 배열은 JTZ17과 *lox*2272에 조합된다(그림 3). 이 경우 JTZ17과 *lox*2272 사이에 삽입할 표적 유전자를 클로닝한다. 표적 유전자 이외에 두 번째 양성 선택 마커(그림 3 : PSM2)를 포함할 수 있다.

[*1] 2006년부터 국제적으로 진행되고 있는 the International Knockout Mouse Consortium (IKMC)에서 사용되는 타겟팅 벡터는 야생형 *lox*P 서열과 야생형 FRT 서열을 모두 가지고 있는 것으로 되어있다. 최근 Cre와 FLP를 동시에 작용시킴으로써 이러한 *lox*P 서열과 FRT 서열 사이에 존재하는 배열을 다른 reporter 유전자 서열을 치환하는 "dual RMCE 법"이 개발되었다[5)6)]. 이로 인해 엄청난 knockout ES 세포 자원에 대해 그 대상 유전자를 효율적이고 간편하게 수정할 수 있게 되었다.

[*2] 일반적으로 RMCE 법은 플라스미드 크기(~15kb)의 DNA 구조의 삽입에 이용되고 있지만, 본 원리를 응용하여 BAC (Bacterial Artificial Chromosome) 크기 (> 100kb)의 DNA를 삽입하는 것도 가능하다 이것은 RMGR (Recombinase-Mediated Genomic Replacement) 법이라고 마우스 α글로빈 조절 영역을 인간형으로 대체할 목적으로 사용되었다[7)].

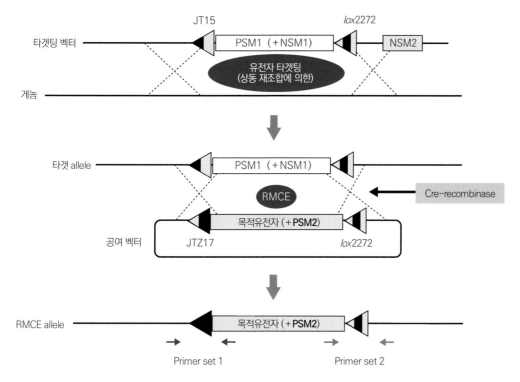

그림 3 **RMCE 법의 개략**

여기에서는 Cre-*lox*P 계(변이형 *lox*P 배열로 JT15/JTZ17과 *lox*2272를 사용)에 의한 예를 보여준다. RMCE 법을 실시하기 위해서는 우선 SSR 표적 배열(JT15과 *lox*2272)을 임의의 게놈 상에 추가할 필요가 있다. 이를 위해 표적 벡터를 이용한 유전자 타겟팅 법(상동재조합을 통한)을 실시한다. 얻어진 상동 재조합 클론은 JT15와 *lox*2272 태그가 추가된 대상 유전자 염기서열을 가지고 있다(태그 부가 세포). 그럼 JTZ17 및 *lox*2272 배열과 그들에 둘러싸고 있는 표적 유전자를 가진 공여 벡터를 Cre 발현 플라스미드와 함께 태그 부가 세포에 도입하고 RMCE 법을 실시한다. 일반적으로, 상동 재조합에 의한 유전자 타겟팅 법과 비교하고 RMCE 법의 도입 효율이 매우 높은 RMCE 염기서열을 갖는 원하는 클론의 선별은 그림에서 나타낸 2종류의 프라이머 세트 (1 및 2)를 이용하여 PCR 법으로 실시한다. PSM : 양성 선택 마커, NSM : 음성 선택 마커

 공여 벡터와 SSR 발현 플라스미드를 에서 만든 태그가 들어있는 세포에 도입한다.

RMCE법에 의한 유전자 삽입 효율은 상동 재조합 방법에 비해 매우 높기 때문에 electroporation의 방법 이외에도 Lipofectamine®2000 등에 의한 유전자 도입방법(Lipofection 법)을 이용해도 좋다. 이 경우 사용하는 세포 수는 1~2 x 10⁵ 정도면 충분하다. 저자들은 6-well plate에서 처리하고 있다[*3].

❺ 원하는 세포를 선별한다.

❹에서 파종한 세포에서 단일 콜로니를 분리 배양하고, 원하는 재조합 클론의 스크리닝을 실시한다 (그림 4A). 이 경우 SSR은 재조합에 의해 삽입

*3   사용하는 벡터량은 다음과 같다. Electroporation 법으로 도입하는 경우 5 x 10⁶ 세포에 공여 벡터 10 μg과 SSR 플라스미드 10 μg을 이용하고, 6-well plate에서 Lipofectamine® 2000 처리에 의해 도입하는 경우 1-2 x 10⁵ 세포에 공여 벡터 5 μg와 SSR 플라스미드 5 μg을 이용하고 있다. 벡터 양을 좀더 감소시키는 것도 가능하다고 생각된다. Electroporation의 방법으로 처리한 세포는 1/8~1/2 량을 100 mm 배양 접시에 분주하여, 24시간 후에 약제 선택 등[음성 선택 마커(그림 3: NSM1) 또는 ❷에서 사용한 것과 다른 양성 선택 마커(그림 3: PSM2)를 사용해서]를 시행한다.

표2 변이형 *lox*P 및 FRT 염기서열

*lox*P 염기서열 5'- ATAACTTCGTATA gcatacat TATACGAAGTTAT-3'
FRT 염기서열 5'- GAAGTTCCTATTC tctagaaa GTATAGGAACTTC-3'

$$\left(\begin{array}{c}\text{palindrome}\\\text{반복}\end{array} - (\text{Core}) - \begin{array}{c}\text{palindrome}\\\text{반복}\end{array}\right)$$

	변이형	염기서열	종류
loxP	lox66	...TATACGAA*CGGTA*	3' Palindromic mutation
	lox71	*TACCG*TTCGTATA...	5' Palindromic mutation
	JT15	A*ATTA*TTCGTATA...	5' Palindromic mutation
	JTZ17	...TATA*GCAA*TTAT	3' Palindromic mutation
	lox FAS	*tacctttc*	Core mutation
	lox511	g*t*atacat	Core mutation, 1 base
	lox2272	g*g*atac*t*t	Core mutation, 2 base
	lox2372	g*g*atac*c*t	Core mutation, 2 base
FRT	F3	tt*caaa*ta	Core mutation, 4 base
	F5	tt*caaaa*g	Core mutation, 4 base
	F10	*a*ctagaa*t*	Core mutation, 2 base
	F11	t*gaact*aa	Core mutation, 4 base
	F12	tt*tctg*aa	Core mutation, 4 base
	F13	tc*atat*aa	Core mutation, 4 base
	F14	ta*tcag*aa	Core mutation, 4 base
	F15	t*tatagg*a	Core mutation, 6 base
	F16	tc*cgggc*a	Core mutation, 4 base

(변이 염기를 밑줄 및 기울임 꼴로 표시)

*lox*P/FRT 염기서열은 8 염기의 Core 배열의 양쪽에 13 염기의 회문(Palindrome)의 반복 배열을 가지는 특징적인 구조를 하고 있다. 비대칭 코어 배열이 각 배열의 방향성을 결정한다. SSR을 통해 DNA 가닥의 분리 및 두 *lox*P/FRT 부위 사이의 재조합이 발생하는데, 이것은 주로 8 염기의 코어 배열에서 일어난다. 변이형이 다수 개발되어 동일한 코어 서열을 갖는 *lox*P/FRT 배열 간에 효율적으로 재조합이 일어나지만, 다른 코어 배열 사이에서 혹은 Palindrome 변이체와 야생형 *lox*P/FRT 부위 사이에서는 재조합이 생기기 어렵게 되어있다.

문제 발생 시 대응

- **Lipofection 법을 통한 RMCE 법이 분화능에 영향을 준다.**

  저자들은 Lipofectamine®2000 으로 RMCE 법을 실시한 ES 세포에서 유전자 변형 마우스 개체 제작에 성공하고 있지만[1], Lipofectamine®2000의 독성이 세포의 미분화에 영향을 미칠 수 있으므로 ES 세포의 배양할 때 주의가 요구된다.

- **불완전한 재조합 본체를 얻었다**

  원하는 재조합 체를 선별할 때, 가끔씩 2개의 표적 서열 중 하나만을 통해 재조합이 발생한 클론을 얻을 수 있다(그림 4A : *표시). 일반적으로 정확한 재조합이 많고 분리가 가능하기 때문에 이러한 클론을 사용하는 것은 아니지만, 이 불완전한 재조합체에 추가로 SSR을 적용함으로써 원하는 재조합으로 변환도 가능하다.

된 표적 유전자 영역의 경계 부분을 끼우는 형태로 PCR 법을 실시하여, 양쪽 경계 영역의 PCR이 양성 반응을 보이는 클론을 선택한다. 또한 양성 선택 마커로서 reporter 유전자를 사용하는 경우 (그림 3 : PSM2) 그 발현에 따라 원하는 세포를 선택할 수도 있다 (그림 4B).

실험례

1. Conditional Knockout

상동 재조합 ES 클론의 선별에서, PCR 법으로 2차 심사까지 진행하여 양성으로 확인된 2 클론을 얻었지만, Southern hybridization method로 3차 심사를 실시했는데, 그중 1 클론은 예상과 다른 밴드 패턴을 보였다(그림 5). 낮은 빈도이지만 이와 같은 사례가 발생할 가능성이 있기 때문에 반드시 Southern hybridization method에서 확인하거나 여러 클론을 만들어서 마우스를 수립할 필요가 있다.

2. RMCE 법

RMCE 법에 의해 원하는 재조합 클론을 얻을 수 있는 효율은 사용하는 변이 표적 배열의 조합, 약물 선택 방법, 표적 유전자 위치 등에 의해서 변화할 수 있다. 저자들은 *Rosa26* 유전자 위치와 *H2-Tw3* 유전자 위치에서 실시 하여, 10~100%의 효율로 원하는 클론을 얻는데 성공하고 있다(그림 4)[1].

A

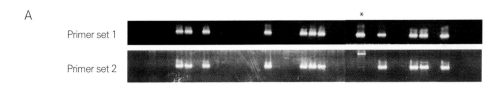

Primer set 1

Primer set 2

B

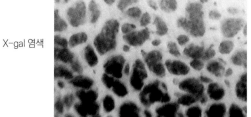

X-gal 염색

그림 4 원하는 재조합 유전자의 스크리닝

A) 재조합의 경계 부분을 끼우는 형태로 2종류의 PCR을 실시한다. 사용하는 프라이머 세트의 위치는 그림 3에 나타낸 바와 같다. 여기에서는 분리한 37 클론 중 77 클론(30%)이 원하는 재조합 유전자를 가지고 있었다. * 표시의 클론은 하나의 표적 서열만이 삽입된 클론이다. B) lacZ 유전자를 양성 선택 마커로 사용하는 경우 X-gal 염색 이미지. RMCE 법으로 lacZ 유전자가 제대로 삽입된 경우 원하는 유전자 재조합을 X-gal 염색으로 식별하는 것이 가능하다. 좌 : 원하는 클론, 우 : 랜덤 삽입 클론

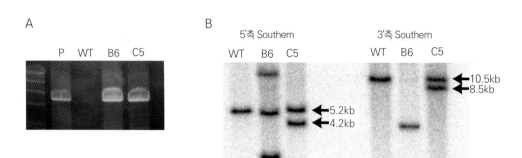

그림 5　상동 재조합 클론의 스크리닝

A) PCR에 의한 2차 스크리닝을 시행한 결과, B6, C5 클론 모두 양성이었다. B) Southern hybridization에 의한 3차 스크리닝을 시행한 결과,
B6 클론은 5' 측 및 3'측 모두 예상과는 다른 패턴을 보여서, 부적당한 클론임을 알 수 있었다.

결론

　　SSR은 이번 다루어진 Cre−*lox*P, FLP−FRT 시스템 이외에도 Dre−rox라는 제 3의 SSR과[9]
ΦC31 integrase를 이용한 삽입 시스템이 실용화되어 있으며, 생각하기에 따라서 다양한 유
전자 변형을 할 수 있게 되어있다. Reporter 유전자와 결합하여 Fate−mapping에도 응용되고
있으며[11], 줄기세포 연구 분야에서 앞으로 더욱더 이용이 늘어날 것으로 생각된다.

◆ **문헌**

1) Ohtsuka, M. et al. : Nucleic Acids Res., 38 : e198, 2010

2) Murray, S. A. et al. : Mamm. Genome, 23 : 587-599, 2012

3) Bayascas, J. R. et al. : J. Biol. Chem., 281 : 28772-28781, 2006

4) Grabundzija, I. et al. : Nucleic Acids Res, 41 : 1829-1847, 2013

5) Osterwalder, M. et al. : Nat. Methods, 7 : 893-895, 2010

6) Anderson, R. P. et al. : Nucleic Acids Res., 40 : e62, 2012

7) Wallace, H. A. et al. : Cell, 128 : 197-209, 2007

8) Prosser, H. M. et al. : Nat. Biotechnol., 29 : 840-845, 2011

9) Anastassiadis, K. et al. : Dis. Model. Mech., 2 : 508-515, 2009

10) Thyagarajan, B. et al. : Mol. Cell. Biol., 21 : 3926-3934, 2001

11) Moretti, A. et al. : FASEB J., 24 : 700-711, 2010

◆ **참고도서**

1) 『改訂第五版 新 遺伝子工学ハンドブック』(松村正實ほか/編), 羊土社, 2010

2) 『マウス胚の操作マニュアル<第三版>』(Andras Nagyほか/著, 山内一也ほか/訳), 近代出版, 2005

2 유전자 변형법 ②
HAC/MAC

카츠키 야스히로(香月康宏), 아베 사토시(阿部智志), 오시무라 미츠오(押村光雄)

Flow chart

【인공 염색체를 이용한 유전자 도입 마우스의 제작】

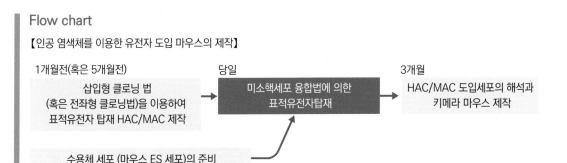

서론

　　인간과 마우스 등의 동물 세포에 외래 유전자를 발현시키기 위한 벡터의 개발은 유전자 기능을 분석하기 위한 도구일 뿐만 아니라 산업(의약품 생산 및 검사, 세포 제작 등) 및 의료(유전자 치료 등)의 응용면에서도 중요한 역할을 해왔다. 기존의 유전자는 대장균/효모를 숙주로 한 복제 DNA가 이용되고 있지만, 안정적인 발현 세포주를 취득하려고 확인해보면, 표적 유전자가 숙주 염색체에 무작위로 그리고 여러 개의 많은 수로 복제들이 삽입되어 있다. 따라서, 표적 유전자의 발현이 일정하지 않고, 숙주의 염색체상의 유전자 기능을 파괴할 가능성이 있다. 최근 염색체의 특정 부위(ROSA26 부위 등)에 표적 유전자를 도입하는 방법도 개발되고 있지만[1], 필요한 유전자가 매우 크거나 혹은 복수의 유전자를 동시에 안정적으로 도입할 수 없는 것이 현실이다. 또한 여러 세포주 및 세포(*in vitro*)와 마우스(*in vivo*)와의 비교를 하고 싶어도, 도입된 표적 유전자의 copy 수나 도입 부위가 세포주마다 혹은 마우스 개체마다 달라서 각각의 비교 검토가 곤란하였다.

　　이를 해결할 수 있는 방법 중에 하나는 자립복제 및 분배가 가능한 인간 인공 염색체 (human artificial chromosome : HAC) 또는 마우스 인공 염색체(mouse artificial chromosome : MAC)를 벡터로 이용하여 유전자를 도입하는 것이다[2][3]. HAC/MAC 벡터의 장점은 다음 세 가지를 들 수 있다. ① 숙주 염색체에 삽입되지 않고 독립적으로 유지되기 때문에 숙주 유전자를 파괴하지 않는다. ② 일정한 copy 수에서 안정적으로 유지되고, 자기의 프로모터

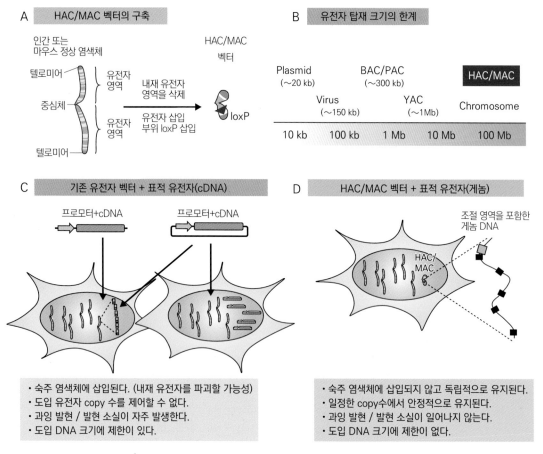

A　HAC/MAC 벡터의 구축

인간 또는
마우스 정상 염색체

텔로미어 ── 유전자
　　　　　　영역
중심체
　　　　　　유전자
텔로미어 ── 영역

내재 유전자
영역을 삭제

유전자 삽입
부위 loxP 삽입

HAC/MAC
벡터

loxP

B　유전자 탑재 크기의 한계

| Plasmid (~20 kb) | BAC/PAC (~300 kb) | HAC/MAC |
| Virus (~150 kb) | YAC (~1Mb) | Chromosome |

| 10 kb | 100 kb | 1 Mb | 10 Mb | 100 Mb |

C　기존 유전자 벡터 + 표적 유전자(cDNA)

프로모터+cDNA　　　프로모터+cDNA

· 숙주 염색체에 삽입된다. (내재 유전자를 파괴할 가능성)
· 도입 유전자 copy 수를 제어할 수 없다.
· 과잉 발현 / 발현 소실이 자주 발생한다.
· 도입 DNA 크기에 제한이 있다.

D　HAC/MAC 벡터 + 표적 유전자(게놈)

조절 영역을 포함한
게놈 DNA

HAC/
MAC

· 숙주 염색체에 삽입되지 않고 독립적으로 유지된다.
· 일정한 copy수에서 안정적으로 유지된다.
· 과잉 발현 / 발현 소실이 일어나지 않는다.
· 도입 DNA 크기에 제한이 없다.

그림 1　HAC/MAC 벡터의 구축방법과 특징

A) HAC / MAC 벡터의 구축 방법. HAC : 사람 유래 중심체를 가진 인공 염색체, MAC : 마우스 유래 중심체를 가진 인공 염색체. B) 각종 벡터의 유전자 탑재 크기의 한계. C) 기존 유전자 도입법의 과제. D) HAC / MAC 벡터에 의한 유전자 도입 방법의 이점. 참고 문헌 4를 참고.

를 포함한 유전자 영역을 도입함으로써 숙주 세포의 생리적 발현 제어를 받기 때문에 과잉 발현과 발현 소실이 일어날 가능성이 낮다. ③ 도입 가능한 DNA 크기에 제약이 없기 때문에 발현 조절 영역을 포함한 유전자나 여러 유전자/동형 유전자의 도입이 가능해졌다(그림 1). 이번 장에서는 HAC/MAC 벡터를 이용한 유전자 도입 방법을 중심으로 설명하겠다.

준 비

□ Cre 발현 벡터 (pBS185)

　Addgene에서 구입 가능 (#11916).

□ 각종 MAC/HAC 유지 CHO 세포

　Tottori University 로부터 양도가능[2] [3].

□ MAC/HAC 대응 유전자 삽입용 벡터

p*lox*P-3'HPRT-HS4x2, pPAC*lox*P-3'HPRT-HS4, pHS4, p*lox*Zeo-*lox*P-3'HPRT (Tottori University 로 부터 양도가능).

☐ SW102

NCI [1] 에서 구입가능.

☐ F12 (Wako Pure Industry Co., Ltd., #087-08335)

☐ 50xHAT (Sigma Aldrich, #H0262-10VL)

☐ G418 (Promega, #V7983)

☐ Hygromycin B (Wako Pure Industry Co., Ltd., #085-06153)

☐ Blasticidin S. Hydrochloride (Kakken Pharmaceutical Co., Ltd., #KK-400)

☐ QIAGEN Plasmid Midi Kit (QIAGEN, #12143)

☐ Nucleobond BAC100 (Takara Bio Inc., #740579)

☐ Large-Construct kit (QIAGEN, #12462)

☐ BAC/PAC Isolation kit, EZ gene (BIOMIGA, #PD1311-01)

☐ GENECLEAN Turbo kit (Q-Biogene, #1102-200)

☐ Lipofectamine®2000 (Life Technologies, #11668-027) [2]

Lipofectamine® LTX (Life Technologies, #15338030), CalPhosTM Mammalian Transfection Kit (Takara Bio, #631312), GeneJuice® Transfection Reagent (Merck, #70967), Fugene®HD (Promega, #E2311) 등.

[1] http://ncifrederick.cancer.gov/research/brb/recombineeringInformation.aspx

[2] 저자들은 일반적으로 Lipofectamine®2000을 사용하고 있다. 다른 transfection 시약도 괜찮다.

프로토콜

앞의 장에 소개되어 있는 Cre-*lox*P 시스템을 이용하여 HAC/MAC 벡터에 표적 유전자를 탑재한다. HAC/MAC 벡터의 유전자 클로닝 방법은 ① 삽입형 클로닝, ② 전좌형 클로닝, 또는 두 가지 방법을 합쳐서 하나의 복제 방법 등으로 구분해 볼 수 있다(그림 2, 그림 3)[4]. 앞의 어느 방법으로든 표적 유전자를 탑재한 HAC/MAC 벡터를 미소핵 세포융합법(Microcell-Mediated Chromosome Transfer : MMCT)를 사용하여 마우스 ES 및 iPS 세포 등의 수용 세포에 도입할 수 있다.

1. 각종 HAC/MAC 벡터를 유지하는 CHO 세포 준비

지금까지 기본 벡터로 HAC은 4 종류(21HAC1, 21HAC2, 21HAC3, 21HAC4), MAC은 2 종류(MAC1, MAC2) 제작되었다(표 1). 형광 유전자가 탑재된 21HAC2 와 MAC1은 추후 설명할 염색체 도입 시 클론의 선별에 유용하다. 5'HPRT-*lox*P, *lox*P-3'HPRT, 3'neo-*lox*P 중 하나가 HAC/MAC 벡터에 탑재되어 있기 때문에 각각에 상응하는 *lox*P-3'HPRT, 5'HPRT-*lox*P, *lox*P-5'neo를 유전자 삽입용 벡터에 탑재해 둘 필요가 있다. 모든 CHO 세포는 F12에 최종농도 10% FBS를 첨가한 배지를 기본으로 하고, 표 1에서 보여주는 각종 선별 약제를 HAC/MAC 유지를 위해 넣도록 한다. Cre-*lox*P 시스

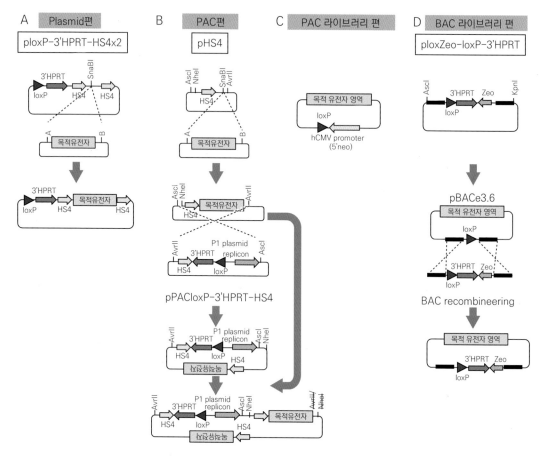

그림 2   HAC/MAC 벡터로의 유전자 탑재용 환상 벡터의 구축방법
A) plasmid 편, B) PAC 편, C) PAC 라이브러리 편, D) BAC 라이브러리 편

표 1   HAC/MAC 벡터 기본 정보

HAC/HAC 명칭	선별약제	약제농도	형광유전자	탑재 재조합부위	벡터 재조합부위	Cre 발현 후 선별약제
21HAC1	hygromycin	500 μg/mL	None	5'HPRT–loxP	loxP–3'HPRT	HAT
21HAC2	BS	8 μg/mL	EGFP	5'HPRT–loxP	loxP–3'HPRT	HAT
21HAC3	G418	800 μg/mL	EGFP/DS-Red	5'HPRT–loxP	loxP–3'HPRT	HAT
21HAC4	BS	8 μg/mL	None	3'neo–loxP	loxP–5'neo	G418
MAC1	G418	800 μg/mL	EGFP	loxP–3'HPRT	5'HPRT–loxP	HAT
MAC2	hygromycin	500 μg/mL	None	5'HPRT–loxP	loxP–3'HPRT	HAT

템에 의해 재조합이 일어난 세포는 약제내성 유전자가 발현하고 각 선별 약제 (HAT 또는 G418)에 내성을 보이므로, HAC/MAC 유지 약제 이외에 HAT 또는 G418를 추가하여 재조합 클론을 선별하는 것도 가능하다. 또한 각종 HAC/MAC 벡터의 상세한 구조는 문헌 2 및 문헌 3을 참조하기 바란다.

2. HAC / MAC 벡터에 유전자 탑재 : 삽입형 클로닝

1) 삽입용 벡터의 구축 (그림 2)

21HAC1, 21HAC2 또는 MAC2에 도입하기 위한 *lox*P-3'HPRT을 포함한 각종 벡터 구축을 예로 소개한다. DNA 크기에 따라 4종류의 구축 방법을 생각할 수 있다.

1-1) plasmid 편 (그림 2A)

plasmid 벡터에 있는 *lox*P-3'HPRT을 포함하고 있는 p*lox*P-3'HPRT-HS4x2 벡터에 표적 유전자를 포함하는 발현 카세트를 HS4 서열(insulator sequences) 사이의 클로닝 사이트에 클로닝하면 된다. 따라서 발현 카세트만 있으면 1단계의 결합으로 삽입용 벡터가 준비된다. 지금까지는 plasmid 벡터의 DNA 크기가 20 kb 이내가 되는 유전자 밖에는 적용할 수 없다.

 p*lox*P-3'HPRT-HS4x2 벡터의 SnaB I 사이트에 발현 카세트를 blunting하여 결합시킨다.

❷ 원하는 plasmid를 대량 배양 후 Plasmid Midi Kit 등을 이용하여 transfection grade의 DNA를 정제한다.

1-2) PAC 편 (그림 2B)

20 kb 이상의 유전자와 게놈 DNA의 경우 PAC의 이용이 권장된다. pHS4 벡터에 발현 카세트를 복제해두면, copy 수를 늘려가는 것도 가능하고, 복수의 유전자를 하나의 PAC에 탑재할 수 있다. 약 150 kb 정도까지라면 연속 1개의 PAC에 유전자를 클로닝 가능하다.

 발현 카세트를 insulator sequences를 포함한 plasmid (pHS4)의 SnaB I 사이트에 blunting하여 결합시킨다.

❷ Asc I /Avr II 사이트를 이용하여 발현 카세트가 들어간 pHS4를 pPAC*lox*P-3'HPRT-HS4와 결합시킨다.

 상기 벡터에 유전자를 추가로 삽입을 원하는 경우, Avr II와 Nhe I 의 돌출 말단이 상호 보완적이기 때문에, 상기 유전자가 삽입된 pPA-C*lox*P-3'HPRT-HS4의 Asc I /Nhe I 사이트에 다시 Asc I /Avr II 사이트를 이용하여 유전자를 삽입하여, 표적 유전자의 여러 copy를 하나의 PAC에 도입하는 것이 가능하다.

 얻어진 PAC을 PCR로 확인 후 대량 배양하고, Nucleobond BAC100 kit 등을 이용해서 transfection grade의 DNA를 정제한다.

1-3) PAC (RPCI-6) library 편 (그림 2C)

오클랜드 아동 병원 연구소(Oakland Children's Hospital Research Insti-tute, CHORI)에서 개발된 인간 게놈 라이브러리의 하나인 RPCI-6 (PAC library)는 *lox*P 및 hCMV promoter (*lox*P-5'neo)가 탑재되어 있으며[5], promoter-less-neo 와 *lox*P (3'neo-*lox*P)가 탑재된 21HAC4에서 클로닝이 가능하다. 따라서 표적 유전자를 포함한 PAC을 membrane blotting 으로 스크리닝 후, 그 PAC을 수정없이 직접 사용할 수 있다. 또한, 비용이 들긴 하지만 라이브러리에서 원하는 클론의 스크리닝을 CHORI에 위탁도 가능하다. 다만, 현재까지는 표적 유전자가 인간 이외인 경우는 적용할 수 없다.

❶ CHORI에서 RPCI-6 라이브러리의 BAC 클론이 스팟되어 있는 membrane을 구입한다.

❷ 표적 유전자의 특이적인 배열(200 ∼ 500 bp 정도)을 PCR로 증폭하고, PCR 결과물을 membrane blotting으로 스크리닝 하여 후보 클론을 선별한다[*1].

❸ 후보 클론을 CHORI에서 구입한 경우, 지정된 선택약제(Km)가 들어간 LB plate 위에 파종하고 37℃ 에서 하룻밤 배양한다.

❹ 여러 클론들 중에서 선별된 단일 클론을 Km 들어간 LB 배지(2 mL)에 각각 넣고, 37℃에서 하룻밤 후 mini prep으로 DNA를 추출하고 글리세롤 스톡을 얻는다.

❺ 유전자 내에 3개 이상 위치에서 프라이머를 설계하고, 추출한 DNA를 이용하여 PCR로 표적 유전자 영역이 포함되어 있는지 확인한다.

❻ Nucleobond BAC 100, Large-Construct kit 등으로 transfection grade 의 DNA를 정제한다.

1-4) BAC library 편 (그림 2D)

기존 pBACe3.6을 기반으로 한 BAC 라이브러리 등은 *lox*P 사이트가 존재하지만, HAC/MAC에 약제 선택을 위한 *lox*P-3'HPRT 등은 존재하지 않는다. 따라서 다음과 같은 BAC recombineering 방법을[6] 사용하여 BAC 라이브러리에 원래부터 존재하는 *lox*P 사이트를 *lox*P-3'HPRT 등으로 바꾸어서 고려한다. *lox*P 사이트가 들어 있지 않은 BAC 라이브러리에 대해서도 같은 방법을 이용하여 *lox*P-3'HPRT 를 삽입한다. 유전자 자체가 아니라 유전자 프로모터의 downstream에 GFP 등을 knock-In하여 reporter 로 BAC에 도입하고자 하는 경우에도 *lox*P-3'HPRT를 삽입한 후 BAC를

*1 Membrane screening에 대한 자세한 사항은 다음의 사이트를 참고(http://bacpac.chori.org/).

수정하면 된다.

❶ UCSC 와 NCBI의 web 사이트에서 원하는 유전자를 포함하는 BAC 클론을 선별한다.

❷ CHORI에서 상기 클론을 구입*²하고, Cm 등 지정된 선택 약제가 들어간 LB plate에 파종하고 37℃에서 하룻밤 배양한다.

❸ 여러 클론들 중에서 선택된 단일 클론을 Cm 들어간 LB 배지(2 mL)에 각각 넣고, 37℃에서 하룻밤 후 mini prep으로 DNA를 추출하고 글리세롤 스톡을 얻는다.

❹ 유전자 내에 3개 이상의 위치에 프라이머를 설계하고, 추출한 DNA를 이용하여 PCR로 표적 유전자 영역이 포함되어 있는지 확인한다.

❺ 대장균 숙주를 DH10B 등에서 SW102 (DY380 유래)에 transform한다*³.

❻ 50 mL 튜브에 선택 약제가 포함된 5 mL LB를 32℃에서 배양한다.

❼ 그중 2.5 mL를 선택 약제가 포함된 50 mL LB에 옮겨 32℃에서 배양한다.

❽ OD를 체크(0.5 ± 0.1)하고, 10 mL를 100 mL 플라스크에 옮긴다.

❾ 항온 수조에 42℃, 15분간 진탕하고 얼음물에 10분 진탕한다.

❿ 50 mL 튜브에 옮겨 5,000 rpm (3,000G), 5분간, 0℃에서 원심 분리하고, 상층액은 흡인제거후 차가운 1 mM HEPES 1 mL에서 현탁한다.

⓫ ❿을 3회 반복한다(총 4회 세척).

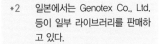

⓬ 4 번째의 상층액을 흡인제거 후, 1 μg BAC recombineering용 loxP-3'HPRT 삽입 벡터*⁴를 넣고, 1 mM HEPES를 이용해서 총 50 μL가 되도록 만든다.

*2 일본에서는 Genotex Co., Ltd. 등이 일부 라이브러리를 판매하고 있다.

*3 SW102는 32℃에서 배양한다.

*4 ploxZeo–loxP-3' HPRT에서 Asc I /KpnL 사이트에서 잘라 내어 정제.

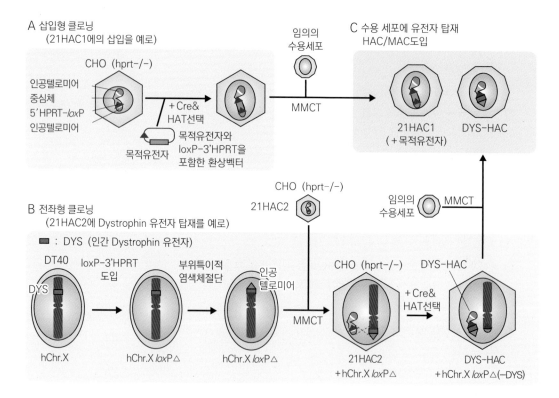

A 삽입형 클로닝
(21HAC1에의 삽입을 예로)

CHO (hprt-/-)

인공텔로미어
중심체
5′HPRT-loxP
인공텔로미어

목적유전자

+Cre&
HAT선택

목적유전자와
loxP-3′HPRT을
포함한 환상벡터

임의의
수용세포

MMCT

C 수용 세포에 유전자 탑재
HAC/MAC도입

21HAC1
(+목적유전자)

DYS-HAC

B 전좌형 클로닝
(21HAC2에 Dystrophin 유전자 탑재를 예로)

■ : DYS (인간 Dystrophin 유전자)

DT40

DYS

hChr.X

loxP-3′HPRT
도입

hChr.X loxPΔ

부위특이적
염색체절단

인공
텔로미어

hChr.X loxPΔ

MMCT

CHO (hprt-/-)
21HAC2

CHO (hprt-/-)

21HAC2
+hChr.X loxPΔ

+Cre&
HAT선택

DYS-HAC

DYS-HAC
+hChr.X loxPΔ(-DYS)

임의의
수용세포

MMCT

그림 3   HAC/MAC 벡터에 유전자 탑재 방법
A) 삽입형 클로닝. B) 전좌형 클로닝. C) 수용 세포에 HAC/MAC 벡터의 도입. 참고문헌 4를 참조

표 2   HAC/MAC 보유 CHO 세포로의 벡터 도입조건

클로닝 형태	규모	세포 수	pBS185	벡터	유전자 도입 시약
삽입형 (plasmid)	60 mm 배양접시	2×10^6	2μg	6μg	Lipofectamine 2000 20μL
삽입형 (BAC,PAC)	100 mm 배양접시	6×10^6	6μg	15μg	Lipofectamine 2000 60μL
전좌형	100 mm 배양접시	6×10^6	6μg	–	Lipofectamine 2000 60μL

❸ 전용 큐벳에 넣고 electroporation에 한다.[5]

❹ 1 mL SOC를 넣고 15 mL 튜브에서 32℃, 1시간 진탕 후 약제
(Zeocin, 25 μg/mL)을 포함한 플레이트에 분주하고 32℃에서 하룻밤
배양한다.

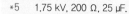

❺ 얻어진 콜로니에 대해 PCR 등으로 검사를 실시한다.

[5]   1.75 kV, 200 Ω, 25 μF.

⑯ 목표의 클론을 32℃에서 대량 배양하고, Nucleobond BAC100 kit 등으로 transfection grade의 DNA를 정제한다.

2) CHO 세포에서 Cre-loxP 재조합 (그림 3A)

상기 1)에서 준비한 각종 벡터를, HAC 또는 MAC 이 유지된 CHO 세포에 Cre 발현 벡터와 함께 삽입하게 되는데, 이때 plasmid, PAC, BAC 등을 고려하여 세포 수나 벡터의 비율을 바꿀 필요가 있다. 또한, 삽입형 클로닝에는 Mb 단위의 유전자를 클로닝 할 수 없다.

❶ 목적에 맞게 HAC 또는 MAC이 들어있는 CHO 세포를 준비하고, 각종 벡터에 따라 세포 수를 조정한다(표 2).

❷ 각종 벡터와 Cre 발현 벡터 (pBS185)를 각 키트의 프로토콜에 따라 co-transfection 한다.

❸ Tansfection 24시간 후 transfection 스케일의 5~10배 규모로 계대 배양(Passage)한다.

❹ 계대배양하고 24시간 후 선별 약제(1xHAT 또는 G418 800 μg/mL)을 첨가한다.

❺ 2~3일 간격으로 선별 약제가 들어간 배지로 교환한다.

❻ Transfection하고 10~14일째에 콜로니가 출현하게 되는데, 너무 커지기 전에 클로닝 챔버 등을 이용하여 콜로니를 선택하여 24-well plate에 파종한다.

❼ 며칠 후, 세포가 증가하면 1 클론 당 12-well plate의 2 well에 분주하고, 세포가 증가하면 스톡 혹은 DNA를 각 well로부터 제작한다.

❽ 상기 DNA를 주형으로 하여 재조합 부위의 junction primer 및 표적 유전자 영역의 primer를 사용하여 PCR 스크리닝 검사를 시행하여 후보 클론을 선별한다.

위 junction primer의 서열 및 PCR 조건은 문헌 2를 참조하기 바란다.

❾ 후보 클론에 관한 스톡을 만들고, 스톡용 FISH 해석을 위해 확장한다.

❿ HAC/MAC 특이적 probe (Human Cot-1 DNA/Mouse Cot-1 DNA)

와 표적 유전자 특이적 probe(도입에 이용한 환상 벡터)를 이용한 FISH 분석을 시행하여 표적 유전자가 CHO 염색체에 삽입되지 않고, HAC/MAC에 존재하거나 HAC/MAC이 CHO 염색체에 전좌하지는 않았는지 등을 확인하고 다음 단계(4.)의 MMCT에 이용하기 위한 클론을 선별한다.

3. HAC/MAC 벡터로의 유전자 탑재 : 전좌형 클로닝 (그림 3B)

BAC 벡터 등으로 복제가 어려운 Mb 이상의 유전자 (군)을 HAC/MAC 벡터에 탑재하기 위해 전좌형 복제 방법이 개발되었다. 단일 인간 유전자 중 가장 큰 유전자인 Dystrophin gene 2.4 Mb를 HAC 벡터에 탑재하는 방법을 예로 전좌형 클로닝 방법을 아래에 설명하겠다. 다음에 사용하는 닭 B 세포 전구세포주 DT40 세포에는 삽입되는 유전자 자리에 관계없이 표적유전자의 융합(target integration)이 효율적으로 일어나며, 또한 이 특성은 닭 게놈뿐만 아니라 DT40 세포에 이입된 인간 염색체에서도 매우 효율적으로 상동 재조합을 일으키는 것으로 알려져 있다[7]. DT40 세포에서 표적 염색체 부위 특이적 염색체 절단 및 부위 특이적 loxP 삽입에 대한 자세한 프로토콜은 『実験医学別冊クロマチン・染色体実験プロトコール』 (참고 도서 2, 일본서적)를 참조하기 바란다.

❶ 표적 유전자(dystrophin gene)을 포함한 인간 X 염색체를 갖고있는 마우스 A9 세포 라이브러리에서[8], 앞에 언급된 상동 재조합 빈도가 높은 닭 DT40 세포의 MMCT 법을 이용하여 도입한다[*5].

⬇

❷ loxP-3'HPRT 삽입용 타켓팅 벡터를 만든 후, X염색체가 들어 있는 DT40 세포에 electroporation법을 이용해서 도입할 때, X염색체상의 dystrophin gene이 존재하는 centromere 쪽에 loxP-3'HPRT을 삽입한다.

⬇

❸ 부위 특이적 절단용 타켓팅 벡터를 만든 후, 앞에서 제작된 loxP 도입된 X염색체가 도입된 DT40 세포에 electroporation법으로 X 염색체상의 dystrophin gene이 있는 텔로미어 쪽에 텔로미어 반복배열 (TTAGGG)n 약 1kb를 부위 특이적으로 삽입하여 X 염색체를 부위 특이적으로 절단한다.

⬇

❹ 앞에서 만든 변경 X 염색체를 HAC 도입 CHO (hprt 결손) 세포에 MMCT 법으로 도입한다.

⬇

❺ 앞에서 만든 CHO 세포에 Cre 발현 벡터(pBS185)를 프로토콜에 따라 transfection을 시행한다(표 2).

⬇

*5 인간 2, 3, 5, 6, 7, 11, 14, 15, 21, 22번 및 X 염색체를 보유한 DT40 세포는 제작할 수 있지만, 또한 필요한 염색체가 있으면 인간 염색체를 보유한 A9 세포에서 그 인간 염색체를 DT40 세포에 이입할 필요가 있다.

❻ Tansfection 시행 24시간 후에 transfection 스케일의 5∼10배의 양에 계대 배양(passage)를 한다.

❼ 계대 배양 24시간 후 선별약제(1xHAT)을 첨가한다.

❽ 2∼3일 간격으로 선별약제가 들어간 배지로 배지 교환한다.

❾ Transfection 10∼14일째에 콜로니가 출현하므로, 너무 커지기 전에 클로닝 챔버 등을 이용하여 콜로니를 선택하고 24-well plate에 파종한다.

❿ 며칠 후, 세포가 증가하면 1 클론 당 12-well plate의 두 개 well을 이용해서 확장하고, 세포가 증가하면 스톡 및 DNA를 각 well 마다 만든다.

⓫ 앞에서 삽입형 복제에 대해서 설명한 데로, PCR, FISH를 수행하고 다음 단계의 MMCT에 이용하기 위한 클론을 선별한다.

4. ES 및 iPS 세포로의 염색체 도입 (그림 3C)

앞의 2. 3.에서 만든 유전자 탑재 HAC/MAC 벡터는 MMCT 방법을 사용하여 마우스 ES 세포 등의 필요로 하는 세포에 도입한다. 염색체 도입의 상세한 프로토콜은 참고문헌 2를 참조하기 바란다. 다음은 마우스 ES · iPS 세포로에 염색체 도입에 대한 간단한 프로토콜을 보여준다. 덧붙이자면, 현재까진 인간 iPS 세포로에 HAC/MAC 벡터(염색체) 도입은 성공하지 못하였다. 인간 iPS 세포에 표적 유전자 탑재 HAC/MAC을 도입하려고 한다면, 인간의 섬유 아세포에 표적 유전자 탑재 HAC/MAC을 미리 도입한 후 iPS세포를 유도할 필요가 있다. 한편, 단일 세포 복제가 쉬운 KhES1 유래 세포주[9]에서는 염색체 도입이 가능함을 보여주었다(투고 준비중).

❶ 전용 플라스크를 이용하여, 1 융합당 12 플라스크 분의 CHO 세포(표적 유전자 탑재 HAC/MAC 벡터 포함)를 준비한다.

❷ 0.1 μg/mL 되도록 콜세미드을 첨가한 F12/20% FBS 배지로 배지 교환을 시행한다.

❸ 48시간 후에 같은 콜세미드를 첨가한 배지로 배지 교환을 하고, 콜세미드 처리 72시간 후 미소핵 세포의 회수를 시작하고, 마지막엔 무혈

청의 DMEM 5 mL에 현탁한다.

❹ 5 x 10^6∼1 x 10^7 마우스 ES 및 iPS 세포를 단일 세포가 되도록 회수하고, DMEM으로 2회 세척한다.

❺ 마우스 ES 및 iPS 세포 현탁액을 원심분리후 미소핵 세포 현탁액 (DMEM 5 mL)을 첨가하여 원심 분리시행한다.

❻ 상층액을 흡인 제거하고, 0.5 mL PEG 1000을 첨가하고 가볍게 두드린 후, PEG 첨가 후 90초간 처리한다.

❼ 무혈청의 DMEM 13 mL를 천천히 첨가하고 가볍게 pipetting한다.

❽ 원심분리 후, 미리 전날 준비해둔 feeder 세포에(100 mm 배양접시 2∼3장) 파종한다.

❾ 24시간 후에 배지 교환과 함께 G418 등의 선별약제를 첨가한다.

❿ 7∼10일 후, 콜로니를 선택하고 확장 후 CHO 세포에서 실시한 것 같이 스톡을 만들고, PCR 분석 및 FISH 분석을 시행한다.

⓫ 후보 클론을 이용하여 *in vitro* 분화 유도하고, 키메라 마우스 제작 및 teratoma의 제작 등을 통해 기능 분석을 실시한다.

 문제 발생 시 대응

- **PAC의 여러 유전자의 클로닝을 시행하였으나 원하는 클론을 얻을 수 없다.**
  - → PAC의 DNA 수량 및 겔 추출에서 정제 문제

    작은 스케일로 추출할 수 있는 BAC/PAC Isolation kit, 예를 들어 EZ gene 키트, 겔 추출에서는 긴 염기서열을 정제할 수 있는 GENECLEAN Turbo kit 등의 시판 키트를 사용한다.
- **PAC library 스크리닝 시 원하고자 하는 클론을 얻을 수 없다.**
  - → 스크리닝에 사용하는 probe의 염기서열에 문제

    다른 염기서열을 인식하는 probe를 제작하여 스크리닝을 진행한다.
- **BAC recombineering에서 재조합 클론을 얻을 수 없다.**
  - → 타겟팅에 사용하는 상동 영역의 문제

    상동 영역의 서열을 변경하여 BAC recombineering 한다.

- **Cre–*lox*P 재조합에서 약제 내성 클론을 얻을 수 없다.**
  - → 세포의 독성이 높고, 플라스미드의 순도가 낮다.

    벡터 비율을 바꿔 보자. Transfection의 스케일을 올리고(세포 수를 증가시킨다), "준비" 항목
    에 나와 있는 다른 transfection의 시약을 사용하여 본다.

- **삽입형 Cre–*lox*P에서 약제 내성 클론은 얻을 수 있지만, 원하는 재조합을 얻을 수 없다.**
  - → 플라스미드의 순도가 낮다.

    플라스미드 정제를 다시 하거나, 도입 키트를 바꾸거나, 분석에 사용하는 클론 수를 늘려본다.

- **MMCT에서 클론을 얻을 수 없다.**
  - → PEG의 독성이 너무 강하거나, 수용체 세포의 상태가 나쁘거나, 공여 CHO세포의 마이크로 셀 형성
    율이 나쁘다.

    세포를 활발한 증식기에 있는 세포로 준비한다. PEG 처리 시간을 조금 짧게 조정한다. PEG의
    제조 시 pH에 주의한다. 마이크로 셀 형성률이 좋은 공여 CHO 세포를 선별한다.

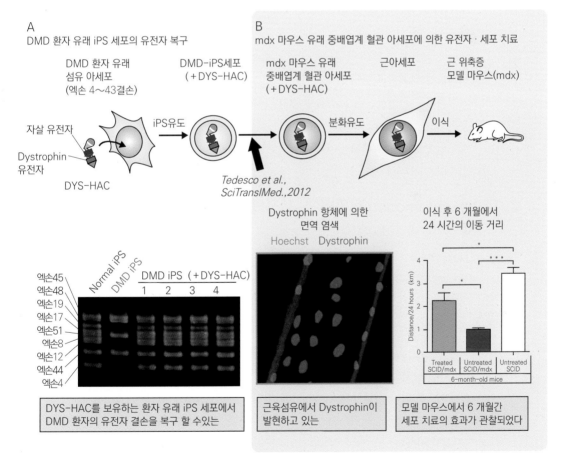

그림 4 HAC 벡터를 이용한 근 위축증 (DMD)의 유전자 치료법의 개략

A) DMD 환자 유래 iPS 세포의 유전자 복구. 문헌 10에 실렸던. B) mdx 마우스 유래 중배엽계 혈관 아세포에 의한 유전자 · 세포 치료. 문헌 11
에 실렸던.

HAC/MAC 벡터는 배양 세포 및 마우스를 이용한 *in vitro, in vivo*에서 표적 유전자의 기능 분석에 사용이 가능할 뿐만 아니라 유전자 및 세포 치료에도 이용될 것으로 기대된다. 지금까지 저자는 HAC 벡터를 이용한 기능 분석 그리고 유전자 및 세포 치료의 기초 연구를 실시하여 왔으며, 그 성과 및 다른 그룹에서 HAC 연구 성과의 요약을 문헌 4에 기재하고 있기 때문에 자세한 내용은 그쪽을 참조하기 바란다. 다음은 인간 iPS세포를 이용한 유전자 및 세포 치료 실험례 및 마우스 ES세포를 이용한 인간화 마우스 모델 제작 실험례로 설명하였다.

1. 근육 위축증 모델 마우스의 유전자 치료 예

유전자 및 세포 치료의 예로서, 엑손 4~43의 매우 광대한 영역에 결손이 있는 듀센 근이영양증(Duchenne muscular dystrophy, DMD) 환자 유래 섬유 아세포에 전좌형 클로닝 법으로 제작한 인간 dystrophin gene 2.4 Mb 게놈을 유지하는 DYS-HAC 벡터를 도입하여 내재 게놈을 손상시키지 않고, 그 원인 유전자를 완전히 복구하였다(그림 4A)[10]. 한편, 최근 Cossu 등은 상기 DYS-HAC과 중배엽계 혈관 아세포를 이용하여 mdx 마우스의 유전자 세포치료에 성공하고, 유전자 복구된 중배엽계 혈관 아세포 유래의 근육세포가 장기간에 걸쳐 안정적으로 작동하는지 확인하였다(그림 4B)[11]. 또한 같은 연구자들에 의해 인간 iPS 세포로부터 중배엽계 혈관 아세포에 효율적으로 분화 유도 기술이 확립되었다[12]. 앞에서 유전자 복구된 DMD-iPS 세포를 통해서, 그 기술을 적용하여 동물모델에서 치료 효과와 안전성이 입증되는 경우, DMD 환자에 대한 치료 연구가 가능해질 것으로 생각된다.

2. Trans-chromosomic 마우스 제작의 예

인간의 약물 대사를 체외에서 실험하기 위한 인간화 마우스 모델 제작의 예로 전좌형 클로닝 방법을 사용하여 인간 CYP3A 유전자 클러스터를 포함한 약 700 kb를 HAC벡터에 클로닝(CYP3A-HAC)하고, 그 CYP3A-HAC를 마우스 ES 세포에 도입하여 인간화 CYP3A 마우스를 제작 했다[13]. 종래 기술로 제작한 유전자 도입 마우스인 유전자 변형 마우스와 구별하여 외부에서 유입된 염색체가 자손에게 전달되는 마우스를 Trans-chromosomic (Tc) 마우스라고 부르고 있다[14]. 이 CYP3A-HAC 마우스에서 간과 소장 특이적으로 CYP3A 유전자 발현이 재현되며, 성체시기 특이적인 CYP3A4는 성인시기에, 그리고 태아시기 특이적인 CYP3A7은 태아 시절에 특이하게 표현되었다. 또한 완전한 인간화 CYP3A 마우스를 제작하기 위해 마우스 내생 Cyp3a가 파괴된 마우스를 제작하여 CYP3A-HAC/Cyp3aKO 마우스를 제작 하였다. 이 마우스가 인간의 약물 상호 작용을 재현 할 수 있는지 여부에 대해 검토한 결과, CYP3A를 통한 약물 대사에 대한 CYP3A 억제제의 영향은 '인간화 CYP3A 마우스'

와 '인간'이 특성상 잘 일치하는 것이 밝혀졌다. 신규 인간화 CYP3A 마우스는 CYP3A 유전자의 유전자 발현 제어를 분석하는 모델이나 CYP3A의 저해에 대한 약물 상호 작용을 예측하는 유용한 모델이 될 것으로 기대된다.

결론

HAC/MAC 벡터를 이용한 유전자 도입 기술은 기존의 유전자 변형 기술로는 곤란했던 거대한 유전자 및 여러 유전자를 세포나 동물에 안정적으로 도입할 수 있다는 점에서 매우 유용하다. 또한 기존의 벡터 시스템이나 상동 재조합 기술은 완전히 치료하지 못한 거대한 유전자 원인 질환이나 유전자 변이 부위 불명의 질환 유전자·세포 치료의 시도에도 응용 가능하다. HAC 벡터는 인간 세포에서는 매우 안정적이지만, 마우스 세포 중에서는 꼭 안정적이진 않다. MAC 벡터는 마우스 세포 및 마우스 개체에도 매우 안정적일 뿐 아니라 인간 세포에서도 안정적이다. 따라서 마우스를 이용한 연구 또는 마우스와 인간의 세포를 모두 이용한 연구는 MAC 벡터를 이용하는 것이 적당하다. 한편, 인간 세포에서의 이용 제한 경우 또는 유전자 치료를 목표로 연구의 경우 HAC 벡터의 이용이 적당하다. 이번 장에서는 소개하지 않았지만, 삽입형 복제 방법의 응용으로서 멀티 통합(MI) 시스템을 HAC/MAC 벡터에 적용하고, 이 항목에서 소개한 Cre-loxP 시스템과 같은 방법을 사용하여 최대 5개의 환상 DNA를 HAC/MAC 벡터에 탑재할 수 있게 되어있다[15]. 또한 Tet 시스템을 이용하여 인위적으로 HAC를 제거할 수 있는 tet-O-HAC도 구축되어 있으며, Cre-loxP 시스템과 마찬가지로 환상 벡터를 도입할 수 있으므로, tet-O-HAC는 인위적 조건에서의 유전자 기능 분석에 유용한 도구라고 할 수 있다[16].

현재 HAC/MAC 벡터의 수용 세포에 도입 효율은 $1 \times 10^{-6} \sim 1 \times 10^{-4}$ 정도이며, 분열 수명을 갖지 않는 불사화 세포 및 마우스 ES 세포 등으로의 적용이 용이하지만, 몇몇 조직 줄기세포에 이입과 in vivo에서 유전자 도입에 적합하지 않다. 이번 장에서는 도입 효율을 책의 분량상 언급하진 않았지만 홍역 바이러스의 융합기구를 이용하여 특정 인간 불사화 세포에 도입 효율 개선에 성공하고[17] 조직 줄기세포 등으로의 적용이 기대된다. 또한 최근 급속하게 기술혁신이 되어온 IV-4에 소개된 ZFN, TALEN, CRISPR/Cas 시스템 등을[18)19)] 이용한 게놈 편집 기술을 염색체 공학 기술을 이용하여 보다 간편한 HAC/MAC에 의한 유전자 도입 시스템의 구축이 가능해질 것으로 기대된다.

위와 같이, HAC/MAC 벡터는 유전자 도입 동물의 제작, 단백질 고발현 세포의 제작, 유전자 상호 작용 분석, 유전자 기능 분석 등에 유용한 차세대 유전자 도입 벡터로 기대할 수 있다.

◆ 문헌

1) Haenebalcke, L. et al. : Cell Rep., 3: 335-341, 2013
2) Kazuki, Y. et al. : Gene Ther., 18: 384-393, 2011
3) Takiguchi, M. et al. : ACS Synth. Biol., 2012
4) Kazuki, Y. & Oshimura, M. : Mol. Ther., 19: 1591-1601, 2011
5) Frengen, E. et al. : Genomics, 68: 118-126, 2000
6) Copeland, N. G. et al. : Nat. Rev. Genet., 2: 769-779, 2001
7) Kuroiwa, Y. et al. : Nat. Biotechnol., 18: 1086-1090, 2000
8) Koi, M. et al. : Jpn. J. Cancer Res., 80: 413-418, 1989
9) Hasegawa, K. et al. : Stem Cells, 24: 2649-2660, 2006
10) Kazuki, Y. et al. : Mol. Ther., 18: 386-393, 2010
11) Tedesco, F. S. et al. : Sci. Transl. Med., 3: 96ra78, 2011
12) Tedesco, F. S. et al. : Sci. Transl. Med., 4: 140ra89, 2012
13) Kazuki, Y. et al. : Hum. Mol. Genet., 22: 578-592, 2013
14) Tomizuka, K. et al. : Nat. Genet., 16: 133-143, 1997
15) Yamaguchi, S. et al. : PLoS One, 6: e17267, 2011
16) Iida, Y. et al. : DNA Res., 17: 293-301, 2010
17) Katoh, M.et al. : BMC Biotechnol., 10: 37, 2010
18) Sakuma, T. et al. : Genes Cells, 18: 315-326, 2013
19) Wang, H. et al. : Cell, 153: 910-918, 2013

◆ 참고도서

1) 『改訂培養細胞実験ハンドブック』(黒木登志夫／監, 許南浩, 中村幸夫／編), 羊土社, 2008
2) 『基礎から先端までのクロマチン・染色体実験プロトコール』, (押村光雄 , 平岡泰／編), 羊土社 , 2004
3) 『New Vectors For Gene Delivery : Human and Mouse Artificial Chromosomes』(Oshimura, M. et al.), John Wiley & Sons, 2013

3

유전자 변형법 ③
Transposon에 의한 유전자 변형

호리에 쿄오지(堀江恭二), 코쿠부 치카라(國府 力), 타케타 준지(竹田潤二)

Flow chart

【트랜스포존(transposon)에 의한 유전자 도입】

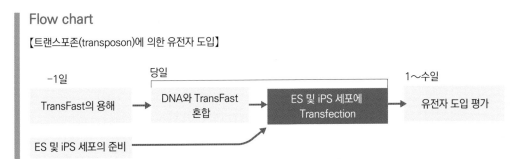

서론

인간과 마우스 등의 포유동물 세포에 외부의 염기서열을 도입하기 위한 벡터로서 옛부터 레트로 바이러스 벡터가 사용되어왔다. 이에 반해 최근 트랜스포존(transposon)이 벡터로 널리 사용되게 되었다. 트랜스포존은 다양한 생물 종의 게놈상에 존재하는 DNA 서열이며, 게놈상의 한 장소에서 다른 장소로 전이한다. 트랜스포존은 자연계에서는 트랜스포존의 전이를 촉매하는 효소인 유전자 전위효소(transposase)와 그 양쪽에 위치하는 유전자 전위효소의 인식 서열의 형태로 존재한다(그림 1A). 그리고 유전자 전위효소가 발현하면 자신의 양측의 인식 배열에 작용하여 트랜스포존의 전체 길이를 잘라내고, 게놈상의 다른 위치에 옮겨서 삽입시킨다.

트랜스포존을 벡터로 사용하는 경우에는 유전자 전위효소를 발현하는 벡터와 유전자전위효소 대신 게놈에 삽입되는 DNA 유전자서열을 유전자전위효소 인식서열로 끼워놓은 벡터로 구성한다(그림 1B). 이 두 가지를 세포내로 도입하면 세포 내에서 발현한 유전자 전위효소가 유전자전위효소의 인식서열이 끼워진 영역을 벡터에서 잘라내어 게놈에 삽입한다.

트랜스포존에는 다양한 종류가 존재하지만, 인간과 마우스의 ES 및 iPS 세포에서 사용되고 있는 것으로는 *piggyBac*, *Tol2*, *Sleeping Beauty*등을 들 수 있다. 이들은 각각 나방, 송사리, 연어의 게놈에서 격리 또는 분리 후 변형된 것이며, 인간과 쥐의 게놈에 존재하는 트랜스포존에는 작용하지 않는 것으로 보여 안전한 것으로 생각된다.

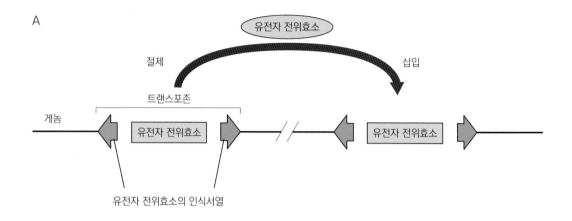

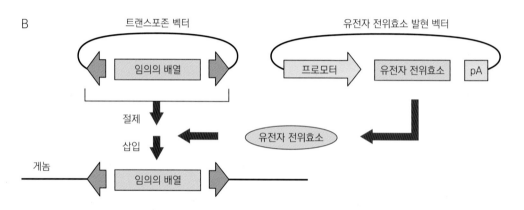

그림 1   트랜스포존 시스템의 개요

A) 자연계의 트랜스포존의 구조 전이 양식. B) 트랜스포존을 이용한 벡터 시스템의 개요. 트랜스포존을 플라스미드로 클로닝 후 유전자 전위효소
대신에 임의의 배열을 배치한다. 유전자 전위효소는 다른 플라스미드로 부터 실험계에 적합한 프로모터로 발현시킨다. 유전자 전위효소가 발현
하면 트랜스포존 벡터에서 트랜스포존 배열이 절제되어서 게놈으로 삽입된다.

트랜스포존의 특징

트랜스포존을 효과적으로 이용하려면 트랜스포존의 특징을 이해할 필요가 있다. 아래 특
징을 열거하였다.

1. 플라스미드에 대한 이점

기존의 플라스미드의 transfection과 비교해 볼 때 게놈으로의 도입 효율이 수십 혹은 수
백 배 정도 높다. 또한 기존의 플라스미드의 transfection에서는 플라스미드 DNA의 어느 부
위가 게놈에 삽입될지가 불분명하지만, 이에 대해 트랜스포존 시스템에서는 유전자 전이효
소의 인식서열에 끼워진 영역이 삽입되기 때문에 더 확실한 실험 결과를 기대할 수 있다. 삽
입 부위의 게놈 배열도 쉽게 결정할 수 있다.

2. 레트로 바이러스에 대한 이점

레트로 바이러스는 내부에 반복 배열을 포함하면 역전사 과정에서 배열이 결실되기 쉽다. 이에 비해 트랜스포존은 역전사를 거치지 않고 DNA 상태 그대로 전이 반응이 발생하기 때문에 게놈에 삽입되는 염기서열이 안정적으로 유지된다. 또한 레트로 바이러스는 바이러스 게놈의 전사 방향에 polyA 부가 신호나 splice acceptor 역할을 하는 배열을 포함하면 바이러스 게놈 자체의 형성 효율이 저하되어 감염 효율이 저하되지만, 트랜스포전은 전사를 통하지 않기 때문에 전이 반응이 안정되어있다. 또한 트랜스포존은 레트로 바이러스에 비해 삽입 부위의 편차가 적다. piggyBac으로 게놈에 삽입을 통해서 유전자 파괴하면 레트로 바이러스보다 많은 유전자를 파괴할 수 있는 것으로 보고되고 있다. 또한 레트로 바이러스는 재조합 DNA 실험의 확산 방지 조치상 P2 수준의 실험실이 필요하지만, 트랜스포존에서는 보통의 P1 수준에서 실험이 가능하다.

3. *piggyBac, Tol2, Sleeping Beauty* 각각의 이점

*piggyBac*과 *Tol2*는 BAC (bacterial artificial chromosome)같은 100 kb 전후의 염기서열에 대해서도 게놈에 삽입이 가능하다는 보고가 있다[2]. 큰 조각을 삽입할 수 있는 특징은 여러 유전자를 하나의 벡터로 효율적으로 도입할 때에도 안성맞춤이다. 이런 특징을 이용하여 *piggyBac*으로 여러 초기화 유도 유전자를 효율적으로 체세포에 도입하여 iPS 세포를 제작하는 것이 가능하다[3]~[5]. 또한, 유전자 전이효소를 발현시켜서 일단 도입된 유전자 서열을 게놈에서 꺼낼 수 있다. 게놈으로 재삽입이 생기지 않는 경우도 있으며, 특히 *piggyBac*에서 잘라낸 후 유전자 서열이 삽입 전과 동일하므로 완전히 원래의 게놈 상태를 재현할 수 있다. 이 특징을 이용하여 *piggyBac* 초기화 유도 유전자를 도입하여 iPS 세포를 제작한 후 초기화 유도 유전자 자체를 게놈에서 제거하고, 표적 유전자를 이용한 게놈 변경 시 선택 마커를 제거할 수 있다(그림 2). 또한 *piggyBac*은 TTAA가, *Sleeping Beauty*에서는 TA가 전이할 때 표적 배열된다. *Tol2*에 관해서는 명확한 표적 배열이 없다. *Sleeping Beauty* 게놈에서 유전자를 잘라내고 다시 삽입할 때 전이 이전 근방 3~4 Mb 내에 집적한다. 이 특징을 이용하여 게놈의 특정 지역에 집중적으로 변이를 도입하고, 리포터 유전자를 이용한 시스작용요소 (Cis element) 분석을 수행할 수 있다[8].

4. 트랜스포존의 결점

트랜스포존을 사용하면 일반적으로 여러 copy의 벡터가 게놈의 부위에 삽입된다. 싱글 copy 삽입을 원하는 경우, transfection에 이용되는 DNA의 양을 줄임으로써 어느 정도 해결할 수는 있지만, 저자 경험상 대부분 하나의 copy만 삽입하고자 한다면, 이는 매우 도입 효율이 낮은 상황일 수 밖에 없다. 이 점에서는, 레트로 바이러스 벡터가 더 쉽게 1 copy 삽입을 달성할 수 있다.

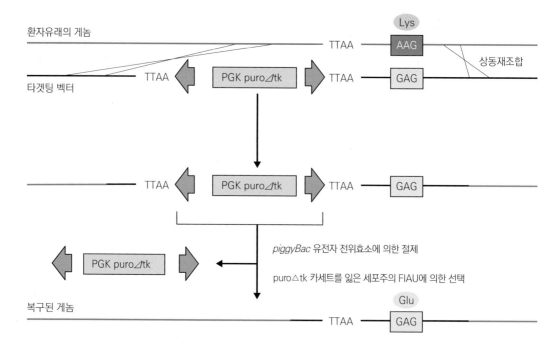

그림 2 *piggyBac* 절제 반응을 이용한 α 1 antitrypsin deficiency 환자 유래 게놈의 복구

GAG에서 AAG의 단일 염기 치환에 의해 Glu에서 Lys의 아미노산 변이가 생긴 환자 유래의 iPS 세포에 유전자 타겟팅 법에 의해 point muta-tion을 복구했다. 그 때 선택 마커로 이용한 *puro△tk*는 *piggyBac* 트랜스포존에 끼워져 있다. 이 때문에 point mutation 이 복구된 세포주에서 *piggyBac* 전위효소를 발현시킴으로써 게놈에서 절단 할 수 있다. 잘려진 *puro△tk* 카세트는 게놈으로 다시 삽입되는 경우와 재삽입 도중에 손실되고 깨지는 경우가 있다. *puro△tk* 카세트를 잃은 세포를 FIAU 내성 주자로 선택하여 point mutation 만 복구된 세포주를 수립 할 수 있었다. 트랜스포존의 삽입은 TTAA 배열을 표적으로 하는 것으로 알려져 있기 때문에, 본 실험에서도 게놈상의 TTAA 배열에 대해서 *piggyBac*이 배치된 벡터가 사용되었다. 문헌 6을 참고하여 작성

저자는 마우스 ES 세포에서 랜덤으로 유전자를 파괴할 때, 레트로 바이러스는 동일한 유전자에 삽입이 확연하여서, *Tol2*를 이용하여 더 많은 유전자 파괴를 달성할 수 있었지만, 이 때는 하나의 복제가 삽입된 세포를 선별하는 공정이 필요했다[9].

최근 다른 <u>barcode 서열</u>을 가진 *Tol2* 벡터를 확보하고, transfection하여 효과적으로 싱글 copy 삽입 세포를 선별하는 방법이 보고되었다[1].

이와 같이, 트랜스포존의 이용법은 다방면에 걸쳐 각 이용법마다 프로토콜도 다르다. 그러나 가장 많이 사용하며, 기본이 되는 것은 외부 유전자 서열을 최대한 효율적으로 게놈에 삽입하는 방법일 것이다. 따라서 이번 장에서는 마우스 ES 세포를 예로 하여 트랜스포존 벡터의 게놈에 고효율 도입법의 프로토콜을 소개한다.

---

barcode염기서열 : 수십개의 염기로 구성된 유전자 서열로, 벡터마다 서로 다른 염기서열을 도입하여 벡터를 식별하는 표지가 된다. 여러 벡터가 게놈에 삽입되었을 때에는 게놈에서 barcode 영역을 PCR로 증폭하여 시퀀싱을 시행하면 여러 개의 염기서열들이 검출되게 된다. 자세한 내용은 문헌 1 참조.

puro△tk : puromycin 내성 유전자 (puro)와 herpes simplex virus 유래 thymidine

kinase gene(tk)을 인공적으로 융합하여 만든 유전자. △는 tk유전자의 5'측이 결실되어 있는지를 나타내는 표지. tk 유전자가 발현하면 FIAU (1- (2-deoxy-2-fluoro-β-D-arabinofuranosyl)-5-iodouracil)가 독성 물질로 변환되므로 세포는 사멸

준 비

1. 벡터 구입

☐ *piggyBac*

유전자 전이효소 벡터에 대해서는, 저자들은 포유 동물용으로 codon을 변환한 mPB 벡터나[10], 혹은 전이 효율을 높이기 위해 아미노산 치환을 도입한 pCMV−hyPBase[11]을 이용하고 있다. 모두 다음의 URL[*1]에서 요청가능하다. 트랜스포존 벡터에 대해서는 문헌에 기재된 중에서도 어느 것에서도 전이 효율에 큰 차이는 없다.

☐ *Tol2*

Tol2 벡터 시스템은 국립 유전학 연구소의 카와카미 코이치 등이 개발하였고, 다음에 홈페이지[*2]에서 요청 가능하다. 저자들은 유전자 전이효소 벡터는 pCAGGS−T2TP를 사용하고, 트랜스포존 벡터는 pT2AL200R150G[12]를 이용하고 있다.

☐ *Sleeping Beauty*

Sleeping Beauty 벡터는 다양한 개량형이 존재한다. 유전자 전이효소 벡터는 pCMV(CAG)T7−SB 10013의 활성이 높고, Addgene에서 구입 가능하다. 트랜스포존 벡터는 저자들은 다음의 URL[*3]의 pT2/HB를 사용하고 있다.

*1 http://www.sanger.ac.uk/form/Sanger_CloneRequests

*2 http://kawakami.lab.nig.ac.jp/

*3 http://www.cbs.umn.edu/lab/hackett/plasmid−info

2. 세포, 시약류

☐ 마우스 ES 세포

1회 transfection에, 2.5×10^5개의 세포를 이용한다. 실험의 규모에 따라 확장한다.

☐ ES 세포용 배지

☐ PBS (phosphate buffered saline)

☐ Trypsin/EDTA

☐ 트랜스포존 및 유전자 전이효소 벡터

벡터가 용해된 Tris−HCl이 transfection 시에 최대한 들어가지 않도록, 0.5 ~ 1 μg/μL 정도의 농도가 되도록 만든다.

☐ TransFast™ Transfection Regent (Promega, #E2431)

Transfection 전날에, 첨부된 물로 용해하여 동결보존해 놓는다. Transfection 당일은 37℃의 incubator 안에서 30분간 보온보관해서 용해시킨다. 또한, 이 사이에 자주 vortex를 진행하여 충분히 용해되도록 한다. 저자들의 경험상, 동결 융해를 반복하여도 transfection 효율의 분명한 저하는 관찰되지 않았다.

프로토콜

1. 세포의 조제

❶ 24−well plate의 1 well에 합류(confluence) 세포를 준비한다[*1].

*1 다음과 같이 저자들은 2.5×10^5개의 세포를 한 번에 transfection에 사용하고 있다.

⬇

❷ 배지를 흡인제거후 PBS 1 mL 넣고 흡인한다[*2].

⬇

❸ Trypsin/EDTA 0.25 mL를 첨가하여 37℃에서 10분간 보온보관한다. [*3]

⬇

❹ 배지를 1 mL 첨가하고, 단일 세포로 분리가 될 때까지 혼탁한다.

⬇

❺ 배지 l mL 들어 있는 15 mL 용 원심 분리관으로 세포를 옮긴다.

⬇

❻ 1,000 rpm(190G)에서 5분간 원심 분리기 진행

⬇

❼ 상층액은 흡인 제거 후, 원심 관의 끝부분을 수회 피펫팅을 시행하여 펠렛을 현탁한다.

⬇

❽ 0.5 mL 배지에 세포를 현탁 후 세포 수를 계산하고 1×10^6 cells/mL 로 조제한다

2. DNA와 TransFast™ 복합체의 제조

❶ DNA와 TransFast™를 다음과 같이 더해 voltex 하여 단시간 혼합한다.

트랜스포존 벡터	1.25 µg
유전자 전이효소 벡터	1.25 µg
TransFast™	15 µL
배지	총량이 250 µL 이 되도록 한다.

⬇

❷ 실온에서 15분간 정치한다.

3. Transfection

❶ 2. 에서 제작한 DNA-TransFast 복합체 250 µL 위에 1.에서 제조한 세포 250 µL(2.5×10^5 개)를 첨가한 후 부드럽게 현탁한다.

⬇

❷ DNA-TransFast-세포의 혼합물 500 µL를, feeder 세포 또는 젤라틴 등으로 코팅한 24-well plate의 1 well에 파종을 한다.

⬇

❸ 37℃, 5% CO_2에서 1시간 배양하다.

⬇

❹ 배지를 1 mL 첨가하다.

⬇

❺ 37℃, 5% CO_2로 3시간 배양한다.

24-well plate에서 합류 상태에서는 1×10^6 cells/well 정도의 세포를 얻을 것으로 예상된다.

[*2] 본 조작을 2회 실시하는 것이 trypsin/EDTA을 이용한 세포의 분리 효율에 좋다.

[*3] 보온 시작 3분 후 한 번 접시를 흔들어 세포를 접시의 바닥에서 떨어지도록 하면 그 세포의 분리 효율이 좋아진다.

❺ 세포가 바닥에서 박리되지 않도록, 천천히 배지를 흡인 제거하고, 1 mL의 배지를 첨가한다.

⚠ **문제 발생 시 대응**

■ **게놈 도입 효율이 낮다.**

*piggyBac*과 *Tol2*에 대해서 트랜스포존의 게놈 도입에 대한 효율은 transfection의 자체의 효율성과 분명히 상관관계가 있다. 따라서 도입 효율이 낮은 경우에는 EGFP 같은 reporter를 이용하여 transfection의 조건설정을 하는 것이 중요하다. 저자들은 조건 설정의 종료 후에도 transfection 효율을 모니터하기 위한 컨트롤로 EGFP 발현 벡터의 도입 실험을 병행하여 실시하고 있다. CAG 프로모터를 이용한 경우는 transfection의 24시간 후 약 반수의 세포가 EGFP 양성으로 나온다.

*Sleeping Beauty*에 대해서는 유전자 전이효소의 과잉 발현으로 벡터의 게놈에 삽입 효율이 저하 될 수 있다는 보고가 있어, 예비 실험으로 유전자 전이효소의 양을 변화시켜 최적 조건을 찾는 것이 중요하다.

■ **실험례**

마우스 ES 세포에서는 *piggyBac*을 사용하고 위 프로토콜로 진행했을 때, 절반의 세포에서 벡터의 게놈으로의 삽입을 확인하였다.

■ **결론**

트랜스포존을 통한 유전자 도입법은 기존의 유전자 도입법과 비교할 때 매우 간편하다. 그렇지만 앞에서 말한 것처럼, 트랜스포존에는 단순한 효율뿐만 아니라 독특한 특징이 있기 때문에, 이것을 활용함으로써, 다양한 분야로 응용될 것으로 기대하고 있다.

◆ **문헌**

1) Mayasari, N. I. et al. : Nucleic Acids Res., 40: e97, 2012
2) Suster, M. L. et al. : BMC Genomics, 10: 477, 2009
3) Kaji, K. et al. : Nature, 458: 771-775, 2009
4) Woltjen, K. et al. : Nature, 458: 766-770, 2009
5) Yusa, K. et al. : Nat. Methods, 6: 363-369, 2009
6) Yusa, K. et al. : Nature, 478: 391-394, 2011
7) Keng, V. W. et al. : Nat. Methods, 2: 763-769, 2005
8) Kokubu, C. et al. : Nat. Genet., 41: 946-952, 2009
9) Horie, K. et al. : Nat. Methods, 8: 1071-1077, 2011
10) Cadiñanos, J. & Bradley, A. : Nucleic Acids Res., 35: e87, 2007
11) Yusa, K. et al. : Proc. Natl. Acad. Sci. USA, 108: 1531-1536, 2011
12) Urasaki, A. et al. : Genetics, 174: 639-649, 2006
13) Mátés, L. et al. : Nat. Genet., 41: 753-761, 2009

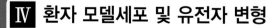

유전자 변형법 ④
TALEN에 의한 유전자 타겟팅

리 홍매이(李 紅梅), 사쿠마 테츠시(佐久間哲史), 홋타 아키츠(堀田秋津), 야마모토 타쿠(山本 卓)

Flow chart

【TALEN에 의한 유전자 타겟팅】

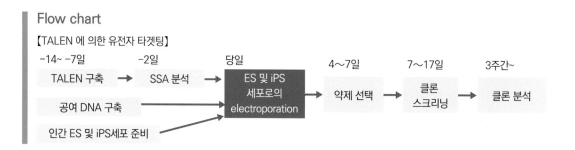

서론

최근 유전자 Knock-Out이나 Knock-In에 사용 가능한 유전자 가위인 **ZFN** (zinc-finger nuclease)와 **TALEN** (transcription activator-like effector nuclease), RNA 유도형 뉴클레아제의 **CRISPR/Cas** 시스템이 개발되었다. 유전자 가위에 의해 임의의 DNA 영역에 DNA 이중가닥 나누기(DNA double strand break, DSB)를 도입하고 비상동 말단연결(non-homologous end joining, NHEJ)과 상동 재조합(homologous recombination, HR) 등의 복구 과정을 통해 유전자 조작을 실시한다. NHEJ를 통한 복구는 삽입과 결실이 도입되기 때문에 표적 유전자에 변이 도입이 가능한 반면, HR을 통한 복구는 기증자 벡터를 함께 도입하여 유전자 타겟팅이 가능하다. 이러한 부위 특이적 유전자 가위를 사용함으로써, 유전자 조작이 어려웠던 생물이나 세포에서 목표 유전자를 겨냥한 유전자 변형(**게놈 편집**)이 가능해져[1] [2], 인간 ES 및 iPS 세포에서의 유전자 변형이 경쟁적으로 진행되고 있다[3] [4].

이번 장에서는 대상 부위 설계의 자유도가 높고, 배열 인식 특이성이 높은 TALEN에 초점을 맞춘다. 우리가 진행하고 있는 인간 배양 세포에서 작은 상동성 말단 연결(single-strand annealing, SSA) 분석(그림 1)에 의한 재조합 활성 평가법과 기증자 벡터를 이용한 iPS 세포에서 유전자 타겟팅 방법에 대해 설명한다. SSA 분석에 의해 TALEN의 활성을 사전에 확인하는 것이 실험을 효율적으로 진행하는 데 중요하다.

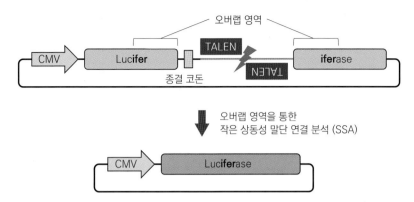

오버랩 영역

CMV | Lucifer | **TALEN** | iferase

TALEN

종결 코돈

오버랩 영역을 통한
작은 상동성 말단 연결 분석 (SSA)

CMV | Luciferase

그림 1   SSA 분석의 개요

SSA 분석에서는 중복 배열을 가지고 분리되어 있는 luciferase 유전자 배열 사이에 TALEN 인식 서열을 삽입한 리포터(reporter) 벡터를 구축하고, TALEN 발현 벡터와 함께 세포에 도입한다. TALEN에 의한 절단이 발생하면 SSA에 의해 분단된 luciferase 유전자가 복구되고 활성이 회복된다. 이때, luciferase의 화학 발광 강도를 측정하여 TALEN 절단 활성을 산출할 수 있다.

준 비

1. 플라스미드 벡터의 구축

☐ Golden Gate TALEN and TAL Effector Kit 2.0 (Addgene)

TALEN 발현 벡터의 제작 키트

☐ pGL4-SSA 벡터

Yamamoto Lab TALEN Accessory Pack (Addgene)에 포함된다.

☐ pRL-CMV (Promega #E2261)

레퍼런스용으로 Renilla luciferase (Rluc) 발현 벡터

☐ 공여 벡터의 제작에 필요한 벡터들 [1]

· Bsa I - HF (New England Biolabs, #R3535S)

· Kpn I (Takara Bio Inc., #1068A)

· In-Fusion®HD Cloning Kit (Takara Bio Inc., #639648)

☐ 클로닝 시약, PCR 시약, 각종제한효소

2. SSA 분석

☐ HEK293T 세포 (human embryonic kidney cells) (ATCC, #CRL-11268)

☐ Poly-L-lysine coated 불투명 타입 96-well plate (Iwaki, #4860-040)

☐ 불투명 타입 96-well plate

☐ D-MEM (Life Technologies, #11965-092)

☐ Opti-MEM (Life Technologies, #31985062)

☐ FBS (Life Technologies, #26140079)

[1] TALEN의 제작법에 대해서는 참고문헌 1, 2 등을 참조하기 바란다. 각각의 표적 위치에 대해 2개 이상의 TALEN 쌍의 제작을 권장한다. 인간 ES 및 iPS 세포에서 TALEN을 발현시키는 경우 CAG 또는 EF1α 프로모터를 사용해야 하며, CMV 프로모터는 부적합하다. 또한 SSA 분석에 사용하는 HEK293T 세포는 CAG / EF1α / CMV 프로모터에도 모두 효과적으로 발현된다.

☐ Lipofectamin® LTX (Life Technologies, #15338-500)

☐ Dual-Gio™ Luciferase Assay System (Promega, #E2920)

Firefly luciferase (Flue) and Renilla luciferase (Rluc)의 기질을 포함한다.

3. iPS 세포로의 TALEN의 도입

☐ NEPA21 Electroporator (Nepa gene)

인간 iPS 세포의 유전자 도입은 FuGENE HD (Promega) 등을 이용한 lipofection법과 Neon (Life Technologies) 혹은 Nucleofector (Lonza) 등의 electroporation도 사용 가능하지만, 도입 효율 및 도입 후의 생존율 면에서 NEPA21이 뛰어나다고 알려져 있다.

☐ 2 mm gap cuvette (Nepa gene, #EC-002S)

☐ Y-27632 (Nacalai Tesque)

ROCK inhibitor

☐ Human iPS 세포 배지(다른 장을 참고).

☐ Human iPS 세포 박리제

TrypLE Select (Life Technologies), CTK 용액, trypsin/EDTA 용액

☐ 약제 내성 feeder 세포

Neomycin 내성 SNL 세포, 네 가지 약제 내성 마우스[*2] 유래 마우스 태아 섬유 아세포(MEF) 등

☐ T7 Endonuclease I (New England Biolabs, #M0302S)

CEL-1 (SURVEYOR Nuclease, Transgenomic)으로도 대용할 수 있다.

[*2] Tg (DR4)1Jae/J. 잭슨 연구소. puromycin, hygromycin, G418, 6-thioguanine의 4가지 약제 내성 유전자 변형 마우스 이다.

프로토콜

1. TALEN의 절단 활성의 평가법 (SSA 분석)

SSA reporter 벡터 제작

❶ pGL4-SSA 벡터를 Bsa I-HF를 이용하여 37℃에서 하룻밤 동안 절단을 시행한다.

⬇

❷ 아가로오스겔에서 전기영동을 하고, 약 5.6 kb 밴드에서 꺼낸 겔 단편을 마이크로 튜브에 회수하고 DNA을 추출한다.

⬇

❸ TALEN의 표적 서열을 포함하는 DNA 단편을, 2개 합성 올리고를 통한 어닐링(A) 또는 PCR 증폭(B)에 의해 제작하기

⬇

❹ DNA 단편의 제작 방법에 따른 방법으로 위의 Bsa I-HF 처리한 pGL4-SSA 벡터에 삽입한다.

❹-A 합성 올리고를 이용하여 삽입하는 경우

sense 서열을 5'-gtcggat(표적염기의 sense 서열) aggt-3'로, antisense 서열을 5'-cggtacct(표적염기의 antisense 서열) atc-3'로 한다. 이것들을 어닐링하여 위의 선형화 벡터에 결합한다.

❹-B PCR 증폭하여 삽입하는 경우

Forward primer의 5'측에 ctagggtctctgtcggat를, Reverse primer의 5'측에 cctaggtctcacggtacct를 각각 추가한다. PCR 산물을 선상화한 pGL4-SSA 벡터와 혼합하여 In-Fusion® HD Cloning Kit에서 50℃, 15분 처리한다.

❺ 얻어진 플라스미드를 KpnⅠ 처리하고, 아가로스 겔 전기영동을 실시한다.

앞에서 만들어진 염기서열이 잘 삽입되어 있으면, 약 3.8 kb 및 약 1.8 kb의 2개의 밴드를 확인할 수 있다[*1].

HEK293T 세포 transfection

❶ 100 mm 배양접시 1장 분량의 HEK293T 세포를 70~80%의 합류가 되도록 준비해 둔다[*2].

❷ 제작해 놓은 SSA reporter 벡터와 pRL-CMV 및 좌우의 TALEN 발현 벡터를 혼합한 DNA 용액을 준비한다[*3].

❸ poly-L-lysine 코팅된 96-well plate의 각 well마다 Opti-MEM을 25 μL씩 넣고, 그 위에 필요한 샘플을 분주한다[*4].

❹ ❷에서 준비해 놓은 DNA 용액을, ❸의 Opti-MEM을 넣어 놓은 well에 첨가하고 혼합한다.

❺ Lipofectamine® LTX를 희석하기 위한 Opti-MEM을 마이크로 튜브에 분주한다[*5].

❻ 분주해 놓은 Opti-MEM에 0.7 μL/well가 되도록 Lipofectamine® LTX를 넣어 잘 섞어 빠르게 각 well마다 25 μL씩 첨가하여 혼합한다[*6].

이 작업을 필요 갯수만큼 반복하고, 그대로 실온에서 보관해 놓는다.

❼ 100 mm 배양 접시의 배지를 흡인제거하고, 15% FBS를 포함하는

*1 시퀀스를 확인하는 경우는 제한 효소 NarⅠ으로 처리한 후, 겔을 잘라서 정제한 DNA 절편을주형으로 사용한다.

*2 본 프로토콜은 전날 plate에 세포를 파종해 둘 필요는 없다.

*3 Well 마다 SSA reporter는 100 ng, pRL-CMV는 20 ng, TALEN 발현 벡터는 200 ng씩 준비하면 좋다.

*4 여기에서의 작업은 클린벤치 내에서 시행한다. Opti-MEM은 혈청을 첨가하지 않은 D-MEM도 대체 할 수 있다. Plate는 poly-L-lysine 코팅되지 않은 것도 사용 가능하지만, 코팅된 제품을 사용하면 더 좋은 결과를 얻을 수 있다.

*5 Well 당 25 μL의 Opti-MEM이 필요하기 때문에, (필요한 샘플수) X 25 μL를 분주하면 된다. 그러나, Lipofectamine® LTX는 희석하고 나면 시간이 흐를수록 활성이 저하되므로, 한 번에 희석하는 것은 20 샘플 분 정도로 하고, 샘플 수가 더 많은 경우 여러 마이크로 튜브에 나누어 분배한다.

*6 첫 번째 well에 Lipofectamin® LTX를 넣은 시점에서 시간측정을 시작하면 좋다. 이후 30분이 경과 할 때까지의 사이에 세포를 준비할 필요가 있다. 늦지 않다면, 미리 다음 ❼, ❽의 순서로

D-MEM을 10 mL 첨가하고, 전동 피펫을 사용하여 배양 접시에서 피펫팅을 한다[*7].

❽ 세포 수를 계산하고, 6 x 10⁵ cells/mL로 조정한다.

❾ 첫 번째 well에 Lipofectamine® LTX를 첨가하고 30분이 경과한 후, 준비한 세포 현탁액을 100 μL씩 각 well에 추가한다[*8].

❿ 37℃의 CO_2 배양기에서 24시간 배양한다.

Luciferase 분석

❶ 플레이트를 회수하기 30분 전에, 미리 냉동 보관해 둔 Fluc 성분 용액을 필요량 꺼내, 상온의 물에 띄워 녹여 둔다[*9].

❷ 24시간 배양해 놓은 배양접시를 꺼내 각 well의 배지를 75 μL씩 제거한다[*10].

❸ 해동시킨 Fluc의 기질용액을 75 μL씩 첨가한다.

마지막 well에 성분용액을 첨가한 시점에서 시간 측정을 시작한다.

❹ Rluc 농축 기질 용액과 buffer를 1 : 100으로 혼합하여 필요량(75 μL/well)의 Rluc 성분을 조제한다[*11].

❺ Fluc 기질을 각 well에 첨가하여 10분 이상 경과한 후, plate reader를 이용하여 발광 강도를 측정한다.

❻ Rluc 기질 용액을 75 μL씩 각 well 마다 넣고, 10분 이상 경과한 후 발광 강도를 측정한다[*12].

2. iPS 세포에 TALEN 도입

공여자 벡터의 구축

공여자 벡터 디자인은 그림 2를 참조한다. 처음에는 선별 약제에 대한 카세트를 발현하는 플라스미드 벡터를 준비하고, 그 전후에 PCR 증폭으로 얻어진 상동암염기서열을 In-Fusion 반응으로 삽입하면 간편하게 만들 수 있다.

NEPA21 electroporation

저자들은 앞에서 얘기한 바와 같이, NEPA21에 의한 electroporation을 시행하고 있다(그림 3A). 여러 펄스 파형을 조합하여 유전자 도입하는 것이 특징이다(그

조제한 세포 현탁액을 준비하고, ❸이후의 작업을 수행하면 된다.

*7 HEK293T는 약 점접착성이므로, 트립신 처리를 하지않더라도 기계적 피펫으로 쉽게 세포를 박리할 수 있다. 그러나, 세포의 응집을 풀기 위해선 피펫팅을 여러번 반복하도록 한다.

*8 희석한 Lipofectamine® LTX 를 well 에 첨가한 속도와 같은 정도의 시간을 들여 세포 현탁액을 더해가면 샘플 간의 배양시간의 차이가 없어 안정된 결과를 얻을 수 있다.

*9 Dual-Glo™ Luciferase Assay System에 포함된 Fluc 기질은 미리 500 μL~1 mL 정도씩 마이크로 튜브에 분주하고, -80℃에서 보관해 놓으면 좋다. -20℃에서는 장기 보존에 견딜 수 없기 때문에 주의가 필요하다.

*10 각 well에 150 μL 배지가 들어 있고, 여기에 75 μL를 제외하면 75 μL 매체가 남아있다. 여기에 직접 같은량의 Fluc 기질을 추가한다.

*11 Rluc 성분 용액은 필요양만큼만 준비한다.

*12 활성의 평가에 대한 내용은 실험례에서 자세히 설명된다.

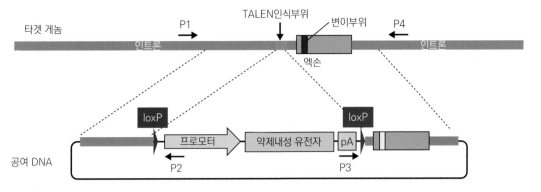

타겟 게놈

P1 → TALEN인식부위 ↓ 변이부위 P4 ←

인트론 　　　　　　　　 엑손 　　　　　　　　 인트론

공여 DNA

loxP 　　　　 loxP

P2 → 프로모터 → 약제내성 유전자 → pA → P3

그림 2　공여 벡터 디자인 예

임의의 유전자(iPS 세포에서는 발현되지 않는)의 엑손의 ■ 변이를 ▨ 으로 복구하는 경우를 예로 나타낸다. TALEN 인식 부위는 수리 부위에 가까운(《100 bp) 것이 바람직하다. 상동 암의 길이는 0.8~1.0 kb 정도면 충분하다. 공여 DNA는 TALEN 결합 서열을 포함하지 않도록 주의. 포함될 경우 염기 서열에 변이를 도입한다. 약제 내성 유전자는 Puromycin 내성 또는 Neomycin 내성을 권장한다. 프로모터(Promoter)는 CAG 또는 EF1α 프로모터가 바람직하다. 약제선별 카세트는 나중에 Cre처리 시 제거될 수 있도록 loxP 배열에 끼워 둔다. 약제선별 카세트는 역방향이어도 상관없다.

림 3B).

❶ 인간 iPS 세포 배양 배지에 Y-27632를 최종농도 10 μM을 첨가하여, CO_2 인큐베이터에서 1시간 이상 배양한다.

❷ 별도로 마련한 6-well plate의 feeder 세포에 Y-27632 10 μM가 들어있는 인간 iPS 세포 배지를 첨가하여, 37℃, CO_2 인큐베이터에 넣고 보온보관 해둔다.

❸ 60 mm 배양 접시의 인간 iPS 세포를 5 mL PBS로 2회 세척한다.

❹ CTK 용액을 0.5 mL 첨가하여 세포 전체로 스며들게 한 후, 37℃에서 1~2분 정도 보온보관한다[13].

❺ 배양 접시를 흔들어 feeder 세포가 박리되면, CTK 용액과 feeder세포를 흡인제거 한다.

❻ PBS 5 mL를 첨가하고 feeder 세포를 세척 후 흡인제거한다[14].

❼ TrypLE Select (또는 0.25% trypsin/EDTA)를 0.5 mL 첨가한 후, 37

[13]　iPS 세포 콜로니가 박리되지 않도록 배양온도(37℃ 또는 실온)와 시간(1~5분)을 조정한다.

[14]　Feeder 세포가 혼입되면 DNA가 흡수되어, iPS 세포로의 도입 효율이 떨어진다.

In-Fusion 반응 : In-Fusion 반응은 두 말단에 15 bp 정도의 상동 배열을 복제하는 방법이다. 그래서, 표적이 되는 염기서열의 PCR 산물을 벡터에 간편하고 신속히 할 수 있다.

℃에서 3~5분정도 보온보관하고, 인간 iPS 세포 콜로니를 박리한다[*15].

5분이 되었는데도 콜로니가 아직 부착되어 있으면, 2~3분 더 추가 처리한 후 박리한다.

⬇

❽ 인간 iPS 세포 배지(+ Y-27632)를 2 mL 정도 첨가하고, 피펫팅으로 단세포화 시킨다[*16].

❾ 원심분리 튜브에 옮겨 실온에서 800 rpm(120G), 5분간 원심분리한다.

⬇

❿ 상층액은 흡인제거하고, 세포 펠렛에 Opti-MEM 배지를 5~10 mL 넣고 현탁한 후 다시 실온에서 800 rpm(120G), 5분간 원심분리한다.

⬇

⓫ Opti-MEM 배지를 적당량(~1 mL) 첨가하여 현탁하고 세포 수를 측정한다.

⬇

⓬ 4가지 조건의 양에 해당하는, 4.0×10^6 세포를 새로운 1.5 mL 튜브에 옮겨담고 원심분리한 세포 펠렛에 Opti-MEM을 360 μL 첨가하여 현탁한다[*17].

〈NEPA21 기본 펄스 조건〉

표 1에 저자가 주로 사용하는 조건을 보여주고 있지만, 일단은 각자의 세포주에서의 조건을 검토하는 것이 바람직하다. 일반적으로 천공 펄스의 전압과 펄스폭(표 1에서 ■ 부분)이 높을수록 도입 효율이 높아지지만 세포의 생존율은 떨어지므로(그림 3C), 일단 조건을 결정한 후에는 기본적으로 동일 전압 조건에서 도입 가능하다.

⬇

*15 Trypsin / EDTA 쪽이 박리가 잘된다. Accutase 또는 TrypLE Express도 사용 가능하며, 세포의 접착강도에 따라 구분하여 사용한다.

*16 세포가 덩어리로 남아있으면, 그 내부에는 유전자가 도입되지 않는다. 아무래도 큰 세포 덩어리가 남아있는것 같으면 40-75μm pore 사이즈의 Cell Strainer와 나일론 메쉬를 이용해서 세포 덩어리를 제거할 수 있다.

*17 큐벳 1개당 1.0×10^6 cells/90 μL.

A
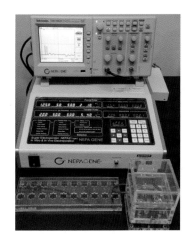

B
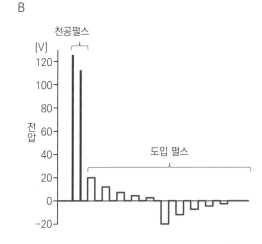

C
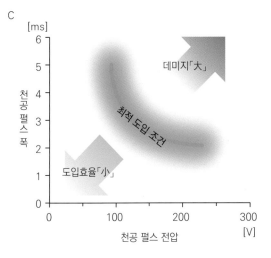

D
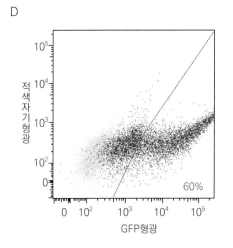

그림 3　NEPA21 을 이용한 인간 ES 및 iPS 세포로의 유전자 도입

A) 인간 ES 및 iPS 세포에 유전자를 도입하는 데 사용하는 NEPA21 electroporation 장비. B) NEPA21 electroporation 장비는 천공 펄스와 도입 펄스의 2단계 스텝이다. 또, 펄스 전압을 서서히 감쇠하는 설정이 가능하다는 것이 특징. C) 천공 펄스 전압 및 펄스 폭 조건의 이미지 그림. 일반적으로 전압과 펄스 폭이 클수록 도입 효율은 오르지만 세포의 손상도 커진다. 세포주에 최대의 도입 효율로 정하고 허용 범위의 세포 독성을 가지는 조건을 찾는 것이 중요하다. D) GFP 발현 플라스미드를 도입한 경우의 한가지 예.

표 1　펄스 조건

	전압 (V)	펄스 폭 (ms)	펄스 간격 (ms)	횟수	감쇠율 (%)	극성
천공 펄스 (Poring Pulse)	125	5	50	2	10	+
도입 펄스 (Transfer Pulse)	20	50	50	5	40	+/-

⓭ 1.5 mL 튜브 4개에 표 2의 요령으로, 플라스미드 용액을 10 μL씩 준비하고, 거기에 세포 현탁액을 90 μL 첨가하여 잘 섞는다.

공여자 DNA 직선화는 필요 없는 것 같다.

표 2 분주 예

No.	도입 플라스미드 DNA	DNA양
#1	EGFP 발현 벡터	10 μg
#2	TALEN 발현 벡터 Left TALEN 발현 벡터 Right	5 μg 5 μg
#3	TALEN 발현 벡터 Left TALEN 발현 벡터 Right 공여자 DNA	5 μg 5 μg 5 μg
#4	Control(펄스 없음)	–

⓮ 2 mm gap의 큐벳에 DNA와 세포 혼합액 100 μL을 첨가한다[*18].

큐벳은 실온이 좋다.

⓯ 큐벳 전극용 챔버에 큐벳을 넣고 전기 펄스를 준다.

⓰ 저항값을 메모한다

일반적으로 0.030~0.060 kΩ 부근.

⓱ 즉시 feeder 세포와 함께 예열된 iPS 세포 배지(+ Y-27632) 1 mL 정도를 큐벳에 넣고 세포를 회수하여, 미리 준비해둔 feeder plate에 빠르게 분주한다.

큐벳과 같이 제공된 테이퍼 피펫을 사용해도 좋다. **⓮~⓱** 작업을 각 큐벳별로 반복 수행한다.

⓲ 다음날 혹은 다다음날에 배지를 교환한다.

Y-27632은 2~3일 간격으로 추가하는 것이 세포의 생존율이 좋다. 표 2 #1의 well을 형광 현미경 또는 Flow cytometry로 관찰하고 EGFP 발현 양성 세포의 비율을 확인한다.

선별약제 및 한계희석에 의한 세포주 선택

❶ Electroporation 시행한 세포를 4~7일간 배지를 교환하면서 배양한다(선별약제 없이).

❷ iPS 세포의 콜로니가 충분히 커져, 절반정도의 합류(semi-confluence)에 도달하면 CTK 처리하여 세포를 계대한다[*19].

*18 기포가 들어가지 않도록 주의하자.

*19 세포 중 일부는 동결보존해도 좋다.

이 때, 각 well의 세포의 반은 펠렛으로 회수하여 게놈 DNA을 추출한다. 나머지 절반은 계대를 시행하고, 표 2 #2 및 #3의 well은 선별약제 투여를 시작한다.

❸ #2 well에서 추출한 게놈 DNA에서는 TALEN 인식 사이트를 포함하는 영역을 PCR 증폭한다.

PCR 산물을 T7 Endonuclease I 처리(T7E I 분석) 또는 TALEN spacer 바로 아래에 있는 제한 효소 처리를 하여 절단 활성을 평가한다.

❹ ❷ #3 well에서 추출한 게놈 DNA 는 그림 2에 나타낸 5'측(P1과 P2) 및 3'측 (P3와 P4)의 프라이머로 PCR을 수행하여, 벌크 상태에서 공여자의 DNA knock-In 유무를 확인한다.

공여자 DNA 없는 게놈을 대조군으로 사용한다.

❺ ❷에서 선별약제를 투입한 세포에 대해서는 1~2일 간격으로 선별 약제를 첨가한 배지를 교환하고, 4~7일 정도에서 #2 well 세포가 사멸하고 #3 well의 콜로니 형성을 확인한다.

❻ 선별 약제 과정에서 살아남은 세포를 Y-27632 처리 후, CTK 및 trypsin 용액으로 단일 세포화과정을 진행한다(NEPA electroporation 의 ❸~❽참조).

❼ Feeder 세포가 준비된 100 mm 배양접시 3개에 각각 100개, 200개 및 400개 정도의 세포를 분주하여 단일 세포 유래의 클론을 얻는다.

❽ 클론의 콜로니가 커진 시점에서 콜로니 일부를 긁어내어서 게놈 DNA 를 얻고[5], ❹와 동일한 PCR로 공여자 DNA가 knock-In된 클론을 선택한다.

Transfection을 시행하지 않은 게놈을 대조군으로 사용한다.

❾ 5'측 및 3'측 모두에서 원하는 크기로 PCR 증폭을 보인 클론을 확인하고, P1 프라이머 및 P4 프라이머(그림 2)를 이용하여 PCR을 시행하고, homo- 또는 hetero- 인지를 확인한다.

이때 PCR에서 원하는 크기 이외의 밴드가 보이거나, 대조군과 같은 밴드 이외에 다른 밴드가 보이지 않는 경우는 위양성일 가능성이 높다.

❿ 선별된 여러 클론에서 필요에 따라 Southern Blots 등의 분석을 시행한다.

문제 발생 시 대응

■ **유전자 도입 효율이 나쁘다.**

→ 도입전 iPS 세포가 제대로 배양되고 있는지 확인한다.

미분화 상태로 잘 유지된 활발한 증식기의 iPS 세포로, 콜로니가 충분히 형성된 상태에서 유전자도입을 시행한다.

→ 펄스 조건이 너무 약한 건 아닌지 재검토한다.

→ 플라스미드 DNA를 endotoxin free column kit로 정제하여, 고농도(2~10 μg/μL)로 조정된 것을 희석(1 μg/μL)해서 사용한다.

→ Feeder 세포가 잘 제거되었는지 확인하고, 필요시 feeder free 조건으로 계대하여 유전자 도입을 시행한다.

■ **유전자 도입 후 세포가 사멸해 버린다.**

→ 펄스 조건이 너무 강한지 재검토한다.

→ 유전자 도입 후 분주시 feeder 세포의 상태가 나쁜건 아닌지 확인한다.

→ ROCK 저해제 처리가 불충분한지 확인한다.

■ **선별 약제를 투약하면 세포가 사멸해 버린다.**

→ 공여자의 선별 약제 카세트가 충분히 발현되지 않은 경우 공여자만 도입하여 약제내성을 획득하는지 확인한다.

→ 선별 약제의 농도와 투여 기간을 재검토한다.

→ Feeder 세포도 사멸하는 경우는 약제 내성 feeder 세포를 사용해본다.

■ **Knock-In 클론을 얻을 수 없다.**

→ 공여자 염기서열 및 TALEN 연관 염기서열을 Blast 프로그램 등으로 검색하여 대상 부위에 특이성을 확인한다.

→ TALEN이 iPS 세포 내에서 충분히 작동하지 않을 수 있으므로, CEL-I 분석이나 T7EI 분석 등으로 확인한다.

→ 검정 PCR 조건과 추출한 게놈의 품질을 확인한다.

다른 프라이머 세트로도 PCR을 실시한다.

→ 유전자의 위치와 공여자의 디자인에 따라 100주 이상 검사가 필요한 경우도 있다.

TALEN과 공여자의 도입부터 반복하여 가능한 여러 클론을 얻어 놓는다.

⓫ 선별 약제 카세트를 제거하기 위해서는 Cre발현 벡터를 NEPA21에서 도입하여 일과성에 발현시킨다.

⓬ ❻~❼을 반복하고, P1 및 P4 프라이머 등을 이용하여 선별약제 카세트가 제거된 것을 확인한다.

1. SSA 분석

한 유전자 X에 대한 TALEN의 발현 벡터를 3종류 구축하고 SSA 분석하여 활성 평가했다 (그림 4). 활성 점수는 Fluc/Rluc로 산출하는데, 이 값은 transfection 효율 및 세포의 증식 속 도, 기질의 신선함 등의 다양한 조건의 차이에 따라 동일한 TALEN을 이용하여도 실험마다 값이 달라질 수 있으므로 절대값으로 평가할 수는 없다. 따라서, SSA 분석을 할 때는 반드 시 양성 컨트롤의 TALEN을 추가하여, 양성 컨트롤의 활성에 대한 상대 활성으로 평가할 필요가 있다. 저자들은 참고문헌 2에서 제작한 HPRT1_B TALEN-NC를 양성 컨트롤로 사 용하고 있고, 이 활성을 넘는 TALEN이면 iPS 세포의 게놈 편집에 사용 가능하다고 판단하 고 있다. 그림 4의 경우에는 3쌍을 제작하였는데, 그중에서 A와 B가 충분한 활성을 나타내 고 있다.

2. iPS 세포에서 유전자 타겟팅

인간 iPS 세포로의 유전자 도입 결과는 GFP의 양성률과 생존율에서 평가한다. 적절한 조 건을 갖추고 있으면, 60~80%의 세포가 GFP 양성이 되고(그림 3D), 4~5일 후에는 충분한 콜로니 형성을 관찰할 수 있다. iPS 세포가 transfection의 손상으로부터 회복될 때까지 기다

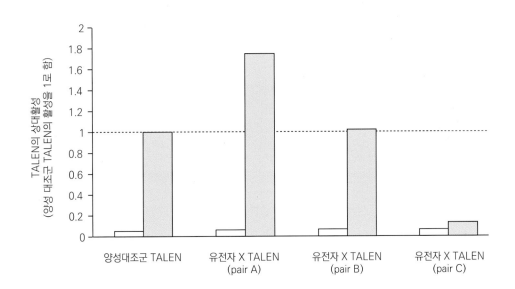

그림 4 SSA 분석 결과의 예
양성 대조군의 활성화를 1로 했을 때의 상대 활성 값이 세로축에 표시된다. 파란색 막대가 원하는 활성 값이며, 흰색 막대는 도 입한 TALEN과 무관한 표적 서열을 삽입한 리포터를 이용한 경우의 활성을 나타내고 있다.

린뒤 선택 약제를 투여한다. 약제에 따른 사용 농도가 다르기 때문에 미리 예비 실험이 시행되어야 한다. 저자는 Puromycin의 경우 0.5~1.0 μg/mL, hygromycin의 경우 20~50 μg/mL, G418의 경우 100~400 μg/mL 정도의 농도로 사용하는 경우가 많다. 선택약제 투여후 표적 유전자가 잘 위치함을 확인하고, 충분한 콜로니(수십 혹은 수백 개 이상)가 생존하는 것을 확인한다. 다음 단계로 한계 희석을 시행하고, 단일세포 유래 콜로니를 만들고 게놈 DNA로부터 PCR로 공여자 염기서열의 재조합을 검정한다. 적절한 공여자 디자인, 고활성의 TALEN 쌍, 고효율 유전자 도입 등의 조건이 갖추어지면 90%에 가까운 비율로 공여자의 knock-In이 관찰 될 수 있다. 그러나 일정한 비율로 공여자 염기서열이 일부만 바뀌는 세포주도 존재하므로, Southern blotting 혹은 sequencing 등으로 확인할 것을 권장한다.

결론

TALEN 및 CRISPR/Cas시스템을 이용한 게놈 편집 기술의 등장으로 원하는 부위에 DNA 손상을 유도할 수 있게 되어, 인간 ES / iPS 세포 등에서 게놈 편집 실험의 응용 범위가 급속히 확산되고 있다[3] [4]. 한편, 이러한 게놈 편집을 할 때 예상치 못한 부위에 변이가 도입될 가능성도 우려되고 있어, 재생 의료의 이용을 염두에 둔 연구라면 신중하게 검토할 필요가 있다. 특히 CRISPR/Cas 시스템은 유사한 염기서열에도 변이를 일으키는 것이 인간 배양 세포에서 나타나고 있어 주의가 필요하다[6].

어쨌든 앞으로 게놈 편집 기술은 필수 기술로 점점 보급될 것으로 보인다. 이 항목을 발판으로 기본 기술을 습득하고, 다양한 연구에 유용하게 써 주었으면 한다.

◆ 문헌

1) Cermak, T. et al. : Nucleic Acids Res., 39: e82, 2011
2) Sakuma, T. et al. : Genes Cells, 18: 315-326, 2013
3) Hockemeyer, D. et al. : Nat. Biotechnol., 29: 731-734, 2011
4) Ding, Q. et al. : Cell Stem Cell, 12: 238-251, 2013
5) Yusa, K. : Nat. Protocol., 8: 2061-2078, 2013
6) Fu, Y. et al. : Nat. Biotechnol., 31: 822-826, 2013

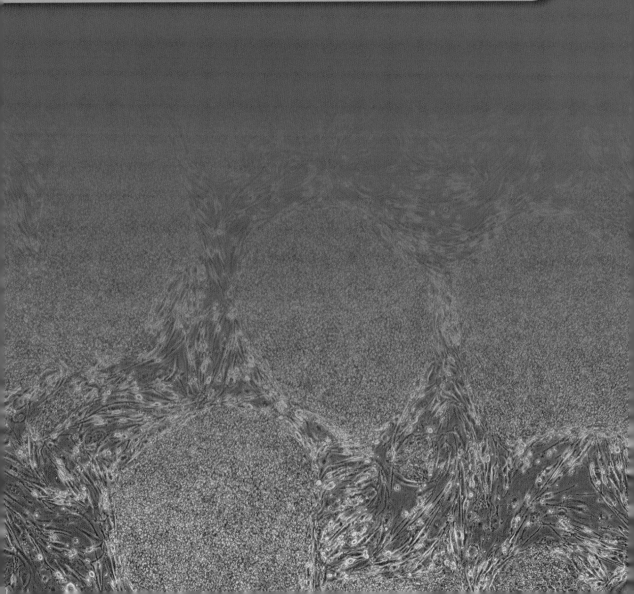

V 신약 스크리닝

1 인간 만능 줄기세포를 이용한 질병 연구와 신약개발의 전망

콘도오 타카유키(近藤孝之), 이노우에 하루히사(井上治久)

인간 만능 줄기세포는 무한 증식능력과 다분화 능력을 가지고 있으며, 재생 의료 재료로서의 이용뿐만 아니라 신약 개발의 효율성·안전성 평가 체계 구축에 활용이 기대된다. 초대 배양 세포와 달리 무한 증식할 수 있기 때문에 대량의 안정된 세포 자원으로서의 역할이 가능하다. 또한 최근 몇 년 동안 인간 만능 줄기세포에서 질병의 표적 장기의 세포로의 분화 유도하는 기술이 비약적으로 발전하고 있다. 이들을 결합하여 만능 줄기세포는 질병 분석 및 신약 개발에 있어서 매우 매력적인 질환 모델이 될 수 있다. 이번 장에서는 특히 신경 질환을 예로 만능 줄기세포를 이용한 질환 분석과 약물 유효성 평가 연구의 배경 및 최근 동향에 대해 소개 한 후, 향후 전망에 대해서도 이야기하고자 한다.

질환연구의 역사에서 만능 줄기세포

신경 질환의 연구는 임상적 진단을 바탕으로 사후 뇌를 이용한 병리학적 검토에서 시작되었다. 이후, 질환을 일으키는 유전자와 그 변이의 탐색 연구가 1980년대부터 진행되었다. 멘델형의 유전 형식을 취하는 가족성(유전성) 질환의 원인 유전자로 확인된 유전자를 불멸화 세포주 및 동물에서 과잉 발현 또는 결실시킴으로써 질환 병리 및 임상 증상을 모방하는 세포 모델 혹은 동물모델이 개발되었다(질환 모델링). 이러한 유전자 조작 질환 모델은 지금도 병태 탐색 및 약물 개발의 중심적 존재로 계속 진행되고 있다. 한편, 신경 질환 중에서도 특정 신경 세포에 변성 및 세포 사멸을 일으키는 신경 퇴행성 질환에서는 상세한 메커니즘은 미해결 부분이 아직 많고, 질병 퇴치에 이르는 치료법은 아직 없고, 다만 대증 요법에 머물러 있다. 기존의 유전자 조작 질환 모델에서 매우 높은 효과를 보였던 약이라도 임상 시험 단계에서 부작용이 발생하고 효과가 불충분한 경우를 볼 수 있다. 이 배경에는 마우스와 인간의 차이 이외에, 원인 유전자의 과잉 발현 및 결손에 의한 인위적으로 확대된 표현형을 분석하는 등의 가능성이 지적되고 있다. 따라서 인간 환자 세포를 이용한 신경 질환 연구 체계의 개발이 요구되고 있었지만, 신경 세포의 초대 배양 세포의 이용은 자원으로도 기술적으로도 매우 어려웠다.

이러한 상황 속에서 1998년에 인간 ES 세포의 수립이 보고되었고, 이어 일본에서도 역시 일본인 유래의 인간 ES 세포가 수립되게 되었다. 동시에 ES 세포에서 신경 세포로의 분화 유도 기술의 개발이 진행되고, 이 ES 세포 유래 신경 세포를 질환 분석에 사용하는 연구가 이루어져 왔다[1][2]. 그러나, 윤리 및 법적 규제 연구 응용의 장애물이 존재한 것과 ES 세포 수립을 위한 착상 전 수정란의 공급에 한계가 있는 것 등을 배경으로 질병 모델링으로의 이용은 제한적이었다. 이러한 문제점을 해결할 수 있는 새로운 기술로, 2007년에 인간 iPS세포의 수립 방법이 보고 되었다[3]. 그리고 환자 유래 iPS 세포의 수립 및 질병 모델링으로의 응용 연구가 폭발적으로 퍼졌다.

인간 만능 줄기세포를 이용한 질환 모델링

만능 줄기세포를 이용한 질환 모델링에서 원하고자 하는 세포를 적절하게 유도하는 것은 매우 중요하다. 이러한 분화유도기술의 개발은 주로 인간 ES 세포를 이용하여 연구되어 왔다. 그리고 이런 ES 세포에서 축적된 분화유도기술은 인간 iPS 세포에도 거의 그대로 사용할 수 있다는 것이 알려져서 환자의 체세포로부터 제작된 iPS 세포에 의한 질환 모델링 연구가 시작되었다. 예를 들자면, 유전성 신경 질환 환자의 iPS 세포로부터 대뇌 피질 신경 세포, 운동 신경 세포, 그리고, 도파민 신경 세포 등 각 질환에 따른 신경 세포종을 분화 유도시켜서 이미 알려진 병태생리를 재현할 수 있는 것으로 확인되었다(표).

한편, 유전적 배경이 분명하지 않았던 사례의 분석은 주로 GWAS (Genome-wide association study) 방법을 이용하여 그 유전적 및 분자적 배경의 탐색이 진행되어 왔다. 이런 사례의 경우도 환자 iPS 세포에서 분화 유도된 세포에서 질병 표현형의 검출도 이루어지게 되어왔다[4]~[9]. 앞으로 유전자 변형 질환 모델에서 접근이 불가능했던 질환에 대해서도 환자 유래 iPS 세포를 이용한 분석으로 분자 병태와 질병 마커의 탐색이 진행될 가능성이 있다.

또한, 인간 만능줄기세포에서 분화 유도된 세포는 기존의 세포주보다 생리적 상태에 가까운 것으로 예측되고 있다. 일례로, 알츠하이머 병의 치료제로 유망시 되고 있던 γ-secretase modulator는 알츠하이머 질환 관련 유전자를 과발현시킨 종양 세포주를 이용하여 개발이 진행되고 있었다. 그러나 이 약을 인간 ES 세포에서 분화 유도된 신경 세포를 이용하여 약효를 평가하면 매우 높은 농도에서만 간신히 효과를 보여서, 생체 약물 동태를 모방한 낮은 농도에서는 효과가 없는 것으로 확인 되었다[10]. 이는 기존의 유전자 변형 질환 모델에서 쌓인 병태생리에 대한 지식을 재검토 필요성을 시사하고 있다.

그렇지만, 지금까지의 환자 유래 iPS 세포에 의한 신경질환 연구는 병리학적 지식과 유전자 변형 및 과잉 발현 모델로 해명되어 온 병태의 재현에 그치는 것이 많다. 이러한 이유로 질환 관련 변이 유전자를 과다 발현 또는 결실시킨 기존의 세포 모델이 유전적인 질환 배경을 1~2 copy 밖에 가지지 않은 iPS 세포 유래의 분화 유도 세포보다 더 강한 세포 표현형을 표출하기 쉬울 가능성이 있다. 이러한 비교적 작은 질환 표현형을 검출하기 위해서는, ① 좀 더 정확한 iPS 세포 유지 기술과 분화 유도 기술을 이용하는 것, ② 질환 표현형 검출 감도를 올리는 것, ③ 컨트롤 및 환자 각각의 iPS 클론수를 늘리는 것으로, 또 ④ 최근 응용이 급속히 진행되고있는 유전자 편집 기술을 이용하는 것 등을 들 수 있다[11]. 앞의 ① ② 의 두가지에 대한 기술 개발은 일취월장하고 있고, 특히 다음에 설명할 신약 개발 연구에 이용에 있어서 매우 중요하다. 뒤에 두 가지는 모두 일장일단의 부분이 있지만, 2013년에 ZFN (Zinc Finger Nuclease)을 이용하여 파킨슨 병의 원인 유전자인 LRRK2의 G2019S 돌연변이를 정상형으로 수정하고 질환 표현형을 복원하였다는 보고가 이루어졌다[12]. 또한 인간 ES세포 혹은 iPS세포는 유지 배양 조건의 차이 및 클론 특성의 차이에 따라 그 분화 유도 효율에 차이가 나는 것으로 알려져 있다. 이 점을 극복하기 위해, 만능 줄기세포의 균질성을 평가하기 위한 기준 만들기도 진행되고 있다[13) 14].

표　인간 만능줄기세포를 이용한 신경계와 근육계 질환 모델링의 예

질환	유전자변이	표현형	문헌
신경계			
알츠하이머 병	*APP* E693Δ *APP* V717L Sporadic	세포내 Aβ oligomers의 축적 상층액 Aβ 42/40 비율의 상승 ER stress 및 oxidative stress 신경 영양인자제거 조건하에서의 신경세포사	문헌 9
알츠하이머 병	*APP* duplication	상층액 Aβ 40 증가 phosphorylated tau (T231 부위) 증가 GSK3β의 활성화	문헌 6
알츠하이머 병	*PS1* A246E *PS2* N141I	상층액 Aβ 42/40 비율의 상승	Yagi, T. et al. : Hum. Mol. Genet., 20 : 4530–4539, 2011
다운 증후근	Chr.21 trisomy	상층액 Aβ 40 증가 Aβ fibril의 세포외 축적 phosphorylated tau (T231, S396 부위) 증가	Shi, Y. et al. : Sci. Transl. Med., 4 : 124ra29, 2012
전두 측두형 치매	*PGRN* S116X	PGRN의 발현감소 PI3–Akt 경로대비 MEK–MAPK 경로 활성화	Almeida, S. et al. : Cell Rep., 2 : 789–798, 2012
전두 측두형 치매	*C9ORF72* intron GGGGCC repeat expansions	신경분화과정에서 GGGGCC repeat의 불안정성 RNA foci의 형성 Gly–Pro 펩타이드의 축적 (RANT 펩타이드의 축적) 클로로퀸 · 3-methyladenine에 취약성	Almeida, S. et al. : Acta Neuropathol., 126 : 385–399, 2013
근 위축성 측색경화증	*TARDBP* G298S *TARDBP* M337V *TARDBP* Q343R	불용성 획분 TDP–43 증가 신경돌기의 단소화	Egawa, N. et al. : Sci. Transl. Med., 4 : 145ra104, 2012
근 위축성 측색경화증	*TARDBP* M337V	용성 획분 TDP–43 증가 신경세포사	Bilican, B. et al. : Proc. Natl. Acad. Sci. USA, 109 : 5803–5808, 2012
근 위축성 측색경화증	*TARDBP* M337V	용성 획분 TDP–43 증가 Astrocyte 세포사	Serio, A. et al. : Proc. Natl. Acad. Sci. USA, 110 : 4697–4702, 2013
근 위축성 측색경화증	*VAPB* P56S	VAPB 발현의 저하 VAPB 양성 inclusion body MG–132 처리하에서 VAPB 불안정성 증가	Mitne–Neto, M. et al. : Hum. Mol. Genet., 20 : 3642–3652, 2011
근 위축성 측색경화증	sporadic	TDP–43의 세포내 응집체 phosphorylated tau (p S409/410) 양성 응집체	문헌 8
척수성 근 위축증	*SMN1* exon7 deletion	운동신경세포로의 분화효율저하 Gem body의 감소 신경돌기의 신장 불량	Chang, T. et al. : Stem Cells, 29 : 2090–2093, 2011

질환	유전자변이	표현형	문헌
척수성 근 위축증	SMN1 exon7 deletion	운동신경세포로의 분화효율저하 Gem body의 감소	Ebert, A. D. et al. : Nature, 457 : 277-280, 2009
척수성 근 위축증	SMN1 exon7 deletion	VPA 불응답성 상태에서 VPA 응답성 저하 VPA 불응답성 상태에서 CD36 발현증가	Garbes, L. et al. : Hum. Mol. Genet., 22 : 398-407, 2013
척추 및 구근 근위축증	AR CAG repeat	Dihydrotestosterone에 따른 AR 축적	Nihei, Y. et al. : J. Biol. Chem., 288 : 8043-8052, 2013
파킨슨 병	LRRK2 G2019S	도파민 신경 세포 돌기 길이의 단소화 과산화수소에 의한 TH 양성 세포의 취약성 6-OHDA 의한 활성화 Caspase-3 증가	문헌 5
파킨슨 병	LRRK2 G2019S Sporadic	α-synuclein 축적 dopamine 신경세포돌기장의 단축 Autophagy활성 항진, activated Caspase 3 양성 신경세포 증가	문헌 7
파킨슨 병	LRRK2 G2019S	dopamine 신경세포돌기장의 단축 6-OHDA/rotenone으로인한 activated Caspase-3 증가 Tau 및 인산화 Tau 증가 α synuclein 증가, 인산화 ERK 증가	문헌 12
파킨슨 병	PINK1 V170G	PINK1 의존성, PARKIN 미토콘드리아 지방화와 유비퀴틴화 Mitophagy의 이상	Rakovic, A. et al. : J. Biol. Chem., 288 : 2223-2237, 2013
파킨슨 병	PINK1 Q456X PINK1 V170G	PARKIN 미토콘드리아 지방화 미토콘드리아 수의 감소 PGC-1α의 증가	Seibler, P. et al. : J. Neurosci., 31 : 5970-5976, 2011
파킨슨 병	PINK1 Q456X LRRK2 R1441C LRRK2 G2019S	valinomycin 의한 ROS 생산 증가 mitochondrial reactive oxygen 기능 이상 axonal mitochondrial transport 랜덤 이동화	Cooper, O. et al. : Sci. Transl. Med., 4 : 141ra90, 2012
파킨슨 병	PARKIN exon 2-4 deletion PARKIN exon 6,7 deletion	산화 stress 상승 α synuclein 축적	Imaizumi, Y. et al. : Mol. Brain, 6 : 35,2012
파킨슨 병	SNCA triplication	세포질 및 상층액 α-synuclein 축적	Devine, M. J. et al. : Nat. Commun., 2:440, 2011
파킨슨 병	SNCA triplication	α-synuclein 증가 hydrogen peroxide에 의한 activated Caspase-3 증가	Byers, B. et al. : PLoS One, 6 : e26159, 2011
고셔 병	GBA N370S/84GG insertion	α-synuclein 축적 불용성 분획 α-synuclein 증가	Mazzulli, J. R. et al. : Cell, 146 : 37-52, 2011
헌팅턴 병	HTT CAG repeat	신경성장인자제거시 신경세포사멸	Zhang, N. et al. : PLoS Curr., 2 : RRN1193, 2010
헌팅턴 병	HTT CAG repeat	활성화 caspase-3 증가 신경성장인자제거시 신경세포사멸	HD iPSC Consortium, Cell Stem Cell, 11:264-278, 2012
헌팅턴 병	HTT CAG repeat	활성화 caspase-3 증가 상동 재조합에 의한 CAG 반복 연장 정상화	An, M. C. et al. : Cell Stem Cell, 11:253-263, 2012

(다음 페이지에 계속)

질환	유전자변이	표현형	문헌
Fragile x syndrome	FMR1 CGG repeat expansion	FMR1 epigenome 변형 FMR 단백질 발현 저하 신경돌기 길이의 단축화	Sheridan, S. D. et al. : PLoS One, 6 : e26203, 2011
Familial autonomic ataxia	IKBKAP Exon20 skip	비정상 splicing polymorphism 증가 비정상 migration ability	Lee, G. et al. : Nature, 461: 402-406, 2009
Familial autonomic ataxia	IKBKAP Exon20 skip	IKBAP 발현저하	문헌 16
Spinocerebellar degeneration type 2	ATXN2 hetero	신경 줄기세포 및 섬유 아세포의 ataxin-2 발현 저하 신경 세포의 취약점	Xia, G. et al. : J. Mol. Neurosci., 51: 237-248, 2013
Spinocerebellar degeneration type 3 (Machado-Joseph 병)	ATXN3 CAG repeat	glutamate 자극에 의한 불용성 분획 ataxin-3 증가	Koch, P. et al. : Nature, 480: 543-546, 2011
Drave 증후근	SCN1A R1645*	GABA 작동성 신경의 활동성 저하	Higurash, N. et al. : Mol. Brain, 6 : 19, 2013
Drave 증후근	SCN1A F1415I SCN1A Q1923R	발작성 탈분극 변위의 증가	Melko, M. et al. : Hum. Mol. Genet., 22:2984-2991, 2013
Timothy 증후근	CACNA1C G406	TH의 발현 증가 노르에피네프린·도파민 분비량 증가	Pasca S. P. et al. : Nat. Med.,17:1657-1662, 2011
Rett 증후근	MECP2 T158M	MeCP2의 발현 저하 신경 줄기세포로의 분화는 정상 성숙한 신경 세포 수로 분화 효율 저하	Kim, K. Y. et al. : Proc. Natl. Acad. Sci. USA,108: 14169-14174, 2011
Rett 증후근	MECP2 Q244X MECP2 R308C	MeCP2의 발현 저하 VLUT1 puncta 감소 세포체 크기의 감소 spontaneous firing 빈도의 감소 EPSP 발화 빈도의 감소	Marchetto, M. C. et al. : Cell,143:527-539, 2010
정신분열증	Sporadic	시냅스 형성 수의 감소 신경 돌기 길이의 단소화 spontaneous firing 빈도 정상 EPSP 발화 빈도 정상	문헌 4
HSV-1 뇌염	UNC93B1 c.1034_1037del4 TLR3 c.1660C)T TLR3 c.2236G)T	dsRNA 아날로그 투여 또는 HSV1 감염에 의한 IFN-β and/or IFN-γ 1 유도 장애	Lafaille, F. G. et al. : Nature, 491:769-773, 2012
다발성 경화증	Sporadic	없음	Song, B. et al. : Stem Cell Res., 8: 259-273, 2012
골격근계			
Duchenne 형 근 위축증	DMD del exons 4-43	없음	Kazuki, Y. et al. : Mol. Ther., 18: 386-393, 2010
Hutchinson Gilford Progeria 증후근	LMNA c.1824C)T (splice alterlation)	저산소에서 DNA 손상 및 세포사멸의 증가 허혈성 마우스 뒷다리 장애에 대한 이식 치료의 효과가 감소	Zhang, J. et al. : Cell Stem Cell, 8: 31-45, 2011
Miyoshi 근병증	DYSF not discribed	Dysferlin 발현 감소 FM1-43 흡수 증가	Tanaka, A. et al. : PLoS One., 8: e61540, 2013

인간 만능 줄기세포를 이용한 신약 개발

만능 줄기세포를 이용한 질환 모델링의 목적 중 하나는 약제를 개발하는 것이다. 이 신약 연구에서는 ES세포 혹은 iPS세포에서 분화 유도된 심근 세포로의 응용이 가장 앞서있다. 이유는 정교한 분화 유도 시스템이 개발 되어있는 것과, 대상의 기능 분석(예 : QT 시간 연장에 의한 독성 평가)이 비교적 안정적으로 실시 되는 것 등을 들 수 있다[15]. 신경 질환에서는 신경 세포의 기능에 대한 많은 양의 정보를 직접적으로 처리하고 평가하는 것은 현재 기술적으로 어렵지만, 질환 특이적 분자를 표적으로 한 스크리닝 연구와 신약 개발은 이미 보고되기 시작하고 있다[16].

한편, 만능 줄기세포를 이용한 세포 시스템을 사용하는 경우에 문제점은 수천에서 수만 가지 약 후보의 검토에 필요한 1×10^9 주문의 세포 수를 공급하는 목적으로는 장기간 분화 유도의 안정성을 제공하기 어려울 수 있다. 이에 대한 배경으로 분화 유도의 출발점을 만능 줄기세포(ES세포 및 iPS세포)에 둔 경우, 분석에 사용될 세포주 유도를 시작하여 마칠 때까지 보통 여러 차례의 계대 단계와 몇 주 동안 배양 기간이 필요하기 때문이다. 이것은 분화 유도 실험마다 lot 간의 차이로 이어질 가능성을 의미하고 있으며, 신약 개발 연구에서 사용하기 위해서는 더 적은 작업 단계에서 더 짧은 배양 기간의 분화 유도 방법 개발도 함께 추진할 필요가 있다.

마지막으로, 전 임상시험에 인간 만능 줄기세포 유래의 분화유도 세포를 이용할 수 있다면, 생리적 질병 상태에서 약효 및 독성을 평가할 수 있을 것이다. 그리고 임상 치료 단계에서도 기대하는 약효가 발휘되고, 부작용 위험을 회피할 수 있을 가능성이 높아진다. 즉, 신약개발비용 절감 및 개발기간 단축을 거쳐 출시까지의 여정이 신속해질 것으로 기대되고 매우 유망하게 생각하고 있다.

앞으로의 발전에 대한 기대

지금까지 종종 만능 줄기세포를 이용한 질병 모델링 및 신약 개발은 평면 배양에 한정되어 있었다. 그러나 정작 신경 조직을 포함한 모든 장기는 입체 구조를 취하고 있기 때문에 분화 유도 한 세포가 어느 정도까지 생체내 세포의 특성을 가지고 있는지 알 수 없는 점이 많다. 그래서 생리적 조건에 가까운 세포 환경을 모방하기 위해 *in vitro* 있어서도 3차원 입체 배양법의 개발이 시작되었다. 예를 들어, 인간 ES 세포 혹은 iPS 세포에서 수 mm 크기의 대뇌 신경 덩어리를 만들어 그 안에 대뇌 피질에 특유의 계층 구조를 재현했다는 보고가 있다[17] [18]. 현재 질환 분석에 이용하기 위한 안정성과 정보 처리량의 관점에서 개선의 여지가 남아 있지만, 매우 중요한 방향성이며, 앞으로도 연구가 가속화 될 것으로 보인다.

iPS 세포를 이용한 질환 모델링 연구에서 만능 줄기세포에서 표적 분화 유도 세포까지

1~3개월의 배양 기간을 거쳐 질환 분석을 실시하고 있다. 1~3개월이라는 배양 기간은 *in vitro* 배양 계로서는 유난히 길다고 말할 수 있다. 그러나 10개월을 걸쳐 태아에서 시작하여 인간이 되는 정상 발생과정과 비교하면, 그 전반부인 기관 형성기에 해당하는 단계에서 질환 분석을 하고 있는 셈이다. 따라서 장년에서 노년기에 이르는 수십 년의 시간을 거쳐 발병하는 신경 퇴행성 질환의 모델로는 불충분한 것 아니냐는 논란이 지속되어 왔다. 아마 앞에서의 질환 모델링에서는 배양 환경 자체가 인공적인 가속 인자가 되어 질환 표현형으로 나타났을 가능성과 임상 증상이 없더라도 유전자 변이의 영향이 주산기의 시점에서 시작되었을 가능성을 생각해 볼 수 있다.

그러나 신경 퇴행성 질환의 병리학적 특징인 유비퀴틴화된 비정상단백질 봉입제는 지금까지 iPS 세포 모델에서의 관찰은 어렵다고 여겨져왔다. 최근 조로증의 원인 변이 유전자를 도입하여, *in vitro*에서 노화를 가속시키는 시도가 보고 되었다[9]. 구체적으로는 파킨슨 병 환자의 iPS 세포에서 유도된 도파민 신경 세포 내에 조로증의 원인이 되는 돌연변이 lamin A 유전자 유래의 프로제린(progerin)을 과잉 발현시킴으로써 파킨슨 병의 병리학적 특징인 레비 소체(Lewy bodies)를 재현할 수 있다고 되어 있다. 이러한 분자적 방법에 의한 세포 수준에서 노화 촉진에도 신경 질환뿐만 아니라 더 넓은 노화 관련 질환의 신약 개발에서도 중요한 역할을 담당할 것으로 생각된다.

이러한 기술을 통해보다 생리 병태 환경을 모델링하여 약 유효성 평가의 감도와 정확도가 상승할 것으로 예상된다.

결론

이미 국내 외에서 인간 만능 줄기세포를 이용한 약물 효과의 연구는 폭발적인 확산되고 있지만, 아직도 여명기에 있다고 할 수 있다. 환자를 대상으로 한 임상 연구와 게놈 연구, 기존의 세포 및 동물 모델 연구와 긴밀하게 연계하면서 패러다임의 변화를 일으키고 질병의 정복을 위한 노력이 가속화될 것으로 기대된다.

◆ 문헌

 1) Marchetto, M. C. et al. : Cell Stem Cell, 3 : 649-657, 2008
 2) Wada, T. et al. : Stem Cells Transl. Med., 1 : 396-402, 2012
 3) Takahashi, K. et al. : Cell, 131 : 861-872, 2007
 4) Brennand, K. J. et al. : Nature, 473 : 221-225, 2011
 5) Nguyen, H. N. et al. : Cell Stem Cell, 8 : 267-280, 2011
 6) Israel, M. A. et al. : Nature, 482 : 216-220, 2012
 7) Sánchez-Danés, A. et al. : EMBO Mol. Med., 4 : 380-395, 2012
 8) Burkhardt, M. F. et al. : Mol. Cell. Neurosci., 56 : 355-364, 2013
 9) Kondo, T. et al. : Cell Stem Cell, 12 : 487-496, 2013
10) Mertens, J. et al. : Stem Cell Reports. 2013.

11) Inoue, H.et al. : EMBO J., 2014, in press.

12) Reinhardt, P. et al. : Cell Stem Cell, 12 : 354-367, 2013

13) Cahan, P. & Daley, G. Q. : Nat. Rev. Mol. Cell Biol., 14 : 357-368, 2013

14) Koyanagi-Aoi, M. et al. : Proc. Natl. Acad. Sci. USA, : , 2013

15) Navarrete, E.G. et al.:Circulation,128 : S3-13, 2013

16) Lee, G. et al. : Nat. Biotechnol., 30 : 1244-1248, 2012

17) Kadoshima, T. et al. : Proc. Natl. Acad. Sci. USA, 110 : 20284-20289, 2013

18) Lancaster, M. A. et al. : Nature, 501 : 373-379, 2013

19) Miller, J. D. et al. : Cell Stem Cell, 13 : 691-705, 2013

V

1

인간 만능 줄기세포를 이용한 질병 연구와 신약개발의 전망

2 iPS 세포 유래 조직세포를 이용한 독성 실험

미즈구치 히로유키(水口裕之), 타카야마 카즈오(高山和雄)

iPS 세포는 생명현상의 해석과 질환의 메커니즘 이해 등 기초연구에 이용될 뿐만 아니라, 재생의학과 약품개발에 있어서 특히 신약개발 연구에서 응용이 기대되고 있다. 이번 장에서는 신약 개발연구 및 의약품 개발에 있어서 독성 시험에 인간 iPS 세포의 응용에 대해 심장 독성과 간독성 평가 시스템에의 용용에 대한 현황과 과제에 대해 알아보겠다.

서론

신약 개발 과정은 일반적으로 1조원이 넘는 개발비와 10~15년의 기간을 필요로 한다. 그 과정에서 약 20,000건의 후보 화합물 중에서 약효, 독성 등의 평가를 거쳐 그중에 하나가 의약품으로 승인을 받는다. 이 과정을 신속화시키기 위한 새로운 기술의 하나로 iPS 세포 기술이 주목받고 있다.

의약품 개발 과정을 위에서부터 살펴보면 ① 질병의 메커니즘 해명과 신약 타겟 분자의 검색, ② 스크리닝 시스템 구축 및 화합물 스크리닝, ③ 화합물의 최적화 및 약효 평가 시험 및 안전성 약리 시험, 독성 시험, 그리고 약물 동태 시험, ④ 제조 방법의 최적화(확립) 및 품질 관리 시험 등의 CMC 시험, ⑤ 임상 시험으로 이어진다. 인간 iPS 세포를 이용한 신약 개발 연구는 크게 특정 병태의 반영을 기대할 수 있는 질환(환자) 유래의 iPS 세포(질환 iPS 세포)를 이용한 연구와 정상인 유래의 iPS 세포를 이용한 연구로 나뉘는데, 질환 iPS 세포와 정상인 유래의 iPS 세포는 주로 위 ① ② ③의 연구 단계에 사용 가능한 것으로 기대되고 있다. 또한 인간 iPS 세포 자체가 이러한 신약 개발 연구에 이용되는 것은 거의 없고, 인간 iPS 세포에서 특정 세포로 분화시킨 세포가 이용된다. 따라서 인간 iPS 세포가 신약 개발 연구에 사용할 수 있는지 여부(또는 어떤 신약 개발 연구에 사용할 수 있는지)는 인간 iPS 세포에서 분화된 세포의 "분화도"에 크게 의존하고 있으며, 미숙 분화 세포는 실제 인간의 병태 및 기능을 반영하지 않는 경우가 많아 이용할 수 없게 된다.

한편, 2008~2010년 사이에 미국에서 1단계 임상 시험에서 개발 중지된 의약품 후보 화합물의 개발 중지 이유는 유효성의 결여(51%), 전략적 문제(29%), 독성(안전성)(19%)이며[1], 독성 문제가 큰 비중을 차지하고 있다. 또한, 1976~2005년 사이에 독성으로 인해 미국 시장에서 철수한 28개 의약품의 독성을 분류하면, 간 독성(21%), 신장 독성(7%), 심장 독성

표 1　인간 iPS 세포를 신약 개발 연구에 적용할 때의 장점

- 인간 ES 세포와 달리 수정란을 이용할 필요가 없기 때문에 윤리적 장벽이 낮다.
- 인간 세포이므로 종간의 차이를 고려할 필요가 없다.
- 생검으로 채취가 불가능한 조직 세포를 제작할 수 있다.
- 인간 iPS 세포는 모든 인간에서 제작이 가능하므로, 개인차나 병태적 차이를 반영한 평가가 가능하다.
- 적절한 모델이 없는 질환에서도 모델 세포를 구축할 수 있다.
- 질환에 따라서는 질환 발병 전부터 발병 후까지 과정을 추적할 수 있다.

(7%), Torsades de pointes (21%)이며[2], **Torsades de pointes**을 심장 독성에 포함하면, 심장 독성과 간 독성이 주된 독성 관련 장기임을 알 수 있다.

이번 장에서는 정상인 유래의 iPS 세포를 심근 세포 혹은 간세포로 분화시켜 신약 개발 연구 과정에서 독성 시험(안전성 시험)에 응용하는 시도를 중심으로 설명하겠다. 또한 이러한 시도의 성패는 iPS 세포에서 제작한 심근 세포 혹은 간세포의 "분화도"에 크게 의존하기 때문에 분화 유도 기술의 현황에 대해 간단히 설명하겠다.

iPS 세포 유래 조직세포를 이용한 독성시험

앞에서 설명한 바와 같이, 인간 iPS 세포에서 분화된 세포(특히 심근 및 간세포 등)는 의약품 개발 연구의 최상류 질병의 메커니즘 해명과 신약 타겟 분자의 검색 연구뿐만 아니라 화합물 스크리닝과 약효 평가 시험, 안전성 약리 시험, 독성 시험 및 약물 동태 시험 등 전임상 시험에서도 활용이 기대되고 있다. 세포를 이용한 *in vitro* 분석 시스템은 약리 작용(효과)의 평가와 독성 평가를 위해 지금까지도 활용되고 왔지만, 다양한 세포주(cell line)와 초대배양(primary culture)(인간)세포를 이용한 것이다. 다양한 세포주들은 처리량이 우수하지만, 생체의 상태(병태와 기능)을 반드시 반영하고 있다고는 할 수 없고, 다른 한편으로 초대배양 인간 세포는 고가이며, 성격상 균일한 단 하나의 lot 세포를 안정적으로 얻기가 어렵고, 심지어 조직에 따라서는 입수 자체가 불가능하다는 과제가 있다. 또한 동물 유래의 초대배양 세포 및 동물 실험에서는 "종간의 벽" 때문에 인간 고유의 약리 및 독성을 놓칠 수 있다. 인간 iPS 세포 유래 분화 유도 세포는 이러한 문제점 극복을 기대할 수 있기 때문에 큰 주목을 받고 있다(표 1). 또한 정상인 유래의 iPS 세포를 이용한 신약 개발 연구는 인간 ES 세포를 이용한 비슷한 연구가 선행되어 있으므로, 다음에서는 인간 ES 세포와 iPS 세포의 양자를 이용한 연구에 대해 구별없이 소개하도록 하겠다.

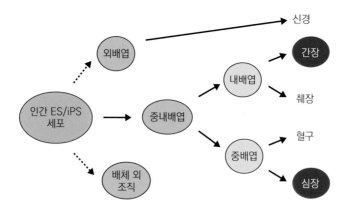

그림 1 인간 ES · iPS 세포에서 심장, 간 신경 세포로의 분화 유도
인간 ES·iPS 세포에서 심장(심근 세포), 간(간세포), 신경 세포 등으로 분화는 각각 중배엽,
내배엽, 외배엽을 통해 일어난다.

인간 iPS 세포 유래 심근 세포를 이용한 심장 독성 시험

인간 ES 세포 혹은 iPS 세포에서 분화된 세포의 응용으로는 심근 세포가 연구 및 개발이 가장 진행되었으며, 특히 약물 유발성 QT 연장에 대한 분석 체계를 비롯한 심독성 평가 시스템은 ReproCELL Inc., ChanTest 사, Cellular Dynamics International사 등에서 이미 실용화가 많이 되어 있다.

1. 약물 유발성 QT 연장 분석

약물 유발성 QT 연장은 심실 근육의 활동 전위 지속 시간에 상당하는 심전도 QT 간격을 연장하는 것을 특징으로, 치명적인 부정맥을 일으키는 원인이 된다. QT 연장의 주요 원인으로는 약이 K^+ (potassium) 채널을 형성하는 sub-unit인 hERG (human *ether-a-go-go related gene*) 채널의 기능을 억제하는 것으로 알려져 있다. 미국, EU, 일본 의약품규제화합국제회의(International Conference on Harmonisation : ICH)에서 제정된 안전성 약리 시험 가이드 라인에서는 의약품 후보 화합물의 부정맥 작용, 특히 QT 간격 연장 작용의 유무를 검토하는 것이 요구되고 있으며, hERG 유전자를 도입하여 hERG K^+ 채널을 발현시킨 HEK293 세포와 CHO 세포 등을 이용하여, 화합물의 hERG K^+ 채널의 기능억제작용을 조사하는 시험이 안전성 약리 시험으로 권장되고 있다.

ReproCELL Inc가 개발한 QT연장 시험(QTempo)은 인간 iPS 세포 유래의 박동 심근 세포를 이용하여 심전도의 QT 간격에 해당하는 파형을 비침습적인 전기생리학적인 방법을 이용하여 측정하는 cell-based QT 연장 시험법이며, QT 연장뿐만 아니라 박동수의 변화, K^+ 채널 이외의 여러 이온 채널로의 영향도 관찰할 수 있는 것을 특징으로 하고있다. hERG 유전자를 도입한 일반 세포주를 이용한 기존 시험 방법과 비교하여 인간 iPS 세포 유래의 박동 심근 세포는 다양한 이온 채널을 발현하고 있어서, 더 정확한 약물 유발성 QT연장 시험을 기대할 수 있다.

2. 인간 iPS 세포에서 심근 세포로의 분화 유도 현상

심근 세포는 ES 및 iPS 세포로부터 중배엽을 통해 분화 유도된다(그림 1). ES 및 iPS 세포에서 심근 세포로의 분화 유도 기술 개발은 비교적 잘 진행되고 있으며, 배아형태모형(embryoid body : EB) 형성 방법 또는 noggin[3] 등의 액성 인자를 순차적으로 이용하는 다단계 분화 유도 방법을 이용하여 심근 표지자 인 α-actinin, cardiac troponin I, cardiac troponin T, connexin 43, myosin heavy chain 6 양성 세포를 제작할 수 있다. Minami 등은 심근 분화를 촉진할 수 있는 저분자 화합물을 스크리닝하여 인간 ES 및 iPS 세포에서 심근 세포로의 분화를 비약적으로 높이는 화합물을 발견 하였다[4]. 또한, Tohyama 등은 심근 세포 특이적인 대사 특성을 이용하여 분화 유도 시 심근 세포에 사용되는 배양액에서 모든 세포의 생존에 필수가 되는 Glucose를 제거하고, 그 대안으로 심근 세포만을 이용할 수 있는 lactic acid를 배양액에 첨가함으로써 미분화 세포의 혼입이 적은 고순도의 분화 유도된 심근 세포의 정제에 성공했다[5]. 한편 분화 유도된 심근 세포의 증폭을 위해서 분화 유도 심근 세포를 과립구 콜로니 자극 인자(G-CSF)에서 노출시킴으로써, 박동 심근 콜로니 수가 약 5배 증가하는 것이 보고되고 있다[6]. 그러나 인간 ES 및 iPS 세포 유래 분화유도 심근세포는 인간 심근세포보다 정지 막전위가 얕고, 일부 성숙 심근 마커 유전자의 발현량이 적은 것 등 태아 형에 가까운 것으로 알려져 있어 더욱 분화 유도 기술의 개량이 요구되고 있다.

인간 ES 세포 유래 심근세포는 Cellectis사에서, 그리고 인간 iPS 세포 유래 심근 세포는 ReproCELL Inc나 Cellular Dynamics International에서 판매되고 있다. ReproCELL Inc를 비롯한 인간 iPS 세포 유래 심근세포는 위의 QT를 시험 이외에 칼슘 이미징 및 패치 클램프 등의 시험에의 응용이 확인되었으며, 독성을 평가하는 데 분석 방법 선택의 폭이 넓어질 것으로 기대된다.

iPS 세포유래 간 세포를 이용한 독성시험

간(간 세포)은 생체 내외의 물질 대사, 해독, 배출 등에 관여하는 주요 장기(세포)이며, 체내에 투여된 의약품은 주로 간 세포에서 약물 대사 효소(Cytochrome P450 : CYP)에 의해 대사되며, 포합계 효소에 의해 해독을 받아 Transporter에 의해 배출된다. 간독성은 의약 제품 후보 화합물의 개발 중단 원인의 주요한 원인 중 하나이며, 정상적인 간 세포를 이용하여 향후 발생할 수 있는 높은 잠재적의 독성 발현을 연구 개발의 초기 단계에서 예측한다면, 연구 개발비의 억제 혹은 보다 안전한 의약품을 효율적으로 개발하는데 도움이 될 것으로 생각된다.

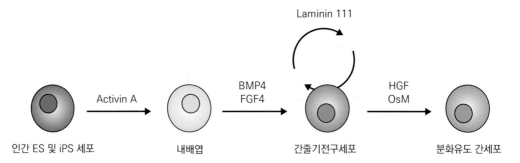

그림 2　인간 ES 및 iPS 세포로부터 간 세포로의 분화유도

인간 ES 및 iPS 세포로부터 간세포까지의 분화는 크게 3단계로 나누어 각 분화 단계에 따라 Activin, FGF4, BMP4, HGF, OsM 등의 액
성 인자를 첨가함으로써 간 분화가 촉진된다(본문 참조). 또한 간줄기전구세포 단계에서 기저막으로 라미닌 111을 이용하여 배양함으로
써 간줄기전구세포의 유지 및 증폭이 가능하였다.

현재는 주로 초대배양(primary culture) 인간 간세포(인간 동결 간 세포를 포함) 및 간 마
이크로 솜을 이용하여, 약제 또는 반응성 대사산물(약이 약물대사효소에 의해 만들어지는
결과물)에 의한 세포 독성 등을 확인하는 독성 시험과, 약물대사효소 유도 및 억제 등의 약
물 동태 평가 시험이 시행되고 있다. 그러나 비용 문제와 좋은 기능을 가지는 인간 간세포
Lot의 안정적인 공급문제 등으로(이 문제의 극복이 가능한) 인간 ES 및 iPS 세포 유래 분화
유도 줄기세포를 이용한 독성 약물 동태 평가 시스템 개발이 기대되고 있다. 또한 약물 대사
효소의 활성은 개인차가 큰(예를 들면 시판 약의 약 50%를 대사하는 것으로 알려져있는 가
장 중요한 약물 대사 효소 인 CYP3A4는 10~100배의 개인차가 있다) 것으로 알려져 있으
며, iPS 세포 유래 분화유도 줄기세포를 이용한 경우에는 다양한 개인에서 수립한 iPS 세포
를 이용하여 미래에 기존의 평가 시스템에서는 고려하지 못한 개인차나 병태 차이를 반영하
는 평가 시스템이 개발될 가능성도 있다. 또한, 인간 ES 및 iPS 세포 유래 분화유도 줄기세
포는 B형 간염 바이러스(B형 간염이나 C형 간염 바이러스) 연구에도 유용하며 질환의 메커
니즘 해명과 신약 타겟 분자의 검색 연구에도 응용이 기대되고 있다.

1. 인간 iPS 세포로부터 간 세포로의 분화유도 현상

간 세포는 ES 및 iPS 세포에서 중내배엽, 내배엽, 간줄기전구세포를 통해 분화 유도된다
(그림 1, 그림 2). 인간 ES 및 iPS 세포로부터 간세포로의 분화 유도 연구는 심근 세포로의 분
화 유도와 비교하면 조금 늦어지고 있었지만, 지난 몇 년에 상당한 기술 개발이 진전되어 왔
다. 처음에는 태아모양형태(EB)를 통한 방법이 이용되고 있었지만, 현재는 평면 배양에서
분화 유도시키는 방법이 일반적이며, 인간 ES 및 iPS 세포에서 중내배엽과 내배엽으로 분화
는 Activin A 등을, 내배엽에서 간줄기전구세포로의 분화는 BMP4 (bone morphogenetic
protein 4)와 FGF4 (fibroblast growth factor 4) 등을, 그리고 간 세포의 성숙화에는 HGF

(hepatocyte growth factor)와 OsM (Oncostatin M) 등을 이용하여 분화 유도하는 방법이 범용되고 있다. 그러나 이러한 방법을 이용하여 분화 유도된 간세포의 약물 대사 효소 활성은 초대배양 인간 간세포에 비해 일반적으로 1~2단계 이상 낮은 경우가 많아서 한층 더욱 분화 유도 효율 개선이 필요하다.

2. 아데노 바이러스 벡터를 이용한 고효율 간세포 분화 유도법의 개발

우리는 일과성에 효율적으로 목적 유전자를 발현시킬 수 있는 아데노 바이러스 벡터 (fiber region을 변경하여 유전자 도입 효율을 더욱 높인 개량형 아데노 바이러스 벡터)의 특징을 최대한 살려 인간 iPS 세포로부터 간 세포로의 분화 과정에서 간 발생에 중요한 유전자를 분화의 적절한 시기에 도입함으로써 간 세포로의 분화 효율을 비약적으로 높이는 데 성공했다[7)8)]. 구체적으로 인간 iPS세포 유래의 중내배엽에 FOXA2, 내배엽에 FOXA2과 HNF1A, 간줄기전구세포에 대해서는 FOXA2과 HNF1A 같은 기능 유전자를 도입함으로써 간세포에 각 분화 단계에서 분화 효율을 높이고, 배양 20일 만에 기존의 방법에 비해 비약적으로 높은 약물 대사 능력이 있는 기능성 간세포를 분화 유도할 수 있음을 발견하였다[8)]. 또한 이러한 분화 유도 줄기세포를 3차원 배양하여 줄기세포의 성숙화를 촉진할 수 있으며, 다양한 간 독성을 나타내는 약물에 인간 초대배양 간 세포와 유사한 세포 장애를 보이는 것으로 밝혀져[9)], *in vitro* 약물 독성평가 시스템에도 응용 가능한 인간 iPS 세포 유래 간 세포를 위한 분화 유도 시스템의 기초를 구축했다. 또한 간세포로의 분화 단계의 앞에 위치하는 (인간 ES 및 iPS 세포 유래) 간줄기전구세포를 기저막으로 Laminin 111를 이용하여 배양함으로써, 간줄기전구세포로서의 성질을 유지한 상태로 세포증폭 할 수있는 기술 개발에 성공했다(그림 2)[10)]. 다만, 분화유도 줄기세포의 약물 대사 효소의 발현은 태아형에 가까운 것으로 알려져 있으며, 심근뿐만 아니라 간 세포의 성숙화를 촉진시키는 것이 향후의 과제이다.

이미 ReproCELL Inc는 저자가 개발한 분화 유도 시스템을 이용하여 제작한 인간 iPS 세포 유래 분화 유도 줄기세포를 세계 최초로 판매하고, 저자의 분화유도 기술을 재빨리 실용화하고 있다. ReproCELL Inc에서는 세포의 제공뿐만 아니라, 본 분화 유도 줄기세포를 이용한 CYP 효소 활성과 CYP 유도 시험, 독성 시험 또는 고객의 요구에 따라 맞춤형 서비스를 포함한 수탁 시험도 실시하고 있다. 또한 Cellectis도 인간 ES 세포와 인간 iPS 세포 유래 분화 유도 줄기세포의 판매를 시작하고 있다.

결론

이번 장에서는 인간 ES 및 iPS 세포를 이용한 독성 평가 연구로 가장 연구가 진전되고 있는 심장독성 및 간 독성 평가 시스템에 대한 현황을 말했지만, 심근 세포 혹은 간세포는 약효 평가 시스템으로도 매우 중요한 대상 세포이다. 이러한 세포 이외에도 예를 들면 신경 세포나 췌장 β 세포, 면역 체계 세포도 신약 개발 응용을 목적으로 연구가 진행되고 있다. 또한 현재 분화 유도 기술이 미성숙한 신장과 소장 유래 세포도 신약 개발 연구에 중요한 대상 세포이며, 향후 더욱 기초 연구의 발전이 기대된다. 우리나라에서의 iPS 세포 기술은 재생 의료에의 응용뿐만 아니라 신약 개발 연구의 가속화, 효율성에도 도움이 되어서, 유효성과 안전성이 뛰어난 더 나은 의약품이 하루빨리 환자에게 전해지길 기원한다.

◆ 감사

이번 장을 정리함에 있어 중요한 조언을 해주신 稲村充 박사(이나무라 미츠시, ReproCELL Inc.)에게 깊이 감사드린다.

◆ 문헌

1) Arrowsmith, J. : Nat. Rev. Drug Discov., 10: 328-329, 2011
2) Wilke, R. A. et al. : Nat. Rev. Drug Discov., 6: 904-916, 2007
3) Yuasa, S. et al. : Nat. Biotechnol., 23: 607-611, 2005
4) Minami, I. et al. : Cell Rep., 2: 1448-1460, 2012
5) Tohyama, S. et al. : Cell Stem Cell, 12: 127-137, 2013
6) Shimoji, K. et al. : Cell Stem Cell, 6: 227-237, 2010
7) Takayama, K. et al. : Mol. Ther., 20: 127-137, 2012
8) Takayama, K. et al. : J. Hepatol., 57: 628-636, 2012
9) Takayama, K. et al. : Biomaterials, 34: 1781-1789, 2013
10) Takayama, K. et al. : Stem Cell Rep., 1: 322-335, 2013

◆ 참고문헌

1) 高山和雄ほか : 最新医学 , 68: 141-144, 2013
2) 長基康人ほか : 三次元組織化技術を利用したヒトES/iPS細胞から肝細胞への分化膵樽法, 辿伝子医学MOOK, in press.

색 인
INDEX